★ **British Museum** ④
Ver pp. 126–129

★ **Torre de Londres** ⑫
Ver pp. 154–157

★ **St Paul's** ⑩
Ver pp. 148–151

★ **Casas del Parlamento** ⑧
Ver pp. 72–73

Smithfield
Spitalfields

⑪

⑩

The City

T A M E S I S

⑫

Southwark
y
Bankside

0 kilómetros   1

N

Greenwich
y
Blackheath

★ **Museum of London** ⑪
Ver pp. 166–167

★ **Westminster Abbey** ⑦
Ver pp. 76–79

GUÍAS *VISUALES*   EL PAIS AGUILAR

LONDRES

GUÍAS *VISUALES* EL PAIS AGUILAR

LONDRES

EL PAIS
AGUILAR

EL PAIS AGUILAR

VIAJES Y TURISMO

Traducción y edición: Equipo de El País-Aguilar
Adaptación: Guillermo Esain

Fotografías
Max Alexander, Philip Enticknap,
John Heseltine, Stephen Oliver

Ilustraciones
Brian Delf, Trevor Hill, Robbie Polley

•

Primera edición, 1994
Segunda edición, 1995
Tercera edición, 1996
Cuarta edición, 1997
Quinta edición, 1998
Sexta edición, 1999
Séptima edición, 2000
Octava edición, 2001
Novena edición, 2002

Título Original: **Eyewitness Travel Guide, London**
© 2001 Dorling Kindersley Limited, London
© Grupo Santillana de Ediciones, S. A.
2002 para la presente edición
Torrelaguna, 60. 28043 Madrid
Tel. 91 744 90 60. Fax 91 744 90 93.
http://www.elpaisaguilar.es

ISBN español: 84-03-59428-3

•Aguilar, Altea, Taurus, Alfaguara S. A.
Beazley 3860.1437 Buenos Aires

ISBN argentino: 950-511-255-6

•Aguilar, Altea, Taurus, Alfaguara S. A. de C. V.
Avda. Universidad, 767, Col. del Valle, México, D. F. CP 03100

Impreso en Hong Kong

CONTENIDOS

CÓMO UTILIZAR ESTA GUÍA *6*

Retrato de sir Walter Raleigh (1585)

APROXIMACIÓN A LONDRES

LONDRES EN EL MAPA *10*

HISTORIA DE LONDRES *14*

LONDRES DE UN VISTAZO *34*

LONDRES MES A MES *56*

LONDRES DESDE EL TÁMESIS *60*

Portal de Bedford Square (1775)

Brodwalk en Hampton Court (c.1720)

Beefeater en la Torre de Londres

St James's Park

Casas del Parlamento

St Paul's Church: Covent Garden

Cómo Utilizar esta Guía

Esta guía visual le ayudará a sacar el máximo partido de su estancia en Londres con el mínimo de dificultades. Comienza con el apartado *Aproximación a Londres,* que divide la ciudad geográficamente, sitúa el Londres moderno en su contexto histórico y describe los hechos más destacados de la vida en la ciudad. *Londres de un vistazo* ofrece una panorámica de las particularidades de la urbe. *Itinerarios por Londres* le conduce a través de las zonas de interés, describiéndolas con mapas, fotografías e ilustraciones. Se añaden cinco recorridos a pie, que descubren un Londres difícil de encontrar de otra manera.

En *Necesidades del viajero* se encuentra información pormenorizada sobre alojamiento, gastronomía, compras y diversiones. *Londres para niños* está dedicada a los más pequeños y en el *Manual de supervivencia* se explica desde cómo enviar una carta a cómo orientarse en el metro.

Itinerarios por Londres

La ciudad ha sido dividida en 17 áreas turísticas, cada una de las cuales cuenta con su propio apartado en esta guía. Todos comienzan con un perfil de la historia y carácter de la zona y una lista de los lugares interesantes. Éstos están numerados y señalados claramente en el *mapa del sector*. Después se ofrece un amplio *mapa en 3 dimensiones*, subrayando los mayores atractivos. Su manejo es sencillo, gracias al sistema de números, ya que éstos se refieren al orden en que dichos lugares se describen en las páginas que completan el apartado.

Lugares de interés Están numerados por categorías: calles y edificios históricos, iglesias, museos y galerías, monumentos, parques y jardines.

El sector resaltado en detalle en el *mapa en 3 dimensiones*, está sombreado en rosa.

Los círculos numerados representan todas las atracciones señaladas en el plano del sector. St. Margaret's Church, por ejemplo, es el nº ❻

1 El mapa del sector

Para facilitar las referencias, los puntos de interés se numeran y se sitúan en un plano, donde también se indican las estaciones de metro y ferrocarril, así como los aparcamientos.

Fotografías de fachadas y detalles de los edificios ayudan a localizar los lugares de interés.

El código de colores facilita la búsqueda del sector en la guía.

2 Mapa en 3 dimensiones

Ofrece una visión panorámica del núcleo de cada sector. Los edificios más importantes están resaltados en un tono más fuerte para ayudar a identificarlos cuando se camine por la zona.

Un plano de situación muestra su ubicación en relación a las zonas vecinas. El sector del *mapa en 3 dimensiones* aparece de color rosa.

Las indicaciones ayudan a llegar a la zona deseada en transporte público.

St Margaret's Church también se muestra en este mapa.

Itinerarios sugeridos Llevan al viajero a las calles más atractivas e interesantes de la zona.

Las estrellas rojas marcan los lugares de excepcional interés.

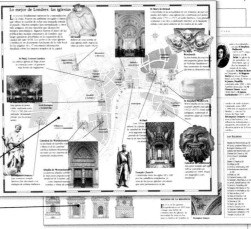

LONDRES DE UN VISTAZO

Cada mapa de esta sección se concentra en un tema específico. *Londinenses célebres, museos y galerías, iglesias, parques y jardines, ceremonias.* Los lugares más importantes se muestran en el mapa y los demás se describen en las dos páginas siguientes; además, se encuentra una completa referencia en la sección *Itinerarios*.

Cada área aparece en un color diferente.

El tema se describe con gran detalle en las páginas que siguen al mapa.

---

3 Información detallada de cada lugar

Todos los puntos de interés de cada zona se describen pormenorizadamente en esta sección. Están ordenados según el número con que figuran en el mapa del sector. Se ofrece también información práctica.

4 Las mejores visitas de Londres

Ocupan dos o más páginas del capítulo correspondiente a cada zona. Secciones y perspectivas de los edificios históricos revelan su interior; los museos y galerías tienen un código de color en sus plantas que permite localizar las exposiciones importantes.

Información esencial.
Ofrece datos prácticos para planificar la visita.

La fachada de cada edificio importante se muestra con el fin de facilitar su identificación.

INFORMACIÓN PRÁCTICA

Cada descripción ofrece todos los datos necesarios para planificar su visita. La clave de los signos se encuentra en la solapa de contracubierta.

Número de teléfono

Referencia al plano del *Callejero* (al final del libro)

Dirección

St Margaret's Church ❻

Número del lugar

Parliament Sq SW1. **Mapa** 13 B5.
📞 020-7222 5152. ☉
Westminster. **Abierto** 9.30–17.30 lu–sa, 13.00–17.30 do. ✝ 11.00 do. 🚫 ♿ 🎵 **Conciertos.**

Horarios

Servicios e instalaciones disponibles

Estación de metro más cercana

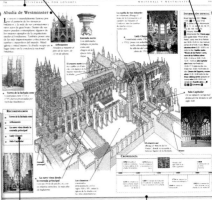

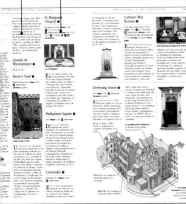

Las estrellas rojas marcan los detalles arquitectónicos más interesantes del edificio y las mejores colecciones o trabajos artísticos que se exponen en el interior.

Una cronología marca las fechas más importantes de la historia del lugar.

Aproximación a Londres

Londres en el mapa

L ONDRES, LA CAPITAL del Reino Unido, es una ciudad de siete millones de habitantes que ocupan 1.606 kilómetros cuadrados del sureste de Inglaterra. Desde Londres, los visitantes pueden acceder con facilidad a cualquiera de los principales lugares de interés turístico del país.

Vista este del Támesis desde Southwark

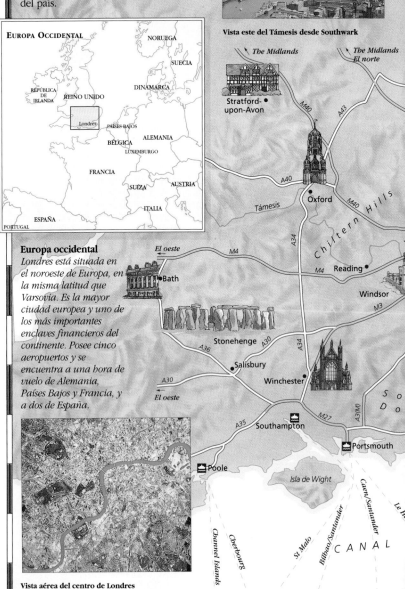

EUROPA OCCIDENTAL

NORUEGA

SUECIA

DINAMARCA

REPÚBLICA DE IRLANDA   REINO UNIDO

Londres

PAÍSES BAJOS

BÉLGICA   ALEMANIA
LUXEMBURGO

FRANCIA

SUIZA   AUSTRIA

ITALIA

ESPAÑA

PORTUGAL

Europa occidental

Londres está situada en el noroeste de Europa, en la misma latitud que Varsovia. Es la mayor ciudad europea y uno de los más importantes enclaves financieros del continente. Posee cinco aeropuertos y se encuentra a una hora de vuelo de Alemania, Países Bajos y Francia, y a dos de España.

The Midlands   The Midlands
El norte

Stratford-upon-Avon

M40   A43

A40

Oxford   M40 Chiltern Hills

Támesis

El oeste   M4

Bath   M4   Reading

A34   Windsor

M3

Stonehenge   A30   A34

A36

Salisbury

Winchester   S O D O

A30   El oeste

A35   Southampton   M27   A3(M)

Poole   Portsmouth

Isla de Wight   Caen/Santander

Channel Islands   Cherbourg   St Malo   Bilbao/Santander   Le H

CANAL

Vista aérea del centro de Londres

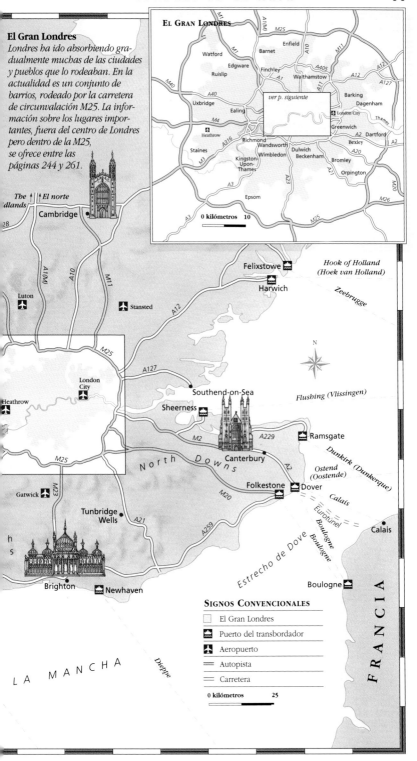

El Gran Londres

Londres ha ido absorbiendo gradualmente muchas de las ciudades y pueblos que lo rodeaban. En la actualidad es un conjunto de barrios, rodeado por la carretera de circunvalación M25. La información sobre los lugares importantes, fuera del centro de Londres pero dentro de la M25, se ofrece entre las páginas 244 y 261.

EL GRAN LONDRES

M25

Enfield

Watford

Barnet

M1

A10

M11

Edgware

Finchley

A1

A405

Ruislip

Walthamstow

A12

A127

ver p. siguiente

Barking

Uxbridge

A40

Dagenham

Ealing

M4

London City

Thames

Heathrow

Greenwich

A2 Dartford

Richmond

A316

Wandsworth

Bexley

A2

Staines

Dulwich

M3

Wimbledon

Beckenham

Bromley

A20

Kingston-Upon-Thames

A23

Orpington

A3

M20

Epsom

M26

M25

0 kilómetros 10

The lands

El norte

28

Cambridge

Felixstowe

Hook of Holland (Hoek van Holland)

Harwich

Zeebrugge

A1(M)

A10

M11

Luton

Stansted

A12

M25

A127

London City

Southend-on-Sea

Flushing (Vlissingen)

Heathrow

Sheerness

M2

A229

Ramsgate

Dunkirk (Dunkerque)

N

North Downs

Canterbury

A2

Ostend (Oostende)

M25

Folkestone

Dover

Calais

Gatwick

M23

Eurotúnel

M20

Boulogne

Tunbridge Wells

A21

A259

Calais

Estrecho de Dove

h s

Brighton

Newhaven

Boulogne

F R A N C I A

SIGNOS CONVENCIONALES

El Gran Londres

Puerto del transbordador

Aeropuerto

Autopista

Carretera

0 kilómetros 25

LA MANCHA

Dieppe

El centro de Londres

L A MAYORÍA DE LOS LUGARES descritos está comprendida en 14 áreas del centro de Londres, más los dos distritos suburbanos de Hampstead y Greenwich. Cada una de las zonas cuenta con su propio capítulo. En estancias cortas se puede reducir la visita a las cinco más famosas: Whitehall y Westminster, la City, Bloomsbury y Fitzrovia, Soho y Trafalgar Square, y South Kensington y Knightsbridge.

PÁGINAS 220–227
*Planos del Callejero
3–4, 11–12*

PÁGINAS 236–243
*Planos del Callejero
23–24*

Hampstead

PÁGINAS 228–235
*Planos del Callejero
1–2*

*Regent's Park
y
Marylebone*

*Greenwich y
Blackheath*

*Kensington
y
Holland Park*

*South Kensington y
Knightsbridge*

*Piccadilly
y
St James*

PÁGINAS 214–219
*Planos del Callejero
9–10, 17*

Chelsea

0 kilómetros   1

PÁGINAS 198–213
*Planos del Callejero
10–11, 18–19*

PÁGINAS 192–197
*Planos del Callejero
18–19*

Páginas 98–109
*Planos del Callejero
12–13*

Páginas 120–131
*Planos del Callejero
4–5, 13*

Páginas 110–119
*Planos del Callejero
13–14*

Páginas 132–141
*Planos del Callejero
5–6, 13–14*

Páginas 160–171
*Planos del Callejero
6–7, 14, 16*

Páginas 142–159
*Planos del Callejero
14–16*

N

Bloomsbury
y
Fitzrovia

Smithfield
y
Spitalfields

Sobo y
rafalgar
Square

Holborn
e
Inns of Court

Covent
Garden
y Strand

La City

RÍO   T A M E S I S

South Bank

Southwark y
Bankside

Whitehall
y
Westminster

Páginas 68–85
*Planos del Callejero
13, 20–21*

Páginas 86–97
*Planos del Callejero
12–13, 20*

Páginas 184–191
*Planos del Callejero
13–14, 21–22*

Páginas 172–183
*Planos del Callejero
6, 16*

HISTORIA DE LONDRES

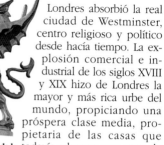

El grifo: símbolo de la ciudad de Londres

EN EL AÑO 55 a.C., el ejército romano de Julio César invadió Inglaterra, desembarcando en Kent y dirigiéndose hacia el noroeste hasta alcanzar el ancho río Támesis, en lo que es ahora Southwark. En la orilla opuesta vivía una pequeña tribu, en reducidos asentamientos. En la segunda invasión romana, 88 años más tarde, se estableció ya un pequeño puerto y una comunidad mercantil. Los romanos construyeron un puente sobre el río y edificios administrativos en la orilla norte, llamando a este conjunto Londinium, una versión de su viejo nombre céltico.

LONDRES COMO CAPITAL

Londres se convirtió pronto en la mayor ciudad de Inglaterra y, al producirse la conquista normanda de 1066, fue elegida capital de la nación.

Los asentamientos se extendieron más allá de la ciudad amurallada originaria, destruida por el Gran Incendio de 1666. La reconstrucción tras el desastre formó la base del área conocida hoy como la City, y en el siglo XVIII Londres absorbió la real ciudad de Westminster, centro religioso y político desde hacía tiempo. La explosión comercial e industrial de los siglos XVIII y XIX hizo de Londres la mayor y más rica urbe del mundo, propiciando una próspera clase media, propietaria de las casas que todavía adornan gran parte de la capital. Las perspectivas de riqueza atrajeron a millones de desposeídos, que se apilaron en insalubres edificios, muchos de ellos al este de la City, donde el puerto proporcionaba empleos.

Al final del siglo XIX, 4,5 millones de personas vivían en el centro de Londres y otros 4 millones en su inmediata vecindad. Los bombardeos de la II Guerra Mundial devastaron muchas zonas centrales y obligaron a una amplia reconstrucción en la segunda mitad del siglo XX, cuando los muelles portuarios y otras industrias victorianas ya habían desaparecido.

Las páginas siguientes ilustran la historia de Londres, con instantáneas de los periodos más significativos de su evolución.

Un mapa de 1580 que muestra la ciudad de Londres y, hacia la parte inferior izquierda, la de Westminster

Un manuscrito del siglo XV de la Torre de Londres, con el puente de Londres al fondo

El Londres romano

CUANDO LOS ROMANOS invadieron Inglaterra en el siglo I d. C. controlaban ya vastas zonas del Mediterráneo, pero la feroz oposición de las tribus locales (como la iceni de la reina Boadicea) les hizo difícil el control de Britania. Los romanos, no obstante, perseveraron y consiguieron consolidar su poder a finales de ese siglo. Londinium, con su puerto, se convirtió en el siglo III en un núcleo importante de población, con unos 50.000 habitantes. Pero cuando el Imperio Romano cayó en el siglo V, la guarnición se retiró, dejando la ciudad en manos de los sajones.

Moneda romana (s. I)

EXTENSIÓN DE LA CIUDAD

▨ *125 d.C.*   ☐ *Hoy*

Lugar donde se alza hoy el museo de Londres

Baños públicos
El baño constituía una actividad importante en el mundo romano. Estos pequeños enseres de higiene personal (que incluyen un limpiador de uñas) y el cazo de bronce datan del siglo I.

Castro romano

Emplazamiento actual de la catedral de St Paul

Basílica

Foro

LONDINIUM
El Londres romano era un núcleo urbano importante, enclavado donde está hoy la City (ver pp. 142–159). Junto al Támesis, su situación era favorable para comerciar con el resto del Imperio.

Foro y basílica
A unos 200 m del puente de Londres se encontraban el foro (mercado principal y lugar de encuentro) y la basílica (Ayuntamiento y Tribunal de

Templo de Mitras
Mitras protegía contra el mal. Esta cabeza (siglo II) se encontraba en su templo.

CRONOLOGÍA

	100	200	300	400
55 a.C. Julio César invade Britania		**200** Se construyen las murallas de la ciudad		**410** Las tropas romanas comienzan a retirarse
	d.C. 61 Boadicea contraataca			
	d.C. 43 Claudio establece el Londres romano y construye el primer puente			

☐ **El Londres romano**

Muralla de Londres
Monumento sepulcral de piedra de un legionario romano, en la muralla de la ciudad. Las tablas en su mano izquierda sugieren su oficio de escribano.

Anfiteatro
Los gladiadores, protagonistas de algunos espectáculos, eran muy populares; iban vestidos como esta figurilla, y peleaban hasta morir.

DÓNDE VER EL LONDRES ROMANO

La mayoría de los vestigios de la ocupación romana está en la City *(ver pp. 142–159)* y en Southwark *(pp. 172–183)*. El museo de Londres *(pp. 166–167)* y el museo Británico *(pp. 126–129)* poseen grandes colecciones de hallazgos romanos. En All Hallows by the Tower hay restos de mosaicos, y un pavimento en la cripta *(p. 153)*. Los cimientos del templo de Mitras se encuentran en el yacimiento de Queen Victoria Street.

Basílica romana y foro

Antiguo puente de Londres

Emplazamiento actual de la Torre de Londres

Palacio del gobernador romano

Esta sección de la muralla romana, construida en el siglo III para defender la ciudad, puede verse en el museo de Londres.

El mejor mosaico romano de Londres es este fragmento de pavimento del siglo II, ahora en el museo de Londres.

604 El rey Ethelbert construye St Paul

834 Primera incursión vikinga

1014 El invasor nórdico Olaf derriba el puente de Londres para tomar la ciudad

600	700	800	1000

884 Alfredo el Grande, rey de Wessex, toma el poder

El Londres medieval

EXTENSIÓN DE LA CIUDAD

▨ *1200*	☐ *Hoy*

L A HISTÓRICA DIVISIÓN entre los centros del comercio (la City) y del gobierno (Westminster) comenzó a mediados del siglo XI, cuando Eduardo I estableció su Corte en Westminster y ordenó construir la abadía *(ver pp. 76–79)*. Los comerciantes fundaron sus propias instituciones y cofradías gremiales en la City, y Londres nombró su primer alcalde. Las enfermedades proliferaron y su población no sobrepasó las 50.000 almas de la mejor época romana. Cerca de la mitad de sus habitantes murió durante la epidemia de la Peste Negra (1348).

PUENTE DE LONDRES

El primer puente de piedra fue construido en 1209 y se conservó 600 años. Era el único sobre el Támesis en Londres hasta que se construyó el de Westminster (1750).

La capilla de Santo Tomás, erigida el año en que se terminó el puente, fue uno de sus primeros edificios.

Santo Tomás Becket
Arzobispo de Canterbury, fue ejecutado en 1170 por orden de Enrique II, con quien se enfrentó. Tomás fue elevado a los altares y su sepulcro en Canterbury es objeto de peregrinación.

Verja de hierro

Casas y tiendas se disponían a ambos lados del puente. Los comerciantes preparaban sus mercaderías en los almacenes y vivían encima. Los aprendices se ocupaban de la venta.

Los pilares se levantaron con estacas de madera clavadas en el lecho del río, rellenados de escombros.

Dick Whittington
Este comerciante del siglo XV fue tres veces alcalde de Londres (ver p.39).

Caza del ciervo
Este deporte constituía el principal esparcimiento de los ricos terratenientes.

Los arcos tenían una extensión variable de 4,5 m a 10 m de ancho.

CRONOLOGÍA

1042 Eduardo I, coronado rey	**1086** El *Domesday Book*, primer registro estadístico	**1191** Henry Fitzalwin es nombrado primer alcalde de Londres	**1215** La Carta Magna del rey Juan concede a la City más poderes	

1050	1100	1150	1200	1250

1066 Se corona a Guillermo I en la abadía	**1176** Comienza la construcción del puente de Londres	**1240** El primer Parlamento se establece en Westminster	
1065 Se termina la abadía de Westminster			

☐ **El Londres medieval**

Caballería

Los caballeros medievales fueron idealizados por su valor y su honor. Edward Burne-Jones (1833–1898) pintó a san Jorge, patrón de Inglaterra, liberando a una doncella del dragón.

Geoffrey Chaucer

Poeta y aduanero (ver p.39), es recordado por su libro Los Cuentos de Canterbury, *que ofrecen una rica visión de la Inglaterra del siglo XIV.*

DÓNDE VER EL LONDRES MEDIEVAL

Pocos edificios sobrevivieron al Gran Incendio de 1666 *(ver p. 22)*: la Torre *(pp. 154–157)*, Westminster Hall *(p. 72)*, la abadía *(pp. 76– 79)* y unas cuantas iglesias *(p. 46)*. El museo de Londres *(p. 166)* alberga restos arqueológicos, mientras que la Tate Britain *(pp. 82–85)* y la National Gallery *(pp. 104– 107)* guardan cuadros de la época. Los manuscritos, incluido el *Domesday Book*, se hallan en la Biblioteca Británica *(p. 129)*.

La Torre de Londres se comenzó en 1078 y fue uno de los pocos centros de poder monárquico en la autogobernada City.

Este rosetón del siglo XIV es lo que queda del palacio de Winchester, cerca del Clink *(ver p. 177)*.

Planta del puente

Constaba de 19 arcos. Durante muchos años fue el puente de piedra más largo de Inglaterra.

Muchos peregrinos fueron a Canterbury en el siglo XIII.

	1348 Miles de personas murieron a causa de la Peste Negra	**1394** El palacio de Westminster es remodelado por Henry Yevele	*El Gran Sello de Ricardo I atestigua el aspecto externo de los reyes medievales.*
1350		**1400**	**1450**
	1381 Se controla la rebelión de los campesinos	**1397** Richard Whittington, nombrado alcalde	**1476** William Caxton establece la primera imprenta en Westminster

El Londres isabelino

EN EL SIGLO XVI la monarquía era más fuerte que nunca. Los Tudor habían establecido la paz en todo el país, permitiendo que florecieran el arte y el comercio. Este renacimiento alcanzó su cénit bajo el reinado de Isabel I, coincidiendo con la conquista del Nuevo Mundo y el nacimiento del teatro inglés, la mayor contribución de la nación a la cultura mundial.

Telón

SHAKESPEARE'S GLOBE
Los teatros isabelinos eran de madera y estaban cubiertos sólo en su mitad, por lo que las representaciones se suspendían con el mal tiempo.

El palco en el escenario formaba parte del decorado.

EXTENSIÓN DE LA CIUDAD
☐ 1561   ☐ Hoy

El escenario tenía una trampilla para efectos especiales.

La muerte acechaba
Los Tudor castigaban sin piedad a los disidentes sociales y religiosos. Los obispos Latimer y Ridley fueron ejecutados por herejía en 1555, cuando reinaba María I. Los traidores eran condenados a la horca, arrastrados y descuartizados.

En el suelo, bajo el nivel del escenario, se concentraba el público para seguir la representación.

Caza y cetrería
Las diversiones populares del siglo XVI se muestran en este cojín.

CRONOLOGÍA

Ni los cazadores de ratas ni las autoridades pudieron prevenir las epidemias de peste

1536 Ejecución de Ana Bolena, segunda mujer de Enrique VIII

1535 Tomás Moro es ejecutado por traición

| 1530 | | 1550 |

1534 Enrique VIII rompe con la Iglesia católica romana

1553 Muere Eduardo, sucediéndole su hermana María I

1547 Muere Enrique, sucediéndole su hijo Eduardo VI

☐ **El Londres isabelino**

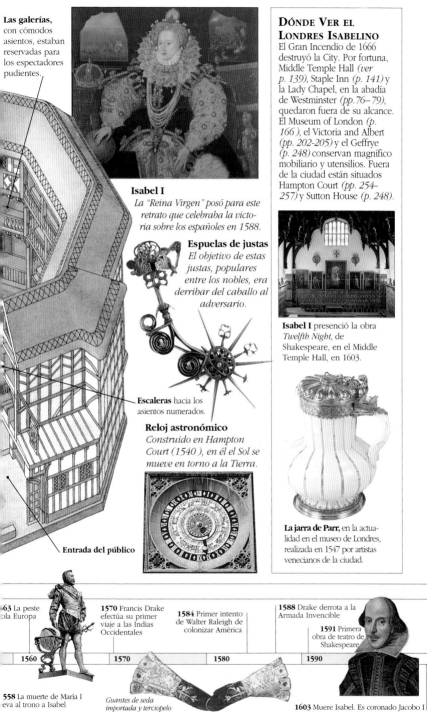

Las galerías, con cómodos asientos, estaban reservadas para los espectadores pudientes.

Isabel I
La "Reina Virgen" posó para este retrato que celebraba la victoria sobre los españoles en 1588.

Espuelas de justas
El objetivo de estas justas, populares entre los nobles, era derribar del caballo al adversario.

Escaleras hacia los asientos numerados.

Reloj astronómico
Construido en Hampton Court (1540), en él el Sol se mueve en torno a la Tierra.

Entrada del público

DÓNDE VER EL LONDRES ISABELINO

El Gran Incendio de 1666 destruyó la City. Por fortuna, Middle Temple Hall (*ver p. 139*), Staple Inn (*p. 141*) y la Lady Chapel, en la abadía de Westminster (*pp. 76– 79*), quedaron fuera de su alcance. El Museum of London (*p. 166*), el Victoria and Albert (*pp. 202-205*) y el Geffrye (*p. 248*) conservan magnífico mobiliario y utensilios. Fuera de la ciudad están situados Hampton Court (*pp. 254– 257*) y Sutton House (*p. 248*).

Isabel I presenció la obra *Twelfth Night,* de Shakespeare, en el Middle Temple Hall, en 1603.

La jarra de Parr, en la actualidad en el museo de Londres, realizada en 1547 por artistas venecianos de la ciudad.

63 La peste
ola Europa

1570 Francis Drake efectúa su primer viaje a las Indias Occidentales

1584 Primer intento de Walter Raleigh de colonizar América

1588 Drake derrota a la Armada Invencible

1591 Primera obra de teatro de Shakespeare

| 1560 | 1570 | 1580 | 1590 |

558 La muerte de María I
eva al trono a Isabel

Guantes de seda importada y terciopelo

1603 Muere Isabel. Es coronado Jacobo I

El Londres de la Restauración

L A GUERRA CIVIL HABÍA ESTALLADO en 1642, cuando la burguesía comercial exigió que algunos poderes reales pasaran al Parlamento. Se creó la Commonwealth, dominada por los puritanos de Oliver Cromwell. Éstos declararon ilegales diversiones como la danza y el teatro, por lo que la restauración de la monarquía de Carlos II fue recibida con regocijo, comenzando un nuevo periodo creador. Sin embargo, esta época estuvo marcada por dos grandes tragedias: la peste de 1665 y el Gran Incendio de 1666.

EXTENSIÓN DE LA CIUDAD

▨ *1680*   ☐ *Hoy*

St Paul fue destruida por el fuego, que llegó hasta Fetter Lane . *(mapa 14 E1)*

El puente de Londres se salvó de las llamas, pero muchas de las construcciones que albergaba se quemaron.

Oliver Cromwell
Dirigió el ejército del Parlamento y fue lord Protector del Reino desde 1653 hasta su muerte, en 1658. Con la Restauración, su cuerpo fue desenterrado y colgado en la horca en Tyburn (cerca de Hyde Park, ver p.207).

Muerte de Carlos I
El rey fue decapitado por tirano en una gélida mañana (30 de enero de 1649) frente a Banqueting House (ver p.80).

Carlos I
Su creencia en los derechos divinos de los reyes enfureció al Parlamento y fue una de las causas de la guerra civil.

CRONOLOGÍA

1605 Guy Fawkes dirigió un fallido intento para asesinar al rey y volar el Parlamento

Sombrero de plumas usado por los caballeros realistas

1623 Se publica el primer libro de Shakespeare

1625 Muere Jacobo I, sucediéndole su hijo Carlos I

1642 Estalla la guerra civil cuando el Parlamento desafía al rey

1649 Carlos I es ejecutado y se establece la Commonwealth

1620	1640	1650

☐ **El Londres de la Restauración**

Telescopio de Newton
Físico y astrónomo, sir Isaac Newton (1642–1727) formuló la ley de la gravedad.

Samuel Pepys
Sus diarios relatan la vida de su época.

La Torre de Londres quedó fuera del alcance del fuego.

DÓNDE VER EL LONDRES DE LA RESTAURACIÓN
Las iglesias y la catedral de St. Paul del arquitecto Wren *(ver p. 47 y pp. 148–151)* son, con la Banqueting House de Íñigo Jones *(p. 80)*, los más famosos edificios londinenses del siglo XVII. Menor importancia tienen Lincoln's Inn *(p. 136)* y Cloth Fair *(p. 165)*. Se pueden contemplar elegantes interiores de la época en el museo de Londres *(p. 166)*. El British Museum *(pp. 126–129)* y el Victoria and Albert Museum *(pp. 202–205)* cuentan con colecciones de cerámicas, plata y tejidos.

Ham House *(ver p. 252)* se construyó en 1610 y se amplió durante ese siglo. Conserva los mejores interiores de la Restauración.

EL GRAN INCENDIO DE 1666
Un artista holandés anónimo pintó esta visión del incendio que duró 5 días y destruyó 13.000 edificios.

La peste
Durante 1665, los muertos víctimas de la epidemia eran recogidos en carros y enterrados en fosas comunes.

Rubens pintó en 1636 los techos de la Banqueting House obra de Íñigo Jones *(ver p. 80)*. Éste es uno de sus paneles.

1664–1665 Unas 100.000 personas murieron a causa de la peste
1666 Gran Incendio

1685 Muere Carlos II. El católico Jacobo II es proclamado rey

1692 Se abre en Lloyd's el primer mercado de seguros

1660 Se restaura la monarquía con Carlos II

Bacía de barbero realizada por ceramistas de Londres en 1681

1688 Jacobo es destronado en favor del protestante Guillermo de Orange

| 1660 | 1670 | | 1690 |

1694 Primer Banco de Inglaterra, fundado por William Peterson

El Londres georgiano

EXTENSIÓN DE LA CIUDAD
☐ 1810   ☐ Hoy

Jorge I
(reinó de 1714 a 1727)

LA FUNDACIÓN del Banco de Inglaterra en 1694 impulsó el crecimiento de Londres. Cuando Jorge I accedió al trono, en 1714, la ciudad se había convertido ya en un importante centro financiero y comercial. Los aristócratas con terrenos en el West End comenzaron a construir elegantes plazas y edificios para alojar a los nuevos ricos comerciantes. Arquitectos como los hermanos Adam, John Soane y John Nash diseñaron viviendas de tipo medio con estilo propio, inspirándose en las grandes capitales europeas. También floreció la pintura, la escultura, la música y la artesanía.

Manchester Square se construyó en 1776.

Portman Square se encontraba en las afueras de la ciudad cuando empezó a construirse en 1764.

Great Cumberland Place
Levantada en 1790, tomó el nombre de un duque real y jefe militar.

Grosvenor Square
Pocos edificios originales han perdurado en esta plaza, una de las mayores y más antiguas de Mayfair.

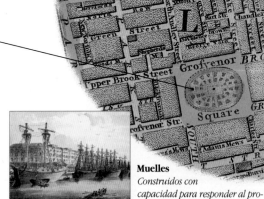

Muelles
Construidos con capacidad para responder al progresivo aumento de las necesidades.

CRONOLOGÍA

1714 Jorge I es proclamado rey

1727 Es coronado Jorge II

1717 Se construye Hanover Square, comenzando el desarrollo del West End

1729 John Wesley (1703–1791) funda la Iglesia metodista

1759 Se crean los Kew Gardens

1768 Se funda la Real Academia de las Artes

1760 Jorge III asciende al trono

| 1720 | 1740 | 1760 | 1 |

☐ El Londres georgiano

John Nash

El estilo de John Nash configuró el Londres del siglo XVIII con variaciones clásicas, como este arco en Cumberland Terrace, cerca de Regent's Park.

DÓNDE VER EL LONDRES GEORGIANO

El pórtico del Royal Theatre, Haymarket *(ver pp. 328–329)* da una idea del estilo imperante en el Londres de 1820. En Pall Mall *(p. 92)*, los clubes Reform y Travellers, de Charles Barry, son igualmente evocadores. La mayoría de las plazas del West End conserva edificios georgianos, mientras que Fournier Street *(p. 170)* mantiene una buena arquitectura doméstica a menor escala. El Victoria and Albert Museum *(V&A pp. 202–205)* guarda objetos de plata, así como el London Silver Vaults *(p. 141)*, donde además están a la venta. Los cuadros de Hogarth, en la Tate Britain *(pp. 82–85)* y el museo de Sir John Soane *(pp. 136–137)* reflejan el ambiente social.

Este alto reloj de caja inglés (1725), de roble y pino con dibujos chinos, se muestra en el V&A.

LONDRES GEORGIANO

El trazado de gran parte del West End sigue siendo prácticamente el mismo que en 1828, cuando se publicó este mapa.

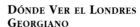

Capitán Cook

Nacido en Yorkshire, descubrió Australia durante un viaje alrededor del mundo (1768–1771).

Berkeley Square

Construida entre 1730 y 1740, en terrenos de la antigua Berkeley House, conserva varias casas originales en el lado oeste.

Hierro forjado

La artesanía floreció. Esta verja ornamental se encuentra en Manchester Sq.

Firmantes de la Declaración de Independencia de EE UU

1811 Jorge III se vuelve loco y se nombra regente a su hijo Jorge

1820 Muere Jorge III y es coronado el príncipe regente, Jorge IV

1830 Jorge IV muere. Le sucede su hermano Guillermo IV

| 1800 | 1810 | 1820 | 1830 |

1776 Con la Declaración de Independencia, Gran Bretaña pierde sus colonias americanas

1802 Se inaugura oficialmente la Bolsa

1829 Primer transporte público de caballos

El Londres victoriano

GRAN PARTE DEL LONDRES que hoy contemplamos pertenece a la época victoriana. Hasta principios del siglo XIX, la capital se reducía, prácticamente, a los límites de la ciudad romana originaria, más Westminster y Mayfair en el oeste, rodeada de campos y pueblos como Brompton, Islington y Battersea. Desde 1820 estos espacios verdes se llenaron rápidamente con bloques de casas, en respuesta al creciente número de personas que llegaban atraídas por la industrialización. La rápida expansión causó problemas. La primera epidemia de cólera brotó en 1832, y en 1858 se produjo la "gran pestilencia", cuando el hedor del Támesis se hizo tan insoportable que las sesiones parlamentarias tuvieron que suspenderse. El sistema de drenaje del río de Joseph Bazalgette (1875) alivió el problema.

La reina Victoria en el año de su coronación

EXTENSIÓN DE LA CIUDAD
☐ 1900   ☐ Hoy

El edificio tenía 560 m de longitud y 33 m de altura.

Cerca de 14.000 expositores de todo el mundo exhibieron más de 100.000 artículos.

Pantomima
El tradicional espectáculo familiar de Navidad, todavía hoy popular, (ver p. 328) *comenzó en el siglo XIX.*

Los soldados corrieron y saltaron para comprobar la resistencia de los pisos antes de la inauguración.

Los grandes olmos de Hyde Park se respetaron, construyéndose la exposición a su alrededor.

La fuente de cristal tenía 8 m de altura.

Alfombras y vidrieras adornaban las galerías.

CRONOLOGÍA

1837 La reina Victoria sube al trono

1851 Gran Exposición

Entrada para la Gran Exposición

Un plato de Wedgwood en típico y florido estilo victoriano

1861 Muere el príncipe Alberto

1860

1836 Se abre en London Bridge la primera estación de tren

1840 Sello de 1 penique de Rowland Hill

1863 Se inaugura el Metropolitan Railway, primer sistema de metro

1870 Primer edific Peabody, pa albergar indigente en Blackfriars Ro

☐ **Reinado de Victoria**

Ferrocarriles
En 1900 ya recorrían el país trenes rápidos, como el Scotch Express.

DÓNDE VER EL LONDRES VICTORIANO

Los edificios son los que mejor reflejan el espíritu de la época, en especial las terminales de ferrocarril, los museos de Kensington *(ver pp. 198–213)* y el Royal Albert Hall *(p. 207)*. Leighton House *(p. 218)* presenta un interior bien conservado. El museo V&A guarda cerámicas y porcelanas, y el museo del Transporte de Londres *(p. 114)* trenes, autobuses y tranvías.

Telégrafo
Los nuevos inventos en el terreno de las comunicaciones, como este telégrafo de 1840, facilitaron la expansión económica.

Crystal Palace
Entre mayo y octubre de 1851, seis millones de personas visitaron la gran obra de Joseph Paxton. En 1852 se desmontó, para levantarla de nuevo en el sur de Londres. Allí estuvo hasta 1936, en que fue arrasada por un incendio.

El estilo gótico victoriano se aprecia en edificios como el Public Record Office en Chancery Lane.

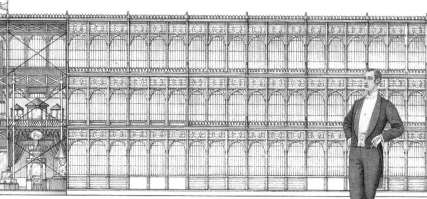

GRAN EXPOSICIÓN DE 1851

La exposición, celebrada en el Crystal Palace, en Hyde Park, destacaba la importancia de la industria, la tecnología y la expansión del imperio.

Vestimenta formal
Bajo el reinado de Victoria I, la rebuscada moda masculina fue sustituida por cómodos trajes de etiqueta.

Caja especial para sombreros de copa

1889 Se establece el primer London County Council (LCC) o Ayuntamiento

1891 Se construyen en Shoreditch las primeras viviendas municipales

1899 Autobuses de gasolina

1901 Muere la reina Victoria, a quien sucede Eduardo VII

1880

1890

1900

1890 Se abre la primera línea eléctrica de metro Bank a Stockwell

Abanico dedicado a la guerra de los Bóers, que terminó en 1903

El Londres de entreguerras

Porcelana *art déco*, por Clarice Cliff

L A SOCIEDAD QUE emergió de la I Guerra Mundial acogió con entusiasmo todas las innovaciones de principios de siglo: los automóviles, el teléfono y los transportes de cercanías. El cine importó la cultura del otro lado del Atlántico, como el jazz y el *swing*. Se olvidó la rigidez victoriana y se generalizaron los bailes en los restaurantes, clubes y cabarets. Muchos abandonaron el centro para ir a vivir en las nuevas urbanizaciones. Más tarde tuvo lugar la Gran Depresión de los años treinta, cuyos efectos se hicieron notar hasta la II Guerra

EXTENSIÓN DE LA CIUDAD

☐ 1938   ☐ Hoy

El traje de etiqueta, que incluía sombreros para ambos sexos, era obligatorio para asistir a los elegantes locales nocturnos del West End.

El metro
El metro hizo populares los nuevos barrios londinenses. En el norte surgió la llamada "metrolandia" (por la línea Metropolitan), que llegaba hasta Hertfordshire.

Alta costura
Las nuevas modas contrastaban con la complicada elaboración de las épocas victoriana y eduardiana. Este vestido de tarde es de los años veinte.

UNA ESCENA CALLEJERA
Este cuadro de Maurice Greiflenhagen (1926) capta el ambiente de la vida nocturna.

CRONOLOGÍA

Medallas como ésta, de 1914, se lucían durante las campañas a favor del sufragio femenino

1921 La North Circular Road circunvala los barrios del norte

1922 Se inaugura la primera radio nacional BBC

|1910| | |1920| |

1910
Jorge V sucede a Eduardo VII

La caballería se utilizó todavía en las batallas de Oriente Próximo durante la I Guerra Mundial

☐ **Periodo de entreguerras**

Cine pionero
Charlie Chaplin, nacido en Londres (1889–1977), que aparece aquí en Luces de la ciudad, *fue una popular estrella del cine mudo y del sonoro.*

Siete nuevos teatros se construyeron en el centro de Londres de 1924 a 1931.

Jorge VI
Oswald Birley pintó este retrato del rey, que llegó a ser un ejemplo de resistencia y unidad en tiempos de guerra.

Los primeros autobuses de motor tenían plataformas abiertas, como los de tiro de caballos.

Comunicaciones
La radio llevó a las casas diversión e información. Modelo de 1933.

Durante esta época la tirada de los periódicos se incrementó considerablemente. En 1939, *The Daily Herald* llegó a vender dos millones de ejemplares diarios.

II GUERRA MUNDIAL Y EL BLITZ
Durante la II Guerra Mundial se produjeron bombardeos de objetivos civiles a gran escala, que sembraron el terror en toda la ciudad. Murieron miles de personas. La gente buscaba refugio en las estaciones de metro, y los niños fueron evacuados.

Como en la I Guerra Mundial, las mujeres fueron reclutadas para trabajar en las fábricas.

Los bombardeos de 1940 y 1941 (el Blitz) devastaron grandes áreas de la ciudad.

1929 El hundimiento de la Bolsa en EE UU

1939 Comienza la II Guerra Mundial

1930

1927 Primeras películas sonoras

1936 Eduardo VIII abdica para casarse con Wallis Simpson. Le sucede Jorge VI

1940 Winston Churchill accede al cargo de primer ministro

El Londres de la posguerra

GRAN PARTE DE Londres fue destrozada por las bombas de la II Guerra Mundial. A su término, no se supo aprovechar la ocasión de llevar a cabo una imaginativa reconstrucción, y algunas edificaciones de la posguerra han sido derribadas posteriormente. En los años sesenta, Londres se convirtió en el centro mundial de la moda y la música pop. Proliferaron los rascacielos, y floreció la arquitectura más avanzada. Sin embargo, al auge de los ochenta ha seguido la recesión de los noventa.

EXTENSIÓN DE LA CIUDAD

☐ 1959   ☐ Hoy

Los Beatles
Los chicos de Liverpool, fotografiados aquí en 1965, habían saltado a la fama dos años antes con canciones de asombrosa frescura. Ellos encarnan el Londres sin prejuicios de los sesenta.

Margaret Thatcher
Primera mujer británica que llegó a primera ministra (1979–1990). Impulsó con su política el auge de los ochenta.

Festival de Gran Bretaña
Después de la guerra, el festival para celebrar el centenario de la Gran Exposición de 1851 levantó la moral de los ciudadanos (ver pp. 26–27).

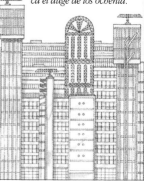

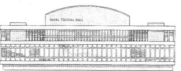

El Royal Festival Hall (1951) fue el centro del festival y todavía es su símbolo *(ver p. 189).*

Telecom Tower (1964) domina con sus 180 m el panorama de Fitzrovia.

El edificio Lloyd's (1986), de Richard Rogers, es un emblema del posmodernismo *(ver p. 159).*

CRONOLOGÍA

1948 Juegos Olímpicos en Londres

1952 Muere Jorge VI y le sucede su hija Isabel II

Los coches minis se convirtieron en el símbolo de los sesenta: pequeños y manejables, tipificaban el desenfado característico de la década

1945	1950	1955	1960	1965	1970	1975

1951 Festival de Gran Bretaña

1945 Fin II Guerra Mundial

1954 Se suprime el racionamiento vigente desde la II Guerra Mundial

1963 Se funda el Teatro Nacional en Old Vic

1971 Se construye el New London Bridge

1977 25º aniversario de la subida al trono de Isabel II; se inicia la línea de metro Jubilee

El Londres de posguerra

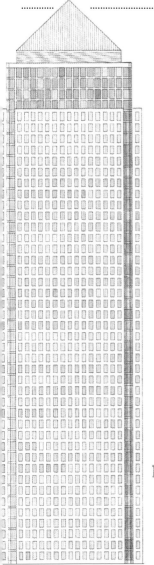

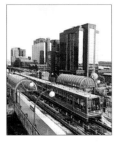

Docklands Light Railway
En los ochenta, nuevos trenes sin conductor comenzaron a circular hasta la zona de los antiguos muelles.

ARQUITECTURA POSMODERNA

La nueva ola de arquitectos comienza a rechazar las frías y rígidas formas de la modernidad. Algunos, como Richard Rogers, son maestros en resaltar los elementos estructurales en sus diseños. Otros, como Terry Farrell, adoptan un estilo más lúdico, usando formas clásicas, como columnas.

CULTURA JUVENIL

Con más facilidad de movimientos y mayor poder adquisitivo, los jóvenes influyeron en el desarrollo de la cultura popular británica tras la II Guerra Mundial. La música, la moda y los diseños se adaptaron rápidamente a sus gustos.

Los punkis fueron un fenómeno de los 70 y los 80: ropa, música, peinados y comportamientos provocativos.

El príncipe de Gales
Heredero del trono, critica la reciente arquitectura londinense. Prefiere los estilos clásicos.

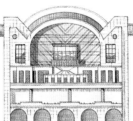

Canada Tower (1991). Es el edificio más alto de Londres, diseñado por César Pelli *(ver p.245).*

Charing Cross (1991), con el edificio de cristal de Terry Farrell sobre la estación victoriana *(ver p.119).*

1984 Se completa el dique del Támesis

1986 Abolición del Greater London Council

Los modelos de Vivienne Westwood ganan premios en los 80 y en los 90

La noria British Airways London Eye se erigió en la primavera de 2000

1980	1985	1990	1995	2000	2005	2010

1982 Se cierra el último de los muelles de Londres

1985 Campaña contra el hambre en Etiopía

1992 Se inaugura el Canary Wharf

1997 Londres se colapsa con el funeral de la princesa Diana

2000 Ken Livingstone gana la alcaldía de Londres en las primeras elecciones para este cargo

Reyes y reinas en Londres

Londres es la capital del reino de Inglaterra desde 1066, cuando Guillermo el Conquistador inauguró la tradición de celebrar las coronaciones en la abadía de Westminster. Desde entonces, los sucesivos reyes y reinas han dejado su marca en la ciudad, y muchos de los lugares descritos en este libro fueron escenario de sucesos reales: Enrique VIII cazaba en Richmond, Carlos I fue ejecutado en Whitehall y la reina Victoria cabalgaba de joven en Queensway. La monarquía es también inspiradora y protagonista de muchas de las ceremonias londinenses (para más detalles ver pp. 52 a 55).

1413–1422 Enrique V

1399–1413 Enrique IV

1509–1547 Enrique VIII

1485–1509 Enrique VII

1066–1087 Guillermo el Conquistador

1087–1100 Guillermo II

1100–1135 Enrique I

1135–1154 Stephen

1327–1377 Eduardo III

1483–1485 Ricardo III

1050	1100	1150	1200	1250	1300	1350	1400	1450	1500
NORMANDA		PLANTAGENET					LANCASTER	YORK	TUDOR
1050	1100	1150	1200	1250	1300	1350	1400	1450	1500

1154–1189 Enrique II

1189–1199 Ricardo I

1199–1216 Juan

1216–1272 Enrique III

1307–1327 Eduardo II

1272–1307 Eduardo I

1461–1470 y **1471–1483** Eduardo IV

1422–1461 y **1470–1471** Enrique VI

1377–1399 Ricardo II

La crónica del siglo XIII de Matthew Paris muestra a los reyes Ricardo I, Enrique II, Juan y Enrique III.

1483 Eduardo V

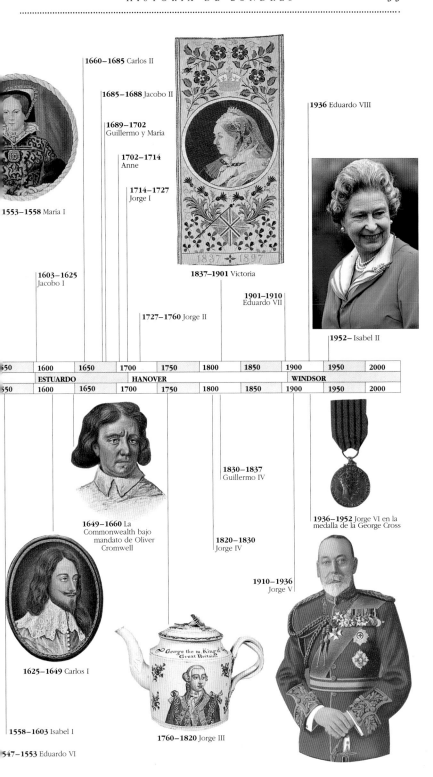

1660–1685 Carlos II

1685–1688 Jacobo II

1689–1702
Guillermo y María

1702–1714
Anne

1714–1727
Jorge I

1936 Eduardo VIII

1553–1558 María I

1603–1625
Jacobo I

1837–1901 Victoria

1901–1910
Eduardo VII

1727–1760 Jorge II

1952– Isabel II

550	1600	1650	1700	1750	1800	1850	1900	1950	2000
	ESTUARDO		**HANOVER**				**WINDSOR**		
550	1600	1650	1700	1750	1800	1850	1900	1950	2000

1830–1837
Guillermo IV

1936–1952 Jorge VI en la
medalla de la George Cross

1649–1660 La
Commonwealth bajo
mandato de Oliver
Cromwell

1820–1830
Jorge IV

1910–1936
Jorge V

1625–1649 Carlos I

1558–1603 Isabel I

1760–1820 Jorge III

547–1553 Eduardo VI

LONDRES DE UN VISTAZO

SON CERCA DE 300 los lugares de interés descritos en la sección *Itinerarios* de este libro: desde la magnífica National Gallery *(ver pp. 104-107)* al espeluznante Old St Thomas's Operating Theatre *(ver p. 176);* y de la vieja Charterhouse *(ver p. 164)* al moderno Canary Wharf *(ver p. 249).* Para ayudarle a sacar el máximo partido a su estancia, las 20 páginas siguientes constituyen una guía de lo mejor que ofrece Londres. Museos y galerías, iglesias, parques y jardines cuentan con su propia sección; además, existe un apartado sobre londinenses famosos y otro sobre celebraciones destacadas. Todos ellos llevan adjunta una referencia a las páginas donde se tratan con mayor amplitud. Abajo se detallan los más importantes lugares turísticos.

LONDRES: SUS GRANDES ATRACTIVOS

St Paul
Ver pp. 148-151.

Hampton Court
Ver pp. 254-257.

Relevo de la guardia
*Palacio de Buckingham,
ver pp. 94-95.*

British Museum
Ver pp. 126-129.

National Gallery
Ver pp. 104-107.

Abadía de Westminster
Ver pp. 76-79.

Madame Tussaud
Ver p. 224.

Casas del Parlamento
Ver pp. 72-73.

Torre de Londres
Ver pp. 154-157.

**Victoria and
Albert Museum**
Ver pp. 202-205.

◁ **El British Airways London Eye frente al Big Ben**

Visitantes y residentes célebres

LA FAMA DE MUCHOS LONDINENSES está estrechamente unida a la de su ciudad: Samuel Pepys, Christopher Wren, Dr. Samuel Johnson, Charles Dickens y otros muchos *(ver p.38–39)*. Además, al ser centro internacional de cultura, comercio y política, la capital inglesa siempre ha atraído a celebridades del mundo entero. Unos huían de la guerra o de la persecución, otros venían a estudiar, a trabajar o como turistas. En algunos casos, su relación con Londres es poco conocida y bastante sorprendente.

Mary Seacole *(1805– 1881)*
Escritora jamaicana y enfermera en la guerra de Crimea, vivió primero en Tavistock St y después en Cambridge St, Paddington.

Regent's Park y Marylebone

Richard Wagner
(1813– 1883)
En 1877, el compositor alemán vivió en el nº 12 de Orme Square, Bayswater, desde donde cruzaba el parque para dirigir la orquesta en el Royal Albert Hall (ver p. 207).

South Kensington y Knightsbridge

Kensington y Holland Park

Henry James *(1843–1916)*
El novelista estadounidense vivió en el nº 3 de Bolton St, Mayfair, y después en el 34 de Vere Gardens, Kensington (1886–1892). Murió en Carlyle Mansions, Cheyne Walk.

Dwight Eisenhower
(1890–1969)
Durante la II Guerra Mundial, planeó la invasión del norte de África desde Grosvenor Square, Mayfair.

Chelsea

Jenny Lind
(1827– 1887)
El "ruiseñor sueco" vivió durante algún tiempo en el nº 189 de Old Brompton Road, Kensington.

Mark Twain
(1835–1910)
El creador de Huckleberry Finn residió desde 1896 hasta 1897 en el nº 23 de Tedworth Square.

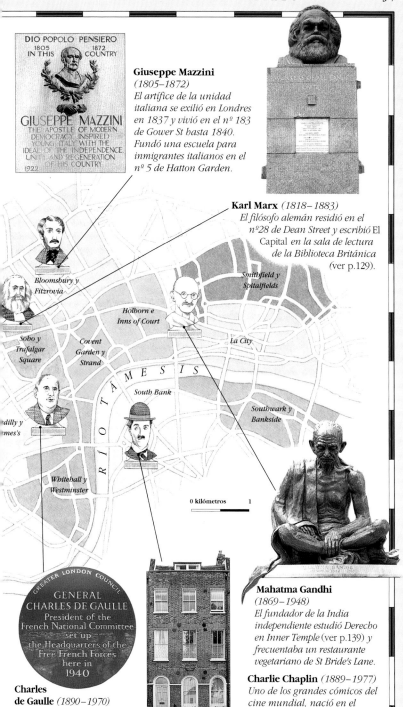

Giuseppe Mazzini
(1805–1872)
El artífice de la unidad italiana se exilió en Londres en 1837 y vivió en el nº 183 de Gower St hasta 1840. Fundó una escuela para inmigrantes italianos en el nº 5 de Hatton Garden.

Karl Marx *(1818–1883)*
El filósofo alemán residió en el nº28 de Dean Street y escribió El Capital *en la sala de lectura de la Biblioteca Británica (ver p.129).*

Mahatma Gandhi
(1869–1948)
El fundador de la India independiente estudió Derecho en Inner Temple (ver p.139) y frecuentaba un restaurante vegetariano de St Bride's Lane.

Charlie Chaplin *(1889–1977)*
Uno de los grandes cómicos del cine mundial, nació en el nº 287 de Kennington Road. Comenzó su carrera en los music halls de Londres.

Charles de Gaulle *(1890–1970)*
Organizó la resistencia francesa durante la II Guerra Mundial desde Carlton House Terrace.

Londinenses notables

Caricatura del duque de Wellington

Londres ha sido lugar de reunión de muchos de los personajes más famosos e influyentes de cada época. Procedentes de otros puntos de Gran Bretaña, de países lejanos, o bien nacidos y criados en la capital, todos ellos han dejado su huella en Londres: diseñando sus mejores edificios, estableciendo instituciones y tradiciones o pintando y escribiendo sobre la ciudad que conocieron. Muchos iniciaron movimientos y modas que se extendieron desde Londres al resto del mundo.

Venus Venticordia, de Dante Gabriel Rossetti

ARQUITECTOS E INGENIEROS

Theatre Royal Haymarket, de John Nash (1821)

Muchos edificios que dieron carácter a la ciudad de Londres todavía permanecen en pie. El londinense Íñigo Jones (1573–1652) fue el padre de la arquitectura del Renacimiento inglés. También paisajista y decorador de teatro, vivió y trabajó en Great Scotland Yard, Whitehall, residencia entonces del arquitecto real, puesto en el que le sustituyó sir Christopher Wren (1632–1723).

Los sucesores de Wren como primeros arquitectos de Londres fueron su protegido Nicholas Hawksmoor (1661–1736) y James Gibbs (1682–1754). De las siguientes generaciones surgieron arquitectos que dejaron su huella en la ciudad: en el siglo XVIII los hermanos Robert (1728–1792) y James Adam (1730–1794); más adelante, John Nash (1752–1835), sir Charles Barry (1795–1860), Decimus Burton (1800–1881) y los victorianos Alfred Waterhouse (1830–1905), Norman Shaw (1831–1912) y sir George Gilbert Scott (1811–1878). El ingeniero sir Joseph Bazalgette construyó el sistema de alcantarillado de Londres y Embankment.

ARTISTAS

Como en otras ciudades, los pintores se concentraban en Londres en un mismo barrio, para ayudarse y compartir sus experiencias. En el siglo XVII se agrupaban alrededor de la Corte, en St James's, para estar cerca de sus mecenas. William Hogarth (1697–1764) y sir Joshua Reynolds (1723–1792) vivieron y trabajaron en Leicester Square, mientras Thomas Gainsborough (1727–1788) lo hacía en Pall Mall (Hogarth tenía en Chiswick su casa de campo).

Más tarde, Cheyne Walk, en Chelsea, se hizo popular entre muchos artistas, como los pintores J. M. W. Turner (1775–1851), James McNeill Whistler (1834–1903), Dante Gabriel Rossetti (1828–1882), Philip Wilson Steer (1860–1942) y el escultor sir Jacobo Epstein (1880–1959). Augustus John

CASAS HISTÓRICAS DE LONDRES

Cuatro casas de escritores se han restaurado y abierto al público: la del poeta romántico **John Keats** (1795–1821), la misma donde se enamoró de Fanny Brawne; la del historiador **Thomas Carlyle** (1795–1881); la del lexicógrafo **Dr. Samuel Johnson** (1709–1784) y, por último, la del prolífico y famoso novelista **Charles Dickens** (1812–70). La residencia que el arquitecto **sir John Soane** (1753–1837) diseñó para sí se conserva casi intacta desde su muerte, así como la casa donde el psiquiatra **Sigmund Freud** (1856–1939) se aposentó tras huir de los nazis antes de la II Guerra Mundial. La mansión de Hyde Park Corner del **duque de Wellington** (1769–1952), héroe de la batalla de Waterloo, se encuentra en proceso de restauración. Finalmente, las habitaciones del famoso detective creado por sir Arthur Conan Doyle, **Sherlock Holmes,** han sido reproducidas en Baker Street.

Casa de Dickens

Casa de Carlyle

PLACAS

Las casas de figuras conocidas están señalizadas con placas por todo Londres. Búsquelas especialmente en Chelsea, Kensington y Mayfair, y comprobará cuántos nombres reconoce.

Nº 3 de Sussex Square, Kensington

Nº 27 b de Canonbury Square, Islington

Nº 56 de Oakley Street, Chelsea

(1879–1961) y John Singer Sargent (1856–1925) tenían sus estudios en Tite Street.

John Constable (1776–1837) es más conocido como pintor de Suffolk, pero vivió un periodo en Hampstead, donde recreó muchos panoramas de ese parque.

ESCRITORES

GEOFFREY CHAUCER (1345–1400), autor de *Los cuentos de Canterbury*, era hijo del portero de la casa de Upper Tames Street donde nació. Tanto William Shakespeare (1564–1616) como Christopher Marlowe (1564–1593) representaban sus obras en los teatros de Southwark, y quizá vivieran en los alrededores. Los poetas John Donne (1572–1631) y John Milton (1608–1674) nacieron en Bread Street, en la City. Doone, después de una agitada juventud, llegó a ser deán de la catedral de St Paul. El cronista Samuel Pepys (1633–1703) nació en Fleet Street.

La novelista Jane Austen (1775–1817) vivió brevemente en Sloane Street, cerca del hotel Cadogan, donde fue arrestado el muy particular Oscar Wilde (1854–1900) acusado de homosexualidad. El dramaturgo George Bernard Shaw (1856–1950) vivió en el nº 29 de Fitzroy Square, en Bloomsbury. La misma casa la ocupó después Virginia Woolf (1882–1941), convirtiéndola en punto

George Bernard Shaw

de reunión del grupo de escritores y artistas de Bloomsbury, del que formaban parte Vanessa Bell, John Maynard Keynes, E.M. Forster, Roger Fray y Duncan Grant.

PERSONAJES HISTÓRICOS

LA LEYENDA dice que Dick Whittington llegó a Londres con su gato y sin un penique, creyendo que las calles estaban pavimentadas de oro, y llegó a ser alcalde. Richard Whittington (¿1360?–1423), que estuvo al frente del Ayuntamiento entre 1397 y 1420, era, a pesar de la leyenda, hijo de un noble. Tomás Moro (1478–1535), residente en Chelsea, fue canciller de Enrique VIII hasta que se enemistaron por la ruptura del rey con la Iglesia católica. Enrique VIII ordenó la ejecución de Moro, canonizado en 1935. Sir Thomas Gresham (¿1519?–1579) fundó la Royal Exchange (la Bolsa). Sir Robert Peel (1788–1850) creó la policía de Londres, conocida como *bobbies* (por el diminutivo de su fundador).

ACTORES

NELL GWYNNE (1650–1687) ganó más fama como amante del rey Carlos II que como actriz. Sin embargo, actuó en el Drury Lane Theatre, donde antes había vendido naranjas. El actor shakespeariano Edmund Kean (1789–1833) y la gran actriz trágica Sarah Siddons

(1755–1831) fueron los intérpretes más conocidos del Drury Lane Theatre, así como Henry Irving (1838–1905) y Ellen Terry (1847–1928), cuya compañía se mantuvo durante 24 años. Charlie Chaplin (1889–1977), nacido en Kennington, vivió una infancia llena de penurias en los arrabales de Londres. En el siglo XX, surgió una escuela de buenos actores en el Old Vic, con célebres intérpretes como sir John Gielgud (1904–), sir Ralph Richardson (1902–1983), Dama Peggy Ashcroft (1907–1991) y Laurence Olivier (1907–1989), el primer director del Teatro Nacional y después nombrado lord.

Laurence Olivier

Lo mejor de Londres: museos y galerías

L OS MUSEOS DE LONDRES CONTIENEN una asombrosa diversidad de tesoros procedentes de todo el mundo. Este mapa señala 15 de las más importantes galerías y museos de la capital. Numerosas colecciones se deben al legado de los exploradores de los siglos XVIII y XIX, o al de los comerciantes y coleccionistas. Otras están especializadas en un campo concreto del arte, la historia, la ciencia o la tecnología. Para una revisión más detallada de museos y galerías de Londres consulte las páginas 42 y 43.

British Museum
Este casco anglosajón forma parte de una gran colección de antigüedades.

Wallace Collection
El caballero sonriente de Frans Hals es la estrella de este museo de arte, mobiliario, armaduras y otros objetos artísticos.

Regent's Park y Marylebone

Royal Academy of Arts
En ella se celebraban las mejores exposiciones internacionales de arte, como la famosa Summer Exhibition, en la que también se vendía directamente al público.

Kensington y Holland Park

South Kensington y Knightsbridge

Picc...
St Ja...

Science Museum
La máquina de vapor de Newcommen, de 1712, es una de las muchas piezas que se exponen.

Chelsea

Natural History Museum
Todas las formas de vida están presentes, desde dinosaurios (como este cráneo de Triceratops) a mariposas.

0 kilómetros   1

Victoria and Albert
Es el mayor museo de artes decorativas del mundo. Este vaso indio es del siglo XVIII.

National Portrait Gallery

Contiene cuadros y fotografías de importantes figuras británicas. Ésta es Vivian Leigh, vista por Angus McBean (1954).

National Gallery

Los cuadros más famosos de su colección corresponden a la pintura europea de los siglos XV al XIX.

Museum of London

La historia de Londres desde los tiempos prehistóricos. Esta puerta de ascensor es de 1920.

Torre de Londres

Alberga las joyas de la Corona y la Armería Real. Ésta es la armadura de un caballero italiano del siglo XIV.

Design Museum

Los nuevos inventos y prototipos se guardan junto a objetos domésticos del pasado y el presente en este museo del Diseño.

Bloomsbury y Fitzrovia

Smithfield y Spitalfields

Holborn e Inns of Court

La City

Soho y Trafalgar Square

Covent Garden y Strand

Southwark y Bankside

South Bank

Whitehall y Westminster

RÍO TÁMESIS

Tate Modern

Obras del siglo XX, como ésta de Dalí, Teléfono langosta, se exponen aquí.

Tate Britain

Antiguamente la Tate Gallery, este museo muestra una excepcional colección de arte británico desde el siglo XVI hasta la actualidad.

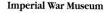

Imperial War Museum

Ofrece fotografías y efectos especiales para recrear las batallas del siglo XX. Éste es uno de los tanques más antiguos.

Courtauld Institute

Obras como el Bar del Folies Bergère, de Manet, cuelgan en sus paredes.

Explorando los museos y galerías

Austin Mini, expuesto en el Design Museum

LONDRES DISPONE de ricos y variados museos, producto, en parte, de siglos al frente del comercio internacional y de su vasto imperio. Hay que procurar visitar las colecciones más importantes, pero sin olvidar tampoco los pequeños museos. Desde autobuses a ventiladores, cubren todas las especialidades imaginables y son, a menudo, más tranquilos que sus hermanos mayores.

Museo Geffrye: habitación *art nouveau*

ANTIGÜEDADES Y ARQUEOLOGÍA

ALGUNAS DE LAS piezas más famosas de la antigua Asia, de Egipto, Grecia y Roma, se encuentran en el **museo Británico**. Otras antigüedades, como libros, manuscritos, cuadros, bustos y joyas se exhiben en el **museo de Sir John Soane,** uno de los más originales de la ciudad.

El **museo de Londres** guarda piezas arqueológicas que pertenecen a distintos periodos históricos de la ciudad.

MOBILIARIO E INTERIORES

EL **museo de Londres** recrea interiores que reflejan la vida comercial y doméstica desde el periodo romano hasta nuestros días. El **Victoria and Albert Museum** (o V&A) cuenta con habitaciones completas, rescatadas de edificios desaparecidos, además de una colección de muebles que se inicia en el siglo XVI y llega al diseño contemporáneo.

Colección de sillas, Design Museum

Colección ecléctica en el museo de Sir John Soane

De menor importancia, el **Geffrye Museum** presenta habitaciones con muebles de época, desde el siglo XVII a los años noventa del XX. Casas en las que residieron célebres escritores *(ver p.38),* como el **museo Freud,** ofrecen una visión del mobiliario de periodos específicos, mientras que la **Linley Sambourne House** expone una magnífica muestra de decoración victoriana.

VESTUARIO Y JOYERÍA

ENTRE LAS DIVERSAS colecciones de **V&A** hay una de vestuario inglés y continental de los últimos 400 años y algunas asombrosas joyas de China, India y Japón. El visitante no debe perderse las valiosísimas joyas de la Corona de la **Torre de Londres**. La colección de vestuario de la Corte de **Kensington Palace** muestra uniformes cortesanos y de protocolo desde 1750. El **museo del Teatro** alberga vestuario y atrezo, mientras que el **museo Británico** posee ropajes aztecas, mayas y africanos.

ARTESANÍA Y DISEÑO

UNA VEZ MÁS, el **Victoria and Albert Museum** es el más destacado, ya que sus colecciones no tienen rival en estos campos. La **William Morris Gallery** muestra todos los aspectos relacionados con el trabajo de artesanos y diseñadores. Con un carácter más moderno, el **Design Museum** se centra en la producción de objetos en serie, mientras que la **Crafts Council Gallery** muestra (y a veces venden) artesanía británica.

MATERIAL MILITAR

EL **museo Nacional del Ejército** se sirve de maquetas y fotografías para narrar la historia del ejército británico, desde el reinado de Enrique VII a nuestros días. Los regimientos de choque de los Foot Guards, la élite del ejército británico, reciben atención principal en el **Guard's Museum**. Las Armerías Reales de la **Torre de Londres**, el museo estatal más antiguo del país, contienen colecciones de armas y armaduras, que también pueden contemplarse en la **Wallace Collection**.

En el **Imperial War Museum** se exhiben reproducciones de las trincheras de la I Guerra Mundial y del Blitz (bombardeos) de 1940. El **Florence Nightingale Museum** ilustra la dureza de las guerras del siglo XIX.

JUGUETES E INFANCIA

Osos, soldaditos de plomo, casas de muñecas y coches son algunos de los juguetes que se encuentran en **Pollock's Toy Museum,** que también ofrece una colección que incluye a Eric "el oso de trapo más viejo que se conoce". El **Bethnal Green Museum of Childhood** y el **museo de Londres** son un poco más formales e ilustran aspectos de la historia social de la infancia.

CIENCIAS E HISTORIA NATURAL

La electricidad, los ordenadores, las exploraciones espaciales, los procesos industriales y los transportes tienen cabida en el **museo de la Ciencia**.

Los entusiastas del transporte también pueden disfrutar en el **London Transport Museum**. Hay museos más especializados, como el **Faraday,** dedicado al desarrollo de la electricidad; hay que citar además el **Kew Bridge Steam Museum**. El museo **Marítimo Nacional** y el **Observatorio Real** muestran tanto la historia marítima como la creación del meridiano de Greenwich.

Sansón y Dalila (1620), de Van Dyck, en la Dulwich Picture Gallery

El **museo de Historia Natural** ofrece exposiciones sobre zoología, ecología y geología. El **museo de la Historia de los Jardines** está dedicado a uno de los pasatiempos favoritos de los británicos.

Imperial War Museum

ARTES VISUALES

Los platos fuertes de la **National Gallery** son el temprano Renacimiento italiano y la pintura española del siglo XVII, así como una maravillosa colección de maestros holandeses. La **Tate Britain** destaca por su arte británico de todas las épocas, mientras que la **Tate Modern** expone arte internacional desde 1900 hasta hoy. El **V&A** es rico en arte europeo de 1500 a 1900, y británico de 1700 a 1900. La **Royal Academy** y la **Hayward Gallery** ofrecen grandes exposiciones temporales. El **Court-**

Bailarina de piedra (1913), de Gaudier-Brzeska, en la Tate Gallery

lauld Institute en Somerset House contiene obras impresionistas y posimpresionistas, mientras que la **Wallace Collection** guarda pintura holandesa del siglo XVII y francesas del XVIII. La **Dulwich Picture Gallery** conserva cuadros de Rembrandt, Rubens, Poussin y Gainsborough. **Kenwood House** expone pinturas de Reynolds, Gainsborough y Rubens en interiores de Adam. Para más información sobre exposiciones temporales se recomienda consultar las secciones de arte de los periódicos *(ver p. 326)*.

Lo mejor de Londres: las iglesias

L AS IGLESIAS londinenses merecen la contemplación y la visita. Poseen un ambiente recogido e íntimo, que ofrece la ocasión de echar una tranquila mirada al pasado. Muchos templos han reemplazado a otros más antiguos, en una sucesión que alcanza los tiempos precristianos. Algunos fueron el inicio de las poblaciones nacidas extramuros de Londres, que luego quedaron absorbidas en la expansión de la ciudad del siglo XVIII. Los archivos de estas iglesias constituyen un documento fascinante de la vida local. En las páginas 46 y 47 encontrará información detallada sobre los mejores templos de la capital.

All Souls
Relieve de una tumba de esta iglesia estilo regencia, obra de John Nash (1824).

Bloomsbur y Fitzrovia

St Paul, Covent Garden
La clásica iglesia de Íñigo Jones se conocía como "el granero más bonito de Inglaterra".

Regent's Park y Marylebone

Soho y Trafalgar Square

Piccadilly y St James's

St Martin-in-the Fields
Esta iglesia de James Gibbs, realizada entre 1722 y 1726, fue considerada "demasiado frívola" por los protestantes.

South Kensington y Knightsbridge

0 kilómetros 1

Whiteł Westmı

Catedral de Westminster
La fachada de ladrillos rojos y blancos de la catedral católica italiano-bizantina esconde un rico interior de mármoles multicolores.

Brompton Oratory
Este suntuoso templo barroco fue decorado con trabajos de artistas italianos.

Abadía de Westminster
La famosa abadía exhibe la más pura arquitectura medieval de Londres, así como impresionantes tumbas y obras de arte.

St Mary-le-Strand

Convertida en la actualidad en un remanso de paz en medio del tráfico, esta iglesia fue construida por James Gibbs entre 1714 y 1717, en estilo barroco. Con grandes ventanas y un rico y elaborado interior, es lo bastante sólida como para aislarse de los ruidos de la calle.

St Mary Woolnoth

La preciosista decoración de esta pequeña iglesia barroca de Nicholas Hawksmoor hace aumentar de manera efectista su dimensión real.

Smithfield y Spitalfields

Holborn e Inns of Court

Covent Garden y Strand

La City

R Í O T Á M E S I S

South Bank

Southwark y Bankside

St Stephen Walbrook

Wren estaba en su cenit cuando diseñó esta iglesia (1672–1677). Entre tallas antiguas, sorprende el moderno altar de Henry Moore.

St Paul

Con 110 m de altura, la cúpula de la catedral de Wren es la segunda más grande de Europa, tras la de San Pedro en Roma.

Temple Church

Construida entre los siglos XII y XIII por los caballeros templarios, es una de las pocas iglesias circulares que aún permanecen en pie.

Catedral de Southwark

Este gran templo del siglo XIII se convirtió en catedral en 1905. Posee un magnífico coro medieval.

Explorando las iglesias

L AS AGUJAS QUE CORONAN las iglesias de Londres representan casi mil años de la historia de la ciudad. Son un recuerdo de los acontecimientos que la han conformado: la conquista normanda (1066), el Gran Incendio (1666), la gran restauración encabezada por Wren, el periodo de Regencia, la confianza generada por la era victoriana y la devastación durante la II Guerra Mundial. Cada uno de estos hechos ha tenido sus efectos en las iglesias, levantadas por los arquitectos más influyentes de cada época.

St Paul's, Covent Garden

IGLESIAS MEDIEVALES

E L TEMPLO MÁS famoso salvado del Gran Incendio es la soberbia **abadía de Westminster**, del siglo XIII, iglesia de las coronaciones reales y tumba de los monarcas y héroes británicos. Menos conocidas son la escondida iglesia normanda de **St Bartholomew-the-Great**, la más antigua de Londres (1123); la circular **Temple Church,** fundada en 1160 por los templarios; y la **catedral de Southwark**, situada entre vías de tren y almacenes victorianos. La **Chelsea Old Church** es una encantadora iglesia de pueblo cerca del río.

IGLESIAS DE JONES

Í ÑIGO JONES (1573–1652), contemporáneo de Shakespeare, desarrolló en su campo un trabajo casi tan revolucionario como el del dramaturgo. Las iglesias clásicas de Jones de los años 1620 y 1630 conmocionaron al público, acostumbrado al gótico. La más conocida es la **iglesia de St Paul,** de 1630, centro de la plaza que Jones diseñó en Covent Garden. La **capilla de la Reina, St James,** fue construida en 1623 para la regente Enriqueta María, esposa católica de Carlos I. Fue la primera iglesia clásica inglesa y tiene un magnífico interior que, por desgracia, suele estar cerrado al público.

IGLESIAS DE HAWKSMOOR

N ICHOLAS HAWKSMOOR (1661–1736) fue el discípulo más destacado de Wren, y sus iglesias se cuentan

CAMPANARIOS

Fíjese en la rica decoración de los campanarios de las iglesias de Londres. Aquí ofrecemos cuatro de los más significativos.

St Martin-in-the-Fields, de James Gibbs, se halla en una posición privilegiada, dominando Trafalgar Square.

Reloj de 1758

St Mary-le-Bow, de Christopher Wren, exhibe un dragón de cobre que sirve de veleta en el bello campanario.

Airosos arcos truncados

St Bride cuenta con la aguja más alta de las diseñadas por Wren. Medía 71m, pero perdió 2,5m durante una tormenta en

Cuatro niveles octogonales

St George, Bloomsbury, de Nicholas Hawksmoor, está coronada por una estatua de Jorge I vestido con toga

Aguja de campanario escalonada

entre los mejores edificios barrocos de Gran Bretaña. **St George, Bloomsbury** (1716–1731), cuenta con una original estructura y un campanario piramidal coronado por la estatua del rey Jorge I. **St Mary Woolnoth** (1716–1727) es una pequeña joya y, más al este, **Christ Church, Spitalfields,** una genialidad barroca de 1714–1729, que está en restauración. Entre las iglesias del East End de Hawksmoor destacan **St Anne, Limehouse,** y **St Alfege,** de 1714–1717, al otro lado del río, en Greenwich. La torre de su campanario la añadió John James en 1730.

St Anne, Limehouse

IGLESIAS DE GIBBS

JAMES GIBBS (1682–1754), más conservador que sus barrocos contemporáneos, como Hawksmoor, se mantuvo a distancia de la tendencia neoclásica que se hizo tan popular a partir de 1720. Sus iglesias londinenses tuvieron mucha influencia en su época. **St Mary-le-Strand** (1714–1717) es como una isla rodeada por el caos del Strand. El concepto radical de **St Martin-in-the-Fields** (1722–1726) se anticipa a lo que sería su entorno, Trafalgar Square, en cien años.

IGLESIAS DE LA REGENCIA

EL FINAL DE las guerras napoleónicas en 1815 trajo consigo una fiebre de construcción de iglesias. La necesidad de éstas en los nuevos barrios de Londres se

CHRISTOPHER WREN

Sir Christopher Wren (1632–1723) fue el más importante de los arquitectos que restauraron Londres tras el Gran Incendio. Diseñó un nuevo plan para la ciudad, reemplazando las estrechas calles por amplias avenidas que nacían en plazas. Su proyecto fue rechazado, pero se le encargó construir 52 nuevas iglesias, de las que 31 han sobrevivido a amenazas de demolición y los bombardeos de la II Guerra Mundial, aunque seis están medio derruidas. La obra maestra de Wren es **St Paul**, junto a la espléndida y cercana **St Stephen, Walbrook** (1672–1677). Otras famosas son **St Bride**, la iglesia de los periodistas, en Fleet Street, que se dice ha inspirado el remate de las tartas nupciales; **St Mary-le-Bow** en Cheapside y **St Magnus Martyr** en Lower Thames Street. La favorita de Wren era **St James, Picadilly,** construida entre 1683 y 1684. También destacadas son **St Clement Danes**, Strand (1680-1682) y **St James, Garlickhythe** (1674- 1687).

unió al renacimiento del estilo de la Grecia clásica; los resultados pueden carecer de la exuberancia de Hawksmoor, pero poseen una austera elegancia. **All Souls, Langham Place** (1822–1824), al norte de Regent Street, fue construida por el arquitecto favorito del príncipe regente: John Nash. Fue ridiculizada entonces por su rara combinación de estilos. **St Pancras,** una típica iglesia neoclásica (1819–1822), merece una visita.

IGLESIAS VICTORIANAS

LONDRES CONSERVA algunas de las mejores iglesias del siglo XIX europeo. Su grandeza, colorido y decoración contrastan con la austeridad neoclásica de la precedente etapa de la Regencia. Quizá la mejor de las iglesias victorianas sea la **catedral de Westminster**, un magnífico templo

católico de estilo italiano, construido entre 1895 y 1903 por el arquitecto J.F. Bentley, con una Vía Crucis de Enric Gill. **Brompton Oratory** es una evocación barroca, con influencias italianizantes y con imaginería procedente de diversos puntos de la Europa católica.

Brompton Oratory

Lo mejor de Londres: parques y jardines

DESDE LOS TIEMPOS MEDIEVALES Londres ha contado con grandes espacios verdes. Algunos, como Hampstead Heath, eran en un principio tierras comunales donde pastaban los animales de los campesinos. Otras, como Richmond Park y Holland Park, fueron cotos de caza reales o jardines de mansiones. Son varias las que conservan características de aquellos tiempos. Hoy se puede cruzar gran parte del centro de Londres caminando desde St James's Park, en el este, a Kensington Gardens, en el oeste. Otros parques, como Battersea, y jardines botánicos, como Kew Gardens, son creaciones posteriores.

Hampstead Heath
Este enorme espacio abierto se encuentra al norte de Londres. Cerca de Parliament Hill, ofrece vistas de St Paul, la City y el West End.

Kensington Gardens
Este bajorrelieve se halla en el jardín Italiano, uno de los más célebres de este elegante parque.

Kensington y
Holland Park

Holland Park
Las antiguas tierras de una de las mayores mansiones de Londres son ahora su parque más romántico.

Kew Gardens
El primer jardín botánico del mundo ofrece cuanto puedan desear los interesados en plantas exóticas.

0 kilómetros   1

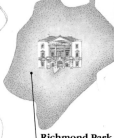

Richmond Park
El mayor parque real de Londres permanece casi intacto, con ciervos y magníficas vistas sobre el río.

Regent's Park
En este refinado parque, rodeado de casas de estilo Regencia, se puede pasear por la rosaleda, visitar el teatro al aire libre o, simplemente, sentarse y disfrutar de las vistas.

Greenwich Park
Su principal interés es el museo Nacional Marítimo, tanto por su arquitectura como por su contenido. Tiene también bellas panorámicas.

Hyde Park
La Serpentine es una de las atracciones de un parque que cuenta con restaurantes, una galería de arte y el célebre Speaker's Corner.

Bloomsbury y
Fitzrovia

gent's
rk y
rylebone

Holborn e
Inns of
Court

Smithfield
y Spitalfields

Soho y
Trafalgar
Square

La City

Piccadilly

R I O   T A M E S I S

The
South-
bank

Southwark y
Bankside

Whitehall y
Westminster

N

Greenwich
y Blackheath

Green Park
Por sus caminos corren los madrugadores habitantes de Mayfair.

Battersea Park
Los visitantes pueden alquilar barcas de remos para disfrutar del paisaje victoriano que rodea el lago.

St James's Park
La gente va a dar de comer a los patos o a ver los pelícanos. Una banda de música actúa todo el verano.

Explorando los parques y jardines

Londres es una de las ciudades con más zonas verdes del mundo, llena de plazas arboladas y parques de grandes praderas. Desde la intimidad del Chelsea Physic Garden a los abiertos espacios de Hampstead Heath, cada parque londinense esconde su propio encanto y carácter. Para los que buscan actividades específicas al aire libre, deporte, fauna o flores, ofrecemos una lista de los lugares más interesantes.

Camilla japonica

Embankment Gardens

JARDINES DE FLORES

Los británicos tienen fama por su amor a los jardines y a las flores, patente en los parques londinenses. Los amantes de la jardinería encontrarán todo lo imaginable en **Kew Gardens** y el **Chelsea Physic Garden**, especializado en especies herbáceas. Cerca del centro de la ciudad, **St James's Park** posee espectaculares macizos cuajados de bulbos y arriates de flores que varían cada temporada. **Hyde Park** ofrece una magnífica colección de narcisos y azafranes en primavera. La mejor rosaleda de Londres se encuentra en el jardín Queen Mary de **Regent's Park**. El paseo florido de **Kensington Gardens** es un buen ejemplo de la jardinería inglesa. También hay un delicioso jardincito del siglo XVII en el **museo de la Historia de los Jardines.**

Battersea Park posee un bello jardín floral. El **Barbican Centre** posee magníficos invernaderos.

JARDINES ORNAMENTALES

El parque ornamental más espectacular se encuentra en **Hampton Court,** con una serie de jardines de distintas épocas, comenzando por la Tudor. El jardín de **Chiswick House** conserva sus estatuas y templetes del siglo XVIII. Otros jardines restaurados son el **Ham House,** del siglo XVII, y **Osterley Park**, con diseño del siglo XVIII. **Fenton House** posee un bello jardín vallado. **Kenwood** es menos ornamental, con arbolado. **The Hill** es magnífico en verano. El jardín de **Kensington Palace** presenta un trazado ornamental. En **Holland Park** las estatuas están rodeadas de flores.

ÁREAS DE DESCANSO

Muchas plazas de Londres tienen centros ajardina-dos, frescos y sombreados, pero un gran número de ellos están reservados a los residentes en la plaza. Entre los abiertos al públi-co, **Russell Square** es el mayor y mejor protegido. **Berkeley Square** está abierto al público, pero es menos acogedor. **Green Park**, con su arbolado y sus tumbonas, es un agradable lugar para ir de merienda sin salir del centro de Londres. Los Inns of Court, **(Gray's Inn, Middle**

Jardín hundido en Kensington Palace

EL LONDRES VERDE

En el Gran Londres hay 1.700 parques que cubren una extensión de 178 km², con unas 2.000 variedades de plantas y 100 especies de aves que viven en sus árboles. Éstos son un auténtico pulmón para la ciudad, produciendo oxígeno del aire contaminado. Mostramos algunas de las especies de árboles más comunes de Londres.

El plátano londinense es el árbol más común de Londres y crece en muchas de sus calles.

El roble inglés crece en toda Europa. La Armada construía sus barcos con la madera de sus troncos.

Temple y **Lincoln's Inn Fields)** poseen zonas ajardinadas. **Soho Square,** rodeado de calles, es más urbano y animado.

MÚSICA EN VERANO

DESCANSAR SOBRE LA hierba o en una silla para escuchar una banda musical es una arraigada tradición británica. Tanto bandas militares como civiles dan conciertos durante todo el verano en **St James's, Regent Park** y **Parliament Hill Fields.** El programa de conciertos se exhibe en los templetes que albergan a las bandas. En varios parques tienen lugar en verano festivales de música clásica *(ver p. 333).*

FAUNA

EXISTE UNA GRAN y bien cuidada colonia de patos y otras aves acuáticas (pelícanos incluidos) en los parques **St James's, Regent, Hyde** y **Battersea,** así como ciervos en **Richmond** y **Greenwich.** El **zoo de Londres** está en **Regent's Park** y contiene una gran variedad de animales en cautividad. También hay aviarios y acuarios en varios parques, como **Kew Gardens** y **Syon House.**

Gansos en St James's Park

CEMENTERIOS HISTÓRICOS

Hacia 1830, se formó un anillo de cementerios privados alrededor de Londres debido a la enorme aglomeración que había en los camposantos públicos del centro de la ciudad. Es interesante visitar algunos de los primeros (especialmente los cementerios de **Highgate** y **Kensal Green,** Harrow Road W10) por su atmósfera de reposo y sus monumentos victorianos. **Bunhill Fields** es anterior y ya fue usado durante la epidemia de peste de 1665.

Kensal Green

Barcas en el estanque de Regent's Park

DEPORTES

EL CICLISMO no es muy popular en los parques londinenses, demasiado irregulares también para patinar. Pero la mayoría de los parques cuenta con pistas de tenis que han de reservarse con antelación. Se pueden alquilar barcas de remos en **Hyde Park, Regent's Park** y **Battersea,** entre otros. Hay pistas de atletismo en Battersea Park y **Parliament Hill.** Se puede practicar la natación en los lagos de **Hampstead Heath** y Serpentine de Hyde Park. Hampstead Heath es también un lugar ideal para volar cometas.

PARQUES

El haya común tiene estrecha relación con la cobriza, de hojas rojo púrpura.

El castaño posee un fruto redondo, usado por los niños en un juego llamado "conkers".

Lo mejor de Londres: las ceremonias

St James's Palace y Buckingham Palace
Soldados de la Queen's Life Guard hacen guardia a la entrada de estos dos palacios.

G RAN PARTE DE LA RICA herencia de tradiciones y celebraciones londinenses tienen como protagonista a la Casa Real. Fielmente conservados hasta hoy, dichos actos datan de la Edad Media, cuando los reyes tenían poder absoluto y debían protegerse de sus adversarios. El mapa muestra los lugares donde se desarrollan las ceremonias más importantes. Para más detalles de éstas y otras, consulte las páginas 54 y 55. La información sobre todos los acontecimientos del año en Londres se encuentra entre las páginas 56 y 59.

Bloomsbu Fitzrovia

Soho y Trafalgar Square

South Kensington y Knightsbridge

Piccadilly y St James's

Hyde Park
Desde este parque se disparan las salvas reales seis veces al año, en ceremonias relacionadas con la casa real.

Whitehall y Westminster

Chelsea

Chelsea Hospital
En 1651, Carlos II se escondió de las tropas del Parlamento en el hueco de un roble. En el Oak Apple Day, los Chelsea Pensioners adornan su estatua con ramas y hojas de este árbol.

Horse Guards
En la más vistosa de las ceremonias reales (Trooping the Colour), la reina saluda al batallón de guardias que le rinde honores.

La City y Embankment
En el desfile del Alcalde, piqueros y mosqueteros escoltan al nuevo edil a través de la City en una carroza dorada.

El Cenotafio
En el Domingo del Recuerdo la reina rinde homenaje a los caídos por la patria.

Holborn e Inns of Court

La City

vent
rden y
rand

R Í O   T Á   M   E   S   I   S

Southwark y Bankside

South Bank

0 kilómetros   1

Torre de Londres
Todas las noches, en la Ceremonia de las Llaves, el alabardero mayor cierra las puertas y es escoltado para impedir el robo de las llaves.

El Parlamento
Cada otoño, la reina se dirige al Parlamento en una carroza irlandesa para inaugurar el año parlamentario.

El Londres de las ceremonias

L A REALEZA Y LOS COMERCIANTES son las dos principales fuentes del rico calendario ceremonial de Londres. Por más arcaicos que esos actos puedan parecer, obedecen, sin embargo, a un antiguo ritual histórico que tiene sus orígenes en la Edad Media.

CEREMONIAS REALES

AUNQUE EL PAPEL de la reina es más bien simbólico, su guardia en Buckingham Palace vigila los jardines e instalaciones con el celo de antaño. El impresionante **Relevo de la Guardia,** frente al palacio, con los deslumbrantes uniformes, las voces de mando y la música militar es todo un espectáculo digno de ver. La guardia está formada por tres oficiales y 40 hombres cuando la reina está en el palacio, y sólo tres oficiales y 31 hombres en caso contrario. La ceremonia es pública y se celebra en la explanada principal del palacio. En otra ceremonia de relevo los guardias de la reina desfilan diariamente desde Hyde Park Barracks hasta Horse Guards.

Uno de los guardias de la reina

La **Ceremonia de las Llaves** en la Torre de Londres es una de las de más larga tradición de la capital. Una vez cerradas todas las puertas de la Torre, un toque de corneta en el último puesto de guardia anuncia que las llaves están seguras en la Queen's House.

La Torre de Londres y Hyde Park son también escenario de las salvas reales con que se conmemoran cumpleaños y aniversarios. Consisten en 41 cañonazos disparados en Hyde Park, a mediodía, y 62 en la Torre de Londres, a la una de la tarde. El espectáculo en Hyde Park es magnífico, con una formación de 71 caballos y una batería de seis cañones.

La combinación de pompa, color y música convierte el anual **Trooping the Colour** en el punto culminante del ceremonial londinense. La reina recibe las salvas reales y, tras el desfile, encabeza sus tropas hasta el palacio de Buckingham, donde hay una segunda parada militar. El mejor punto para contemplar la ceremonia es Horse Guards Parade, junto a St. James's Park.

Las bandas de Caballería y de Infantería protagonizan la ceremonia de **Toque**

Guardia de la reina en invierno

de Retreta, en la Horse Guards Parade. Ésta se realiza tres o cuatro tardes, dos semanas antes del Trooping the Colour.

La espectacular **Apertura del Parlamento,** cuando la reina inaugura la temporada parlamentaria en la Cámara de los Lores –normalmente en noviembre–, no es pública, pero no se televisa. La gran procesión real desde el palacio de Buckingham a Westminster muestra la magnificencia de la reina, que se desplaza con su cortejo en una carroza irlandesa tirada por cuatro caballos.

CEREMONIAS MILITARES

EL CENOTAFIO de Whitehall es el lugar donde se celebra el **Domingo del Recuerdo,** en honor de los que cayeron en las dos guerras mundiales

El **Día de la Armada** (Navy Day) se conmemora con un desfile en The Mall y un servicio religioso junto a la columna de Nelson, en Trafalgar Square.

Salvas reales en la Torre de Londres

Trooping the Colour

Silent Change, ceremonia de la toma de posesión del alcalde en Guildhall

CEREMONIAS EN LA CITY

NOVIEMBRE ES EL MES por excelencia de las ceremonias en la City. En el **Silent Change,** el alcalde saliente entrega a su sucesor los símbolos del cargo en un acto casi sin palabras. Al día siguiente tiene lugar el espectacular **Desfile del Alcalde,** en el que acompañan al nuevo edil, en su carroza dorada, un cortejo de bandas, carrozas decoradas y destacamentos militares a través de la City, desde Guildhall hasta Law Courts, pasando por Mansion House, para volver a lo largo del Embankment.

Muchos de los actos de la City están relacionados con las actividades de los gremios de la ciudad (ver p.152). **Vinateros y destiladores** celebran cada año el día de la vendimia, y los papeleros festejan el **Cakes and Ale Sermon** en St Paul, siguiendo la tradición de un papelero del siglo XVII de obsequiar a los fieles con tartas y cerveza.

Cadena distintiva del alcalde

que se reúnen en la Wakefield Tower, donde fue decapitado. El **Oak Apple Day** conmemora la fuga del rey Carlos II de las fuerzas parlamentarias de Oliver Cromwell, al esconderse en el tronco hueco de un roble en 1651. Los Chelsea Pensioners (ver p.193) festejan cada año la fecha cubriendo con hojas y ramas de roble la estatua del rey en Chelsea Royal Hospital. El 18 de diciembre se celebra una misa en la abadía de Westminster en memoria del cronista **Dr. Johnson.**

ACTOS RECORDATORIOS

CADA 21 de mayo, recuerdan al **rey Enrique VI** –que fue ejecutado en la Torre de Londres en 1471– los discípulos de sus dos fundaciones más famosas, el Eton College y el King's College de Cambridge,

CEREMONIAS INFORMALES

EN EL MES DE JULIO, seis miembros de la cofradía de barqueros compiten en la regata **Doggett's Coat and Badge Race.** En otoño, los **Pearly Kings and Queens,** que representan a los comerciantes del East End, se reúnen en St Martin-in-the-Fields.En marzo, se regalan naranjas y limones a los niños en la ofrenda que se celebra en la iglesia de St Clement Danes. La fiesta de los payasos es en febrero; se realiza en honor de **Joseph Grimaldi** (1779–1837), en la Holy Trinity Church, en Dalston E8.

Pearly Queen

LONDRES MES A MES

L A PRIMAVERA en Londres supone el despertar del letargo invernal para disfrutar de los días más largos y de las actividades al aire libre. El alegre amarillo de los narcisos salpica los parques, y los ciudadanos se lanzan a recorrerlos en sus primeras carreras del verano, emulando el entrenamiento de los atletas. La llegada del verano otorga a los parques el momento de mayor exuberancia, y las niñeras se reúnen en Kensington Gardens a la venerable sombra de los castaños. El otoño convierte las copas de estos árboles en soberbias hogueras rojas y doradas, y los londinenses se repliegan hacia los museos y las galerías tras el té o el café de la tarde. Las fiestas de Guy Fawkes y las compras en el West End anuncian el final del año. Para conocer la fecha exacta de los acontecimientos de cada temporada, contacte con London Tourist Board *(ver p. 347)* o consulte las guías del ocio de la ciudad *(p. 326)*.

PRIMAVERA

E L TIEMPO durante la primavera puede ser variable, por lo que conviene ser precavido y llevar un paraguas. Se celebra el equinoccio de primavera con una ceremonia en Tower Hill. Los pintores se dirigen con sus cuadros a la Real Academia; la temporada de fútbol toca a su fin con la final de la Copa en Wembley, mientras el críquet comienza la suya. Las universidades de Cambridge y Oxford compiten en su regata anual por el río Támesis y los corredores del maratón llenan las calles.

Participantes en el maratón de Londres pasan por el puente de la Torre

MARZO

Feria de Antigüedades de Chelsea *(segunda semana)*, Chelsea Old Town Hall, King's Road SW3.
Ideal Home Exhibition *(segunda semana)*, Earl's Court, Warwick Rd SW5. Es una famosa exposición dedicada al hogar, desde los utensilios domésticos a lo último en construcción de viviendas.
Ofrenda de Naranjas y Limones, St Clement Dane *(ver p.55)*. Servicio religioso para niños: son obsequiados con esas frutas.
Regata entre Oxford y Cambridge *(sábado anterior a Semana Santa)* de Putney a Mortlake *(ver p.339)*.
Fiesta del equinoccio de primavera *(21 mar)*, Tower Hill EC3.
Semana Santa: Viernes Santo y el **Lunes de Pascua** son fiesta.
Procesiones de Semana Santa, Covent Garden *(ver p.112)*, Battersea Park *(ver p.251)*. **Cometas,** Blackheath *(ver p.243)* y Hampstead Heath

(ver p.234). **Procesiones e himnos de Semana Santa** *(Lunes Santo)*, abadía de Westminster *(ver pp.76–79)*, una de las ceremonias más evocadoras.
Exposición Internacional de Modelos Ferroviarios *(final de Semana Santa)*, Royal Horticultural Hall, Vincent Square SW1. De gran interés para todos los públicos.

Parque londinense en primavera

ABRIL

Salvas del cumpleaños de la reina *(21 abril)*, Hyde Park, Torre de Londres *(ver p.54)*.
Maratón de Londres *(do en abril o mayo)*, de Greenwich a Westminster *(ver p.339)*.

MAYO

El primer y último lunes son fiesta.
Final de la Copa de Fútbol *(ver p.336)*.
Día del rey Enrique VI *(ver p.55)*.
Beating the Bounds *(Día de la Ascensión)*. Los jóvenes hacen la ronda por diversos edificios que marcan las lindes de la City.
Oak Apple Day, en el Royal Hospital, Chelsea *(ver p.55)*.
Fiestas *(último fin de semana de mayo)* en varios barrios.
Feria de Flores de Chelsea *(final de mayo)*, Royal Hospital.
Toque de Retreta *(ver p.54)*.
Royal Academy Summer Exhibition *(mayo-julio)*, Piccadilly *(ver p.90)*.

PROMEDIO DIARIO DE HORAS DE SOL

Horas: 10, 8, 6, 4, 2, 0

ene feb mar abr may jun jul ago sep oct nov dic

Horas de sol
Los días más largos y cálidos se registran entre mayo y agosto. A mitad del verano, las horas de luz abarcan desde las 5.00 hasta pasadas las 21.00. Los días son mucho más cortos en invierno, pero Londres resulta muy bello bajo el sol invernal.

VERANO

EL VERANO de Londres está repleto de actos al aire libre y bajo techo, y, aunque el tiempo es irregular, siempre se encuentra ocasión de disfrutarlos. Destacan el campeonato de tenis de Wimbledon y los numerosos partidos de críquet en Lord's y en Oval. La reina celebra varias recepciones multitudinarias en los magníficos jardines del palacio de Buckingham y, en los días festivos, hay ferias en numerosos parques.

JUNIO

Danzas Morris (*miércoles tardes todo el verano*), abadía de Westminster (*ver pp. 76-79*), bailes folclóricos ingleses.
Salvas del Día de la Coronación (*2 junio*) en Hyde Park y Torre de Londres (*ver p.54*).
Feria de Cerámica, hotel Dorchester, Park Lane W1.
Feria de Bellas Artes y Antigüedades, Olympia, Olympia Way W14.
Trooping the Colour, Guardia a Caballo (*ver p.54*).
Día de Charles Dickens (*9 junio*) abadía de Westminster (*ver pp. 76– 79*), en honor del famoso autor londinense.
Salvas de cumpleaños del duque de Edimburgo (*10 junio*), Hyde Park y Torre de Londres (*ver p.54*).
Campeonato de tenis de Wimbledon (*2 semanas al final de junio, ver p.338*).
Partidos de críquet, Lord's (*ver p.338*).

Carnaval de Notting Hill

Temporada de teatro al aire libre (*todo el verano*), Regent's Park y Holland Park. Shakespeare, Shaw y otros autores. Perfecta oportunidad para ir de *picnic* (*ver p.328*).
Conciertos al aire libre en Kenwood, Hampstead Heath, Crystal Palace, Marble Hill, St James's Park (*ver p.333*).
Festival de teatro callejero (*junio-julio*), Covent Garden (*ver p.112*). Artistas de todo tipo se reúnen para mostrar su talento.
Festivales de verano (*final de junio*), Greenwich, Spitalfields y Primrose Hill. Contacte con London Tourist Board (*ver p.347*) o consulte las revistas especializadas (*ver p.326*) para fechas y lugares.

JULIO

Festivales de verano, la City y Richmond.
Rebajas. Oportunidades en todas las tiendas (*ver p.313*).
Doggett's Coat and Badge Race (*ver p.55*).

Feria de Flores de Hampton Court. Palacio de Hampton Court (*ver pp.254–257*).
Capital Radio Jazz Festival, Royal Festival Hall (*ver p.184*).
Henry Wood Promenade Concerts (*final jul-sep*), Royal Albert Hall (*ver p.203*).

AGOSTO

El último lunes es fiesta.
Salvas del cumpleaños de la Reina Madre (*4 ago*), Hyde Park y Torre de Londres (*p.54*).
Carnaval de Notting Hill (*último fin de semana ago*). Internacionalmente famosa, esta celebración está organizada por varias comunidades étnicas de la zona (*p. 219*).
Ferias (*festivos durante todo agosto*) En todos los parques de Londres durante los meses de verano.

Banda militar, St James's Park

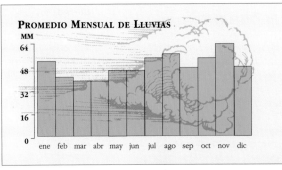

PROMEDIO MENSUAL DE LLUVIAS

MM

	ene	feb	mar	abr	may	jun	jul	ago	sep	oct	nov	dic

64
48
32
16
0

Índice de precipitaciones

La lluvia cae regularmente sobre Londres a lo largo del año. Julio y agosto, los meses más cálidos, son también algunos de los más húmedos. La lluvia es menos habitual en primavera, pero hay que estar preparado para chubascos en cualquier momento.

Otoño

L A ESTACIÓN OTOÑAL llega acompañada de buenos propósitos. Se inicia la temporada de compras, comienza el curso académico y la reina inaugura el nuevo año parlamentario. La temporada de críquet termina en septiembre, cuando los aficionados a la gastronomía se interesan por la exposición de pescado fresco que se ofrece en la sacristía de St Mary-at-the-Hill, para celebrar las capturas realizadas.

Para recordar una "apertura" del Parlamento más tumultuosa, el 5 de noviembre hay hogueras y fuegos artificiales que conmemoran la fallida conspiración de Guy Fawkes para volar el palacio de Westminster en 1605. Pocos días después se recuerda a los caídos en las dos guerras mundiales en una ceremonia en Whitehall.

Pearly Kings en el festival que se celebra en St Martin-in-the-Fields

SEPTIEMBRE

Exposición anual de la Sociedad Nacional de Rosas, Royal Horticultural Hall, Vincent Square, W1.
Feria de Antigüedades de Chelsea *(3ª semana)*, Chelsea Old Town Hall, King's Rd SW3.
Great River Race. Támesis.
Horse of the Year Show *(25-29 sep)* Wembley *(p. 339)*.
Última noche de los Proms, conciertos populares *(final sep)*, R. Albert Hall *(ver p.207)*.

OCTUBRE

Pearly Harvest Festival *(3 oct)*, St Martin-in-the-Fields *(ver p.55)*.
Punch and Judy Festival *(3 oct)*, Covent Garden.
Harvest of the Sea *(segundo do)*, St Mary-at-Hill *(ver p.152)*
Fiesta de vinateros y destiladores *(ver p.55)*.
Día de la Armada *(ver p.54)*.
Apertura del Parlamento *(ver p.54)*.

NOVIEMBRE

Noche de Guy Fawkes *(5 nov)*. Las revistas dan detalles sobre dónde ver los fuegos artificiales *(ver p.326)*.
Domingo del Recuerdo *(ver p.54)*.
Silent Change *(ver p.55)*.
Desfile del Alcalde *(ver p.55)*.
Londres-Brighton, carrera de coches antiguos *(1er do)*.
Iluminaciones de Navidad *(fin nov a 6 ene)*, West End *(ver p.315)*, iluminación para celebrar las fiestas.

Carrera de coches Londres-Brighton

Colores otoñales en el parque

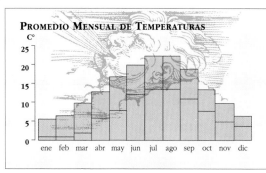

PROMEDIO MENSUAL DE TEMPERATURAS

C°

25
20
15
10
5
0

ene feb mar abr may jun jul ago sep oct nov dic

Cuadro de temperaturas

Muestra el promedio de las temperaturas máximas y mínimas de cada mes. Las más altas oscilan en torno a los 22°, confirmando la reputación de ciudad fresca que tiene Londres. De noviembre a febrero se registran temperaturas bajo cero.

INVIERNO

Algunas de las estampas más atractivas de Londres pertenecen al invierno; así lo reflejan algunos cuadros de los siglos XVII al XIX, como el río Támesis helado (según captó Claude Monet).

Durante siglos, la niebla tóxica fue inherente al invierno, hasta que la Ley de Aire Limpio de 1956 prohibió el uso del carbón en hogares y fábricas.

Los árboles y luces de Navidad invaden desde las tiendas del West End hasta las obras de construcción, y el aroma de castañas asadas surge de los braseros de los vendedores callejeros.

Los menús de las fiestas incluyen pavo asado, pasteles de carne picada y la deliciosa tarta de Navidad. Los teatros ofrecen típicas pantomimas en las que los vestuarios extravagantes, con los sexos cambiados, asombran a los turistas *(ver p.328);* también se representan los ballets más populares, como *El Lago de los cisnes* y *El Cascanueces.*

Los patinadores sobre hielo ocupan la pista abierta de Broadgate Centre, en la City, y, a veces, se aventuran en los lagos helados de los parques.

Invierno en Kensington Gardens

DICIEMBRE

Encuentro de rugby Oxford-Cambridge, Twickenham *(ver p.339).*
Día del Dr. Johnson *(18 dic).* Abadía de Westminster *(ver p.55).*
Festival of Showjumping *(últ dic),* Olympia.

NAVIDADES Y AÑO NUEVO

25-26 de dic y **1 de ene** son festivos. No hay servicio de trenes el día de Navidad.

Villancicos *(tardes),* Trafalgar Square *(ver p.102),* St Paul *(ver pp.148–151)* y otras iglesias.
Subasta de pavos *(24 dic),* Smithfield Market *(ver p.164).*
Natación del día de Navidad, Serpentine, Hyde Park *(ver p.211).*
Celebración de Nochevieja, Trafalgar Square, St Paul.

ENERO

Rebajas *(ver p.313).*
Salón Naútico Internacional Earls Court, Warwick Rd SW5.
Festival Internacional de Mímica *(mitad ene–principio feb).*
Conmemoración de Carlos I *(último do),* procesión desde el palacio de St James's *(ver p.91)* a Banqueting House *(ver p.80).*
Año Nuevo Chino *(final ene–principio feb),* Chinatown *(ver p.108)* y Soho *(ver p.109).*

FEBRERO

Fiesta de los payasos *(1er do)* en Dalston *(ver p.55).*
Salvas en honor de la coronación de la reina *(6 feb)* 41 cañonazos en Hyde Park; 62 en la Torre de Londres *(ver p.54).*
Carrera de las tartas *(martes de Carnaval),* Lincoln's Inn Fields *(ver p.137)* y Covent Garden *(ver p.112).*

DÍAS FESTIVOS
Año Nuevo (1 enero);
Viernes Santo; Lunes de Pascua; Día de Mayo (primer lunes de mayo);
Pentecostés (último lunes de mayo); **August Bank Holiday** (último lunes de agosto); **Navidades** (25–26 dic).

Iluminación navideña en Trafalgar Square

LONDRES DESDE EL TÁMESIS

EN LA ANTIGUA lengua celta la palabra "río" era *teme*, y los romanos dieron ese nombre a la gran corriente de agua junto a la que fundaron la ciudad de Londinium *(ver pp. 16 y 17)* hace cerca de 2.000 años. Los romanos levantaron la ciudad en el punto más oriental, lugar con posibilidades de construir un puente con la tecnología de su tiempo. Y desde entonces, el Támesis ha jugado un papel primordial en la historia de Londres. Fue la ruta de los invasores vikingos en los siglos VIII y IX, la cuna de la Royal Navy (la Armada) en tiempos de los Tudor y la arteria principal del comercio hasta bien entrados los años cincuenta.

Con los cambios producidos en el transporte comercial, los grandes buques han buscado otros puertos y el río se ha convertido en un

Decoración del puente de Southwark

importante lugar de recreo de la capital. Donde antes había muelles y almacenes, han surgido ahora paseos, puertos deportivos, bares y restaurantes.

Una de las formas más interesantes de ver Londres es desde un barco: varias compañías ofrecen cruceros por el centro de Londres, con una duración que oscila entre media hora y cuatro horas. El tramo navegable más popular va desde las Casas del Parlamento hasta Tower Bridge, río abajo. La vista fluvial aporta una perspectiva muy diferente de los puntos de interés, como la Traitors' Gate, la terrible entrada a la Torre desde el río, usada para llevar a los prisioneros a los juicios en Westminster Hall *(ver pp. 72–73)*.

En trayectos más largos, se pueden apreciar los diferentes estilos arquitectónicos que se encuentran entre Hampton Court y Thames Barrier.

El Támesis en Londres
Los servicios de barcos de pasajeros cubren unos 50 km del río, desde Hampton Court, en el oeste, a Thames Barrier, en los antiguos muelles.

Barcos-vivienda en Chelsea

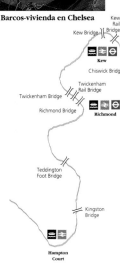

Kew Rail Bridge
Kew Bridge
Kew
Chiswick Bridge
Twickenham Rail Bridge
Twickenham Bridge
Richmond Bridge
Richmond
Teddington Foot Bridge
Kingston Bridge
Hampton Court

TRAVESÍAS POR EL TÁMESIS
La mayoría de estos servicios funciona desde el 1 de abril hasta finales de septiembre. En los meses invernales no hay cruceros río arriba. Hay tres puntos de embarque *(pier)*: Westminster, Charing Cross y Tower Pier.

Crucero circular en el *Mercedes*

Westminster Pier
Plano 13 C5.
 Westminster.

Río abajo hasta la Torre
020-7930 9033.

Salidas 9.40 todos los días en temporada alta (fin may-prin sep), 10.00, 10.20, 10.40 y cada 20 minutos hasta las 18.00. Dos veces cada hora hasta 21.20 sólo en temporada alta.
Duración 30 minutos.

Río abajo a Greenwich
020-7930 9033 o 4097.
Salidas 9.40 todos los días en temporada alta (fin may-prin sep), 10.20, 10.30, 11.00, 11.30, 11.40, 12.00. Tres veces cada hora hasta 16.30, 17.00 en temporada alta.
Duración 1 hora.

Río abajo a Thames Barrier
020-7930 4097.

Fiesta privada en un barco alquilado

Salidas 11.00, 12.00, 13.00 (14.00 en temporada alta).
Duración unos 90 minutos.

Río arriba a Kew
020-7930 4721 o 2062.
Salidas 10.15, 10.30, 11.15, 12.00 y 14.00.
Duración unos 90 min.

Río arriba a Richmond
020-7930 4721 o 2062.
Salidas 10.30, 11.15 y 12.00.
Duración unas 2 horas.

Río arriba a Hampton Court
020-7930 4721.

El río Támesis ofrece su aspecto más romántico al atardecer. Al este, desde el puente de Waterloo, se ve St Paul, con la City en la orilla norte y Oxo Tower en la sur.

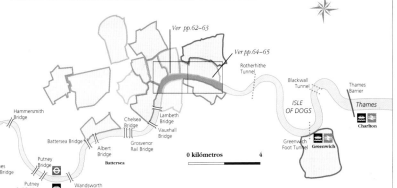

Ver pp.62–63

Ver pp.64–65

Rotherhithe Tunnel

Blackwall Tunnel

Thames Barrier

Thames

ISLE OF DOGS

Charlton

Hammersmith Bridge

Chelsea Bridge

Lambeth Bridge

Vauxhall Bridge

Greenwich Foot Tunnel **Greenwich**

Battersea Bridge

Grosvenor Rail Bridge

Albert Bridge

Battersea

0 kilómetros   4

Putney Bridge

Putney Rail Bridge

Wandsworth Bridge

Putney

SIGNOS CONVENCIONALES

- Estación de metro
- Estación de ferrocarril
- Punto de embarque

El río en Twickenham

Una vista desde Richmond Hill

Barco de crucero

Salidas 11.00 y 12.00 fin mar-med abr. 10.30, 11.15 y 12.00 med abr-sep.
Duración unas 3 horas.

Crucero circular a St. Katharine's
020-7936 2033.
Salidas 11.00, 11.40, 12.20, 13.00, 13.40 y cada 40 minutos hasta 17.00 abr-may. 11.00, 11.30 y cada 30 minutos hasta 18.30 jun-ago.

Duración 1 hora.
Embankment Pier
Plano 16 D3.
Charing Cross, Embankment.

Río abajo a Tower Pier
020-7987 11 85.
Salidas cada 45 minutos 10.00-16.00 lu-vi abr-jun, sep-oct. Cada 30 minutos 10.00-16.00 todos los días jul-ago y sá-do abr-jun, sep-oct.
Duración 30 minutos.

Río abajo a Greenwich
020-7987 1185.

Salidas las mismas que desde Embankment Pier a Tower Pier.
Duración 1 hora.

Tower Pier
Plano 16 D3. Tower Hill.

Río arriba a Westminster
020-7930 9033.
Salidas 10.35, 10.55, 11.15, 11.35 y cada 20 minutos hasta 18.35. En temporada alta (fin may-prin sep) 18.55, 19.15, 19.35, 19.55, 20.20 y 20.50.
Duración 30 minutos.

Río abajo a Greenwich
020-7930 9033 o 020-7987 11 85.
Salidas 11.10, 10.30, 10.50, 11.00, 11.30, 12.00, y tres cada hora hasta 17.30 jul-ago. 10.30, 10.50, 11.15, 11.30 y tres cada hora hasta 16.50 abr-jun, sep-oct.
Duración 30 minutos.

Barco panorámico

De Westminster Bridge a Blackfriars Bridge

Hasta la II guerra mundial, esta parte del Támesis marcaba la división entre el Londres rico y el pobre. En la ribera norte se encontraban las oficinas, las tiendas, los hoteles lujosos, los apartamentos de Whitehall y Strand, Inns of Court y el distrito de la prensa. En el sur, sólo humeantes factorías y barriadas humildes. Tras la guerra, el Festival de Gran Bretaña, en 1951, marcó la resurrección de la ribera sur *(ver pp.184–191)*, que ahora cuenta con muchos de los edificios más modernos e interesantes de la capital.

Savoy Hotel
Edificado sobre un antiguo palacio medieval (p. 116).

Shell Mex House
Oficinas de la compañía petrolífera (Shell) levantadas en 1931 sobre el antiguo hotel Cecil.

Somerset House es un complejo de oficinas de 1786 *(ver p.117).*

Cleopatra's Needle. Obelisco construido en el antiguo Egipto y donado a la ciudad de Londres en 1819 *(ver p.118).*

Embankment Gardens es escenario de numerosos conciertos al aire libre durante el verano *(ver p.118).*

Charing Cross

Embankment

Charing Cross Pier

Festival Pier

Puente de Waterloo

Puente férreo de Hungerford

El South Bank Centre es el centro artístico y cultural más importante de Londres. Está dominado por el Festival Hall, el National Theatre y la Hayward Gallery*(ver pp.184-191).*

Charing Cross
Terminal ferroviaria enmarcada por un posmoderno centro de oficinas y tiendas (ver p.119).

Britishs Airways London Eye ofrece impresionantes vistas de Londres *(p.189).*

La Banqueting House es uno de los mejores trabajos de Íñigo Jones, construido como parte del palacio de Whitehall *(ver p.80).*

El Ministerio de Defensa parece una enorme fortaleza blanca. Se terminó en los años cincuenta

Westminster

Puente de Westminster

Acuario de Londres
County Hall, antigua sede del Ayuntamiento, alberga ahora este innovador acuario (ver p.188).

Temple e Inns of Court
Estos históricos edificios han albergado a los profesionales de la abogacía durante más de 500 años (ver pp.136–139).

St Paul
La obra maestra de Christopher Wren, que dominaba el horizonte de Londres, se terminó en 1708 (ver p.148–151).

🅴 **Blackfriars**

Puente de Blackfriars

Millennium Bridge

Gabriel's Wharf *En los antiguos almacenes existe ahora un mercado de artesanía (ver p.191).*

Doggett's Coat and Badge
Este pub recibe el nombre de la regata fluvial en que los barqueros compiten por esta gran medalla.

Tate Modern, ubicada en la antigua Bankside *(ver p.178-181).*

Blackfriars Bridge
Adornado por el logotipo de una antigua compañía ferroviaria.

St Paul
La catedral domina el panorama desde la ribera sur.

OXO Tower
Las ventanas estaban diseñadas para deletrear la marca de un popular extracto de carne.

SIGNOS CONVENCIONALES

🅴	Estación de metro
🚆	Estación de ferrocarril
🚤	Punto de embarque

De Southwark Bridge a St Katharine's Dock

DURANTE SIGLOS, la zona este del puente de Londres fue la más activa del Támesis, con buques de todos los calados que descargaban en ambas orillas. La construcción en el siglo XIX de más muelles en esta misma área descongestionó la zona, que hoy conserva numerosos recuerdos de su pasado comercial.

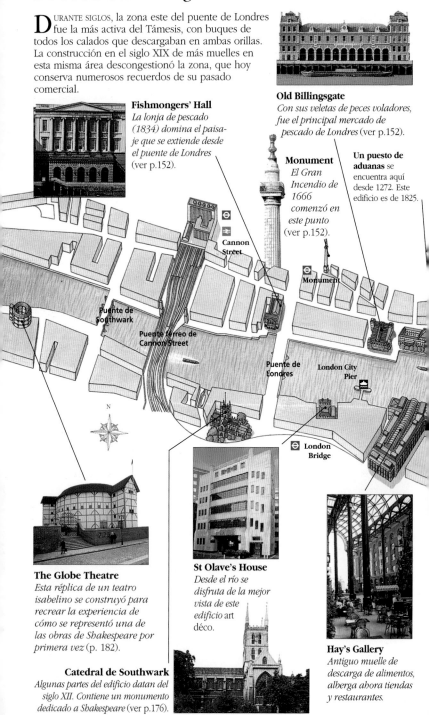

Fishmongers' Hall
La lonja de pescado (1834) domina el paisaje que se extiende desde el puente de Londres (ver p.152).

Old Billingsgate
Con sus veletas de peces voladores, fue el principal mercado de pescado de Londres (ver p.152).

Monument
El Gran Incendio de 1666 comenzó en este punto (ver p.152).

Un puesto de aduanas se encuentra aquí desde 1272. Este edificio es de 1825.

Cannon Street

Monument

Puente de Southwark

Puente ferreo de Cannon Street

Puente de Londres

London City Pier

London Bridge

N

The Globe Theatre
Esta réplica de un teatro isabelino se construyó para recrear la experiencia de cómo se representó una de las obras de Shakespeare por primera vez (p. 182).

St Olave's House
Desde el río se disfruta de la mejor vista de este edificio art déco.

Hay's Gallery
Antiguo muelle de descarga de alimentos, alberga ahora tiendas y restaurantes.

Catedral de Southwark
Algunas partes del edificio datan del siglo XII. Contiene un monumento dedicado a Shakespeare (ver p.176).

Southwark Wharves
Donde antes atracaban los barcos, ahora se abren paseos con vistas al río.

Tower Bridge
Todavía se eleva para dar paso a ciertos buques, pero no con la frecuencia de antaño (ver p.153).

Torre de Londres
Aquí se halla la puerta de los Traidores, por donde los presos eran introducidos en la torre en barcas (ver pp.154–157).

St Katharine's Dock
El antiguo muelle constituye ahora una atracción turística, con un atracadero para yates (ver p.158).

Tower Pier

Tower Bridge

Almacenes victorianos, en Butlers Wharf, que han sido convertidos en apartamentos.

HMS Belfast
Crucero de la II Guerra Mundial convertido en museo en 1971 (ver p.183).

Museo del Diseño
Inaugurado en 1989, este edificio con forma de barco es una muestra del renacimiento de la antigua zona portuaria (ver p.183).

ITINERARIOS POR LONDRES

WHITEHALL Y WESTMINSTER

W HITEHALL Y WESTMINSTER han constituido el centro del poder político y religioso de Inglaterra desde hace más de mil años. A principios del siglo XI, el rey Canuto se asentó en un palacio levantado en la entonces *isla* pantanosa de la confluencia del Támesis y su desaparecido afluente, el Tyburn. Canuto construyó su palacio junto a la iglesia que, unos 50 años más tarde, Eduardo el Confesor convertiría en la mayor abadía de Inglaterra, y que dio nombre

Guardia en Whitehall

al área (*minster* significa "capilla de monasterio"). En los siglos posteriores se establecieron en la vecindad las instituciones estatales, hecho que se refleja en las estatuas y en los imponentes edificios gubernamentales de Whitehall. En su zona norte, Trafalgar Square marca el comienzo del West End, distrito de animada vida nocturna.

LUGARES DE INTERÉS

Calles y edificios históricos
Banqueting House ⓫
Big Ben ❷
Blewcoat School ⓱
Cabinet War Rooms ❿
*Casas del Parlamento
ver pp.72–73* ❶
Dean's Yard ❺
Downing Street ❾
Estación de
St James's Park ⓰
Horse Guards Parade ⓬
Jewel Tower ❸
Parliament Square ❼
Queen Anne's Gate ⓮

Iglesias, abadías y catedrales
*Abadía de
Westminster
ver pp.76–79* ❹
Catedral de Westminster ⓲
St John, Smith Square ⓳
St Margaret's Church ❻

Museos y galerías
Guards Museum ⓯
Tate Britain ver pp.82–85 ⓴

Teatros
Whitehall Theatre ⓭

Monumentos
Cenotafio ❽

CÓMO LLEGAR
El ferrocarril y las líneas de metro Victoria, Jubilee, District y Circle cubren esta zona. Los autobuses números 3, 11, 12, 24, 29, 53, 77, 77A, 88, 109, 159, 170 y 184 van a Whitehall; las líneas 2, 2B, 16, 25, 36A, 38, 39, 52, 52A, 73, 76, 135, 507 y 510 llegan a Victoria.

0 metros   500

SIGNOS CONVENCIONALES

	Plano en 3 dimensiones
Ⓔ	Estación de metro
≷	Estación de ferrocarril
Ⓟ	Aparcamiento

MÁS INFORMACIÓN

- **Callejero,** planos 13, 20, 21
- **Alojamiento** ver pp.272–285
- **Restaurantes** ver pp.286–311

◁ **Panorámica de Whitehall hacia el Big Ben**

Whitehall y Westminster en 3 dimensiones

COMPARADA CON OTRAS CAPITALES, Londres cuenta con escasa arquitectura monumental especialmente concebida para exhibir su magnificencia. Westminster y Whitehall, cuna histórica del Gobierno y de la Iglesia, constituyen la excepción. Los días laborables, las calles de esta zona se llenan de funcionarios, porque las oficinas de la Administración se encuentran en este distrito. Los fines de semana se quedan desiertas, con la excepción de los turistas que visitan estos históricos lugares.

Conde Haig, héroe militar de la I Guerra Mundial. Estatua de Alfred Hardiman (1936).

Downing Street
Residencia del primer ministro desde 1732 **9**

Central Hall, ornamentada construcción levantada en 1911 como centro metodista. En 1946 se celebró en él la primera Asamblea General de la ONU.

★ **Cabinet War Rooms**
Cuartel general de Winston Churchill durante la II Guerra Mundial **10**

★ **Abadía de Westminster**
La iglesia más antigua e importante de Londres **4**

El Santuario era, en época medieval, un refugio para los que huían de la ley.

Dean's Yard
Westminster School se fundó aquí en 1540 **5**

Estatua de Ricardo I,
Corazón de León, obra de Carlo Marochetti (1860); representa a este gran rey del siglo XII.

KING CHARLES

STOREY'S GATE

GREAT GEORGE STREET

BROAD

SANCTUARY

PARLIAMENT SQ

ST MARGARET STREET

ABINGDON STREET

GREAT COLLEGE STREET

Jewel Tower
Los reyes guardaban aquí sus más valiosas joyas **3**

Los burgueses de Calais
es una copia del original de Rodin que se halla en París.

A Trafalgar Square

★ **Horse Guards**
El relevo de la guardia montada se celebra con todo esplendor dos veces al día 12

WHITEHALL

RICHMOND TERRACE

Dover House, mansión que data de 1787 y alberga ahora la Scottish Office.

★ **Banqueting House**
Íñigo Jones proyectó en 1622 este elegante edificio, que guarda algunos frescos de Rubens 11

Cenotafio
Monumento a los caídos, obra de Edward Lutyens; data de 1920 8

Ministerio de Hacienda (The Treasury)

VICTORIA EMBANKMENT

Westminster Pier, punto de partida de excursiones fluviales.

Estación de Westminster

Boadicea, la reina inglesa que luchó contra los romanos, fue inmortalizada por Thomas Thornycroft en torno a 1850.

Parliament Square
Exhibe estatuas de famosos gobernantes, como Benjamin Disraeli y sir Winston Churchill 7

★ **Casas del Parlamento y Big Ben**
Fueron proyectadas por Barry en 1834, cuando se quemó el palacio de Westminster 1 2

St Margaret Church
Las bodas de la alta sociedad suelen celebrarse en esta iglesia 6

PLANO DE SITUACIÓN
Ver plano del centro de Londres pp.12–13.

Richmond House, sede del Ministerio de Sanidad, que le valió a William Whitfield, su arquitecto, la concesión de un premio en 1980.

Los edificios Norman Shaw eran la sede del New Scotland Yard, la policía metropolitana.

RECOMENDAMOS

★ **Abadía de Westminster**

★ **Casas del Parlamento y Big Ben**

★ **Banqueting House**

★ **Cabinet War Rooms**

★ **Horse Guards**

SIGNOS CONVENCIONALES

– – –   Itinerario sugerido

0 metros   100

Casas del Parlamento ❶

DESDE 1512, el palacio de Westminster ha albergado las dos Cámaras del Parlamento, la de los Lores y la de los Comunes. La Cámara de los Comunes se compone de los miembros del Parlamento (MP) elegidos por sufragio universal; forma Gobierno el partido que obtiene más diputados, y su líder se convierte en primer ministro. La oposición la forman los demás partidos. Los debates de la Cámara de los Comunes a veces suben de tono, por lo que están dirigidos por un presidente *(speaker)* que ha de imponer el orden con ecuanimidad. La legislación formulada en los Comunes se debate en ambas Cámaras antes de convertirse en ley.

Este edificio neogótico fue diseñado por el arquitecto victoriano sir Charles Barry. La torre Victoria, a la izquierda, contiene 1,5 millones de leyes aprobadas desde 1497.

★ **Cámara de los Comunes**
Los bancos están tapizados de verde. El Gobierno se sienta a la izquierda y la oposición a la derecha. El speaker *preside desde el mismo centro.*

El Big Ben
Esta enorme campana que marca las horas fue colgada en 1858; cuatro campanas más pequeñas señalan los cuartos (ver p.74).

Entrada de diputados

★ **Westminster Hall**
Es la única zona del palacio original que se salvó de las llamas y data de 1097; su techo artesonado es del siglo XIV.

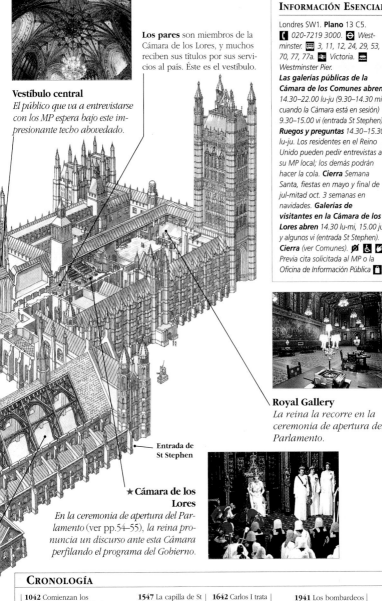

Los pares son miembros de la Cámara de los Lores, y muchos reciben sus títulos por sus servicios al país. Éste es el vestíbulo.

Vestíbulo central
El público que va a entrevistarse con los MP espera bajo este impresionante techo abovedado.

Entrada de St Stephen

★ Cámara de los Lores
En la ceremonia de apertura del Parlamento (ver pp.54–55), la reina pronuncia un discurso ante esta Cámara perfilando el programa del Gobierno.

INFORMACIÓN ESENCIAL

Londres SW1. **Plano** 13 C5.
📞 020-7219 3000. 🚇 *Westminster.* 🚌 *3, 11, 12, 24, 29, 53, 70, 77, 77a.* 🚆 *Victoria.* 🚢 *Westminster Pier.*
***Las galerías públicas de la Cámara de los Comunes abren** 14.30–22.00 lu-ju (9.30–14.30 mi cuando la Cámara está en sesión) 9.30–15.00 vi (entrada St Stephen).
Ruegos y preguntas 14.30–15.30 lu-ju. Los residentes en el Reino Unido pueden pedir entrevistas a su MP local; los demás podrán hacer la cola. **Cierra** Semana Santa, fiestas en mayo y final de jul-mitad oct. 3 semanas en navidades. **Galerías de visitantes en la Cámara de los Lores abren** 14.30 lu-mi, 15.00 ju y algunos vi (entrada St Stephen). **Cierra** (ver Comunes). 🚫 ♿ 📷 Previa cita solicitada al MP o la Oficina de Información Pública 🛈*

Royal Gallery
La reina la recorre en la ceremonia de apertura del Parlamento.

CRONOLOGÍA						
1042 Comienzan los trabajos del primer palacio de Eduardo el Confesor		**1547** La capilla de St Stephen se convierte en la primera Cámara de los Comunes	**1642** Carlos I trata de arrestar a 5 diputados. El *speaker* le fuerza a retractarse		**1941** Los bombardeos alemanes destruyen el edificio de la Cámara de los Comunes	
1000	1200	1400		1600	1800	2000
	1087–1100 Se construye Westminster Hall *El cetro, símbolo de la autoridad real en los Comunes*	**1512** Tras un incendio, el palacio deja de ser residencia real **1605** Guy Fawkes y otros atentan contra el rey y el Parlamento			**1834** El palacio es destruido por un incendio. Sólo se salvan de las llamas Westminster Hall y Jewel Tower	**1870** Finalizan las obras del edificio actual

Casas del Parlamento ❶

Ver pp. 72–73.

El Big Ben ❷

Bridge St SW1. **Plano** 13 C5.
🚇 *Westminster.*
Cerrado al público.

H AY QUE EMPEZAR haciendo una aclaración: Big Ben no es el nombre del mundialmente famoso reloj de cuatro caras sito en la torre de 106 m del edificio del Parlamento, sino el de la resonante campana de 14 toneladas que tañe las horas. Se llama así debido a sir Benjamin Hall, comisario jefe de obras cuando la campana se colgó en 1858. Fundida en Whitechapel, es la segunda campana que se realizó, porque la primera se rompió durante una prueba de sonido (la actual también tiene una pequeña grieta). El reloj es el mayor de Gran Bretaña: cada una de sus cuatro esferas mide 7,5 m de diámetro y el minutero, de 4,25 m de largo, está hecho en cobre hueco para que resulte más ligero. Ha marcado el tiempo de la nación casi sin interrupción desde que se puso en marcha en mayo de 1859. Su sonido se ha convertido en un símbolo de Gran Bretaña y se transmite diariamente por la cadena de radio de la BBC.

Jewel Tower ❸

Abingdon St SW1. **Plano** 13 B5.
📞 *020-7222 2219.* 🚇 *Westminster.*
Abierto abr–sep: 10.00–18.00 todos los días; oct: 10.00–17.00 todos los días; nov-mar: 10.00-16.00 todos los días. **Cerrado** 24–26 dic, 1 ene y ceremonias oficiales. **Previo pago.** 📷 📖

E STE EDIFICIO Y Westminster Hall (*ver p. 72*) son los únicos vestigios del antiguo palacio de Westminster. La torre fue construida en 1366

como lugar seguro para albergar el tesoro de Eduardo III. Hoy es un pequeño museo que contiene reliquias del palacio, cerámica rescatada de su foso y fascinantes planos de la reconstrucción de las Cámaras del Parlamento tras el fuego de 1834. La torre sirvió de oficina de pesos y medidas de 1869 a 1938, y muestra piezas de esa época. Todavía conserva parte del foso y un embarcadero medieval.

Abadía de Westminster ❹

Ver pp.76–79.

Dean's Yard ❺

Broad Sanctuary SW1. **Plano** 13 B5.
🚇 *Westminster.*
Cerrado al público.

Entrada a la abadía y claustros desde Dean's Yard

U N ARCO CERCANO a la puerta oeste de la abadía lleva a un patio ajardinado, rodeado por una serie de edificios de distintos periodos. La casa medieval del lado este tiene una ventana abuhardillada que da a Little Dean's Yard, donde se situaban las celdas de los monjes. Dean's Yard es de propiedad privada. Pertenece al deán y cabildo de Westminster y se halla muy cerca del Colegio de Westminster, entre cuyos famosos estudiantes se encuentran el poeta John Dryden y el autor teatral Ben Johnson. Los alumnos del colegio son los primeros en cumplimentar a un nuevo monarca.

St Margaret Church ❻

Parliament Sq SW1. **Plano** 13 B5.
📞 *020-7222 5152.*
🚇 *Westminster. **Abierta** 9.30–15.45 lu-vi, 9.30-13.45 sa, 14.00-17.00 do.*
🔔 *11.00 do.* 🚫 ♿

Estatua de Carlos I sobre la iglesia de St Margaret

E CLIPSADA por la abadía, esta iglesia de principios del siglo XV ha sido el lugar preferido para celebrar bodas de políticos y personas de la alta sociedad, como Winston y Clementina Churchill. A pesar de sus muchas restauraciones, conserva las características del estilo Tudor y una vidriera que conmemora el compromiso de Catalina de Aragón y el hermano mayor de Enrique VIII, Arturo.

Parliament Square ❼

SW1. **Plano** 13 B5. 🚇 *Westminster.*

D ISEÑADA EN 1840 para proporcionar mayor amplitud a los alrededores del nuevo Parlamento, se convirtió en 1926 en la primera glorieta oficial de Gran Bretaña abierta al tráfico rodado, uno de los más densos de Londres hoy. Las estatuas de políticos y militares están presididas por la de Winston Churchill contemplando el Parlamento. En el lado norte, Abraham Lincoln se sienta frente al edificio neogótico de Middlesex Guildhall, construido en 1913.

Cenotafio ❽

Whitehall SW1. **Plano** 13 B4.
🚇 *Westminster.*

E STE AUSTERO monumento, realizado en 1920 por sir Edwin Lutyens en honor de los caídos en la I Guerra Mundial, se alza en el centro de Whitehall. El Día del Recuerdo –el domingo más próximo al 11 de noviembre– la reina y otros dignatarios depositan coronas y amapolas rojas en el Cenotafio. Esta solemne ceremonia, que conmemora el armisticio de 1918, honra a las víctimas de las dos guerras mundiales *(ver pp.54–55)*.

Cenotafio

Cabinet War Rooms ⑩

Clive Steps, King Charles St SW1. **Plano** 13 B5. 020-730 6961. Westminster. **Abierto** abr-sep: 9.30-18.00; oct-mar: 10.00-18.00 todos los días (últ. adm. 17.15). **Cerrado** 24–26 dic. **Previo pago**.

Teléfonos en la sala de Mapas de las dependencias del Gabinete de Guerra

ESTE CURIOSO RINCÓN es un refugio situado en el sótano de Government Office, al norte de Parliament Sq. Aquí se reunía el Gabinete de Guerra, presidido primero por Neville Chamberlain y después por Winston Churchill, durante la II Guerra Mundial, cuando las bombas caían sobre Londres. Estas dependencias del Gabinete de Guerra incluyen viviendas para ministros y altos jefes militares, así como una sala de consejo insonorizada, donde se decidían las estrategias. Todas las habitaciones están protegidas con muros de hormigón de 1 m de espesor. Actualmente se conservan igual que durante la guerra: el despacho de Churchill, la sala de comunicaciones, el material estratégico e, incluso, los mapas.

Downing Street ⑨

SW1. **Plano** 13 B4. Westminster. **Cerrado** al público.

SIR GEORGE DOWNING (1623–1684) pasó parte de su juventud en las colonias americanas. Fue el segundo graduado de la recién nacida Universidad de Harvard y regresó a Inglaterra para luchar, junto a los parlamentarios, en la guerra civil. En 1680 compró unas tierras cercanas al palacio de Whitehall y construyó una doble hilera de casas. Cuatro de ellas, bien restauradas, aún permanecen en pie. Jorge II donó el nº 10 a sir Robert Walpole en 1732 y, desde entonces, es la residencia oficial del primer ministro. Posee oficinas y dependencias privadas. En 1989 la calle se cerró con verjas por razones de seguridad.

La famosa puerta del nº 10

Nº 12, la Whips' Office, donde se organizan las campañas del partido en el poder.

La política del Gobierno se decide en la Cabinet Room, en el nº 10.

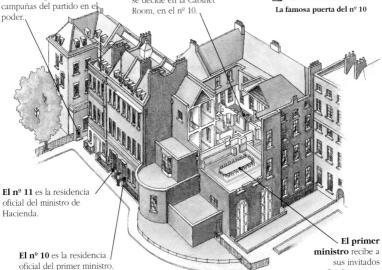

El nº 11 es la residencia oficial del ministro de Hacienda.

El nº 10 es la residencia oficial del primer ministro.

El primer ministro recibe a sus invitados oficiales en este comedor.

Abadía de Westminster ❹

L A ABADÍA ES mundialmente famosa por ser el panteón de los monarcas británicos, y la sede de sus coronaciones y otros actos de gran boato. Dentro de sus muros pueden contemplarse algunos de los mejores ejemplos de la arquitectura medieval londinense. También posee una de las más impresionantes colecciones de tumbas y mausoleos del mundo. Mitad iglesia y mitad museo, la abadía ocupa un lugar único en la conciencia nacional británica.

★Arbotantes
Ayudan a repartir el peso de la nave, de 31 m de altura.

Entrada norte
Con elaborados trabajos en piedra, como este dragón de la época victoriana.

El crucero norte tiene tres capillas en el lado este, con algunos de los mejores mausoleos de la abadía.

★Torres de la fachada oeste
Construidas entre 1734 y 1745, fueron proyectadas por Nicholas Hawksmoor.

RECOMENDAMOS

★ Torres de la fachada oeste

★ Arbotantes

★ La nave vista desde la entrada principal

★ Lady Chapel

★ Sala Capitular

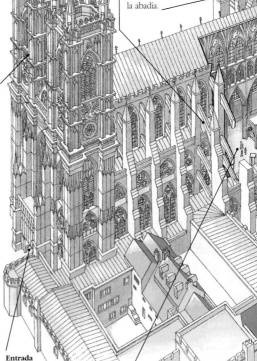

Entrada principal

★ La nave vista desde la entrada principal
Con sus 10 m de ancho, es, con su relativa estrechez, la más alta de Inglaterra.

Los claustros, construidos principalmente en los siglos XIII y XIV, unían la iglesia de la abadía con las otras dependencias.

La capilla de San Eduardo
no solamente alberga el
trono de la Coronación y el
sepulcro de Eduardo el
Confesor, sino las tumbas
de muchos reyes
medievales.

★ **Lady Chapel**
*Construida entre 1503
y 1512, posee un soberbio
techo abovedado;
la sillería del coro
data de 1512.*

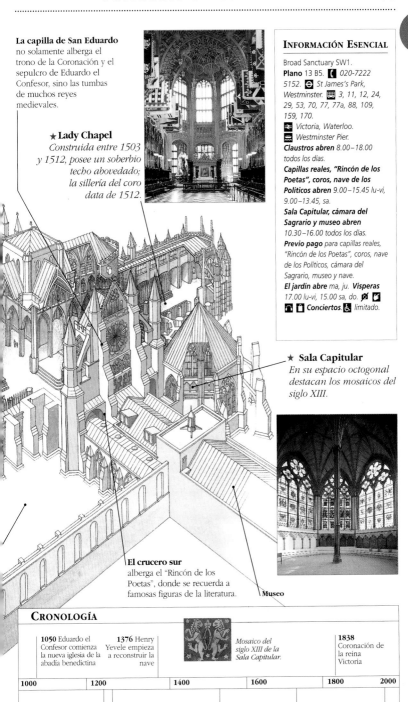

INFORMACIÓN ESENCIAL

Broad Sanctuary SW1.
Plano 13 B5. 020-7222
5152. St James's Park,
Westminster. 3, 11, 12, 24,
29, 53, 70, 77, 77a, 88, 109,
159, 170.
Victoria, Waterloo.
Westminster Pier.
Claustros abren 8.00–18.00
todos los días.
**Capillas reales, "Rincón de los
Poetas", coros, nave de los
Políticos abren** 9.00–15.45 lu-vi,
9.00–13.45, sa.
**Sala Capitular, cámara del
Sagrario y museo abren**
10.30–16.00 todos los días.
Previo pago para capillas reales,
"Rincón de los Poetas", coros, nave
de los Políticos, cámara del
Sagrario, museo y nave.
El jardín abre ma, ju. **Vísperas**
17.00 lu-vi, 15.00 sa, do.
Conciertos. limitado.

★ **Sala Capitular**
*En su espacio octogonal
destacan los mosaicos del
siglo XIII.*

El crucero sur
alberga el "Rincón de los
Poetas", donde se recuerda a
famosas figuras de la literatura.   **Museo**

CRONOLOGÍA

1050 Eduardo el Confesor comienza la nueva iglesia de la abadía benedictina	**1376** Henry Yevele empieza a reconstruir la nave	*Mosaico del siglo XIII de la Sala Capitular.*		**1838** Coronación de la reina Victoria

1000	1200	1400	1600	1800	2000

	1245 Se empieza la nueva abadía según planos de Enrique de Reims	**1269** El cuerpo de Eduardo el Confesor se traslada a un nuevo sepulcro en la abadía	**1734** Se inician las torres occidentales	**1953** La coronación más reciente en la abadía: la de Isabel II
			1540 Se cierra el monasterio	

Cómo visitar la abadía de Westminster

E L INTERIOR DE LA ABADÍA presenta una excepcional
diversidad arquitectónica y escultórica: desde el
austero gótico francés de la nave a la asombrosa
complejidad de la capilla Tudor de Enrique VII y los
imaginativos mausoleos de finales del siglo XVIII.
Muchos monarcas están enterrados en la abadía.
Algunas tumbas son deliberadamente sencillas, mientras
que otras muestran una gran exuberancia escultórica.
La abadía guarda también mausoleos de grandes
personajes, desde estadistas a poetas, que pueblan
galerías y cruceros.

PLANO HISTÓRICO DE LA ABADÍA

La primera iglesia se construyó en el siglo X, cuando St
Dunstan congregó a un grupo de monjes
benedictinos. La actual estructura es en gran
parte obra del siglo XIII; el nuevo proyecto,
influido por el gótico francés, se comenzó en
1245 por orden de Enrique III.
Al tener como único destino la
coronación de los reyes, se libró
de la orden de destrucción de
edificios monásticos
promulgada en el siglo
XVI por Enrique VIII.

SIGNOS CONVENCIONALES

- ■ Construido antes de 1400
- ■ Añadido en el siglo XV
- ■ Construido en 1503–1519
- ■ Finalizado en 1745
- □ Restaurado después de 1850

② **Mausoleo de Lady
Nightingale**
*Las capillas del crucero
norte albergan algunos de
los mejores mausoleos. Éste,
obra de Roubiliac, es el de
lady Nightingale (1761).*

Entrada principal

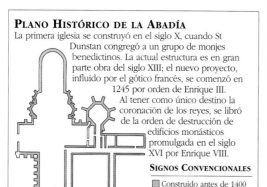

① **La nave**
*Con sus 10,5 m de
ancho y 31 m de
alto, se tardó 150
años en construirla.*

El coro posee
una reja dorada de
1840 que conserva
parte de la original,
del siglo XIII.

El salón de Jericó,
añadido a principios
del siglo XVI,
alberga un bello
artesonado.

**La cámara de
Jerusalén,**
con una chimenea
del siglo XVII,
tapices de 1540 y un
interesante fresco en
el techo.

La Sala del Deán,
donde vivía el abad del
monasterio.

⑧ **Tumba de un guerrero desconocido**
*Este monumento conmemorativo
recuerda a los miles de muertos en la
I Guerra Mundial que no tienen una
sepultura formal. Aquí está enterrado
un soldado desconocido.*

CORONACIÓN

La abadía es el suntuoso escenario de las coronaciones reales desde 1066. La última persona en ocupar el trono de la Coronación fue la actual reina, Isabel II, coronada en 1953, en una ceremonia que fue por primera vez televisada.

La capilla de San Juan Bautista alberga tumbas de los siglos XIV al XIX.

③ **Trono de la Coronación**
Construido en 1301, es el trono donde han sido coronados los monarcas desde 1308.

④ **Tumba de Isabel I**
En la capilla de Enrique VII se halla la gran tumba de Isabel I, quien reinó de 1558 a 1603, y también la de su hermana María Tudor.

La capilla St Faith contiene objetos de arte que datan del siglo XIII.

⑤ **Capilla de Enrique VII**
Los paneles de la sillería del coro, magníficamente tallados con imágenes fantásticas, son de 1512.

⑥ **Capilla de San Eduardo**
En ella están el sepulcro del rey sajón Eduardo el Confesor y las tumbas de muchos monarcas medievales.

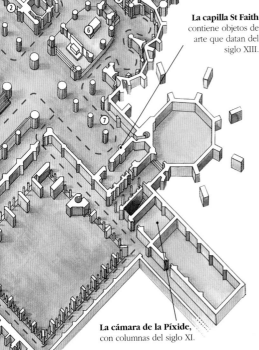

La cámara de la Píxide, con columnas del siglo XI.

⑦ **Rincón de los Poetas**
Se necesita mucho tiempo para admirar los innumerables mausoleos de los genios de la literatura aquí reunidos, como los de Shakespeare y Dickens.

Entrada de Dean's Yard

SIGNOS CONVENCIONALES

– – – Ruta de la visita

Banqueting House ⓫

Whitehall SW1. **Plano** 13 B4.
(020-7839 7569. **⊖** *Charing Cross, Embankment, Westminster.*
Abierta 10.00–17.00 lu–sa (últ. adm: 16.30). **Cerrada** 24 dic, 2 ene, festivos, por funciones. **Previo pago.**
⬛ ⬛ **Vídeos.**

ESTE DELICIOSO EDIFICIO tiene una gran importancia arquitectónica, ya que fue el primero del centro de Londres en adoptar el estilo clásico palladiano, que el diseñador Íñigo Jones impuso al volver de Italia. Terminado en 1622, su severa fachada de piedra marca un acusado contraste con el florido isabelino de sus torres y la elaborada decoración exterior. Fue el único que se salvó de las llamas en el incendio que destruyó el palacio de Whitehall en 1698.

Los techos pintados por Rubens, una compleja exaltación de Jacobo I, fueron encargados por su hijo Carlos I en 1630. Esta glorificación de la realeza se ganó el desdén de Oliver Cromwell y sus parlamentarios, quienes ejecutaron a Carlos I en un cadalso frente a la Banqueting House, en 1649. Irónicamente, Carlos II celebró aquí la restauración de la monarquía, 20 años más tarde. Ahora se utiliza en actos oficiales.

Centinela custodiando Horse Guards

Horse Guards Parade ⓬

Whitehall SW1. **Plano** 13 B4.
(0906-866 3344. **⊖** *Westminster, Charing Cross.* **Abierto** 8.00-18.00 todos los días. **Relevo de la Guardia** 11.00 lu–sa, 10.00 do. **Ceremonia de desmonte** 16.00 todos los días, sujeto a cambios. **Trooping the Colour** ver **El Londres de las ceremonías** pp.52–55.

ESCENARIO DE JUSTAS y torneos en tiempos de Enrique VIII, el relevo de la guardia tiene lugar en Horse Guards todos los días. Los edificios que lo rodean fueron proyectados por William Kent y terminados en 1755. A la izquierda se encuentra la Old Treasury, también de Kent, y la parte de atrás de Dover House, de 1758,

ahora la Scottish Office. Cerca se hallan los restos de una pista donde Enrique VII jugaba lo que se considera el precedente del tenis actual. El lado opuesto lo domina el edificio Citadel, con una estructura a prueba de bombas, construida en 1940 junto al Almirantazgo. En la II Guerra Mundial se utilizó como centro de comunicaciones de la Armada.

Whitehall Theatre ⓭

Whitehall SW1. **Plano** 13 B3.
(0171-369 1735. **⊖** *Charing Cross.* **Abierto** para representaciones. Ver **Distracciones** pp. 328–329.

Detalle de palco (Whitehall Theatre)

CONSTRUIDO EN 1930, la sencilla fachada blanca parece imitar al Cenotafio (*ver p.74*), en el otro extremo de la calle, pero dentro luce una magnífica decoración *art déco*. De 1950 a 1970 se ganó una gran reputación por sus representaciones.

Queen's Anne Gate ⓮

SW1. **Plano** 13 A5. **⊖** *St James's Park.*

LAS ESPACIOSAS casas situadas en el extremo oeste de esta calle datan de 1704 y son notables por los doseles que adornan sus puertas. En el otro extremo se hallan varias mansiones construidas 70 años más tarde, con placas azules que recuerdan a sus residentes famosos, como el primer ministro victoriano lord Palmerston. Hasta hace poco, se decía que el Servicio Secreto Británico (MI5) tenía aquí su base. Una pequeña estatua de la reina Ana se alza ante la valla que separa los números 13 y 15. Al oeste, situado en la esquina de Petty France, se contempla el Ministerio del Interior, obra de sir Basil

Pinturas de Rubens en el techo de la Banqueting House

Spence (1976), una auténtica incongruencia arquitectónica.

Cockpit Steps, que lleva a Birdcage Walk, era escenario de las peleas de gallos, muy populares en el siglo XVII.

Guards Museum ⓯

Birdcage Walk SW1. **Plano** 13 A5. 📞 *020-7930 4466* 🚇 *St James's Park.* **Abierto** *10.00–16.00 todos los días.* **Cerrado** *25 dic, 1 ene.* **Previo pago.** 🔲 🅰 📷

ENTRANDO POR Birdcage Walk, este museo queda tras la explanada de Wellington Barracks, cuartel general de los cinco regimientos de la guardia real. Además de piezas militares, se exponen cuadros y dioramas para ilustrar las batallas en las que los guardias tomaron parte, desde la guerra civil inglesa (1642–1648) hasta nuestros días. Se exhiben armas y multitud de uniformes, así como una fascinante colección de maquetas.

Estación de St James's Park ⓰

55 Broadway SW1. **Plano** 13 A5. 🚇 *St James's Park.*

Escultura de Epstein en la estación de St James's Park

CONSTRUIDA dentro de la Broadway House (1929), de Charles Holden, alberga a la compañía London Transport. Destaca por las esculturas de Jacob Epstein y las obras de Henry Moore y Eric Gill.

Blewcoat School ⓱

23 Caxton St SW1. **Plano** 13 A5. 📞 *020-7222 2877.* 🚇 *St James's Park.* **Abierto** *10.00–17.30 lu–mi, vi, 10.00–19.00 ju.* **Cerrada** *festivos.*

Estatua de un alumno de Blewcoat sobre la entrada de Caxton Street

ESTA JOYA de ladrillo rojo, rodeada de los edificios de oficinas de Victoria St, se construyó en 1709. Era una escuela de caridad en la que se enseñaba a "leer, escribir, sumar... y el catecismo". Continuó como colegio hasta 1939, fecha en que se convirtió en un almacén del ejército durante la guerra. En 1954 lo compró el National Trust. En su bello interior se ha instalado ahora una tienda de regalos.

Catedral de Westminster ⓲

Ashley Place SW1. **Plano** 20 F1. 📞 *020-7798 9055.* 🚇 *Victoria.* **Abierta** *7.00-19.00 do-vi; 8.00-19.00 sá.* **Previo pago** *para ascensor de campanario (abr–nov): 9.00-17.00 todos los días; dic-mar: 9.00-17.00 ju-do).* 🔼 *17.30 lu-vi, 10.30 sa-do, misa cantada; llamar para información sobre otros servicios a 020-7798 9097.* 🔲 🅰 🔔 📷 **Conciertos.**

UNO DE LOS ESCASOS edificios de estilo bizantino de Londres, fue diseñado por John Francis Bentley para la diócesis católica y se terminó en 1903. Su torre de ladrillo rojo de 87 m de altura, con franjas horizontales de piedra, se alza en acusado contraste con la cercana abadía del mismo nombre. Una tranquila plaza en el lado norte proporciona una gran vista de la catedral desde Victoria Street. La rica decoración interior, con mármoles de varios colores y mosaicos, acentúa la desnudez de las bóvedas de la nave, inacabadas por falta de dinero. Los dramáticos relieves de Eric Gill (las 14 estaciones del Vía Crucis), creados durante la I Guerra Mundial, adornan la nave. El órgano es uno de los mejores de Europa, y en él se celebra una serie de conciertos (el segundo martes del mes), de junio a septiembre.

St John, Smith Square ⓳

Smith Sq SW1. **Plano** 21 B1. 📞 *020-7222 1061.* 🚇 *Westminster.* **Abierta** *10.00–17.00 y conciertos de tarde.* 🚫 🍴 🔲 **Conciertos.** Ver **Distracciones** pp.332–333.

Asistencia a un concierto en St John, en Smith Square

DESCRITA POR el artista e historiador sir Hugh Casson como una de las obras maestras del barroco inglés, esta iglesia de Thomas Archer, con torretas en cada esquina, parece querer escaparse de los límites de la plaza y eclipsa las atractivas casas del siglo XVIII del lado norte. Tiene una historia accidentada: terminada en 1728, se quemó en 1742, fue dañada por un rayo en 1773 y destruida nuevamente por los bombardeos de la II Guerra Mundial en 1941. Cuenta con restaurante en el sótano –una rareza en esta zona–, en el que se sirven almuerzos todos los días y se organizan conciertos por la tarde.

Tate Britain ⓴

Ver pp. 82–85.

Tate Britain ⑳

Antiguamente conocida como Tate Gallery, la Tate Britain posee la colección más amplia del mundo de arte británico de los siglos XVI al XXI. El arte internacional que hasta hace poco estaba aquí, en la actualidad se expone en la Tate Modern *(ver pp. 178-181)*. En la Clore Gallery se encuentra el magnífico Legado Turner, que fue cedido a la nación por el paisajista inglés J. M. W. Turner en 1851. Posee su propia entrada y permite una plena apreciación del edificio posmodernista proyectado por el arquitecto sir James Stirling.

Las exposiciones temporales, que abarcan todos los estilos del arte británico, se localizan aquí y en la planta baja.

Planta principal

La familia Saltonstall *(1637)*
El retrato de tamaño natural, de David des Granges, incluye a la fallecida primera lady Saltonstall mientras la segunda le muestra su nuevo hijo.

Planta baja

Entrada por la calle Atterbury

Guía del Museo

La colección permanente ocupa las tres cuartas partes de la planta principal. Comenzando por la esquina del noroeste, la exposición sigue un orden cronológico y abarca desde el siglo XVI hasta la actualidad. Cada sala examina un tema histórico o está dedicada a un artista. Las exposiciones temporales se muestran en el resto de la planta principal y en las galerías de la planta baja.

Flatford Mill (Escena en un río navegable) *(1816-1817)*
John Constable fue el primer pintor en realizar paisajes directamente de la naturaleza. Esta obra muestra su maestría en el uso de las luces y las sombras.

Distribución por Salas

☐	1500-1800
☐	1800-1900
☐	1900-1960
☐	1960 en adelante
	Galería Duveen Sculpture
	Clore Gallery
▨	Exposiciones temporales
☐	Espacio no expuesto

★ **Nocturno en azul y oro: el viejo puente Battersea** *(c.1872-1875)*
Las escenas nocturnas del Támesis en Londres de J. A. M. Whistler representan el inicio del arte moderno en Gran Bretaña.

EL ARTE DEL BUEN COMER

La Tate Britain presume de su cafetería y bar y de su restaurante, en la planta baja. Los famosos murales de Rex Whistler decoran las paredes del restaurante, en los que se describe la historia de los habitantes del mítico Jardín de Epicuro y su expedición en busca de exóticos alimentos. Su carta de vinos ha ganado varios premios y destaca su buen precio. Sólo abierto para comidas.

INFORMACIÓN ESENCIAL

Millbank SW1. **Plano** 21 B2.
☎ *020-7887 8000.* 📠 *020-7887 8008.* 🚇 *Pimlico.* 🚌 *C 10, 36, 77a, 88, 159, 185, 507.* 🚆 *Victoria, Vauxhall.* **Abierta** *10.00–17.50 todos los días.* **Cerrada** *24–26 dic.* **Entrada gratuita** *excepto exposiciones.*
📷 ♿ *Atterbury St.* ✄ 🚻 🛗
📞 **Conferencias, proyecciones, actividades para niños**
ⓦ *www.tate.org.uk*

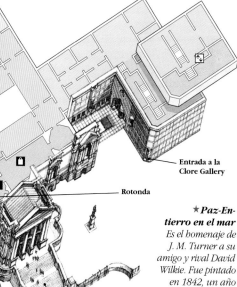

Entrada a la
Clore Gallery

Rotonda

★*Paz-Entierro en el mar*
*Es el homenaje de
J. M. Turner a su
amigo y rival David
Wilkie. Fue pintado
en 1842, un año
después de que Wilkie
muriera en el mar.*

Dama de Shalott (1888)
*Esta obra de J. W. Watherhouse
refleja la fascinación prerra-
faelista con el mito artúrico.*

Entrada por Millbank

Escaleras hacia la
planta baja
🖥 🚻 ♿ ☎ 📞

★ *Tres estudios de
figuras basadas en
la Crucifixión*
*(1944, detalle)
El tríptico de Francis
Bacon muestra una
angustiada visión de
la existencia humana.
Cuando se expuso por
primera vez, su pro-
funda ferocidad con-
mocionó al público.*

RECOMENDAMOS

★ *Paz-entierro en el
mar*, de Turner

★ *Nocturno en azul y
oro*, de Whistler

★ *Tres estudios de
figuras basadas en
la Crucifixión*, de
Bacon

Explorando la Tate Britain

L A TATE BRITAIN obtuvo sus obras de la gran Tate Collection. La variedad de trabajos que se muestra, así como
su riguroso programa de exposiciones temporales, da
como resultado una selección de obras de todos los gustos. Aunque la Tate Britain ha sido recientemente ampliada, el número de obras británicas de la colección todavía
supera el espacio disponible en la galería, por lo que es
necesario que de vez en cuando se roten las exposiciones.

The Cholmondeley Sisters (c.1600-1610), de la escuela británica

1500–1800

E STE CONJUNTO DE galerías
traza la historia de la
inconfundible escuela de arte
británico. La galería *English
Renaissance* muestra el arte
decorativo de la época de
Isabel I, caracterizado por las
rígidas poses y los detalles
exquisitos, como se muestra en
The Cholmondeley Sisters. La
obra de William Hogarth, denominado el padre de la pintura
británica, se expone en
Hogarth and Modern Life. La
tradición de los grandes retratos, con su mejor exponente en
los trabajos de Joshua Reynolds
y Thomas Gainsborough, se
localiza en la galería *Courtly
Portraiture.* El paisaje, frecuentemente visto como lo más típico del arte británico, se expone
en *Landscape and Empire.* A
finales de este periodo, uno de
los más excéntricos genios del
arte hizo su aparición, William
Blake. Inspirado en Miguel
Ángel, Blake realizó pinturas y
poesías en las que expresó su
visión sumamente personal
del hombre y de Dios.

Satan Smiting Job with Sore Boils (c.1826),
de William Blake

1800–1900

A FINALES DEL siglo XVIII, las
pinturas sobre escenas de
la historia, el teatro y la literatura de Gran Bretaña comenza-
ron a popularizarse cada vez
más. La extensa exposición
Making British History abarca
desde las fantasías de Henry
Fuseli inspiradas en Shakespeare hasta los cuadros de
acontecimientos históricos de
John Singleton Copley y J. M.
W. Turner. Los definidos
enfoques en temas como la
literatura y la vida contemporánea de los prerrafaelistas
también se localizan en esta
amplia galería.

Nada menos que tres salas
están dedicadas a John
Constable, rival de Turner
como paisajista. Una de ellas
presenta el material biográfi-
co, mientras que las otras dos, *Constable and
Outdoor Painting 1800-1817* y
*Constable's Later Years 1818-
1837,* muestran el desarrollo de
su pintura a lo largo de su
carrera.

Los cuadros a gran escala de
John Martin y Francis Danby se
exponen en *John Martin and
Vision of the Apocalypse.* La
popularidad de las pinturas de
estos artistas sobre temas
bíblicos fue debida al
auge religioso de este
periodo. *Art and Victo-
rian Society* muestra la
imagen de la mujer en el
arte victoriano. Final-
mente, la influencia del
impresionismo francés,
sobre todo en el magní-
fico pintor británico J. A.
M. Whistler y sus segui-
dores, se examina en
British Art and France.

TURNER EN LA CLORE GALLERY

El Legado Turner está compuesto de alrededor de 300 óleos y unas 20.000 acuarelas y
bocetos cedidos a la nación por el magnífico
paisajista J. M. W. Turner a su muerte en 1851.
Turner dejó especificado que se construiría
una galería para albergar estas pinturas y
finalmente se mostró todo el legado cuando
en 1987 se abrió la Clore Gallery. Todos los
óleos están expuestos en la parte principal,
mientras que las maravillosas acuarelas suelen
cambiarse en distintas exposiciones.

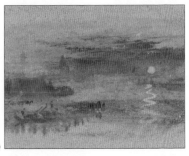

The Scarlet Sunset: A Town on a River (c.1830-1840)

Mr. and Mrs. Clark and Percy (1970-1971), de David Hockney

1900–1960

En esta sección, las exposiciones están ordenadas temáticamente y exploran las respuestas que los artistas británicos han expresado sobre su idea del mundo. *War and Memory* ilustra el duradero y extraordinario impacto de la I Guerra Mundial. Se exponen aquí imágenes de la guerra del futurista C. R. W. Nevinson y del escultor Charles Sargent Jagger, junto con obras de la posguerra como los fantasmales paisajes de Paul Nash.

Recumbent Figure (1938), de Henry Moore

Modern Art and Tradition presenta las pioneras obras modernistas de los escultores Henry Moore y Barbara Hepworth, realizadas en los años treinta contra la estética tradicional de artistas como Cecil Collins. El desarrollo y la plenitud del arte modernista de los años treinta se expone en *An International Abstract Art*.

El arte desde la II Guerra Mundial se ilustra en unas exposiciones rotativas en las que se muestran la obra de Francis Bacon y Graham Sutherland, esculturas de la posguerra caracterizadas por la *geometría del miedo*, las pinturas realistas de la escuela Kitchen Sink y el trabajo de Independent Group, liderado por Richard Hamilton y Eduardo Paolozzi, a la sombra del arte pop.

1960 EN ADELANTE

Desde los años sesenta, los fondos de la Tate Britain para la compra de obras se han incrementado sustancialmente y las actividades artísticas se han acelerado, alentadas por el dinero público. Como consecuencia, la Tate Collection es particularmente rica en obras de este periodo y se hacen frecuentes cambios en las exposiciones.

El arte británico de los años sesenta se caracterizó por el rápido desarrollo del arte pop, como demuestran la temprana obra de David Hockney, las

Cold Dark Matter: An Exploded View (1991), de Cornelia Parker

pinturas y construcciones de Peter Blake y el arte pop más intelectual de Richard Hamilton. Al mismo tiempo, hubo un florecimiento a gran escala del arte abstracto, con brillantes colores, tanto en pintura como en escultura. En respuesta a este movimiento, emerge el arte conceptual de finales de los años sesenta con artistas como Gilbert y George, conocido como Living Sculptures, y Richard Long, que creó una nueva propuesta en el arte del paisaje, como lo demuestran sus obras de la galería. El arte conceptual fue rechazado a principios de los años ochenta por pintores de la escuela de Londres, tales como Howard Hodgkin, Lucien Freud y Kitaj, mientras que Francis Bacon se convertía en padre de este grupo. De modo similar, Tony Cragg, Richard Deacon y Bill Woodrow fueron pioneros en crear una escultura más simbólica y que exploraba la naturaleza de los materiales.

Los años noventa vieron resurgir el arte británico y los más recientes movimientos, entre ellos el trabajo de los llamados Young British Artists (YBAs), están representados en la Tate Britain. Damien Hirst, quizá el más conocido de este grupo, creó unas instalaciones a gran escala, pero es más célebre por sus animales preservados en formol. Otras figuras destacadas son Tracey Emin y Sarah Lucas, quienes radicalizaron su personal trabajo con una estética confrontada, y Cornelia Parker, que aportó un acercamiento pensativo y poético a YBAs. Numerosos artistas británicos contemporáneos, como Tacita Dean, Sam Taylor-Wood, Douglas Gordon, Steve McQueen y los gemelos Wilson, utilizan el vídeo como medio de expresión. Múltiples exposiciones sobre el desarrollo de esta técnica se han sucedido en los últimos años en la Tate Britain.

PICCADILLY Y ST JAMES'S

Cerradura del palacio de Buckingham

ICCADILLY es la arteria principal del West End. Llamada anteriormente Portugal Street, tomó su nombre actual de las golas *(pickadills)* que usaban los dandis del siglo XVII. St James's todavía conserva huellas del siglo XVIII, cuando estaba rodeada de residencias reales y constituía el lugar favorito de compras y encuentros para los cortesanos. Dos tiendas de St James's Street, la sombrerería Lock y la vinatería Berry Bros, recuerdan esa época. Fortnum and Mason, en Piccadilly, lleva sirviendo comestibles de gran calidad desde hace casi 300 años. Mayfair, al norte, es aún la zona más elegante de Londres, mientras que Piccadilly Circus marca el comienzo del Soho.

LUGARES DE INTERÉS

Calles y edificios históricos
Albany **3**
Buckingham Palace pp. 94–95 **19**
Burlington Arcade **5**
Clarence House **17**
Hotel Ritz **6**
Lancaster House **18**
Marlborough House **15**
Pall Mall **11**
Piccadilly Circus **1**
Royal Mews **21**
Royal Opera Arcade **10**
Shepherd Market **24**
Spencer House **7**
St James's Palace **8**
St James's Square **9**
The Mall **14**
Wellington Arch **22**

Museos y galerías
Apsley House **23**
Faraday Museum **26**
Institute of Contemporary Arts **12**
Queen's Gallery **20**
Royal Academy of Arts **4**
Royal Mews **21**

Iglesias
Queen's Chapel **16**
St James's Church **2**

Parques y jardines
Green Park **25**
St James's Park **13**

MÁS INFORMACIÓN
• *Callejero*, planos 12, 13
• *Alojamiento* pp.272–285
• *Restaurantes* pp.286–311

CÓMO LLEGAR
La línea Piccadilly de metro cubre Hyde Park Corner, Piccadilly Circus y Green Park. Las líneas Bakerloo y Northern llegan hasta Charing Cross. Las líneas de autobús 6, 9, 15, 23 y 139 también cubren la zona.

SIGNOS CONVENCIONALES
Plano en 3 dimensiones
Estación de metro
Estación de ferrocarril
Aparcamiento

◁ **Piccadilly Arcade, con sus elegantes tiendas**

Piccadilly y St James's en 3 dimensiones

TAN PRONTO COMO Enrique VIII ordenó construir el palacio de St James's, en 1530, la zona se convirtió en el centro del Londres cortesano, y lo sigue siendo desde entonces. Las grandes figuras del país pasearon por sus históricas calles camino del almuerzo en sus clubes pensando en negocios vitales, compraron en los más antiguos y famosos almacenes de la capital con sus tarjetas de oro, o visitaron alguna de sus numerosas galerías de arte.

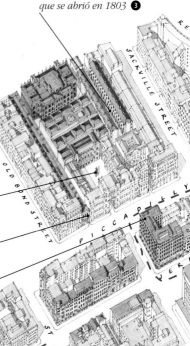

Albany
Ha sido uno de los emplazamientos más elegantes de Londres desde que se abrió en 1803 ③

★ **Royal Academy of Arts**
La fundó sir Joshua Reynolds en 1768. Ofrece grandes exposiciones de gran repercusión ④

★ **Burlington Arcade**
Los bedeles uniformados impiden cualquier mala conducta en esta galería del siglo XIX ⑤

Fortnum and Mason
Tienda fundada en 1707 por uno de los lacayos de la reina Ana *(ver p.311)*

Hotel Ritz
Con el nombre del fundador, César Ritz, y abierto en 1906, hace honor a su fama ⑥

Spencer House
Construida en 1766 por un antepasado de la princesa de Gales ⑦

St James's Palace
Este palacio Tudor es todavía el centro oficial de la Corte ⑧

Al Mall

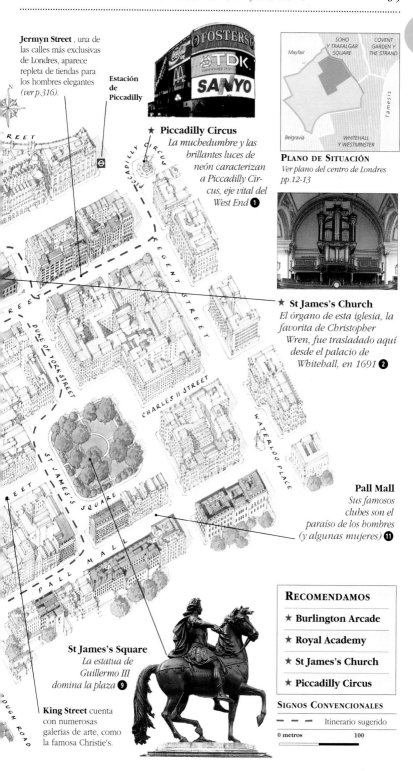

Jermyn Street, una de las calles más exclusivas de Londres, aparece repleta de tiendas para los hombres elegantes *(ver p.316).*

Estación de Piccadilly

★ **Piccadilly Circus**
La muchedumbre y las brillantes luces de neón caracterizan a Piccadilly Circus, eje vital del West End ❶

PLANO DE SITUACIÓN
Ver plano del centro de Londres pp.12-13

★ **St James's Church**
El órgano de esta iglesia, la favorita de Christopher Wren, fue trasladado aquí desde el palacio de Whitehall, en 1691 ❷

Pall Mall
Sus famosos clubes son el paraíso de los hombres (y algunas mujeres) ⓫

St James's Square
La estatua de Guillermo III domina la plaza ❾

King Street cuenta con numerosas galerías de arte, como la famosa Christie's.

RECOMENDAMOS

★ **Burlington Arcade**

★ **Royal Academy**

★ **St James's Church**

★ **Piccadilly Circus**

SIGNOS CONVENCIONALES

– – – Itinerario sugerido

0 metros   100

Piccadilly Circus ❶

W1. **Plano** 13 A3. 🚇 *Piccadilly Circus.*

La estatua de Eros, de Alfred Gilbert

DURANTE años la gente se ha venido congregando en torno a la estatua de Eros, que quiso representar en su origen un ángel, pero fue rebautizada con el nombre del dios griego del amor. Con sus alas y su arco, Eros se ha convertido casi en un símbolo de la capital. Fue erigida en 1892 en memoria del filántropo victoriano conde de Shaftesbury. Piccadilly Circus, que formaba parte del plan de Nash para Regent's Street, ha sido remodelado recientemente y está repleto, principalmente, de galerías comerciales. Una de ellas se encuentra tras la fachada del London Pavillon (1885), en tiempos una popular sala de baile. La plaza posee la mayor concentración de anuncios de neón de la ciudad, que señalan la entrada al animado Soho, con sus teatros, cines, *nights clubs,* restaurantes y *pubs.*

St James's Church ❷

197 Piccadilly W1. **Plano** 13 A3. 📞 *0171-734 4511.* 🚇 *Piccadilly Circus, Green Park.* **Abierta** *8.00–18.30 todos los días.* **Mercado de artesanía** *10.00–18.00 mi-sa.* **Mercado de antigüedades** *10.00–18.00 ma (excepto Semana Santa).* 🚫 *Durante servicios.* ▣ **Conciertos, conferencias.**

ENTRE LAS muchas iglesias que diseñó Wren (*ver p.47*), se dice que ésta es una de sus favoritas. Alterada en el transcurso de los años y medio derruida por una bomba en 1940, mantiene sus rasgos esenciales de 1684: las ventanas en arco, el fino chapitel (una réplica de 1966, en fibra de vidrio) y un luminoso interior. El altar mayor es uno de los mejores trabajos del maestro tallista del siglo XVII Grinling Gibbons, quien también realizó la pila bautismal de mármol que representaba a Adán y Eva ante el Árbol de la Vida. El poeta William Blake y el primer ministro Pitt el Viejo fueron bautizados aquí. La mayoría de las tallas de Gibbons están situadas sobre el órgano, realizado para la capilla del palacio de Whitehall pero instalado aquí en 1691. La iglesia ofrece un apretado calendario de actos y cuenta con un restaurante vegetariano.

Albany ❸

Albany Court Yard, Piccadilly W1. **Plano** 12 F3. 🚇 *Green Park, Piccadilly Circus.* **Cerrado** *al público.*

ESTE COTIZADO edificio de apartamentos de soltero, medio escondido a la entrada de Piccadilly, fue construido en 1803 por Henry Holland. Entre sus residentes notables se encuentran el poeta lord Byron, el novelista Graham Greene, dos primeros ministros (William Gladstone y Edward Heath) y el actor Terence Stamp. Se admitió a hombres casados en 1878, pero no pudieron llevar a sus esposas a vivir con ellos hasta 1919. Ahora ya admiten a mujeres solas.

Lord Byron vivió en Albany

Royal Academy of Arts ❹

Burlington House, Piccadilly W1. **Plano** 12 F3. 📞 *020-7300 8000.* 🚇 *Piccadilly Circus, Green Park.* **Abierta** *10.00–18.00 do-ju; 10.00-22.00 vi.* **Cerrada** *24–25 dic, Viernes Santo.* **Previo pago**. 🚫 ♿ 📷 *Previa cita.* 🎧 ▯▮ ♿ ▯ **Conferencias**.

La Virgen y el Niño, de Miguel Ángel

EL PATIO situado frente a Burlington House, una de las pocas mansiones del siglo XVIII que quedan en pie en el West End, está siempre abarrotado del público que espera entrar a alguna de las exposiciones de la Real Academia de Bellas Artes, fundada en 1786. La famosa exposición de verano (Summer Exhibition), que se celebra desde hace más de 200 años, exhibe alrededor de 1.200 obras nuevas de primeros pintores, escultores y arquitectos, tanto consagrados como noveles.

Las Sackler Galleries (1991), diseñadas por Norman Foster, ofrecen exposiciones itinerantes. Hay obras permanentes en la sección de escultura, entre las que destaca un bajorrelieve de Miguel Ángel de la Virgen y el Niño (1505). La excepcional colección permanente (no expuesta en su totalidad) incluye una obra de cada uno de los académicos, presentes y pasados. Hay una buena tienda en el primer piso, con postales y recuerdos diseñados por los miembros de la Academia.

Burlington Arcade ❺

Piccadilly W1. **Plano** 12 F3. 🚇 *Green Park, Piccadilly Circus. Ver De* **Compras** *p.320.*

E S UNA DE LAS CUATRO ARCADAS del siglo XIX (Piccadilly y Princess están en la parte sur de Piccadilly y la de la Royal Arcade fuera de Pall Mall) que cuenta con elegantes tiendas especializadas en productos británicos de lujo. Fue construida por lord Cavendish en 1819 para evitar que los peatones arrojasen basuras a su espléndido jardín. Todavía está vigilada por bedeles que tratan de asegurar el mantenimiento de las buenas formas. Tienen la autoridad para expulsar a todo aquel que cante, silbe, corra e incluso abra un paraguas; sin embargo, estos poderes, hoy en día, rara vez se ejercen, quizá porque los dictados del comercio han vencido a aquellos propios del decoro.

Hotel Ritz ❻

Piccadilly W1. **Plano** 12 F3. ☎ *0171-493 8181.* 🚇 *Green Park.* **Abierto** *a no residentes para tés y restaurante.* ♿ 🅿 *Ver* **Alojamiento** *p. 282 y* **Restaurantes y bares** *pp. 309-311.*

C ÉSAR RITZ, el famoso hostelero suizo que inspiró el adjetivo "ritzy" (lujoso), estaba ya casi retirado cuando este hotel se construyó y tomó su nombre (1906). La fachada del edificio, que se asemeja a un castillo francés, imita las

Burlington Arcade

construcciones de París, donde los hoteles más de moda son edificios del siglo pasado. Sin embargo, mantiene, a pesar de todo, un aire de opulencia *fin de siglo*. Sigue siendo un lugar de reunión importante a la hora del té, siempre, claro está, que se vaya adecuadamente vestido. Esta atmósfera tan selecta se realza gracias a los bailes y a los famosos desfiles que se celebran en el Palm Court.

Spencer House ❼

27 St James's Pl SW1. **Plano** *12 F4.* ☎ *0171-499 8620.* 🚇 *Green Park.* **Abierta** *10.30–17.30 do (últ adm: 16.45). El jardín abre un domingo en jun 14.00.17.00.* **Cerrada** *ene y ago.* **Previo pago. Niños** *menores de 10 no se admiten.* 🚫 ♿ 📷 *obligatorio.*

E STE PALACIO lo terminó en 1766 el primer conde de Spencer, antepasado de la princesa de Gales. Ha sido restaurado con todo el esplendor del

siglo XVIII y contiene valiosos cuadros y mobiliario contemporáneo. Una de las salas más admiradas es la Painted Room. La casa está abierta al público para visitas con guía, recepciones y para asistir a conferencias.

Puerta Tudor de St James's

St James's Palace ❽

Pall Mall SW1. **Plano** 12 F4. 🚇 *Green Park.* **Cerrado** *al público.*

C ONSTRUIDO POR orden de Enrique VIII hacia 1530, en el solar de una antigua leprosería, fue durante breves periodos primera residencia real, especialmente en el reinado de Isabel I y a finales del siglo XVII y principios del XVIII. En 1952, la reina Isabel II pronunció en él su primer discurso tras ser coronada, y los embajadores extranjeros todavía presentan su acreditación oficial en este palacio. El ala norte, vista desde St James's St, es uno de los elementos Tudor más evocadores de Londres. Las viviendas traseras del palacio están ocupadas por los empleados del servicio doméstico.

El té de la tarde se sirve en la opulenta Palm Court, en el hotel Ritz

Royal Opera Arcade

St James's Square ❾

SW1. **Plano** 13 A3. 🚇 *Green Park, Piccadilly Circus.*

UNA DE LAS PRIMERAS plazas cuadrangulares de Londres, data de 1760 y está formada por las elegantes residencias de personajes vinculados al palacio de St James's. Muchas son de los siglos XVIII y XIX y en ellas residieron hombres ilustres. Los generales Eisenhower y De Gaulle tuvieron aquí sus cuarteles generales durante la II Guerra Mundial. El nº 10 es Chatham House (1736), hoy sede del Royal Institute for International Affairs, y en la esquina norte está la Biblioteca de Londres (1896), entidad privada fundada en 1841 por el historiador Thomas Carlyle *(ver p.196).* El agradable jardín alberga en su centro, desde 1808, una estatua ecuestre de Guillermo III.

Royal Opera Arcade ❿

SW1. **Plano** 13 A3. 🚇 *Piccadilly Circus.*

PRIMERA GALERÍA comercialde Londres, fue proyectada por John Nash y terminada en 1818; se halla detrás de la Haymarket Opera House (hoy Her Majesty's Theatre). Las obras concluyeron un año antes que las de Burlington Arcade *(ver p.91).* Farlows, en el extremo de Pall Mall, vende artículos de caza y pesca, incluidas las famosas botas impermeables Wellington, así como utensilios para las tradicionales excursiones campestres.

Pall Mall ⓫

SW1. **Plano** 13 A4. 🚇 *Charing Cross, Green Park, Picadilly Circus.*

El duque de Wellington (1842), frecuente visitante de Pall Mall

EL NOMBRE DE esta elegante calle viene del juego *palle-maille,* una mezcla de cróquet y golf que se jugaba a principios del siglo XVII. Pall Mall es el corazón de los clubes privados londinenses –exclusivos para hombres–, desde hace más de 150 años.

Los edificios de estos clubes constituyen un catálogo de los más afamados arquitectos de la época. En el extremo oriental, a la izquierda, se abre la entrada de columnatas del nº 116, el United Services Club, obra de Nash (1827) y favorito del duque de Wellington. Ahora alberga el Institute of Directors. Frente a él, al otro lado de Waterloo Place, está el Ateneo (nº 107), proyectado por Decimus Burton tres años más tarde y centro de los poderes fácticos británicos. Al lado, dos clubes, obras de sir Charles Barry, el arquitecto del Parlamento *(ver pp.72–73):* el Travellers en el nº106 y el Reform, en el 104. Todos los clubes presentan suntuosos y bien conservados interiores, y están reservados a los socios y sus invitados.

Institute of Contemporary Arts ⓬

The Mall SW1. **Plano** 13 B3. 📞 *020-7930 3647.* 🚇 *Charing Cross, Piccadilly Circus.* **Abierto** *12.00–1.00 ma-sa, 12.00–22.30 do, 12.00–23.00 lu.* **Cerrado** *24-26 dic, 1-2 ene, festivos.* **Previo pago** 🔲 **🚻** *Notificación por adelantado.* 🔲 🔲 **⓫** 🔲 **Conciertos, teatro, baile, conferencias, películas, exposiciones.** *Ver* **Distracciones** *pp.334–335.*

EL INSTITUTO DE Arte Contemporáneo (ICA) se inauguró en 1947 para ofrecer a los artistas británicos las mismas instalaciones y servicios que tenían los estadounidenses en el museo de Arte Moderno de Nueva York. Originariamente en Dover Street, se instaló en 1968 en Carlton House Terrace, creación del arquitecto John Nash (1833).

Con la entrada por The Mall, alberga un cine, un auditorio, una librería, una galería de arte, un bar y un excelente restaurante. Programa exposiciones, coloquios, conciertos, películas y obras de teatro. Los que no son socios han de pagar entrada.

Institute of Contemporary Arts, Carlton House Terrace

St James's Park ⓭

SW1. **Plano** 13 A4. 🎫 0171-930
1793. 🚇 St James's Park. **Abierto**
6.00–anochecer todos los días. 🍴
Abierto 10.00 -18.00 todos los días.
♿ **Conciertos** dos diarios en fin de
semana en verano y festivos, si el
tiempo lo permite. **Colección de
pájaros.**

Eɴ ᴠᴇʀᴀɴᴏ, los oficinistas
toman el sol en este parque,
el más decorativo de la capital.
En invierno, funcionarios bien
abrigados discuten sus asuntos
mientras pasean por las veredas
próximas al lago, entre patos,
gansos y pelícanos. Originariamente un pantano, fue desecado por orden de Enrique VIII
e incorporado a su coto de
caza. Carlos II lo acondicionó
para acoger a los paseantes e
instaló una pajarera en su lado
sur (donde ahora está la calle
Birdcage Walk). Es un lugar
muy popular con una fascinante
vista de los tejados de
Whitehall. Los conciertos de
verano se celebran en el
templete.

The Mall ⓮

SW1. **Plano** 13 A4. 🚇 Charing
Cross, Green Park, Piccadilly Circus.

Eꜱᴛᴀ ᴀɴᴄʜᴀ y majestuosa vía,
que conduce al palacio de
Buckingham, fue creada por
Aston Webb, cuando remodeló
la fachada del palacio y el monumento a la reina Victoria, en
1911 (ver fotografía p.96). Sigue
el curso del viejo camino que
bordeaba St James's Park,
trazado durante el reinado de
Carlos II y en esa época el paseo
de moda de Londres. En los
mástiles que flanquean The Mall,
ondean las banderas nacionales
durante las visitas oficiales de
dignatarios extranjeros.

Marlborough House ⓯

Pall Mall SW1. **Plano** 13 A4.
🎫 020-7839 3411. 🚇 St James's
Park, Green Park. **Abierta** sólo un sa
en sep (llamar para más detalles).

Mᴀʀʟʙᴏʀᴏᴜɢʜ ʜᴏᴜꜱᴇ,
construida por
Christopher Wren (ver p.47)

para la duquesa de Marlborough y terminada en 1711,
fue ampliada en el siglo XIX
y utilizada por miembros
de la familia real. Desde 1863
y hasta su coronación, en
1901, fue la residencia de
Eduardo VII, entonces
príncipe de Gales.

El muro que da a Marl-
borough Road tiene un monumento *art nouveau* en recuerdo de la reina Alejandra. El
edificio es ahora el Secretariado de la Commonwealth.

Queen's Chapel ⓰

Marlborough Rd SW1. **Plano** 13 A4.
🚇 Green Park. **Abierta** Semana
Santa-finales jul sólo do.

Eꜱᴛᴀ ᴇxQᴜɪꜱɪᴛᴀ obra del
arquitecto Íñigo Jones,
construida en 1627 para la
esposa española de Carlos I,
Enriqueta María, fue la primera

Queen's Chapel

iglesia clásica de Inglaterra.
Formaba parte del palacio de St
James's, pero ahora está sepa-
rada de él por Marlborough
Gate. Jorge III se casó con la
reina Carlota de Mecklenburg-
Strelitz (quien le dio 15 hijos)
en esta iglesia, en el año 1761.

Su interior posee un maravilloso altar de Annibale Caracci
y formidables elementos decorativos del siglo XVII, pero sólo
se abre a los feligreses en primavera y a principios de verano.

Comienzo del verano en St James's Park

Buckingham Palace ⓳

ESTE PALACIO es la residencia de los monarcas británicos. Se usa también en las ceremonias en honor de los jefes de Estado en visita oficial. Unas 300 personas trabajan en el palacio, entre funcionarios y diverso personal doméstico. John Nash convirtió la primitiva Buckingham House en un palacio para Jorge IV (que reinó de 1820 a 1830). Tanto el rey como su hermano Guillermo IV (que reinó de 1830 a 1837) murieron antes de que finalizasen las obras, por lo que fue la reina Victoria la primera en habitar el edificio. La reina Isabel II, la habitante actual del palacio, celebra en el año 2002 sus cincuenta años de reinado. La fachada oriental, frente a The Mall, fue añadida en 1913.

Salón de Música
La recepción de invitados oficiales y los bautizos reales se celebran en esta sala, en la que destaca el bello suelo entarimado diseñado por Nash.

La galería de Cuadros muestra una selección de la valiosísima colección pictórica de la reina.

El comedor de Estado se utiliza para comidas más informales.

Cocina y dependencias de servicio

Salón Azul
Lo decoran las columnas de imitación de ónice creadas por John Nash.

Salón de Baile
El salón de Baile de estilo barroco georgiano, se usa para banquetes oficiales e investiduras.

Oficina de Correos privada

Relevo de la guardia
En verano, la guardia del palacio hace el relevo en una colorida ceremonia (ver pp. 52–55).

INFORMACIÓN ESENCIAL

SW1. **Plano** 12 F5. ☎ *020-783 91377*. ⊖ *St James's Park, Victoria.* 🚌 *2B, 11, 16, 24, 25, 36, 38, 52, 73, 135, C1.* 🚆 *Victoria.* **Dependencias abiertas al público** *ago–sep: 9.30–17.30 todos los días (última admisión: 16.30).* **Previo pago.** 🅿 **Relevo de la Guardia** *abr–jul: 11:30 todos los días; ago–mar: días alternos.* ☎ *0906 866 3344 (London Tourist Board Information Line).*

White Drawing Room es donde la familia real se reúne antes de pasar al comedor o al salón de Baile.

El jardín es un magnífico refugio natural y a él dan las mejores estancias de la parte posterior del palacio.

Piscina en el sótano del palacio. También hay una sala de cine.

El salón del Trono está iluminado por siete soberbias lámparas.

Green Drawing Room. Es la primera de las salas que atraviesan los invitados en las recepciones oficiales.

Sala de Audiencias de la Reina
Es una de las 12 dependencias privadas de la reina en el primer piso.

El estandarte real ondea cuando la reina está en palacio.

¿QUIÉN VIVE EN BUCKINGHAM PALACE?

El palacio es la residencia londinense de la reina Isabel II y de su esposo, el duque de Edimburgo. El príncipe Eduardo posee en él un apartamento, así como la princesa Ana y el duque de York. Unos 50 sirvientes tienen habitaciones en el palacio y otros habitan en los Royal Mews (*ver p.96*).

Vista sobre The Mall
Siguiendo la tradición, la familia real saluda a los ciudadanos desde este balcón.

Clarence House ⓱

Stable Yard SW1. **Plano** 12 F4.
🚇 *Green Park, St James's Park.*
Cerrada *al público.*

SITUADA FRENTE A THE MALL, fue proyectada en 1827 por John Nash para el predecesor de la reina Victoria, Guillermo, duque de Clarence, quien vivió en ella tras acceder al trono en 1830. Ahora es la residencia de la Reina Madre.

Lancaster House ⓲

Stable Yard SW1. **Plano** 12 F4.
🚇 *Green Park, St James's Park.*
Cerrada *al público.*

Lancaster House

RESIDENCIA real, la construyó en 1825 Benjamin Wyatt, arquitecto de Apsley House. En 1848, Chopin dio un concierto para la reina Victoria, el príncipe Alberto y el duque de Wellington. Actualmente, se utiliza como centro de conferencias.

Buckingham Palace ⓳

Ver pp. 94–95.

Queen's Gallery ⓴

Buckingham Palace Rd SW1. **Plano** 12 F5. 📞 *020-7839 1377.* 🚇 *St James's Park, Victoria.* **Cerrada** *por reformas hasta principios de 2002.* **Previo pago.**
🚫 📷

LA REINA posee una de las mejores y más valiosas colecciones pictóricas del mundo, rica en maestros antiguos, como Vermeer y Leonardo. Durante 30 años, su asesor de arte fue sir Anthony Blunt, hasta que en 1979 se descubrió que había sido espía soviético y fue destituido de su cargo.

Esta pequeña galería, cercana al palacio, sirvió de invernadero hasta 1962; hoy presenta una magnífica selección de cuadros. El edificio, en sus orígenes capilla real, conserva un espacio cerrado al público, dedicado a la oración. Las exposiciones se basan en temas específicos y se cambian regularmente.

Royal Mews ㉑

Buckingham Palace Rd SW1. **Plano** 12 E5. 📞 *020-7839 1377.* 🚇 *St James's Park, Victoria.* **Abiertos** *ago-sep: 10.30-16.30 lu-ju (última admisión: 16.00). Pueden cerrarse sin previo aviso (telefonear antes).* **Previo pago.** ♿ 📷

AUNQUE ABREN sólo unas horas a la semana, los Mews (establos) merecen la visita de los amantes de los caballos. Los establos y las cocheras, proyectados por Nash en 1825, albergan la caballeriza y carrozas usados por la familia real en las ceremonias oficiales. La estrella es la carroza de oro de Jorge III, construida en 1761 y con paneles pintados por Giovanni Cipriani. Entre otras,

Huevo Fabergé, en Queen's Gallery

destacan la carroza irlandesa que usa la reina para acudir a la ceremonia de apertura del Parlamento, un landó abierto y el carruaje de cristales que se utiliza en las bodas reales y el transporte de embajadores extranjeros. También se exponen los arneses de las caballerías y los espléndidos ejemplares equinos que los lucen. Los establos permanecen abiertos durante la semana en que se celebran las carreras de Ascot, en junio, pero las carrozas son trasladadas al hipódromo de Berkshire para tomar parte en el desfile real antes de la primera carrera. Hay una tienda aquí que ofrece una selección de recuerdos de la realeza, que abre diariamente desde las 9.30 hasta las 17.00.

Monumento a la reina Victoria, frente al palacio de Buckingham

Wellington Arch ②

SW1. **Plano** 12 D4. [020-7973 34 94] Hyde Park Corner. **Abierto** 1 abr-30 sep: 10.00-18.00 mi-do; 1 oct-31 mar: 10.00-16.00 mi-do. **Cerrado** 24-25 dic, 1 ene. **Previo pago** [

TRAS CASI UN siglo de debates acerca de qué hacer con estos terrenos situados frente a Apsley House, se erigió en 1828 este gran arco, diseñado por Decimus Burton. La escultura, de Adrian Jones, es de 1912. Antes de su instalación, Jones invitó a cenar a ocho amigos sobre uno de los caballos.

Un proyecto de conservación ha restaurado el arco. Se accede al interior, con exposiciones sobre las estatuas de la ciudad y recuerdos de la guerra. La plataforma de debajo ofrece una magnífica panorámica de Londres.

Wellington Arch

Apsley House ②

Hyde Park Corner W1. **Plano** 12 D4. [020-7499 5676.] Hyde Park Corner. **Abierta** 11.00–17.00 ma–do (últ adm: 16.30). **Cerrada** 24–26 dic, 1 ene, Viernes Santo, primer lunes de mayo, fiestas. **Previo pago**. [[Llamar antes.

SITUADA EN LA esquina sureste de Hyde Park, Apsley House fue construida por Robert Adam para el barón de Apsley en 1778. Cincuenta años más tarde fue reformada y ensanchada por los arquitectos Benjamin y Philip Wyatt para el duque de Wellington, héroe de la batalla de Waterloo (1815) contra Napoleón y que llegaría, más tarde, a ser primer ministro. En la actualidad es un museo sobre el duque de Wellington, con algunos de sus trofeos,

Interior de Apsley House

entre los que destaca la estatua de Napoleón (dos veces el tamaño natural), esculpida por Canova y antes instalada en el Museo del Louvre de París; en ella el mortal enemigo de Wellington viste sólo una hoja de higuera. La mayoría de los cuadros expuestos son de contemporáneos del militar inglés, así como viejos maestros de su colección. Se conservan algunos interiores de Adam.

Shepherd Market ②

W1. **Plano** 12 E4.] Green Park.

ESTE ATRACTIVO enclave de tiendas, restaurantes, cafeterías y terrazas, entre Piccadilly y Curzon St, toma su nombre de Edward Shepherd, quien lo construyó a mediados del siglo XVIII. Durante el siglo XVII, la feria May Fair (de donde deriva el nombre de la zona) se celebraba en este mismo lugar. Hoy día, Shepherd Market es todavía el centro vital del barrio.

Green Park ②

SW1. **Plano** 12 E4. [0171-930 1793.] Green Park, Hyde Park Corner. **Abierto** 5.00–24.00 todos los días.

ANTES PARTE DEL coto de caza de Enrique VIII, fue, como St James's Park, adaptado para el uso público por Carlos II en 1660. Se trata de un terreno ondulado, con praderas, arbolado y abundantes narcisos en primavera. Era el

lugar elegido para los duelos durante el siglo XVIII; en 1771, el poeta Alfieri fue herido aquí por el marido de su amante, el vizconde Ligonier, pero pudo asistir después del duelo al teatro Haymarket, a tiempo de presenciar el último acto. Actualmente, los residentes de los hoteles de Mayfair lo suelen utilizar para practicar *jogging*.

Faraday Museum ②

The Royal Institution, 21 Albemarle St W1. **Plano** 12 F3 [020-7409 2992.] Green Park. **Abierto** 10.00–17.30 lu-vi. **Cerrado** 24 dic-7 ene. **Previo pago**. [[Llamar antes.

MICHAEL FARADAY fue un pionero del siglo XIX en el uso de la electricidad. Su laboratorio de 1850 ha sido reconstruido en el sótano de la Royal Institution y se muestra junto a un pequeño museo que contiene sus aparatos científicos y recuerdos personales.

Michael Faraday

SOHO Y TRAFALGAR SQUARE

Reloj en los almacenes Liberty's

SOHO ES CONOCIDO como centro vital de los placeres del cuerpo y del espíritu desde que se creó, a finales del siglo XVII. Durante sus primeros cien años de existencia fue el lugar más elegante de Londres, y sus residentes llamaban la atención por sus extravagantes fiestas. La zona es conocida hoy como la más permisiva de Londres, a pesar de que la prostitución callejera fue prohibi-

da por una ley de 1959. Posee también una fértil cultura *underground,* pues artistas e intelectuales frecuentan sus informales *pubs* y clubes, y es uno de los distritos más multirraciales. Los primeros inmigrantes fueron los hugonotes, en el siglo XVIII *(ver Christ Church, Spitalfields p. 170),* a los que siguieron todo tipo de extranjeros. Soho es conocido por su barrio chino (Chinatown).

LUGARES DE INTERÉS

Calles y edificios históricos
Admiralty Arch **2**
Carnaby Street **14**
Charing Cross Road **10**
Chinatown **9**
Leicester Square **6**
Shaftesbury Avenue **8**
Soho Square **12**
Trafalgar Square **1**

Tiendas y mercados
Berwick Street Market **13**
Liberty's **15**

Iglesias
St Martin-in-the-Fields **4**

Museos y galerías
National Gallery pp.104–107 **3**
National Portrait Gallery **5**

Teatros
Palace Theatre **11**
Theatre Royal **7**

SIGNOS CONVENCIONALES
Plano en 3 dimensiones
Estación de metro
Estación de ferrocarril
P Aparcamiento

CÓMO LLEGAR
El área está cubierta por las líneas de metro Central, Piccadilly, Bakerloo, Victoria y Northern. Numerosos autobuses pasan por Trafalgar Square. El ferrocarril llega a Charing Cross.

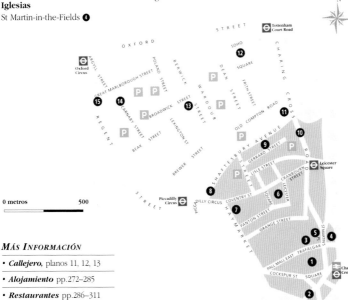

MÁS INFORMACIÓN
• *Callejero,* planos 11, 12, 13
• *Alojamiento* pp.272–285
• *Restaurantes* pp.286–311

◁ **St Martin-in-the-Fields y Trafalgar Square**

Trafalgar Square en 3 dimensiones

Teatros, cines, clubes y restaurantes hacen de esta zona la de más animación nocturna de la capital. Hay también grandes edificios oficiales y estrechas callejuelas comerciales.

A la estación de Tottenham Court Road

Charing Cross Road
Sus librerías son una delicia para los amantes de la lectura ❿

Shaftesbury Avenue
Principal arteria de teatros, que cubren sus fachadas con grandes carteles ❽

★ **Chinatown**
Zona de restaurantes y tiendas chinos, con numerosa población oriental ❾

The Blue Posts, un *pub* en el lugar que ocupaba una parada de postas en el siglo XVIII.

Guinness World of Records detalla todos los récords mundiales *(ver p.342).*

Estrellas mecánicas del pop
Saludan desde el balcón del Rock Circus, en el antiguo London Pavilion.

RECOMENDAMOS

★ **National Gallery**

★ **National Portrait Gallery**

★ **St Martin-in-the-Fields**

★ **Chinatown**

★ **Trafalgar Square**

Leicester Square
Una estatua de Charlie Chaplin se alza en el centro de la plaza ❻

SIGNOS CONVENCIONALES

- - - Itinerario sugerido

0 metros   100

El Theatre Royal
En el solar de otro antiguo teatro, tiene un bello pórtico de John Nash ❼

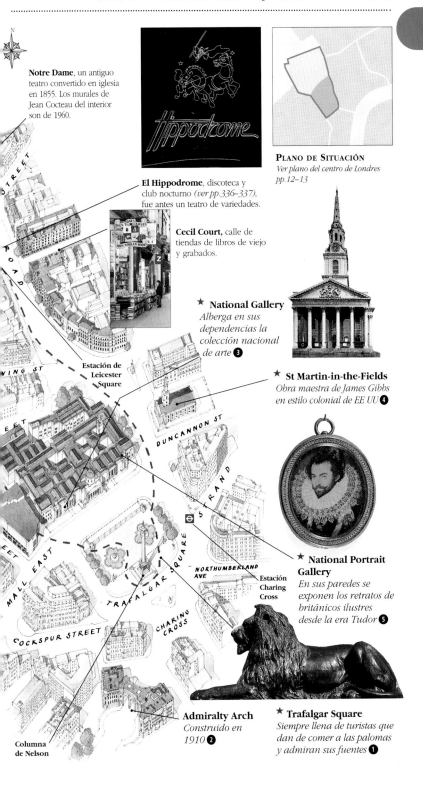

Notre Dame, un antiguo teatro convertido en iglesia en 1855. Los murales de Jean Cocteau del interior son de 1960.

PLANO DE SITUACIÓN
Ver plano del centro de Londres pp.12–13

El Hippodrome, discoteca y club nocturno *(ver pp.336–337)*, fue antes un teatro de variedades.

Cecil Court, calle de tiendas de libros de viejo y grabados.

★ **National Gallery**
Alberga en sus dependencias la colección nacional de arte ❸

★ **St Martin-in-the-Fields**
Obra maestra de James Gibbs en estilo colonial de EE UU ❹

Estación de Leicester Square

DUNCANNON ST

STRAND

★ **National Portrait Gallery**
En sus paredes se exponen los retratos de británicos ilustres desde la era Tudor ❺

NORTHUMBERLAND AVE

Estación Charing Cross

MALL EAST

TRAFALGAR SQUARE

CHARING CROSS

COCKSPUR STREET

Columna de Nelson

Admiralty Arch
Construido en 1910 ❷

★ **Trafalgar Square**
Siempre llena de turistas que dan de comer a las palomas y admiran sus fuentes ❶

Trafalgar Square ❶

WC2. **Plano** 13 B3. 🚇 *Charing Cross.*

El lugar preferido de Londres para manifestaciones y celebraciones, entre ellas la de Nochevieja, fue concebido por John Nash y construido en la década de 1830. Lo preside una columna de 50 m de altura en honor del almirante lord Nelson, quien murió heroicamente en la batalla de Trafalgar contra Napoleón, en 1805. Fechada en 1842, unos 15 canteros celebraron el fin de las obras con un almuerzo en el sombrero de Nelson, antes de izar la estatua. Los cuatro leones de Edwin Landseer se añadieron 25 años más tarde. El lado norte está ocupado actualmente por la National Gallery y sus anexos *(ver pp. 104–107)*, mientras que Canada House se alza en el lado oeste y South Africa House en el este. Los edificios restaurados en la parte sur son de 1880 y albergaron el Grand Hotel. Está en marcha un proyecto para convertir la plaza en zona peatonal y ampliar la escalinata que desciende de la National Gallery.

La estatua de Nelson domina la plaza

Admiralty Arch ❷

The Mall SW1. **Plano** 13 B3. 🚇 *Charing Cross.*

Proyectado en 1911, este triple arco formaba parte del proyecto de Aston Webb de remodelación de The Mall como una gran vía ceremonial en honor de la reina Victoria. El arco cierra el extremo este del paseo (aunque los vehículos pasan a través de los arcos laterales) y separa el Londres cortesano del bullicio de Trafalgar Square. El arco central se abre al tráfico sólo para los desfiles reales, y es el marco ideal para sus carrozas y caballos.

Rodaje de *Howard's End* en Admiralty Arch

National Gallery ❸

Ver pp.104–107.

St Martin-in-the-Fields ❹

Trafalgar Sq WC2. **Plano** 13 B3.
📞 *020-7766 1100.* 🚇 *Charing Cross.* **Abierta** *8.00–18.30 todos los días.* 🕐 *11.30 do.* ♿ 🔲 📷 🔲
London Brass Rubbing Centre *(venta de grabados en bronce)* 📞 *0171-930 9306.* **Abierto** *10.00–18.00 lu–sa, 12.00–18.00 do.* **Conciertos** *ver* **Distracciones** *pp.332–333.*

Este lugar ha estado ocupado por un templo desde el siglo XIII. Muchos personajes famosos fueron enterrados aquí, como la amante de Carlos II, Nell Gwynn, y los pintores William Hogarth y Joshua Reynolds. La actual iglesia, obra de James Gibbs, fue terminada en 1726. Constituyó un ejemplo arquitectónico de gran influencia, copiado repetidamente en Estados Unidos, donde llegó a convertirse en el modelo de iglesia colonial. Una rara característica de su espacioso interior es el palco real, a la altura de la galería, a la izquierda del altar.

Desde 1914 a 1927, la cripta estuvo abierta para soldados sin casa y mendigos, siendo refugio antiaéreo en la II Guerra Mundial. Hoy continúa atendiendo a gentes necesitadas, a las que sirve comidas calientes. Tiene también un café y una librería religiosa, así como el London Brass Rubbing Centre (lugar donde el visitante elabora sus propios grabados). Hay un buen mercado de artesanía en el patio *(ver p.323)* y se ofrecen conciertos regularmente.

National Portrait Gallery ❺

2 St Martin's Place WC2. **Plano** 13 B3. 📞 *020-7306 0055.* 🔳 *www.npg. org.uk* 🚇 *Leicester Sq, Charing Cross.* **Abierta** *10.00–18.00 sa–mi, 10.00–21.00 ju–vi.* **Cerrada** *Vi Santo, 1er lu de may, 24–26 dic, 1 ene.* 🚫 ♿ *Entrada por Orange St.* 🎁 *En agosto.* 🔲 **Conferencias.**

Ensombrecido por su vecina, la National Gallery, este fascinante museo narra la historia de Gran Bretaña a través de los retratos de sus protagonistas: reyes, reinas, poetas, músicos, artistas, pensadores, héroes y villanos de todas

Margaret Thatcher retratada por Rodrigo Moynihan (1984)

las épocas, comenzando desde el siglo XIV.

Las obras más antiguas, en la cuarta planta, incluyen un retrato de Enrique VIII, por Hans Holbein, y otros de sus desafortunadas esposas. Desde mayo de 2000, el público puede disfrutar de un 50% más de espacio destinado a exposición.

La nueva Tudor Gallery exhibe algunas de las pinturas más importantes de este periodo, incluyendo un retrato de Shakespeare y otro de la reina Isabel I pintado por Ditchley. Otra galería muestra retratos del periodo comprendido entre los años sesenta y los noventa.

El nuevo restaurante de la planta superior se acoge al horario de apertura del museo, y la sala de conferencias puede ser utilizada tanto para representaciones teatrales como para proyecciones de películas. La galería celebra exposiciones temporales y cuenta con una excelente tienda de libros de arte y literatura, así como de tarjetas, litografías y carteles de las principales obras.

Leicester Square ❻

WC2. **Plano** 13 B2. 🚇 *Leicester Sq, Piccadilly Circus.*

E**S DIFÍCIL** imaginar que este trepidante corazón del West End fuera en tiempos zona residencial de moda. Construido en 1670 al sur de Leicester House, una antigua residencia real, entre los primeros ocupantes de la plaza estaban el científico Isaac Newton y, después, los pintores Joshua Reynolds y William Hogarth (la casa de éste, en la esquina sureste, se convirtió en el Hôtel de la Sablionère en 1801, probablemente el primer restaurante instalado en la zona). En los tiempos victorianos, se abrieron varias salas de música, entre ellas el Empire (un cine perpetúa hoy su nombre) y la Alhambra, reemplazada en 1937 por el *art déco* Odeon.

El centro de la plaza ha sido reformado recientemente y se ha instalado una taquilla para teatros *(ver p. 328)* y una estatua de Charlie Chaplin, obra de John Doubleday (1981). La fuente de Shakespeare data de una reforma anterior que se llevó a cabo en el año 1874.

Theatre Royal ❼

Haymarket SW1. **Plano** 13 A3. 📞 *020-7930 8800.* 🚇 *Piccadilly Circus.* **Abierto** *sólo para representaciones*

L**A BELLA FACHADA** de este teatro, con su pórtico con seis columnas corintias, data de 1821, cuando John Nash la diseñó como parte de su proyecto de una carretera estatal desde Carlton House hasta su nuevo Regent's Park. El interior es igualmente espléndido.

Shaftesbury Avenue ❽

W1. **Plano** 13 A2. 🚇 *Piccadilly Circus, Leicester Sq.*

E**S, POR DEFINICIÓN,** la calle de los teatros, con seis de ellos, más dos cines, todos en el lado norte. La avenida fue abierta a través de un terrible enjambre de míseras viviendas, (entre 1877 y 1886), para mejorar las comunicaciones con el activo West End. Para ello, se siguió la ruta de un viejo camino; recibió su nombre del conde de Shaftesbury (1801–1885), quien se esforzó por mejorar las condiciones de vida de los pobres de la zona. El conde está también recordado en la estatua de Eros de Piccadilly Circus *(ver p.90).* El Lyric Theatre, diseñado por C.J. Phipps, es casi tan antiguo como la avenida.

El West End londinense: fachada del Gielgud Theatre

National Gallery

Fachada de Trafalgar Square

DESDE SU fundación en el siglo XIX, la National Gallery ha ido ganando prestigio con el tiempo. En 1824, Jorge IV convenció a un indeciso Gobierno para comprar 38 cuadros de viejos maestros, Rafael y Rembrandt entre ellos, que significaron el inicio de la pinacoteca nacional. Ésta creció con los años, gracias a benefactores y mecenas que donaron obras y dinero. El edificio principal de la galería fue diseñado en estilo neoclásico por William Wilkins y se construyó entre 1834 y 1838. A la izquierda se alza la nueva ala Sainsbury, financiada por la familia de ese nombre y terminada en 1991, que alberga obras espectaculares de principios del Renacimiento.

Escaleras a la planta baja

Entrada de Orange St

GUÍA DEL MUSEO

La mayor parte de la colección se expone en una planta dividida en cuatro alas. Los cuadros están ordenados cronológicamente, con las primeras obras (1260–1510) en el ala Sainsbury. Los pabellones Norte, Oeste y Este cubren 1510–1600, 1600–1700 y 1700–1900 respectivamente. Las obras menores de todas las épocas se exponen en la planta baja.

Escaleras a la planta baja

Unión con el edificio principal

Escaleras a la planta baja

★ **Dibujo de Leonardo** *(1510)*
El genio de Leonardo da Vinci se muestra en este dibujo de la Virgen y el Niño, con santa Ana y san Juan Bautista.

DISTRIBUCIÓN POR SALAS

- Pintura de 1260–1510
- Pintura de 1510–1600
- Pintura de 1600–1700
- Pintura de 1700–1900
- Exposiciones especiales
- Espacio no expuesto

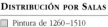

El Dux Leonardo Loredan *(1501)*
Giovanni Bellini mostró al jefe del Estado veneciano bajo una serena apariencia.

Entrada principal Sainsbur

★ *La Venus del espejo* *(1649), de Velázquez. Obra cumbre de la pintura clásica española.*

★ **The Hay Wain** *(1821) John Constable captó magistralmente en este paisaje los efectos de las luces y sombras en la distancia, en un típico día nublado del verano inglés.*

INFORMACIÓN ESENCIAL

Trafalgar Sq WC2. **Mapa** 13 B3.
020-7747 2885. Charing Cross, Leicester Sq, Piccadilly Circus. 3, 6, 9, 11, 12, 13, 15, 23, 24, 29, 30, 53, 77a, 88, 94, 109, 159, 176. Charing Cross. **Abierta** 10.00–18.00 todos los días (21.00 mi). **Cerrada** 24–26 dic, 1 ene, Viernes Santo. Entrada Ala Sainsbury. **Conferencias, películas, vídeos, exposiciones y guía de la galería en CD-ROM.**
www.nationalgallery.org.uk

Escaleras a la planta baja

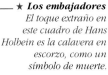

Bañistas de Asnières *(1884) Uno de los experimentos de Georges Seurat de crear una nueva visión neoclásica de la vida moderna con millones de puntos de color.*

Entrada de Trafalgar Square

★ **Los embajadores** *El toque extraño en este cuadro de Hans Holbein es la calavera en escorzo, como un símbolo de muerte.*

★ **El bautismo de Cristo.** *Piero della Francesca pintó esta obra maestra (1450) del temprano Renacimiento para una iglesia de su Umbría natal.*

El matrimonio Arnolfini *La mujer que aparece en este famoso cuadro de Jan van Eyck (1434) no está embarazada. Su figura se debe a las ideas de la época sobre elegancia femenina.*

RECOMENDAMOS

★ **El bautismo de Cristo,** de Piero della Francesca

★ **Dibujo de Leonardo da Vinci**

★ **La Venus del espejo,** de Diego Velázquez

★ **Los embajadores,** de Hans Holbein

★ **The Hay Wain,** de John Constable

Explorando la National Gallery

L A NATIONAL GALLERY cuenta con más de 2.200 cuadros, expuestos en su mayoría. La colección incluye desde las obras de Giotto en el siglo XIII, a los impresionistas en el siglo XIX, pero destacan particularmente las creaciones de los maestros holandeses, del temprano Renacimiento italiano y los clásicos españoles del siglo XVII. Las colecciones de arte británico están en la Tate Britain *(pp. 82-85)* y en la Tate Modern el arte moderno internacional *(pp. 178-181).*

La Adoración de los Reyes **(1564), de Pieter Brueghel el Viejo**

RENACIMIENTO (1260–1510): PINTURA ITALIANA Y NÓRDICA

D OS SOBERBIOS paneles de la *Maestà* de Duccio, para el altar de la catedral de Siena, constituyen algunas de las pinturas más antiguas del museo, junto a su *Madonna* y otras obras de ese periodo italiano.

El famoso *Wilton Diptych,* que representa a Ricardo II, se debe probablemente a un artista inglés, y muestra la elegancia del estilo gótico que recorrió Europa. Otros maestros italianos de este estilo son Pisanello y Gentile da Fabiano, cuya *Madonna* se expone a menudo junto a otra de Masaccio –ambas de 1426–. También se muestran obras del discípulo de Masaccio, Filippo Lippi, así como de Botticelli y Uccello. La pintura de la escuela de Umbría está representada por Piero della Francesca, con su *Natividad* y *Bautismo,* entre otras obras, y una excelente colección de Mantegna y Bellini. También hay obras de las escuelas veneciana y ferraresa. *San Jerónimo en su estudio,* de Antonello da Messina, fue tomado en tiempos por un *van Eyck,* comprensible si se le compara con *El matrimonio Arnolfini.*

La pintura holandesa del artista Rogier van der Weyden y sus discípulos tiene nutrida representación en el ala Sainsbury.

RENACIMIENTO (1510–1600): PINTURA ITALIANA, FLAMENCA Y ALEMANA

La mofa de Cristo **(1490–1500), de Hieronymus Bosch (El Bosco)**

E L CUADRO DE Sebastiano del Piombo *La resurrección de Lázaro* fue pintado con ayuda de Miguel Ángel para rivalizar con la gran *Transfiguración* de Rafael,

que se expone en el Vaticano. El Renacimiento tardío está extremadamente bien representado. Destacan *La Virgen y el Niño con los santos,* de Parmigianino; el dibujo a carboncillo de Leonardo da Vinci *La Virgen y el Niño* (boceto para un cuadro al óleo) y su segunda versión de *La Virgen de las rocas.* Hay también obras de gran calidad de Piero di Cosimo y algunos *tizianos,* como *Baco y Ariadne,* que el público encontró demasiado brillante y llamativo cuando se limpió y expuso por primera vez en 1840.

Las colecciones flamenca y alemana quizá no tengan la altura y brillantez de la italiana. Sin embargo, cuentan con *Los embajadores,* un excelente doble retrato de Holbein, y el soberbio *Cristo despidiéndose de su Madre,* de Altdorfer, adquirido por la galería en 1980. También destacan *La burla de Cristo* (conocido como *La corona de espinas),* de Hyeronymus Bosch, y un excelente *La Adoración de los Reyes,* de Brueghel.

La Anunciación **(1448), de Filippo Lippi**

EL ALA SAINSBURY

Los planos de esta nueva ala, abierta en 1991, levantaron una gran polémica. Un airado príncipe Carlos calificó el primer diseño como "un monstruoso carbunco en el rostro de un amigo bien amado". El edificio final, de Robert Venturi Scott Brown Associates, también ha provocado críticas por su afán de contentar a todos. Aquí es donde las exposiciones han sufrido mayores cambios. En su interior se encuentra la Micro Gallery, una base informática de toda la colección.

PINTURA HOLANDESA, ITALIANA, FRANCESA Y ESPAÑOLA (1600–1700)

La soberbia colección holandesa dedica dos salas enteras a Rembrandt. Cuenta también con obras de Vermeer, Van Dyck y Rubens, con su popular *Sombrero de paja*.

De Italia, Carraci y Caravaggio tienen una nutrida representación, y de Salvatore Rosa hay un magnífico autorretrato.

De la pintura francesa hay un magnífico retrato del Cardenal Richelieu, de Philippe de Champaigne. El paisaje marino de Claude, *El embarque de la reina de Saba,* se expone junto a su rival *Dido construyendo Cartago,* de Turner, por expreso deseo de este último.

De la escuela española se exponen obras de Murillo, Velázquez y Zurbarán, entre otros. Sobresale *Las Venus del espejo* de Velázquez.

Mujer joven ante una espineta (1670), de Jan Vermeer

La escala del amor (1715–1718), de Jean Antoine Watteau

PINTURA VENECIANA, FRANCESA E INGLESA (1700–1800)

Una de las obras del siglo XVIII más famosas de la galería es *El patio empedrado,* de Canaletto. Otros venecianos son Longhi y Tiépolo.

La colección francesa incluye a maestros del rococó, como Chardin, Watteau y Boucher, y a paisajistas y retratistas.

Dos cuadros de la primera época de Gainsborough, *Mr and Mrs Andrews* y *The Morning Walk,* son muy del agrado de los visitantes, mientras su rival, sir Joshua Reynolds, está representado por algunos de sus lienzos más clásicos y sus retratos más informales.

PINTURA INGLESA, FRANCESA Y ALEMANA (1800–1900)

La gran época de la pintura paisajista del siglo XIX se encuentra ampliamente representada con los trabajos de Constable y Turner, como *The Hay Wain* del primero y *The Fighting Temeraire* de Turner, así como obras de artistas franceses, entre ellos, Corot y Daubigny. Del arte romántico, hay un expresivo cuadro de Géricault, *Caballo asustado por un rayo,* y algunas pinturas interesantes de Delacroix. En contraste, el retrato *Mme Moitessier,* de Ingres, es más comedido y clásico.

Existe una nutrida presencia de impresionistas y artistas de vanguardia franceses; destacan *Nenúfares,* de Monet; *En el teatro,* de Renoir; *Los girasoles,* de Van Gogh y *Tormenta tropical con tigre* de Rousseau. En *Los bañistas de Asnières,* Georges-Pierre Seurat todavía no había utilizado la técnica puntillista que después inventó, pero, más tarde, retocó zonas de este cuadro usando puntos de color.

En el teatro (1876–1877), de Pierre-Auguste Renoir

Chinatown ❾

Calles de los alrededores de Gerrard St
W1. **Plano** 13 A2. 🚇 *Leicester Sq,
Piccadilly Circus.*

L A COMUNIDAD china se
asentó en Londres ya en el
siglo XIX. Al principio se
concentraba alrededor de los
muelles del East End, vía de
entrada del opio en la época
victoriana, pero al aumentar su
número en los años cincuenta,
muchos se trasladaron al Soho,
donde se establecieron y
crearon un pujante barrio
chino, con restaurantes y
tiendas de productos orientales
misteriosamente aromáticas.
Tres arcos chinos cruzan
Gerrard St, donde la
comunidad celebra, a finales
de enero o principios de
febrero, el colorista Año Nuevo
chino (*ver p. 59*).

Charing Cross Road ❿

WC2. **Plano** 13 B2. 🚇 *Leicester Sq.*
Ver **De compras** p.318-319.

**Volúmenes en una librería de
viejo de Charing Cross Road**

E STA CALLE HACE las delicias de
los amantes de los libros, con
multitud de librerías de viejo al
sur de Cambridge Circus y otra
serie de ellas al norte,
especializadas en las últimas
publicaciones. Los dos gigantes
de la calle son la inmensa Foyle's
y la acogedora Waterstones.
Destacan también las pequeñas
librerías especializadas:
Zwemmer's por sus libros de arte
y Silver Moon por su colección
sobre feminismo. En la esquina
con New Oxford Street se alza el
rascacielos Centrepoint;
construido en los años sesenta,
permaneció vacío 10 años
porque sus dueños encontraron
que era más rentable tenerlo
desocupado que alquilarlo.

Cartel del Palace Theatre, año 1898

Palace Theatre ⓫

Shaftesbury Ave W1. **Plano** 13 B2.
📞 *Taquilla 0171-434 0909.*
🚇 *Leicester Sq.* **Abierto** *sólo para
representaciones.*
Ver **Distracciones** pp.328-329.

L A MAYORÍA de los teatros del
West End carece de interés
desde el punto de vista arquitectónico. El Palace Theatre, que
domina el lado oeste de Cambridge Circus, es una excepción,
con su atractiva fachada de terracota y suntuoso interior. Terminado como palacio de la Ópera
en 1891, se convirtió en teatro de
variedades al año siguiente. La
bailarina Anna Pavlova debutó
en él en 1910. Ahora pertenece a
Andrew Lloyd Webber, cuyos
musicales están en cartelera en
todo Londres, y se presentan en
él obras de éxito como *Los
miserables.*

Soho Square ⓬

W1. **Plano** 13 A1. 🚇 *Tottenham
Court Road.*

A L POCO tiempo de
construirse, en 1681,
disfrutó de un breve periodo
de esplendor; era la plaza
residencial más elegante de
Londres. Originariamente se
llamaba King Square, debido a
la estatua de Carlos II que la
preside. Dejó de ser popular a
mediados del siglo XVIII, y
ahora está rodeado de edificios
de oficinas. El jardín Tudor en
el centro fue instalado en la
era victoriana.

Berwick Street Market ⓭

W1. **Plano** 13 A1. 🚇 *Piccadilly
Circus.* **Abierto** *9.00–18.00 lu–sa.*
Ver **De Compras** p.324.

E STE MERCADO callejero de
frutas y verduras se instaló
hacia 1840, cuando el
comerciante Jack Smith
introdujo los pomelos en
Londres. Hoy es el mejor del
West End y congrega a un
gran número de personas a la
hora del almuerzo, porque
ofrece productos frescos y
baratos. En esta misma calle
hay también algunas tiendas
de calidad, como Borovick,
que ofrece excelentes telas, y
un creciente número de cafés
y restaurantes. Al sur, la calle
se estrecha hasta un pasadizo
donde el Raymond's Revue
Bar (la cara relativamente
respetable del Soho más
sórdido) presenta
espectáculos eróticos
desde 1958.

Frutas y verduras a buen precio en el mercado de Berwick St

Carnaby Street ⑭

W1. **Plano** 12 F2. Ⓔ *Oxford Circus.*

Durante los años sesenta, esta calle fue el corazón del Londres más moderno, de tal forma que el diccionario Oxford reconoce el nombre de "Carnaby Street" como "equivalente a ropa de moda para jóvenes". Hoy ha perdido su esplendor y atrae más a turistas que a los jóvenes británicos. La casa Inderwick, la más antigua fabricante de pipas, fundada en 1797, está en el nº 45. En las calles adyacentes hay algunas tiendas interesantes de ropa juvenil, en particular las de Newburgh Street *(ver pp.316–317).*

La fachada estilo Tudor de Liberty's

Liberty's ⑮

Regent St W1. **Plano** 11 F2. Ⓔ *Oxford Circus. Ver* **De Compras** *p.313.*

Arthur Lasenby Liberty abrió su primera tienda de sedas orientales en Regent St,

en 1875. Entre sus primeros clientes se encontraban los artistas Ruskin, Rosetti y Whistler. Muy pronto, los diseños y estampados de Liberty, realizados por artistas como William Morris, influyeron en el movimiento Arts and Crafts de finales del siglo XIX y principios del siglo XX, y todavía hoy están de moda.

El edificio actual, de estilo Tudor y aire de mansión rural, data de 1925 y fue construido específicamente para el almacén. Liberty mantiene estrechos lazos con Oriente. El Oriental Bazaar del sótano y los muebles artesanales de la última planta merecen una visita.

El corazón del Soho

Old Compton Street es la calle principal del Soho. Sus tiendas y restaurantes reflejan la variedad de gente que ha residido a lo largo de los siglos en la zona, entre ellos grandes pintores, escritores y músicos.

El **Bar Italia** es un café situado bajo la habitación en la que John Logie Bird mostró un primer proyecto de televisión, en 1926. Mozart se hospedó de niño, con su familia, en la casa vecina, en 1764 y 1765.

Ronnie Scott's abrió en 1959; casi todos los grandes nombres del jazz han pasado por este club *(ver pp.335–337).*

The Coach and Horses Famoso *pub* que ha sido centro de la vida bohemia del Soho desde los años cincuenta.

Wheeler's, abierto en 1929, es parte de una cadena de restaurantes especializados en pescado *(ver p.301).*

Patisserie Valerie Un café que sirve deliciosas pastas *(ver pp.306–308).*

El Palace Theatre ha sido escenario de muchos éxitos musicales.

St Anne's Church. Esta torre es lo único que queda en pie tras la destrucción de la iglesia por una bomba en 1940.

French House Era frecuentada por el general De Gaulle y Maurice Chevalier.

COVENT GARDEN Y STRAND

CAFÉS al aire libre, artistas callejeros, tiendas de lujo y mercados constituyen el gran atractivo turístico que tiene esta zona. En su centro se alza la Piazza, sede hasta 1974 de un mercado de frutas y verduras. Desde entonces, los bonitos edificios victorianos y las calles adyacentes se han convertido en uno de los más animados distritos de Londres. En la época medieval, el área estaba ocupada por el huerto de un convento que suministraba productos a la abadía de Westminster. En 1630, Íñigo Jones diseñó la Piazza, con su lado oeste dominado por la iglesia de St Paul.

La Piazza fue destinada por el conde de Bedford, dueño de una de las mansiones de Strand, a zona residencial. Antes de construirse el Embankment, Strand discurría a lo largo del río.

Flores secas a la venta en la Piazza

LUGARES DE INTERÉS

Calles y edificios históricos
Adelphi ㉑
Baños romanos ⑰
Bush House ⑱
Charing Cross ㉒
Hotel Savoy ⑬
Neal Street y
    Neal's Yard ⑦
Piazza y
    Central Market ❶
Somerset House ⑮

Museos y galerías
London Transport
    Museum ❸
Photographer's
    Gallery ⑪
Theatre Museum ❹

Iglesias
Savoy Chapel ⑭
St Mary-le-Strand ⑯
St Paul's Church ❷

Monumentos y estatuas
Cleopatra's Needle ⑲
Seven Dials ⑨

Teatros famosos
Adelphi Theatre ⑫
Theatre Royal ❺
The London Coliseum ㉓
Royal Opera House ❻

Parques y jardines
Victoria Embankment
    Gardens ⑳

'Pubs' y tiendas históricas
Lamb and Flag ⑩
Tomas Neal's ❽

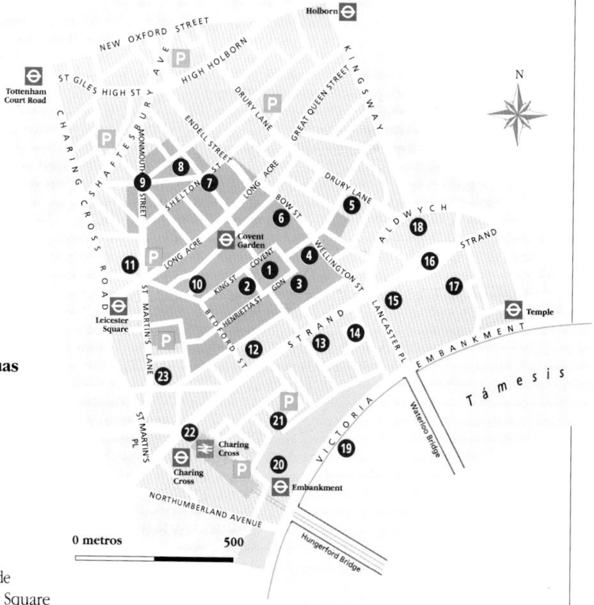

CÓMO LLEGAR

Las estaciones de metro de Covent Garden, Leicester Square y Charing Cross están cercanas. Hay autobuses frecuentes de las líneas 9, 11, 15 y 30 a Strand o 14, 19, 22b, 24, 29, 38 y 176 a Shaftesbury Avenue. La estación de ferrocarril de Charing Cross también se encuentra cerca.

0 metros 500

SIGNOS CONVENCIONALES

Plano en 3 dimensiones

Ⓔ Estación de metro

Estación de ferrocarril

Ⓟ Aparcamiento

MÁS INFORMACIÓN

• *Callejero*, planos 13, 14

• *Alojamiento* pp. 272–285

• *Restaurantes* pp. 286–311

◁ *La joven bailarina* (1988), de Enzo Piazotta, frente a la Royal Opera House

Covent Garden en 3 dimensiones

Antigua zona de almacenes y calles en decadencia, Covent Garden cobraba vida de madrugada, cuando entraba en actividad el mercado de frutas y verduras. Ahora está completamente revitalizada y llena, día y noche, de visitantes y artistas callejeros que realizan actuaciones de todo tipo.

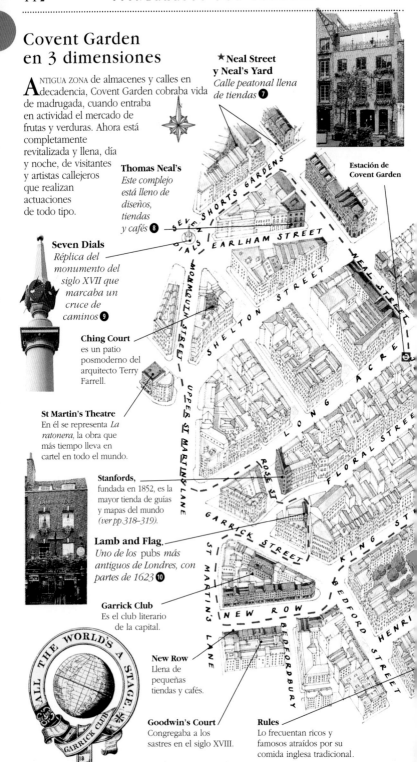

★ Neal Street y Neal's Yard
Calle peatonal llena de tiendas ❼

Thomas Neal's
Este complejo está lleno de diseños, tiendas y cafés ❽

Estación de Covent Garden

Seven Dials
Réplica del monumento del siglo XVII que marcaba un cruce de caminos ❾

Ching Court
es un patio posmoderno del arquitecto Terry Farrell.

St Martin's Theatre
En él se representa *La ratonera*, la obra que más tiempo lleva en cartel en todo el mundo.

Stanfords,
fundada en 1852, es la mayor tienda de guías y mapas del mundo (*ver pp.318–319*).

Lamb and Flag.
Uno de los pubs más antiguos de Londres, con partes de 1623 ❿

Garrick Club
Es el club literario de la capital.

New Row
Llena de pequeñas tiendas y cafés.

Goodwin's Court
Congregaba a los sastres en el siglo XVIII.

Rules
Lo frecuentan ricos y famosos atraídos por su comida inglesa tradicional.

★ La Piazza y Central Market
Artistas de todo tipo, cantantes, payasos, acróbatas y músicos, entretienen a la gente en la plaza ❶

PLANO DE SITUACIÓN
Ver plano del centro de Londres pp.12–13

Royal Opera House
Los mejores cantantes y bailarines del mundo han actuado en su escenario ❻

La comisaría de Bow Street
albergó a los "Bow Street Runners", primeros policías de Londres, en el siglo XVIII. Se cerró en 1992.

★ Theatre Museum
Contiene una colección de recuerdos teatrales ❹

Theatre Royal
Un viejo teatro que ofrece ahora espectaculares musicales ❺

Boswells, ahora un café, fue donde el Dr. Johnson conoció a su biógrafo Boswell.

Jubilee Market
vende ropa y curiosidades.

★ London Transport Museum
Historia del metro y los autobuses de Londres ❸

★ St Paul's Church
A pesar de lo que pudiera parecer, esta iglesia de Íñigo Jones no da a la Piazza. Se entra a ella a través de un patio ❷

RECOMENDAMOS

★ **La Piazza y Central Market**

★ **St Paul's Church**

★ **London Transport Museum**

★ **Theatre Museum**

★ **Neal Street y Neal's Yard**

SIGNOS CONVENCIONALES

– – – Itinerario sugerido

0 metros   100

La Piazza y Central Market ❶

Covent Garden WC2. **Plano** 13 C2. ⊖ *Covent Garden.* ♿ *Pero calles mal empedradas.* **Artistas callejeros** *10.00 hasta la noche. Ver* **De Compras** *pp.325.*

EL ARQUITECTO Íñigo Jones concibió la zona como una elegante plaza residencial al estilo de la de Livorno, en Italia. Sus edificios hoy son casi enteramente victorianos. El mercado de frutas y verduras fue proyectado en 1833 por Charles Fowler, con un techo de hierro y cristal que se anticipó al utilizado en las terminales de ferrocarril a finales de siglo, como en St Pancras *(ver p.130)* y Waterloo *(ver p.191).* Ahora reúne una magnífica serie de pequeñas tiendas de ropa, libros, artesanía y antigüedades, todas rodeadas de puestecillos que se extienden hacia el sur por el adyacente Jubilee Hall, construido en 1903.

Las columnas de Bedford Chambres, al norte, recuerdan el plan primitivo de Íñigo Jones, aunque no son las originales, pues fueron parcialmente modificadas en 1879.

Los artistas callejeros son una antigua tradición en esta zona. El cronista Samuel Pepys escribió, ya en 1662, sobre un espectáculo de marionetas que había actuado bajo el pórtico de St. Paul's Church.

La entrada oeste de St Paul

St Paul's Church ❷

Bedford St WC2. **Plano** 13 C2. ☎ 020-7836 5221. ⊖ *Covent Garden.* **Abierta** *9.30-14.30 lu, 9.30-16.30 ma-vi, 10.00-13.00 do.* ✝ *11.00 do.* 📷 ♿

ÍÑIGO JONES construyó esta iglesia (terminada en 1633) con el altar en el lado oeste, de forma que su gran pórtico pudiera abrirse al este, a la nueva Piazza. Pero el clero se negó a la poco ortodoxa colocación y el altar se trasladó a la parte este. Jones mantuvo el diseño exterior original, con lo que el pórtico de la plaza es simulado y sirve de escenario a los artistas callejeros, mientras que la entrada real se halla en la parte de atrás. El interior fue destruido por un incendio en 1795, pero se reconstruyó con fidelidad. La iglesia es cuanto queda hoy del proyecto originario de la Piazza. St Paul es conocida como "la iglesia de los actores" y posee numerosas placas que rinden homenaje a famosos intérpretes teatrales. Una talla del siglo XVII de Grinling Gibbons recuerda a Jones.

Espectáculo de marionetas

London Transport Museum ❸

Piazza WC2. **Plano** 13 C2. ☎ 020-7379 6344. ⊖ *Covent Garden.* **Abierto** *10.00–18.00 sa–ju, 11.00–18.00 vi (últ. adm: 17.15).* **Cerrado** *24-26 dic.* **Previo pago** 📷 ♿ ♿ *llamar antes.* 🚻

London Transport Museum

NO SE NECESITA ser aficionado a los trenes o autobuses para divertirse con esta interesante exposición, que se exhibe desde 1980 en el pintoresco Victorian Flower Market, construido en 1872. En él se muestra el pasado y el presente del transporte público.

La historia del transporte en Londres es, esencialmente, la historia social de la capital. Los tranvías, los autobuses y los túneles del metro reflejan el crecimiento de la ciudad y su evolución, ya que los distritos del norte y del oeste comenzaron a desarrollarse cuando el metro llegó a ellos. El museo posee una gran colección de arte comercial del siglo XX. Las compañías de ferrocarril y de autobús han sido, y todavía son, generosos promotores de artistas contemporáneos. En la tienda del museo se pueden adquirir los más afamados carteles, entre ellos los característicos de *art decó* de E. McKnight y de otros artistas de los años treinta, como Graham Sutherland y Paul Nash.

Es un excelente museo para los niños. Está lleno de objetos manipulables, y ofrece la oportunidad de ocupar el asiento de los conductores de autobús o del metro.

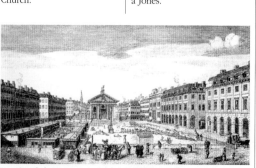

Una vista de la Piazza a mitad del siglo XVIII

Theatre Museum ❹

7 Russell St WC2. **Plano** 13 C2.
☎ *020-7943 4700.* ⊖ *Covent Garden.* **Abierto** *10.00–18.00 ma–do.* **Cerrado** *25–26 dic, 1 ene y festivos.* **Previo pago.** ♿ ✓ ▯
Representaciones de teatro de ensayo.

U N DÍA DENTRO de las galerías subterráneas del Theatre Museum, con su fascinante colección de memorabilia teatral, es una experiencia que el visitante no puede perderse. La exposición incluye entradas, programas, anuncios y vestuario de producciones famosas, decoración y fragmentos de teatros hoy desaparecidos y retratos de actores y escenas de teatro. Una de las exposiciones ilustra la evolución del teatro desde Shakespeare hasta nuestros días y maquetas de auditorios de todas las épocas. Se organizan exposiciones en las galerías Gielgud e Irving, y compañías jóvenes ofrecen actuaciones en el teatro del interior.

Theatre Royal ❺

Catherine St WC2. **Plano** 13 C2.
☎ *020-7494 54 40.* ⊖ *Covent Garden, Holborn, Temple.* **Abierto** *para representaciones y visitas guiadas (llamar para reservar).*
Ver **Distracciones** pp.328–329.

E L PRIMER TEATRO erigido en este lugar, en 1663, fue uno de los que se podían realizar representaciones legalmente. Nell Gwynne, la amante del rey Carlos II, actuaba en él. Tres de los teatros construidos en el mismo lugar ardieron, incluido uno de sir Christopher Wren *(ver p.47)*. El actual, de Benjamin Wyatt, se terminó en 1812, y es uno de los de mayor aforo de Londres. En el siglo XIX era famoso por sus pantomimas, y ahora está especializado en revistas musicales. Se le conoce como Theatre Royal y su entrada está en Catherine Street.

El Vilar Floral Hall, parte de la nueva Royal Opera House

Royal Opera House ❻

Covent Garden WC2. **Plano** 13 C2.
☎ *020-7240 1200.* ⊖ *Covent Garden.* **Cerrado** *hasta dic 1999. Ver* **Distracciones** p. 332.

E N 1732 SE construyó el primer teatro en este lugar, para representaciones y conciertos, pero, como su vecino, el Theatre Royal, fue pasto de las llamas en 1808 y, más tarde, en 1856. El edificio que hoy vemos fue proyectado en 1858 por E. M. Barry, hijo del arquitecto del Parlamento. El friso del pórtico, de John Flaxman, sobrevivió al fuego de 1808. La Opera House ha tenido altibajos en su historia. En 1892 ofreció el estreno británico de la obra *Ring,* de Wagner, con Gustav Malher al frente de la orquesta. Durante la I Guerra Mundial fue utilizado como almacén por el Gobierno.

La existencia de un elegante teatro de ópera junto a un ruidoso y ajetreado mercado de verduras fue explotada, con grandes efectos dramáticos, por George Bernard Shaw en 1913 para su *Pigmalión,* en el que luego se basó el famoso musical *My Fair Lady.*

Éste edificio es sede de la Royal Opera y el Royal Ballet. Los mejores cuestan unas 100 libras y son difíciles de conseguir. Sin embargo, su profunda crisis financiera hace que su futuro esté en el aire.

Neal Street y Neal's Yard ❼

Covent Garden WC2. **Plano** 13 B2.
⊖ *Covent Garden. Ver* **De Compras** pp.314–315.

Tienda especializada de Neal St

E N ESTA ATRACTIVA calle se pueden identificar los almacenes del siglo XIX por los mecanismos de carga y descarga que todavía conservan sus fachadas. Los edificios han sido rehabilitados como tiendas, galerías de arte y restaurantes. En la esquina de Neal Street se halla Neal's Yard, de estilo rústico, ideal para los amantes de los alimentos integrales, quesos y yogures, ensaladas y pan recién hecho. Sigue siendo un oasis de valores alternativos entre el creciente mercantilismo de la zona.

Café en Thomas Neal's

Thomas Neal's ❽

43 Earlham St WC2. **Plano** 13 B2.
🚇 *Covent Garden.* Ⓟ ♿ *Planta baja solamente.*

Abierto a principios de los noventa, este complejo posee una cadena de tiendas, ropa y cosméticos de diseño, joyería, encajes, ropa interior, objetos de arte y accesorios. Es un sitio ideal para curiosear y comprar regalos, y cuenta con café y restaurante. El teatro Donnar Warehouse *(ver p.330)* también forma parte del complejo, ofreciendo obras como *The blue moon*.

Seven Dials ❾

Monmouth St WC2. **Plano** 13 B2.
🚇 *Covent Garden, Leicester Sq.*

Una columna marca este cruce de calles y sostiene seis relojes de sol (la aguja central hace de séptimo). Fue realizado en 1989 y es réplica de un monumento del siglo XVII, demolido en el XIX al haberse convertido en punto de reunión de delincuentes.

Lamb and Flag ❿

33 Rose St WC2. **Plano** 13 B2.
📞 *020-7497 9504.* 🚇 *Covent Garden, Leicester Sq.* **Abierta** 11.00–23.00 lu–ju, 11.00–22.45 vi–sa, 12.00–22.30 do. Ver **Restaurantes y Pubs** p.311.

Instalado aquí desde el siglo XVI, este *pub* conserva todavía parcialmente su ambiente original. Una placa recuerda al satírico John Dryden, salvajemente atacado en el pasadizo exterior en 1679, quizá porque se había burlado en unos versos de la duquesa de Portsmouth, una de las amantes de Carlos II.

Photographer's Gallery ⓫

5 y 8 Great Newport St WC2.
Plano 13 B2. 📞 *020-7831 1772.* 🚇 *Leicester Sq.* **Abierta** 11.00–18.00 lu–sa, 12.00-18.00 do. 🖥 ♿ ♿

Esta emprendedora galería es la sala de exposiciones fotográficas más prestigiosa de Londres. Organiza también conferencias y representaciones teatrales y cuenta con una tienda de libros especializados y un café. Una placa en el exterior conmemora a sir Joshua Reynolds, fundador de la Royal Academy, que vivió aquí en el siglo XVIII.

Adelphi Theatre ⓬

Strand WC2. **Plano** 13 C3.
📞 *020-7344 00 55.* 🚇 *Charing Cross, Embankment.* **Abierto** *sólo para representaciones.* Ver **Distracciones** pp.328 –329.

Construido en 1806 e inaugurado por John Scott, un rico comerciante que quería lanzar a su hija a la fama, fue remodelado en 1930. Destacan los rótulos de la fachada, el vestíbulo y el auditorio, muy cuidados y de elegante decoración.

Hotel Savoy ⓭

Strand WC2. **Plano** 13 C2.
📞 *020-7836 4343.* 🚇 *Charing Cross, Embankment.* Ver **Alojamiento** p.285.

Pionero en incorporar *suites* con baño y luz eléctrica, el gran Savoy se construyó en 1889 en el lugar del medieval Savoy Palace. Su patio de entrada es la única calle de Gran Bretaña donde se conduce por la derecha. Anexos están el teatro Savoy, construido por D'Oyly Carte; el restaurante especializado en rosbif, Simpson's *(ver p.296)*, y el Savoy Taylor's Guild, con una tienda de fachada *art nouveau*. Al lado, se halla la Shell Mex House, que reemplazó al hotel Cecil.

Entrada del hotel Savoy

Savoy Chapel ⓮

Strand WC2. **Plano** 13 C2.
📞 *020-7836 7221.* 🚇 *Charing Cross, Embankment.* **Abierta** 11.30–15.30 ma–vi. **Cerrada** ago–sep. ♀ 11.00 do. Ⓟ 📷 *llame para concertar cita.*

Se fundó durante el siglo XVI como capilla del hospital instalado en el viejo Savoy Palace. Parte de los muros datan de 1502, pero el grueso del edificio actual es de mediados del siglo XIX. En 1880 se convirtió en la primera iglesia que instaló la luz eléctrica. Designado templo de la Real Orden Victoriana en 1936, ahora es la capilla privada de la reina. Muy cerca, en Savoy Hill, estuvieron los primeros estudios de la BBC, de 1922 a 1932.

Somerset House ⑮

Strand WC2. **Plano** 14 D2. ☎ *020-7438 6622.* 🚇 *Temple, Embankment, Charing Cross.* **Abierta** *10.00-18.00 lu-sa, 12.00-18.00 do.* **Cerrada** *24-26 dic, 1 ene.* **Pista de hielo:** *abierta dos veces al mes en invierno.* **Previo pago.** ♿ 🍴 ▢ ▢ **Courtauld Gallery.** ☎ *020-7848 2526.* **Previo pago.** ∅ ♿ ▢ ▢ **The Gilbert Collection.** ☎ *020-7240 4080.* **Previo pago.** ∅ ▢ ♿ ▢ ▢ 🆆 *www.somerset-house.co.uk*

Este elegante edificio georgiano fue creado por sir William Chambers. Se edificó en 1770, después de que la original Somerset House, un palacio renacentista construido por el duque de Somerset a mediados del siglo XVI, fuera derribada por abandono. La nueva construcción fue el primer gran edificio que se destinó para oficinas y se utilizó para albergar al Consejo de Marina (la grandeza clásica del Seamen's Waiting Hall y del Nelson's Staircase no pasa por alto), a varias asociaciones de la realeza, y, por una sustancial suma, al Fisco. Hoy alberga dos magníficas colecciones de arte, la

Courtauld Gallery y la Gilbert Collection. El patio de Somerset House se cerró al público durante casi un siglo (más recientemente se utilizó como aparcamiento), pero acaba de ser restaurado gracias a una inversión de 48 millones de libras y se ha convertido en una agradable plaza con una fuente y un café en la que se celebran conciertos de música clásica y donde en invierno, durante algunas semanas, se instala una pista de hielo. Desde el patio se puede dar un paseo a través de los arcos hasta la nueva orilla del río, en la que se encuentran una terraza, un café al aire libre, la restaurada King's Barge House y un acceso pedestre hasta Waterloo Bridge y South Bank Centre (*ver pp. 184-191*).

En Somerset House y célebre por derecho propio se encuentra la pequeña pero magnífica **Courtauld**

Perdiz (c.1600), de Gorg Ruel, Gilbert Collection

Gallery. Esta exquisita colección de pinturas está expuesta desde 1990 y debe su existencia al legado del magnate y filántropo Samuel Courtauld. Se muestran obras de Botticelli, Brueghel, Bellini y Rubens (incluida una de sus primeras obras maestras, *El descendimiento de Cristo*), pero lo que más llama la atención de la colección son las obras impresionistas y posimpresionistas. Junto a pinturas de Monet, Gauguin, Pissarro, Renoir y Modigliani, los visitantes quedarán cautivados por *El bar del Folies Bergères* de Manet, *Autorretrato con la oreja vendada* de Van Gogh y *Los jugadores de cartas* de Cézanne, así como por algunos estudios de bailarines de Dégas. La Courtauld Gallery se ha ampliado recientemente con la incorporación de un nuevo departamento dedicado al arte digital y en vídeo que forma parte de la colección permanente y que actualmente exhibe una serie de exposiciones temporales que cambian a lo largo del año.

Otro tesoro por descubrir en Somerset House es el recién adquirido museo de artes decorativas. Localizado en South Building y conocido simplemente como **The Gilbert Collection,** ha sido donado a la nación por el magnate londinense Arthur Gilbert. El legado de esta colección trajo consigo un nuevo renacimiento de Somerset House. Está compuesta de más de 800 piezas, e incluye una asombrosa petaca de oro, mosaicos de *pietra dura* italiana, retratos en esmalte y platería europea de los siglos XVI al XIX. Una buena opción es escoger la visita audiovisual, que está incluida en el precio de la entrada.

Autorretrato con la oreja vendada (1889), de Van Gogh, Courtauld Gallery

Bush House desde Kingsway

St Mary-le-Strand ⑯

Strand WC2. **Plano** 14 D2.
📞 020-7836 3126. 🚇 *Temple,
Holborn.* **Abierta** *11.00–16.00
lu–vi, 10.00–14.00 do.*
✝ *11.00 do, 13.05 ma, ju.* 📷 ♿

Como una isla en medio de la calle, al este de Strand, se alza esta atractiva iglesia de 1717, obra de James Gibbs, quien también diseñó la de St Martin-in-the-Fields *(ver p.102)*. Aunque Gibbs siguió el estilo de Christopher Wren, la exuberante decoración de esta fachada se inspira más en las iglesias barrocas de Roma, donde Gibbs estudió. Su torre con arcos parece el adorno de una tarta y culmina en una cúpula y una linterna. Ahora es la iglesia oficial del Women's Royal Naval Service.

St Mary-le-Strand

Baños romanos ⑰

5 Strand Lane WC2. **Plano** 14 D2.
📞 020-7641 5264. 🚇 *Temple,
Embankment, Charing Cross.*
Abiertos *verano: mi; para el resto del
año sólo con previa solicitud.*
♿ *Desde Temple Pl.*

Estos pequeños baños pueden contemplarse a través de una ventana en Surrey Street, pulsando un interruptor en la pared. En realidad, es casi seguro que no son romanos, pues no hay otros restos en el área; resulta más probable que fueran parte de Arundel House, uno de los palacios que existían en Strand en tiempos de los Tudor (hasta el siglo XVII, cuando fueron demolidos). En el siglo XIX, los baños fueron abiertos al público, al imponerse la creencia de que las inmersiones en agua fría eran buenas para la salud.

Bush House ⑱

Aldwych WC2. **Plano** 14 D2.
🚇 *Temple, Holborn.* **Cerrada** *al
público.*

Situado en el centro de Aldwych, este edificio neoclásico se terminó en 1935, dedicado a sala de exposición de los productos del estadounidense Irvoing T. Bush. Su aspecto es impresionante desde Kingsway, por su entrada norte, rebosante de estatuas que simbolizan las relaciones anglo-americanas. Desde 1940 se utiliza como estudio de radio, y es la central del World Service de la BBC, que será trasladado al oeste de la ciudad dentro de unos años.

Cleopatra's Needle ⑲

Embankment WC2. **Plano** 13 C3.
🚇 *Embankment, Charing Cross.*

Erigido en Heliópolis alrededor del año 1500 a.C., este obelisco de granito es más antiguo que el propio Londres. Sus inscripciones celebran las hazañas de los faraones del antiguo Egipto, y fue regalado a Gran Bretaña por el virrey de Egipto Mohamed Alí, en 1819. Se instaló en 1878, poco después de que se llevara a cabo la construcción del Embankment. Es gemelo del situado en el Central Park de Nueva York. Las esfinges de bronce, que fueron añadidas en 1882, no son egipcias.

En su base se encuentra un quiosco con todo tipo de objetos de la época victoriana, como periódicos, calendarios y fotografías.

Victoria Embankment Gardens ⑳

WC2. **Plano** 13 C3. 🚇 *Embankment,
Charing Cross.* **Abiertos** *7.30–
anochecer todos los días.* ♿ 🚻

Este estrecho jardín, creado cuando se levantó el Embankment, posee bellos arriates de flores y unas cuantas estatuas de hombres ilustres (incluido el poeta escocés Robert Burns); en él se celebran conciertos en verano. Su principal curiosidad histórica es la compuerta de la esquina noroeste, construida en 1626 para la entrada triunfal del duque de Buckingham por el Támesis. Es un vestigio de la York House, que se alzaba en esa margen del río, y fue sede de los arzobispos de York y, después, del duque. Todavía permanece en su posición originaria, pero la construcción del Embankment lo alejó del agua unos 100 metros aproximadamente.

Victoria Embankment Gardens

El nuevo centro comercial y de oficinas sobre Charing Cross

Adelphi ㉑

Strand WC2. **Plano** 13 C3.
🔵 *Embankment, Charing Cross.*
Cerrado *al público.*

John Adam Street, Adelphi

Aₐᴅᴇʟᴘʜɪ ɴᴀᴄᴇ ᴅᴇ un juego de palabras con el vocablo griego *adelphoi*, "hermanos", ya que esta zona fue un elegante distrito residencial proyectado por los hermanos Robert y John Adam en 1772. El nombre ahora designa un bloque de oficinas de estilo *art déco* que sustituyó en 1938 al edificio de los Adam, de estilo paladiano. La destrucción de aquel edificio se considera ahora uno de los peores actos de vandalismo oficial del siglo XX. Afortunadamente, sobreviven algunos edificios de los hermanos Adam en los alrededores, como el de la Royal Society for the Encouragement of Arts, Manufactures and Commerce.

Los nºs 1 al 4 de Robert Street, donde vivió Robert Adam; y el nº 7 de Adam Street, decorado con relieves de madreselvas, son también grandes muestras de aquel majestuoso estilo.

Charing Cross ㉒

Strand WC2. **Plano** 13 C3.
🔵 *Charing Cross, Embankment.*

Eʟ ɴᴏᴍʙʀᴇ ᴅᴇʀɪᴠᴀ de la última de las 12 cruces erigidas por Eduardo I para marcar la ruta del entierro, en 1290, de su esposa Leonor de Castilla, desde Nottinghamshire a la abadía de Westminster. Una réplica de la cruz se eleva hoy en la entrada al patio de la estación de Charing Cross. Tanto la estación como el hotel del mismo nombre que se alza ante ella, fueron proyectados en 1863 por el arquitecto de la Royal Opera House, E. M. Barry *(ver p.115)*. Un edificio comercial y de oficinas, terminado en 1991, viene a completar la zona. Proyectado por Terry Farrell, semeja un gigantesco transatlántico, con portillas que dan a Villiers Street. El nuevo edificio, que domina los alrededores, se contempla mejor desde el río. La arcada de la parte

trasera de la estación ha sido remodelada y ahora cuenta con pequeñas tiendas y cafés, así como con un escenario para el Players Theatre, donde se reponen musicales de la época victoriana.

The London Coliseum ㉓

St Martin's Lane WC2. **Plano** 13 B3. ☎ *020-7836 0111.* 🔵 *Leicester Sq, Charing Cross.* **Abierto** *para representaciones y visitas guiadas (llamar para pedir cita).* 🚫 ♿ ☐ 🅱 **Conferencias**. *Ver* **Distracciones** *pp.332–333.*

Eʟ ᴍᴀʏᴏʀ ᴛᴇᴀᴛʀᴏ de Londres y uno de los más sofisticados, rematado por un globo y proyectado en 1904 por Frank Matcham, contó con el primer escenario móvil de Londres. También fue el primero de Europa en contar con ascensores; y tiene capacidad para 2.500 personas. En tiempos famoso teatro de variedades, fue sala de cine desde 1961 a 1968, y hoy es la sede de la English National Opera. Vale la pena ver el interior eduardiano, con sus querubines y sus cortinajes rojos.

London Coliseum

BLOOMSBURY Y FITZROVIA

Talla en Russell Square

DESDE EL COMIENZO del siglo XX, Fitzrovia y Bloomsbury han sido sinónimos de literatura, arte y enseñanza. Los escritores y artistas del llamado Bloomsbury Group desarrollaron una gran actividad desde principios de siglo hasta los años treinta; el nombre de Fitzrovia fue inventado por Dylan Thomas, que frecuentaba la Fitzroy Tavern. En Bloomsbury se encuentra la Universidad de Londres, el British Museum y numerosas plazas georgianas. Charlotte Street es famosa por sus restaurantes y Tottenham Court Road por sus tiendas de muebles y de aparatos eléctricos.

LUGARES DE INTERÉS

Edificios y calles históricos
Bedford Square ❹
Bloomsbury Square ❷
British Library ❽
Charlotte Street ❶❺
Fitzroy Square ❶❸
Queen Square ❻
Russell Square ❺
St Pancras Station ❾
Woburn Walk ❶❶

Museos
British Museum pp.126–129 ❶
Dickens House Museum ❼

Percival David Foundation of Chinese Art ❶❷
Pollock's Toy Museum ❶❻

Iglesias
St George, Bloomsbury ❸
St Pancras Parish Church ❶⓪

Pubs
Fitzroy Tavern ❶❹

(mapa de la zona de Bloomsbury y Fitzrovia con las siguientes referencias)

YORK WAY
King's Cross
King's Cross Thameslink
PANCRAS ROAD
St Pancras
King's Cross St Pancras ❾
❽
GRAY'S INN ROAD
EVERSHOLT STREET
EUSTON ROAD
HAMPSTEAD ROAD
Euston
JUDD STREET
UPPER WOBURN PL
WOBURN ❶⓪
❶❶
TAVISTOCK SQUARE
HUNTER ST
Euston Square
EUSTON ROAD
GOWER STREET
Warren Street
❶❷
WOBURN PL
BRUNSWICK SQ
Russell Square
BERNARD STREET
GUILFORD STREET
GRAY'S INN ROAD
DOUGHTY ST
❼
❶❸
CLEVELAND STREET
TOTTENHAM COURT ROAD
❺
RUSSELL SQUARE
❻
SOUTHAMPTON ROW
THEOBALD'S ROAD
Goodge Street
❶❹ ❶❺ ❶❻
❹
❶
❷
BLOOMSBURY ST
❸
BLOOMSBURY WAY
NEW OXFORD STREET
Tottenham Court Road

N

CÓMO LLEGAR
A esta zona se accede con las líneas de metro Circle, Northern, Picadilly, Victoria y Central. Y con los autobuses 8 y 98. Principales estaciones de ferrocarril: St Pancras, Euston y King's Cross.

0 metros   500

SIGNOS CONVENCIONALES
▨ Plano en 3 dimensiones
🅴 Estación de metro
🚉 Estación de ferrocarril
🅿 Aparcamiento

◁ **Casa georgiana en Bedford Square**

Bloomsbury en 3 dimensiones

EL MUSEO BRITÁNICO domina Bloomsbury y difunde por sus calles una atmósfera intelectual, ayudado por el campus principal de la Universidad de Londres, que se extiende al norte. La zona es residencia de artistas y escritores, y conserva su tradición como centro del mundo del libro. Muchas casas editoriales han abandonado el barrio, que sigue, sin embargo, contando con numerosas librerías.

Senate House (1932)
Sede administrativa de la Universidad de Londres, con una valiosa biblioteca.

Bedford Square
En esta plaza (1775), las puertas están enmarcadas con piedra artificial ❹

★ **British Museum**
Construido en la mitad del siglo XIX, es el lugar más conocido de Londres, con 5 millones de visitantes al año ❶

RECOMENDAMOS

★ **British Museum**

★ **Russell Square**

SIGNOS CONVENCIONALES

– – – – Itinerario sugerido

0 metros   100

Museum Street reúne una serie de pequeños cafés, librerías de viejo y tiendas de grabados y antigüedades.

Pizza Express ocupa una encantadora y poco modificada lechería de la época victoriana.

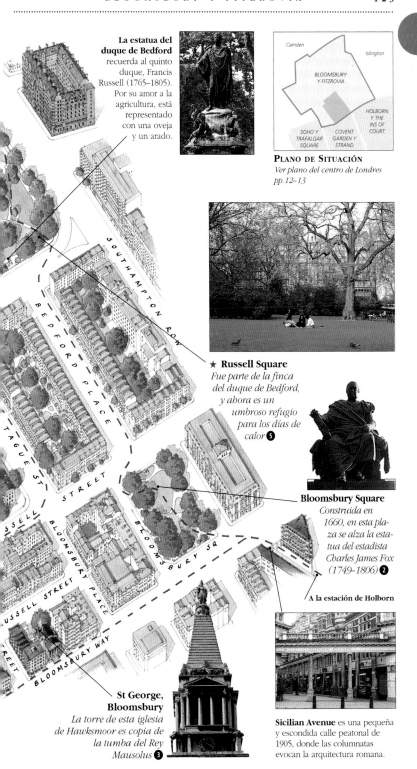

La estatua del duque de Bedford recuerda al quinto duque, Francis Russell (1765–1805). Por su amor a la agricultura, está representado con una oveja y un arado.

PLANO DE SITUACIÓN
Ver plano del centro de Londres pp.12–13

Camden

Islington

BLOOMSBURY Y FITZROVIA

HOLBORN Y THE INS OF COURT

SOHO Y TRAFALGAR SQUARE

COVENT GARDEN Y STRAND

★ **Russell Square**
Fue parte de la finca del duque de Bedford, y ahora es un umbroso refugio para los días de calor ❺

Bloomsbury Square
Construida en 1660, en esta plaza se alza la estatua del estadista Charles James Fox (1749–1806) ❷

▲ **A la estación de Holborn**

St George, Bloomsbury
La torre de esta iglesia de Hawksmoor es copia de la tumba del Rey Mausolus ❸

Sicilian Avenue es una pequeña y escondida calle peatonal de 1905, donde las columnatas evocan la arquitectura romana.

British Museum ❶

Ver pp. 126–129.

Bloomsbury Square ❷

WC1. **Plano** 5 C5. 🔵 *Holborn.*

La novelista Virginia Woolf, residente en Bloomsbury

E S LA MÁS ANTIGUA de las plazas de Bloomsbury. Fue realizada en 1661 por el conde de Southampton, propietario de estas tierras. Ninguno de sus edificios originarios sobrevive y su jardín central está rodeado por un denso tráfico unidireccional. A pesar de hallarse en el centro de Londres, normalmente se puede encontrar estacionamiento en el aparcamiento subterráneo. La plaza ha tenido famosos residentes: una placa rinde homenaje a los miembros del artístico y literario Bloomsbury Group, quienes residían en la zona en la primera mitad del siglo XX, como la novelista Virginia Woolf, el biógrafo Lytton Strachey y los artistas Vanessa Bell, Duncan Grant y Dora Carrington.

St George, Bloomsbury ❸

Bloomsbury Way WC1. **Plano** 13 B1. 📞 *020-7405 3044.* 🔵 *Holborn, Tottenham Court Rd.* **Abierto** 9.30– 17.30 lu–vi; sólo para oficios do. ✝ *10.30 do.* **Recitales, exposiciones.**

I GLESIA UN tanto excéntrica, fue proyectada por Hawksmoor, discípulo de Wren, y terminada en 1730. Se construyó como parroquia de los prósperos residentes del nuevo Bloomsbury, entonces de moda. La torre, imitación de la tumba del rey Mausolus (el mausoleo original se hallaba en Turquía), está coronada por una estatua de Jorge I, durante mucho tiempo objeto de burla al estar el rey representado demasiado heroicamente. Quedan algunos estucos originales, especialmente en el ábside.

Bedford Square ❹

WC1. **Plano** 5 B5. 🔵 *Tottenham Court Rd, Goodge St.*

C ONSTRUIDA en 1775, es una de las plazas del siglo XVIII mejor conservadas. Todas las puertas de entrada a las casas de ladrillo están adornadas con piedra Coade, un material artificial, duro y resistente, fabricado en

HERE AND IN NEIGHBOURING HOUSES DURING THE FIRST HALF OF THE 20th CENTURY THERE LIVED SEVERAL MEMBERS OF THE BLOOMSBURY GROUP INCLUDING VIRGINIA WOOLF CLIVE BELL AND THE STRACHEYS

Placa en Bloomsbury en recuerdo de sus famosos residentes

Lambeth, al sur de Londres, con una fórmula secreta que se transmite de generación en generación. Habitadas antes por la aristocracia, ahora todas son oficinas, la mayoría ocupadas hasta hace poco por casas editoriales, que se han trasladado a zonas menos caras. Un gran número de arquitectos de Londres ha pasado por la Architectural Association, en los números 34 y 36, incluido Richard Rogers, quien proyectó el Edificio Lloyd's *(ver p.159).*

El jardín privado de Bedford Square

Russell Square 5

WC1. **Plano** 5 B5. 🔵 *Russell Sq.*
🔲 *Abierto a horas variables.*

E N UNA DE LAS mayores plazas de Londres, se alza quizás el mejor hotel victoriano que sobrevive en la capital: el hotel Russell, de Charles Doll. Inaugurado en 1900, es una construcción de ladrillo, con columnatas en los balcones y querubines en las columnas principales. La exuberancia de la fachada continúa en el vestíbulo con mármoles de diversos colores. El jardín está abierto al público. El poeta T. S. Eliot trabajó en la esquina oeste de la plaza de 1925 a 1965, en lo que hoy son las oficinas de la editorial Faber and Faber.

El magnífico hotel Russell, en Russell Square

Queen Square 6

WC1. **Plano** 5 C5. 🔵 *Russell Sq.*

A PESAR DE haberse construido en recuerdo de la reina Ana, en la plaza se alza la estatua de otra reina: Carlota. Su esposo, Jorge III, residió en la casa de un médico de la zona, tratándose de la enfermedad hereditaria que le condujo a la locura y a la muerte en 1820. Rodeada hoy de hospitales, conserva algunas mansiones georgianas en el lado oeste.

Estatua de la reina Carlota en Queen Square

Dickens House Museum 7

48 Doughty St WC1. **Plano** 6 D4.
📞 *020-7405 2127.* 🔵 *Chancery Lane, Russell Sq.* **Abierto** *10.00–17.00 lu–sa (última admisión: 16.30).* **Previo pago.** 🚫 🔲

E L NOVELISTA Charles Dickens vivió en este edificio de principios del siglo XIX durante tres de sus más productivos años, de 1837 a 1839. Aquí escribió *Oliver Twist* y *Nicholas*

Nickleby, y terminó *Pickwick Papers.* A pesar de que Dickens residió en muchas casas de Londres, ésta es la única que aún permanece en pie. En 1923 la adquirió la sociedad Dickens Fellowship, y ahora es un interesante museo, que conserva las habitaciones principales en el mismo estado que cuando el escritor vivía en ellas. Otras han sido adaptadas para exhibir colecciones de objetos asociados con Dickens, como cartas, artículos, retratos y mobiliario de sus otras casas londinenses, así como las primeras ediciones de sus mejores y más conocidas novelas.

British Library 8

96 Euston Rd NW1. **Plano** 5B3.
📞 *020-7412 7332.* 🔵 *King's Cross, St Pancras.* **Abierta** *9.30-18.00 lu-vi (20.00 ma), 9.30-17.00 sa, 11.00-17.00 do.* **Cerrada** *algunos festivos* 🚫 📷 *llame para reservar.* 🔲 🔲

E L EDIFICIO más importante de Londres de finales del siglo XX alberga la colección nacional de libros, manuscritos y planos, así como el National Sound Archive. Proyectado en ladrillo rojo por sir Colin St John Wilson, abrió en 1998 después de casi 28 años de construcción, con un gran costo e importantes problemas tecnológicos.

Una copia de casi todos los libros impresos en lengua inglesa se encuentra aquí —más de 15 millones de volúmenes en total— y pueden ser consultados por cualquier persona con la entrada de lector. Además hay tres galerías de exposiciones abiertas al público. Aquí se exponen algunos de los ejemplares más preciados de la biblioteca, entre ellos la Magna Carta, los Evangelios Lindisfarne, una biblia de Gutenberg y una primera edición en folio de Shakespeare. Una espectacular torre de cristal, que recorre seis plantas, alberga 65.000 volúmenes de la biblioteca de Jorge III. Entre las obras de arte se encuentra una estatua de sir Isaac Newton, obra de Eduardo Paolozzi.

Evangelio de Lindisfarne

British Museum ❶

E L BRITISH MUSEUM, fundado en 1753, es el más antiguo del mundo. Las adquisiciones las inició el físico sir Hans Sloane (1660–1753), quien también colaboró en la fundación del Chelsea Physic Garden *(ver p.193)*. La colección de Sloane

La innovadora Great Court

se ha ampliado con donaciones y compras de todos los lugares del mundo y alberga tesoros desde la prehistoria hasta el presente. Robert Smirke proyectó la parte principal del edificio (1823-1850), pero la joya arquitectónica es la moderna Great Court, con su célebre Reading Room en el centro.

★ **Momias egipcias**
Los antiguos egipcios embalsamaban a sus muertos a la espera de una nueva vida. Los animales considerados con poderes sagrados eran también frecuentemente momificados. Este gato es de Abydos, en el Nilo, y data del año 30 a.C.

★ **Mármoles Elgin**
Lord Elgin trajo estos relieves del Partenón de Atenas. El Gobierno británico los compró para el museo en 1816 (ver p.129).

DISTRIBUCIÓN POR PLANTAS

☐	Colección asiática
☐	Colección americana
☐	Monedas, medallas, grabados y dibujos
☐	Colecciones griega y romana
☐	Colección egipcia
☐	Colección de Oriente Próximo
☐	Colección de la prehistoria
☐	Colección europea
☐	Colección africana
☐	Exposiciones temporales
☐	Espacio no expuesto

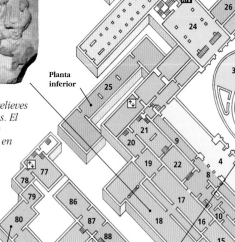

Planta superior

Planta principal

Entrada norte

Planta inferior

Planta inferior

Planta principal

Numerosas esculturas a gran escala están expuestas en la Concourse Gallery de Great Court.

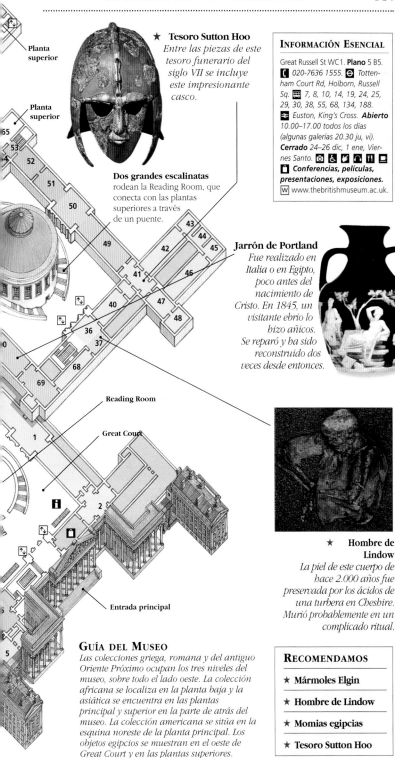

★ **Tesoro Sutton Hoo**
Entre las piezas de este tesoro funerario del siglo VII se incluye este impresionante casco.

INFORMACIÓN ESENCIAL

Great Russell St WC1. **Plano** 5 B5.
020-7636 1555. Tottenham Court Rd, Holborn, Russell Sq. 7, 8, 10, 14, 19, 24, 25, 29, 30, 38, 55, 68, 134, 188. Euston, King's Cross. **Abierto** 10.00–17.00 todos los días (algunas galerías 20.30 ju, vi). **Cerrado** 24–26 dic, 1 ene, Viernes Santo. Conferencias, películas, presentaciones, exposiciones. www.thebritishmuseum.ac.uk.

Planta superior

Planta superior

Dos grandes escalinatas
rodean la Reading Room, que conecta con las plantas superiores a través de un puente.

Jarrón de Portland
Fue realizado en Italia o en Egipto, poco antes del nacimiento de Cristo. En 1845, un visitante ebrio lo hizo añicos. Se reparó y ha sido reconstruido dos veces desde entonces.

Reading Room

Great Court

Entrada principal

★ **Hombre de Lindow**
La piel de este cuerpo de hace 2.000 años fue preservada por los ácidos de una turbera en Cheshire. Murió probablemente en un complicado ritual.

GUÍA DEL MUSEO
Las colecciones griega, romana y del antiguo Oriente Próximo ocupan los tres niveles del museo, sobre todo el lado oeste. La colección africana se localiza en la planta baja y la asiática se encuentra en las plantas principal y superior en la parte de atrás del museo. La colección americana se sitúa en la esquina noreste de la planta principal. Los objetos egipcios se muestran en el oeste de Great Court y en las plantas superiores.

RECOMENDAMOS

★ **Mármoles Elgin**

★ **Hombre de Lindow**

★ **Momias egipcias**

★ **Tesoro Sutton Hoo**

Explorando el British Museum

L A INMENSA acumulación de tesoros que encierra el museo abarca dos millones de años de historia y cultura. Las 94 galerías, con una longitud de 4 kilómetros, abarcan civilizaciones desde la antigua Asiria hasta el moderno Japón.

Detalle ornamental de la lira de una reina sumeria

GRAN BRETAÑA PREHISTÓRICA Y ROMANA

Casco de bronce del siglo I a.C. extraído del Támesis

L AS RELIQUIAS de la Gran Bretaña prehistórica están expuestas en seis galerías separadas. De los objetos más impresionantes destacan un camino neolítico de madera *(sweet track)* que antaño cruzó los límites de Somerset; una cornamenta usada por un cazador de hace 9.000 años; y el hombre de Lindow, una víctima de un sacrificio del siglo I d.C. que estuvo en una turbera hasta 1984. También se muestran trabajos celtas de metalistería, el tesoro de plata Mildenhall y piezas romanas. El mosaico Hinton St. Mary (siglo IV d.C.) presenta la más temprana representación de Cristo de Gran Bretaña.

EUROPA

E L ESPECTACULAR Sutton Hoo, tesoro funerario de un rey sajón del siglo VII, se expone en la sala 41. Este magnífico encuentro, realizado en 1939, revolucionó el conocimiento que se tenía de la vida y los rituales sajones. El tesoro incluye un casco y un escudo, cuencos celtas, restos de una lira y joyas de oro.

Las galerías adyacentes albergan una colección de relojes e instrumental científico. Algunas de las piezas expuestas son exquisitas, como un reloj de mesa de hace 400 años de Praga, que está diseñado como un galeón que se mueve con la música y dispara sus cañones. Cerca se encuentran las piezas de ajedrez del famoso Lewis, del siglo XII, y la galería que alberga la colección del barón Ferdinand Rothschild (1839-1898), con interesantes piezas.

De la colección moderna del museo destacan la cerámica de Wedgwood, libros ilustrados, cristalerías y una serie de láminas de la Rusia revolucionaria.

Reloj de cobre dorado en forma de galeón del siglo XVI, de Praga

ASIA OCCIDENTAL

N UMEROSAS GALERÍAS están dedicadas a las colecciones de Asia occidental, que cubren un periodo de 7.000 años de historia. Las piezas más importantes son unos bajorrelieves asirios del rey Asurbanipal de su palacio de Nínive, del siglo VII a.C. Igualmente interesantes son dos grandes toros con cabezas humanas, del siglo VII a.C., de Jorsabad (Irak) y el obelisco negro del rey asirio Salmaneser III. Las plantas superiores alojan objetos de la antigua Sumeria, parte del tesoro Oxus (enterrado durante más de 2.000 años) y la colección de tablillas de barro cuneiformes. Ésta es la primera forma conocida de escritura (c.3300 a.C.). También de interés resulta un cráneo descubierto en Jericó en los años cincuenta; aumentado con un armazón de cal, este cráneo perteneció a un cazador que habitó en la zona hace unos 7.000 años.

ANTIGUO EGIPTO

L AS ESCULTURAS egipcias del museo se encuentran en la sala 4. Se exponen el famoso gato de bronce con un anillo de oro en la nariz, la delicada cabeza de granito rojo de Amenofis III y la colosal estatua de Ramsés II. También se muestra aquí la piedra Rosetta, que fue utilizada por Jean-François Champollion (1790-1832) para descifrar la escritura jeroglífica egipcia. Un extraordinario conjunto de momias, joyas y arte copto se encuentra en la planta superior. También se muestran varios instrumentos que usaban los embalsamadores para preservar los cuerpos antes de los enterramientos.

Parte de la colosal estatua de granito de Ramsés II, el monarca egipcio del siglo XIII a.C.

GRECIA Y ROMA

L AS COLECCIONES griega y romana incluyen uno de los tesoros más famosos del museo, los mármoles Elgin. Estos bajorrelieves del siglo V a.C. del Partenón originalmente formaron parte de un friso de mármol que decoraba el templo de Atenea en la Acrópolis de Atenas. La mayor parte se destruyó en una batalla de 1687 y casi todos los que se salvaron fueron traídos entre 1801 y 1804 por el diplomático inglés lord Elgin y vendidos a Gran Bretaña. Otras piezas que destacan son el monumento de

Jarrón de la antigua Grecia, ilustrado con la lucha del mítico Hércules contra un toro

Nereida y las esculturas y frisos del mausoleo de Halicarnaso. El precioso jarrón de Portland, del siglo I a.C., se encuentra en la sección del Imperio Romano.

ARTE ORIENTAL

L A COLECCIÓN CHINA es notoria por su fina porcelana y por los antiguos bronces Shang (c.1500-1050 a.C.). Particularmente impresionantes son las vasijas de bronce ceremoniales de la antigua China, con formas de enigmáticas cabezas de animales. De las cerámicas chinas destacan desde las preciosas teteras hasta una maqueta de estanque, de cerca de mil años de antigüedad. Cerca se halla una de las mejores colecciones de escultura religiosa asiática, fuera de la India. La joya son unos bajorrelieves esculpidos que antaño cubrieron las paredes del templo budista de Amarati y que ilustran la historia de la vida de Buda. Una sección coreana alberga grandiosas obras del arte budista.

El arte islámico se encuentra en la sala 34 y exhibe una sorprendente tortuga de jade que se descubrió en un depósito de agua. Las salas 92-94 albergan

Estatua del dios hindú Siva Nataraja, también conocido como el Señor de la Danta (siglo XI)

la colección japonesa, que muestra una clásica casa de té en la sala 92 y pequeñas figuras talladas en marfil *(netsuke)* en el vestíbulo.

ÁFRICA

U UNA INTERESANTE colección de esculturas, tejidos y arte gráfico africanos se encuentra en la sala 25 del sótano. Los famosos bronces de Benin están colocados entre los modernos grabados, pinturas y dibujos, además de un conjunto de coloridos tejidos.

LA GREAT COURT Y LA ANTIGUA READING ROOM

Rodeando la Reading Room de la antigua British Library, la Great Court –construida con un presupuesto de 100 millones de libras– se inauguró para coincidir con el nuevo milenio. Diseñada por sir Norman Foster, la Court está cubierta por un ligero techo de cristal que la ha convertido en la primera plaza pública cubierta de Londres. La Reading Room ha sido restaurada de acuerdo con su diseño original, y los visitantes recuperarán el

ambiente que Karl Marx, Mahatma Gandhi y George Bernard Shaw encontraron tan agradable. Sin embargo, el exterior apenas es reconocible. Se ha erigido una construcción que alberga un centro de educación, galerías con exposiciones temporales, librerías, cafés y restaurantes. Una parte de la Reading Room es una sala de investigación para los que deseen información sobre las colecciones del museo.

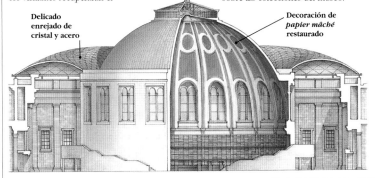

Delicado enrejado de cristal y acero

Decoración de papier mâché restaurado

El sólido y abandonado hotel sobre la estación de St Pancras

St Pancras Station ❾

Euston Rd NW1. **Plano** 5 B2.
*0845-748 4950 (información British
Rail).* King's Cross, St Pancras.
Abierta *5.00–23.00 todos los días.*
Ver **Llegada y desplazamientos**
pp.360–361.

Es LA MÁS espectacular de las
tres estaciones de ferrocarril
que hay en Euston Road. Su
fachada neogótica de ladrillo
rojo no pertenece a la terminal
ferroviaria. En realidad, era el
Midland Grand Hotel, de sir
George Gilbert Scott, abierto
en 1874, con 250 habitaciones
y uno de los más suntuosos de
su tiempo. En 1890, el hotel
abrió la primera sala de
fumadores para señoras de
Londres. Desde 1935 hasta
principios de los ochenta,
albergó diversas oficinas; ahora

está sometido a un proceso de
rehabilitación. El edificio de la
estación, en la parte de atrás,
es un gran ejemplo de la
ingeniería victoriana, con una
estructura de 210 m de largo y
30 m de alto.

St Pancras Parish Church ❿

Euston Rd NW1. **Plano** 5 B3.
020-7388 1461.
Euston. **Abierta** *9.00–14.00,
15.30–17.00 mi–vi; 9.00–
11.00 sá; 8.00–18.00 do.*
10.00 do **Recitales**
mar–sep: 13.15 ju.

ESTA SEÑORIAL iglesia
clasicista, de 1822,
fue construida por
William Inwood y su
hijo Henry, entusiastas
ambos de la arquitectura
ateniense. El proyecto se
basó en el Erecteion de la
Acrópolis de Atenas, e
incluso el púlpito de
madera se sostiene con
pequeñas columnas
jónicas. El alargado
interior, en forma de galería
tiene, en cambio, el carácter
austero que corresponde al
estilo religioso. Las figuras
femeninas del muro norte eran
originariamente más altas,
pero tuvieron que ser
recortadas en su mitad para
que cupieran bajo el tejado
que habían de sostener.

Figuras de la iglesia de St Pancras

Woburn Walk ⓫

WC1. **Plano** 5 B4.
Euston, Euston Sq.

ESTA calle, muy bien
restaurada, fue
proyectada por Thomas
Cubitt en 1822. El alto
pavimento de la parte
este se colocó para
proteger la fachada
de las tiendas frente
al barro salpicado por los
carruajes. El poeta W. B.
Yeats vivió en el nº 5 desde
1895 hasta 1919.

Percival David Foundation of Chinese Art ⓬

53 Gordon Sq WC1. **Plano** 5 B4.
020-7387 3909.
Russell Sq, Euston Sq, Goodge St.
Abierta *10.30– 17.00 lu–vi.*
Cerrada *festivos*

PARTICULARMENTE interesante
para los admiradores de la
porcelana china, es una
importante colección de
exquisitos jarrones de los
siglos X al XVIII.
Percival David donó
su colección,
excelentemente
conservada en
muchos casos, a la
Universidad de
Londres en 1950 y
ahora la gestiona
la Escuela de
Estudios
Orientales y
Africanos. La
fundación posee
una biblioteca y
alberga una
colección
permanente, así
como exposiciones
de arte asiático.

**Jarrón azul de la
colección Percival
David**

Fitzroy Square ⓭

W1. **Plano** 4 F4. Warren St,
Great Portland St.

PROYECTADA POR Robert
Adam (1794), los lados sur
y este de esta plaza conservan
su aspecto original, en piedra

de Portland. Unas placas azules señalan las casas de artistas, intelectuales y estadistas: George Bernard Shaw y Virginia Woolf vivieron en el nº 29, aunque no al mismo tiempo. Shaw subvencionó al artista Roger Fray para que abriera el taller Omega en el nº 33, en 1913. En él, los artistas noveles recibían un salario fijo por producir mobiliario, cerámica, alfombras y pinturas posimpresionistas que eran vendidas al público.

El nº 29 de Fitzroy Square

Fitzroy Tavern ⓮

16 Charlotte St W1. **Plano** 4 F5.
📞 020-7580 3714. 🚇 *Goodge St.*
***Abierto** 11.00–23.00 lu–sa, 12.00–22.30 do.* ♿ *Ver **Restaurantes y Pubs** pp.309–311.*

ESTE TRADICIONAL *pub* fue punto de reunión de artistas y escritores en el periodo de entreguerras, que llamaron "Fitzrovia" a la zona entre Fitzroy Square y Charlotte Street. El "Writers and Artists Bar", en el sótano, exhibe cuadros y fotografías de clientes famosos, como Dylan Thomas, George Orwell y Augustus John.

Charlotte Street ⓯

W1. **Plano** 5 A5. 🚇 *Goodge St.*

A MEDIDA QUE LA CLASE alta se iba desplazando de Bloomsbury hacia el oeste en el siglo XIX, una oleada de artistas e inmigrantes europeos ocupaba esta calle, convirtiéndola en un apéndice del Soho *(ver pp.98–109)*. El pintor John Constable vivió durante muchos años en el nº 76. Algunos de los nuevos residentes establecieron pequeñas tiendas para

abastecer a los almacenes de ropa de Oxford Street y de muebles de Tottenham Court Road. Otros abrieron restaurantes de precios razonables, por lo que la calle aún cuenta con gran número de ellos. En el extremo norte está la Telecom Tower, un edificio de 189 m de altura, construido en 1964 como centro de telecomunicaciones para radio y TV *(ver p.30)*.

Pollock's Toy Museum ⓰

1 Scala St W1. **Plano** 5 A5.
📞 020-7636 3452. 🚇 *Goodge St.*
Abierto** 10.00–17.00 lu–sa. **Cerrado** festivos. **Previo pago. 📷

B ENJAMIN POLLOCK adquirió fama como fabricante de teatros de marionetas a finales del siglo XIX y principios del

Telecom Tower

XX. El novelista Robert Louis Stevenson era un entusiasta cliente suyo. Este museo del juguete se abrió en 1956; la última sala está dedicada a las marionetas y escenarios que Pollock realizó, y se exhibe una reconstrucción de su taller. El museo está instalado en dos grandes casas del siglo XVIII perfectamente conservadas. Las salas pequeñas están llenas de una fascinante variedad de juguetes históricos procedentes de todo el mundo: muñecas, peluches, trenes, coches, juegos de construcción, un caballo de piedra y una colección de casas de muñecas victorianas. Hay representaciones de marionetas durante las vacaciones escolares y se permite a los niños jugar con algunas piezas. Los padres deben tener en cuenta que a la salida han de pasar por una tentadora tienda de juguetes.

Pearly King and Queen, en el museo del Juguete

HOLBORN E INNS OF COURT

AQUÍ es donde se concentraban los profesionales de la abogacía y el periodismo. La ley tiene todavía su morada en las Royal Courts of Justice y en las Inns of Court (colegios de abogados), pero muchos diarios nacionales abandonaron Fleet Street en los años ochenta. Varios edificios son anteriores al Gran Incendio de 1666 *(ver pp.22–23)*, como la fachada de Staple Inn, Prince Henry's Room y el interior de Middle Temple Hall. Holborn fue un importante distrito comercial, pero los tiempos han cambiado, aunque aún se encuentran tiendas de joyas y diamantes en Hatton Gardens, y permanecen las London Silver Vaults (platerías).

Cimera real en Lincoln's Inn

LUGARES DE INTERÉS

Edificios, calles y lugares históricos
Dr Johnson's House 🄔
Fleet Street 🄨
Gray's Inn 🄶
Hatton Garden 🄘
Holborn Viaduct 🄖
Law Society 🄥
Lincoln's Inn 🄪
Old Curiosity Shop 🄓
Prince Henry's Room 🄧
Royal Courts of Justice 🄦
Staple Inn 🄙
Temple 🄦

Museos y galerías
Sir John Soane's Museum 🄠

Iglesias
St Andrew, Holborn 🄕

St Bride's 🄦
St Clement Danes 🄥
St Etheldreda's Chapel 🄦

Monumentos
Temple Bar Memorial 🄧

Parque y jardines
Lincoln's Inn Fields 🄒

Pubs
Ye Olde Cheshire Cheese 🄦

Tiendas
London Silver Vaults 🄠

SIGNOS CONVENCIONALES

☐ Plano en 3 dimensiones

⊖ Estación de metro

🚆 Estación de ferrocarril

🅿 Aparcamiento

CÓMO LLEGAR

Las líneas de metro Circle, Central, District, Metropolitan y Piccadilly cubren esta zona, así como los autobuses 17, 18, 45, 46, 171, 243 y 259, entre otros muchos. Hay ferrocarril a varias estaciones dentro o cerca del área.

0 metros — 500

◁ **Royal Courts of Justice, en Strand**

Lincoln's Inn en 3 dimensiones

Éste es el Londres jurídico, solemne y tranquilo, cargado de historia y de interés. Lincoln's Inn, junto a una de las primeras plazas residenciales de la ciudad, conserva edificios que datan del siglo XV. Abogados de traje oscuro y pesadas carteras deambulan entre sus oficinas y las neogóticas Law Courts. Cercano está el Temple, otro histórico distrito legal, con una famosa iglesia circular.

★Sir John Soane's Museum
El arquitecto georgiano levantó aquí su residencia, que donó a la nación junto a su colección de arte **❶**

A Kingsway

LINCOLN'S INN FIELDS

LINCOLN'S INN FIELDS

★Lincoln's Inn Fields
El arco de estilo Tudor, que da entrada a Lincoln's Inn, construido en 1845, domina los jardines **❸**

PORTSMOUTH ST

PORTUGAL STREET

CARE

Old Curiosity Shop
Edificación del siglo XVII, anterior al Gran Incendio, es hoy una tienda **❹**

Royal College of Surgeons fue construido en 1836 por sir Charles Barry. Posee laboratorios para investigación y enseñanza, así como un museo anatómico.

RECOMENDAMOS

★ **Sir John Soane's Museum**

★ **Temple**

★ **Lincoln's Inn Fields**

★ **Lincoln's Inn**

SIGNOS CONVENCIONALES

– – –   Itinerario sugerido

0 metros   100

Twinings lleva vendiendo té desde 1706. La puerta de entrada data de 1787, cuando el establecimiento se llamaba Golden Lion.

La estatua de Gladstone se erigió en 1905, en honor de William Gladstone, estadista victoriano cuatro veces primer ministro.

★ Lincoln's Inn
Sede de la Court of Chancery, en Old Hall, de 1835 a 1858. Sir John Taylor Coleridge fue un conocido juez de esa época **❷**

PLANO DE SITUACIÓN
Ver plano del centro de Londres pp.12–13

Royal Courts of Justice
Principal tribunal de justicia del país para casos civiles y apelaciones, se construyó en 1882. Se emplearon 35 millones de ladrillos revestidos de piedra Portland **❼**

Law Society
Observe los leones dorados de las verjas de este magnífico edificio **❺**

Fleet Street
Durante dos siglos ha sido el centro de la prensa nacional. Hoy las redacciones de los periódicos se han trasladado a otros lugares **❾**

El Vino es un bar muy antiguo al que acuden periodistas y abogados.

Prince Henry's Room
Auténtica habitación del siglo XVII en una antigua portería **❿**

St Clement Danes
Construida por Wren en 1679, es la iglesia de las Reales Fuerzas Aéreas **❻**

Temple Bar Memorial
Marca el punto donde se encuentran la City de Londres y Westminster **❽**

★ Temple
Construido para los caballeros templarios (siglo XIII), hoy la ocupan los abogados **⓫**

Abogados con toga y peluca a la entrada de Lincoln's Inn

Lincoln's Inn ❷

WC2. **Plano** 14 D1. 📞 020-7405 3660. 🚇 *Holborn, Chancery Lane.* **Abierto** *7.00–19.00 lu–vi.* **Capilla abierta** *12.30–14.00 lu–vi.* **Vestíbulo** *preguntar en la capilla.* 📞 *0171-405 6360.* 🚻 *sólo en los bajos.* ▢

A LGUNOS DE los edificios de Lincoln's Inn, los mejor conservados de Inns of Court (los colegios de abogados de Londres), datan del siglo XV. El escudo de armas sobre el arco de la entrada por Chancery Lane es de Enrique VIII. Se dice que el contemporáno de Shakespeare, Ben Jonson, colocó algunos ladrillos de Lincoln's Inn durante el reinado de Isabel I. La capilla es de estilo gótico, del siglo XVII. No se permitió enterrar en ella a mujeres, hasta 1839, cuando lord Brougham solicitó el cambio de la norma para poder dar sepultura a su hija.

Entre los alumnos famosos de Lincoln's Inn figuran Oliver Cromwell y el poeta del siglo XVII John Donne, así como William Penn, fundador del Estado de Pennsylvania (EE UU).

Sir John Soane's Museum ❶

13 Lincoln's Inn Fields WC2. **Plano** 14 D1. 📞 020-7405 2107. 🚇 *Holborn.* **Abierto** *10.00–17.00 ma–sa, 18.00– 21.00 primer martes del mes.* **Cerrado** *24–26 dic, 1 ene, Semana Santa, festivos.* 🎥 *sa 14.30.* 🚻 *Sólo planta baja.*

E S UNO DE LOS museos más sorprendentes de Londres. La casa fue donada a la nación por sir John Soane, en 1837, con la condición de que no se cambiara nada. Soane, hijo de un albañil, fue de los mejores arquitectos del siglo XIX y a él se debe el edificio del Banco de Inglaterra. Tras casarse con la sobrina de un rico constructor y heredar la fortuna de éste, compró y reconstruyó el nº 12 de Lincoln's Inn Fields. En 1813 él y su mujer se trasladaron al nº 13, y en 1824 reconstruyó el nº 14. La exposición permanece intacta, conforme

a los deseos de Soane, y la componen una ecléctica mezcolanza de bellos, peculiares e instructivos objetos. La construcción está llena de sorpresas arquitectónicas. En la habitación principal de la planta baja, decorada en rojo oscuro y verde, una serie de espejos, sabiamente colocados, juegan con las luces y el espacio. La galería de cuadros de la planta alta tiene paneles abatibles para aprovechar más el espacio, de forma que se despliegan para mostrar más obras tras ellos. Se exponen los proyectos exóticos de Soane, como los realizados para Pitshanger Manor *(ver p.258)* y el Banco de Inglaterra *(ver p.147).* El museo posee la serie *Rake's Progress* de William Hogarth.

En el centro del sótano, de techo bajo, se alza un atrio. Una cúpula de cristal da luz a las galerías (en todas las plantas), donde abundan las esculturas clásicas.

Una cúpula de cristal ilumina el sótano.

Hay un gran sarcófago instalado en el sótano.

Lincoln's Inn Fields ❸

WC2. **Plano** 14 D1.
🚇 *Holborn*. **Abierto** *amanecer–anochecer todos los días.*
Pistas de tenis públicas
📞 *020-7242 1626 (reservas).*

E RA LUGAR de ejecuciones públicas. Bajo el reinado de los Tudor y los Estuardo, muchos mártires religiosos y los acusados de traición a la Corona murieron aquí.

Cuando el promotor William Newton quiso construir en la zona, en 1640, los estudiantes de Lincoln's Inn y otros residentes le obligaron a prometer que los terrenos del centro seguirían siendo de uso público para siempre. Gracias a este temprano grupo de presión medioambiental, los abogados ahora pueden jugar al tenis, pasear o estudiar sus casos al aire libre. En los últimos años se ha convertido también en una especie de zona de acogida para quienes no tienen casa.

Letrero de Old Curiosity Shop

Old Curiosity Shop ❹

13–14 Portsmouth St WC2.
Plano 14 D1. 🚇 *Holborn.*

E S UNA GENUINA edificación del siglo XVII y la tienda más antigua del centro de Londres, pero no hay certeza de que se trate de la misma de la novela de Charles Dickens. Con su planta alta en voladizo sobre la baja, ofrece un ejemplo poco frecuente del Londres anterior al Gran Incendio de 1666.

La Old Curiosity Shop mantiene su tradición de venta y funciona como una tienda de zapatos. La conservación del orden es lo que garantiza el futuro del edificio.

Law Society ❺

113 Chancery Lane WC2.
Plano 14 E1.
📞 *020-7242 1222.* 🚇 *Chancery Lane.* **Cerrada** *al público.*

L A SEDE del colegio de abogados es, desde el punto de vista arquitectónico, uno de los edificios más interesantes del barrio de la abogacía. La parte principal, dominada por cuatro columnas jónicas, se terminó en 1832. Más significativo es el anexo norte, obra de Charles Holden, un entusiasta de la artesanía que posteriormente alcanzó fama al proyectar las estaciones del metro londinense. En sus ventanas, cuatro figuras sedentes representan la verdad, la justicia, la libertad y la clemencia. El edificio se encuentra en la esquina de Carey Street.

Las paredes y las habitaciones están llenas de piezas de la enorme colección de Soane.

En la galería de pinturas, los paneles cubiertos de cuadros se abren para mostrar más obras tras de ellos.

The Monk's Parlour es una sala llena de curiosas piezas góticas.

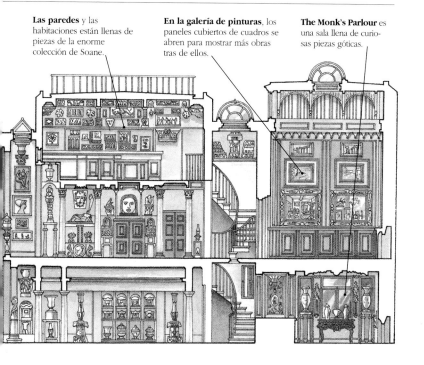

St Clement Danes

Strand WC2. **Plano** 14 D2. 📞 *020-7242 8282*. ⊖ *Temple*. **Abierta** *8.30-16.00 lu-vi, 8.30-15.30 sa, 9.00-12.30 do.* **Cerrada** *desde 12.00 25 dic–27 dic, festivos.* 🕯 *11.00 do. Ver* **Londres ceremonial** *p.55.*

CHRISTOPHER WREN diseñó esta maravillosa iglesia en 1680. Su nombre deriva de otro templo, levantado por los descendientes de los invasores daneses a los que Alfredo el Grande permitió permanecer en Londres en el siglo IX.

Durante los siglos XVII, XVIII y XIX un gran número de personas fue enterrado en la cripta. La cadena que ahora cuelga en la pared de ésta sirvió probablemente para asegurar los féretros contra los ladrones de cadáveres, que los robaban para venderlos a los hospitales de enseñanza e investigación.

Situada en una isla en medio del tráfico, la iglesia pertenece a la Royal Air Force (Fuerzas Aéreas), y su interior está

Reloj en los tribunales victorianos

decorado con símbolos y monumentos de las RAF.

Al este se encuentra una estatua de 1910 del Dr Samuel Johnson *(ver p.140)*, quien, durante el siglo XVIII, asistía a misa en esta iglesia. Sus campanas tañen las notas de la canción infantil inglesa *Oranges and Lemons* a las 9.00, 12.00, 15.00 y 18.00 todos los días. Aquí se celebra una ofrenda anual de naranjas y limones.

Royal Courts of Justice (Tribunales de Justicia)

Strand WC2. **Plano** 14 D2. 📞 *020-7947 6000.* ⊖ *Holborn, Temple, Chancery Lane.* **Abiertas** *9.30–16.30 lu–vi.* **Cerradas** *festivos.* ♿ *Limitado.* 📷

FRENTE A este ancho y curioso edificio del gótico victoriano se ven frecuentemente concentraciones de personas y cámaras de televisión, esperando los resultados de algún juicio de resonancia. Ello se debe a que los tribunales que alberga son los más importantes de la nación en materia civil y dictan sentencia sobre divorcios, difamaciones, responsabilidades civiles y apelaciones. Los casos criminales se ven en Old Bailey *(ver p.147)*, a 10 minutos a pie desde aquí. Se permite la asistencia de público en todas las salas.

El enorme edificio neogótico se terminó en 1882 y cuenta con 1.000 salas y 5,6 km de corredores.

Temple Bar Memorial

Fleet St EC4. **Plano** 14 D2. ⊖ *Holborn, Temple, Chancery Lane.*

EL MONUMENTO que se alza en medio de Fleet Street, frente a los tribunales, data de 1880 y marca la entrada a la City de Londres. En las ceremonias oficiales más solemnes, es tradición que el monarca haga una parada y pida permiso al alcalde para entrar. Temple Bar, un arco diseñado por Wren, estaba emplazado en este lugar, tal y como aparece representado en uno de los cuatro bajorrelieves del monumento actual.

Fleet Street

EC4. **Plano** 14 E1. ⊖ *Temple, Blackfriars, St Paul's.*

LA PRIMERA imprenta de Inglaterra fue instalada en esta calle a finales del siglo XV por un ayudante

El grifo, símbolo de la City, en Temple Bar

Fleet Street según un grabado de 1799 de William Capon

de William Caxton, y desde entonces Fleet Street ha sido el centro de la industria editorial de Londres. Shakespeare y Ben Jonson fueron clientes de la Old Mitre Tavern, ahora nº 37 de Fleet Street. En 1702 salió a la luz el primer periódico de la calle, *The Daily Courant*, comenzando así una tradición que ha continuado hasta ahora. Las nuevas tecnologías hicieron que en 1987 se cerrasen las viejas imprentas en los bajos de los edificios de los diarios nacionales, al ser más fácil imprimir las ediciones fuera de la ciudad. Después se marcharon las redacciones y hoy sólo quedan en Fleet Street las agencias de noticias Reuters y Press Association.

El Vino, un bar clásico en el oeste de la calle, frente a Fetter Lane, es refugio tradicional de periodistas y abogados.

Efigies en Temple Church

Prince Henry's Room ⑩

17 Fleet St EC4. **Plano** 14 E1. 020-7936 2710. Temple, Chancery Lane. **Abierta** 11.00–14.00 lu-sa. **Cerrada** festivos.

Construida en 1610 como parte de una taberna de Fleet Street, toma su nombre del escudo de armas del príncipe de Gales y de las iniciales P H que hay en medio del techo. Quizá éstas se grabasen para celebrar la investidura de Enrique (Henry, hijo mayor de Jacobo I) como príncipe de Gales, quien murió antes de llegar a ser rey. La excelente fachada que da a Inner Temple es original, así como algunos paneles de roble de la estancia. Contiene una exposición sobre el cronista Samuel Pepys.

Temple ⑪

Inner Temple, King's Bench Walk EC4. **Plano** 14 E2. 020-7797 8250. Temple. **Abierto** 10.00–16.00 lu-vi (sólo jardines). **Middle Temple Hall**, Middle Temple Lane EC4. **Plano** 14 E2. 0171-427 4800. Temple. **Abierto** 10.00–12.00, 15.00–16.00 lu-vi. **Cerrado** durante las sesiones.

Abarca dos de las cuatro Inns of Court: la Middle Temple y la Inner Temple (las otras dos son Lincoln's y Gray's Inns, ver *pp.136 y 141*).

El nombre procede de los caballeros templarios, orden especializada en la protección de los peregrinos a Tierra Santa. La orden tuvo aquí su sede desde 1185 hasta 1312, cuando fue suprimida por la Corona en vista de que suponía una amenaza. Los ritos secretos de iniciación se celebraban en la cripta de Temple Church, en cuya nave hay efigies de caballeros templarios.

Middle Temple Hall, rodeado de otros edificios de gran interés, conserva un interior isabelino. La obra *Twelfth Night*, de Shakespeare, se representó en él en 1601. Detrás de Temple, unos jardines llegan hasta Embankment.

St Bride ⑫

Fleet St EC4. **Plano** 14 F2. 020-7427 0133. Blackfriars, St Paul's. **Abierta** 8.00–17.00 (última admisión 16.45) lu-vi, 10.00–16.00 sa, 9.30–12.30, 17.30–19.30 do. **Cerrada** festivos. 11.30-18.30 do. **Conciertos.**

St Bride, iglesia de la prensa

St Bride es una de las mejores iglesias de Wren. Su ubicación en Fleet St ha hecho de ella lugar tradicional para los funerales de periodistas. Los relieves de sus paredes rinden homenaje a numerosos profesionales de la prensa.

Su maravilloso chapitel octogonal se convirtió en modelo para las tartas nupciales casi desde que fue colocado en 1703. Tras ser bombardeada en 1940, se procedió a su restauración. La cripta contiene restos de otras iglesias anteriores y un fragmento de pavimento romano.

Ye Olde Cheshire Cheese ⓭

Wine Office Court, 145 Fleet St EC4.
Plano 14 E1. ⓒ *020-7353 6170.*
ⓔ *Blackfriars.* **Abierto** *11.30–23.00
lu–vi; 12.00–15.00, 17.30–23.00 sá;
12.00–15.00 do. Ver* **Restaurantes
y pubs** *pp.310–311.*

HACE YA varios siglos que
existe una taberna
en este lugar. Partes de este
edificio datan de 1667, cuando
el Cheshire Cheese fue
reconstruido tras el Gran
Incendio. El cronista Samuel
Pepys lo frecuentaba en el
siglo XVII, pero fue el Dr
Johnson quien lo convirtió en
punto de encuentro de los
intelectuales del siglo XIX. Los
novelistas Mark Twain y
Charles Dickens se contaban
entre sus distinguidos clientes.
Hoy es uno de los pocos *pubs*
que mantienen la confortable
distribución del siglo XVIII de
pequeñas habitaciones con
chimenea, mesas y bancos, en
vez del gran salón con barra.

Dr Johnson's House ⓮

17 Gough Sq EC4. **Plano** 14 E1.
ⓒ *0171-353 3745.* ⓔ *Blackfriars,
Chancery Lane, Temple.* **Abierta**
*abr–sep: 11.00–17.30 lu–sa; oct–mar:
11.00–17.00 lu–sa.* **Cerrada** *24–26
dic, 1 ene, Viernes Santo, festivos.*
Previo pago. ⊙ ⬚ ⬚ *para
grupos de más de 10, llamar
previamente.*

EL DR. SAMUEL JOHNSON era un
erudito del siglo XVIII,
famoso por sus ingeniosas

Alumna de St Andrew, del siglo XIX

(y, a veces, polémicas)
observaciones, que su
biógrafo James Boswell
recopiló y publicó. Johnson
vivió aquí desde 1748 a 1759.
Compiló su primer
diccionario de inglés
(publicado en 1755) en el
ático, con la ayuda de seis
ayudantes y escribanos.
La casa, construida antes de
1700, está escasamente
amueblada, con piezas del
siglo XVIII y una pequeña
colección de recuerdos de
Johnson y del tiempo en que
vivió. Destaca un juego de té
de su amiga la Sra. Thrale y
retratos del personaje y sus
contemporáneos.

Interior reconstruido de la casa del Dr. Johnson

St Andrew, Holborn ⓯

Holborn Circus EC4. **Plano** 14 E1.
ⓒ *020-7583 7394.* ⓔ *Chancery
Lane.* **Abierta** *9.00–16.30 lu–vi* ⬚

ESTA IGLESIA medieval se salvó
del Gran Incendio de 1666.
Sin embargo, en 1686 se le
pidió a Christopher Wren que
la remodelase, por lo que la
parte baja de la torre es todo lo
que queda de la original. Una
de las más espaciosas iglesias
de Wren, fue casi destruida
durante la II Guerra Mundial,
pero se restauró y hoy día es
templo del gremio de comerciantes. El primer ministro
Benjamin Disraeli, judío de
nacimiento, fue bautizado aquí
en 1817 cuando tenía 12 años.
En el siglo XIX se añadió a la
iglesia una escuela gratuita.

Holborn Viaduct ⓰

EC1. **Plano** 14 F1. ⓔ *Farringdon,
St Paul's, Chancery Lane.*

Escudo en Holborn Viaduct

ESTA OBRA de ingeniería
victoriana se realizó como
parte de un necesario
programa de reorganización
viaria. Su mejor vista es desde
Farringdon Street, que se une al
puente de hierro por una
escalera. Desde arriba se ven
las estatuas de la City y las
imágenes en bronce del
Comercio, la Agricultura, las
Ciencias y las Bellas Artes.

St Etheldreda's Chapel ⓱

14 Ely Place EC1. **Plano** 6 E5. ⓒ *020-
7405 1061.* ⓔ *Chancery Lane,
Farringdon.* **Abierta** *8.00–18.30 todos
los días.* ⊙ ⬚ *11.30–14.30 lu–vi.*

UNA RARA reliquia del siglo
XIII es esta capilla y cripta
de Ely House, donde vivieron

los obispos de Ely hasta la Reforma. Después fue adquirida por un cortesano isabelino, sir Christopher Hatton, cuyos descendientes demolieron la casa pero respetaron la capilla, que convirtieron en una iglesia protestante. Pasó por varias manos más hasta que en 1874 volvió a dominio católico.

Hatton Garden 🔞

EC1. **Plano** 6 E5. 🚇 *Chancery Lane, Farringdon.*

Construida donde se hallaba el jardín de Hatton House, es la calle de los diamantes y las joyas. Las gemas, que van desde precios exorbitantes a modestos, se venden y compran en tiendas de llamativos escaparates y, a veces, en puestos en las aceras. Uno de los pocos prestamistas que quedan en Londres tiene su tienda en esta zona, con el símbolo tradicional de tres bolas de bronce sobre la puerta.

Staple Inn 🔞

Holborn WC1. **Plano** 14 E1. 🚇 *Chancery Lane.* **Patio abierto** *9.00–17.00 lu.-vi.* 📷

En tiempos lonja de lana, donde se pesaba y se pagaban los impuestos, la fachada es el único ejemplo de estilo isabelino auténtico que queda en el centro de Londres. A pesar de haber sido profundamente restaurado, el edificio conserva el aspecto que tenía en el momento de su construcción (1586). Las tiendas son del siglo XIX, con algunas construcciones del XVIII en su patio interior.

London Silver Vaults 🔞

53–64 Chancery Lane WC2. **Plano** 14 D1. 🚇 *Chancery Lane. Ver* **De Compras** *pp.324–325.*

Las LONDON SILVER VAULTS provienen de la Chancery Lane Safe Deposit Company, establecida en 1885. Al

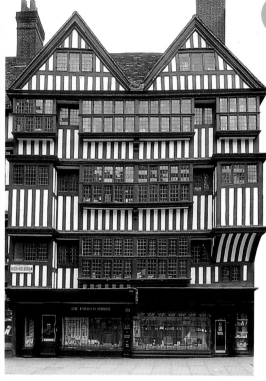

Staple Inn data de 1586

descender unas escaleras, se pasa por un formidable sistema de seguridad para acceder a un grupo de tiendas subterráneas llenas de objetos de plata antiguos y modernos. Los plateros londinenses siempre han tenido gran fama, y alcanzaron su mayor esplendor en la época georgiana. Aquí se venden las mejores piezas, por muchos miles de libras, y otras más modestas a precios asequibles.

Cafetera (1716): Platerías de Londres

Gray's Inn 🔞

Gray's Inn Rd WC1. **Plano** 6 D5. 📞 *020-7458 7800.* 🚇 *Chancery Lane, Holborn.* **Jardín abierto** *6.00–24.00 todos los días.* 📷 ♿

Este ANTIGUO centro de estudios jurídicos se construyó en el siglo XIV. Como la mayoría de los edificios de la zona, sufrió daños considerables como consecuencia de los bombardeos de la II Guerra Mundial, pero ha sido bien reconstruido. Al menos una obra de Shakespeare *(A Comedy of Errors)* se representó en su vestíbulo en 1594. Más recientemente, el joven Charles Dickens fue empleado en este lugar como escribiente, de 1827 a 1828. Su gran jardín, escenario de numerosos duelos, está abierto al público durante parte del año y disfruta de la calma conventual de las cuatro Inns of Court. Los edificios sólo se pueden visitar con cita previa.

LA CITY

EL DISTRITO FINANCIERO de Londres ocupa el lugar del asentamiento romano originario. Su nombre completo es la City de Londres, pero se le conoce por "la City". La mayor parte de la primitiva City desapareció en el Gran Incendio de 1666, y la II Guerra Mundial *(ver pp.22–23 y p.31)* volvió a castigarla duramente. Hoy día, los modernos edificios de oficinas se mezclan con numerosos bancos,

Emblema tradicional bancario, Lombard Street

con sus vestíbulos de mármol y majestuosas columnas. Es este contraste entre el estilo victoriano y el moderno lo que le otorga un carácter especial. Pese a su intensa actividad durante el día, poca gente reside en esta zona desde el siglo XIX, cuando era uno de los barrios residenciales más solicitados de Londres. Las iglesias, muchas de Wren *(ver p.47)*, son los únicos testigos de aquellos tiempos.

LUGARES DE INTERÉS

Calles y edificios históricos
Apothecaries' Hall **8**
Fishmongers' Hall **9**
Lloyd's of London **23**
Mansion House **1**
Old Bailey **7**
Royal Exchange **3**
Stock Exchange **19**
Torre de Londres pp.154-157 **16**
Tower Bridge **17**

Museos y galerías
Bank of England Museum **4**
Guildhall Art Gallery **24**

Mercados históricos
Billingsgate **12**
Leadenhall Market **22**

Monumentos
Monument **11**

Iglesias y catedrales
All Hallows by the Tower **15**
St Helen's Bishopsgate **20**
St Katharine Cree **21**
St Magnus the Martyr **10**
St Margaret Pattens **14**
St Mary-at-Hill **13**
St Mary-le-Bow **5**
St Paul's Cathedral pp.148-151 **6**
St Stephen Walbrook **2**

Muelles
St Katharine's Dock **18**

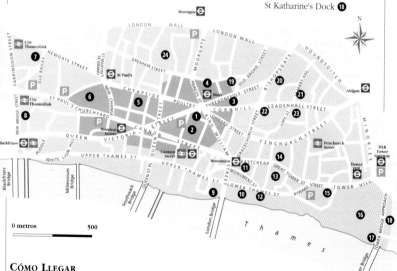

CÓMO LLEGAR
A la City se puede acceder con el DLR y con las líneas de metro Circle, Central, District, Northern y Metropolitan y los autobuses 6, 8, 9, 11, 15, 15B, 22B, 25, 133 y 501. Hay conexiones con el río y las estaciones de ferrocarril de las principales líneas.

SIGNOS CONVENCIONALES

	Plano en 3 dimensiones
🚇	Estación de metro
🚉	Estación de ferrocarril
P	Aparcamiento

MÁS INFORMACIÓN

- *Callejero,* planos 14, 15, 16
- *Alojamiento* pp.272–285
- *Restaurantes* pp.286–311

◁ **St Paul's Cathedral, con la torre del NatWest (1980) a la izquierda**

La City en 3 dimensiones

É STE ES EL CENTRO financiero de Londres, sede de grandes instituciones como la Bolsa de Valores y el Banco de Inglaterra. En contraste con estos edificios de los siglos XIX y XX, existen construcciones más antiguas. Un paseo por la City es, en parte, un peregrinaje por las visiones arquitectónicas de Christopher Wren, el arquitecto inglés más sublime y prolífico. Tras el Gran Incendio de 1666, supervisó la reconstrucción de 52 iglesias de la zona, que permanecen en pie para atestiguar su genio.

St Mary-le-Bow
Todo el que haya nacido bajo el sonido de las campanas de esta iglesia de Wren (las históricas Bow Bells) puede decir que es un auténtico londinense, o cockney ❺

El templo de Mithras es un importante vestigio romano, puesto al descubierto por una bomba durante la II Guerra Mundial.

★ **St Paul**
Es la obra maestra de Wren y todavía domina la City ❻

Estación de St Paul

ST PAUL'S CHURCHYARD

NEW CHANGE

WATLING STREET

BREAD STREET

CANNON STREET

FRIDAY ST

QUEEN VICTORIA

Estación de Mansion House

St Nicholas Cole fue la primera iglesia que Wren construyó en la City, en 1677. Como otras muchas, hubo de ser restaurada tras los bombardeos de la II Guerra Mundial.

College of Arms. Recibió estatutos reales de Ricardo III en 1484. Todavía en servicio, asesora la legitimidad de las reclamaciones genealógicas y de escudos de armas.

St James Garlickhythe contiene raras vainas de espada y sombreros bajo un elegante chapitel de Wren del año 1717.

RECOMENDAMOS

★ **St Paul**

★ **St Stephen Walbrook**

★ **Bank of England Museum**

SIGNOS CONVENCIONALES

— — — Itinerario sugerido

0 metros   100

Skinners' Hall es la lonja del gremio de los peleteros. De estilo italiano, data del siglo XVIII.

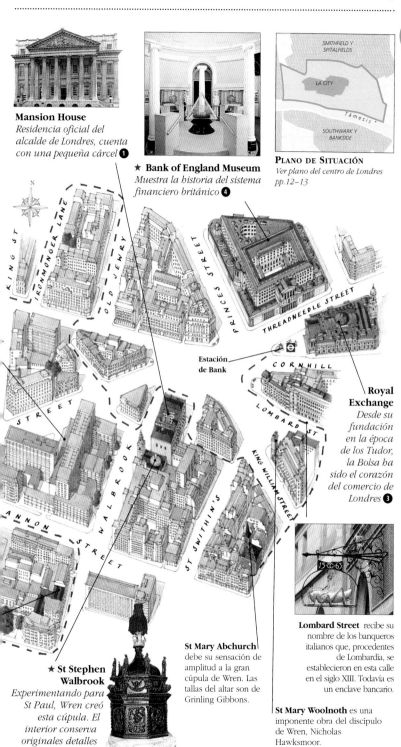

Mansion House
*Residencia oficial del
alcalde de Londres, cuenta
con una pequeña cárcel* ❶

★ **Bank of England Museum**
*Muestra la historia del sistema
financiero británico* ❹

PLANO DE SITUACIÓN
*Ver plano del centro de Londres
pp.12–13*

SMITHFIELD Y
SPITALFIELDS

LA CITY

Támesis

SOUTHWARK Y
BANKSIDE

KING ST

IRONMONGER LANE

OLD JEWRY

PRINCES STREET

THREADNEEDLE STREET

**Estación
de Bank**

CORNHILL

LOMBARD ST

**Royal
Exchange**
*Desde su
fundación
en la época
de los Tudor,
la Bolsa ha
sido el corazón
del comercio de
Londres* ❸

STREET

WALBROOK

KING WILLIAM STREET

ANNON STREET

ST SWITHIN'S

★ **St Stephen
Walbrook**
*Experimentando para
St Paul, Wren creó
esta cúpula. El
interior conserva
originales detalles
como éste* ❷

St Mary Abchurch
debe su sensación de
amplitud a la gran
cúpula de Wren. Las
tallas del altar son de
Grinling Gibbons.

Lombard Street recibe su
nombre de los banqueros
italianos que, procedentes
de Lombardía, se
establecieron en esta calle
en el siglo XIII. Todavía es
un enclave bancario.

St Mary Woolnoth es una
imponente obra del discípulo
de Wren, Nicholas
Hawksmoor.

Mansion House ❶

Walbrook EC4. **Plano** 15 B2.
📞 020-7626 2500. ⊖ Bank,
Mansion House. **Abierto** al público
previa cita.

Es LA RESIDENCIA oficial del
Lord Mayor (el alcalde) y
fue terminada en 1753, según
los planos de George Dance el
Viejo, que pueden verse
ahora en el museo de John
Soane (ver pp.136–137). La
fachada, con seis grandes
columnas corintias, es una de
las estampas más

características de la City. Las
estancias oficiales tienen el
esplendor y la dignidad propia
del cargo de alcalde, siendo
una de las más espectaculares
el salón Egipcio, de 27 m.

Escondidas en el edificio
hay 11 celdas, 10 para
hombres y una –"la jaula"–
para mujeres, consecuencia de
las funciones de juez
municipal de la City que tiene
el alcalde. Emmeline
Pankhurst, conocida
sufragista, estuvo presa aquí a
principios de siglo, cuando
hacía campaña.

Salón Egipcio en Mansion House

St Stephen Walbrook ❷

39 Walbrook EC4. **Plano** 15 B2.
📞 020-7626 8242. ⊖ Bank, Cannon
St. **Abierto** 10.00–16.00 lu–ju, 10.00–
15.00 vi. ✝ 12.45 ju, misa cantada. 📷
Conciertos de órgano 12.30-13.30 vi.

La IGLESIA parroquial de la
alcaldía fue construida por
Christopher Wren entre 1672 y
1679. Los expertos en arquitectura la consideran la mejor de
cuantas levantó en la City (ver
p.47). La gran cúpula fue una
especie de ensayo de la que
luego realizó para la catedral de
St Paul. Su interior de columnas
es una sorpresa, en contraste con
su sencillo exterior. Tanto el
doselete de la pila bautismal

como el del púlpito están
decorados con exquisitas tallas
que contrastan con la
simplicidad del altar en piedra
blanca de Henry Moore (1987).

Quizá el detalle más entraña-
ble de todos sea un teléfono en
una urna de cristal, homenaje al
párroco Chad Varah, quien en
1953 fundó Los Samaritanos, una
organización de personas
especializadas que contestan y
aconsejan por teléfono a cuantos
lo necesitan.

El martirio de san Esteban,
situado en la pared norte, es del
pintor Benjamin Best, que
ingresó en la Royal Academy
(ver p.90) en 1768.

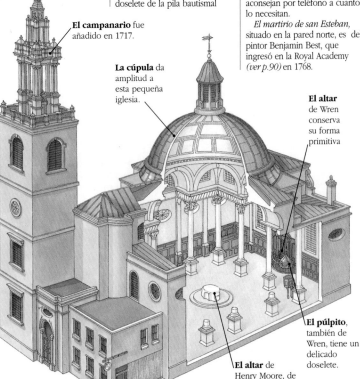

El campanario fue
añadido en 1717.

La cúpula da
amplitud a
esta pequeña
iglesia.

El altar
de Wren
conserva
su forma
primitiva

El púlpito,
también de
Wren, tiene un
delicado
doselete.

El altar de
Henry Moore, de
piedra pulida, se
añadió en 1987.

Royal Exchange ❸

EC3. **Plano** 15 C2. 📞 020-7623
0444. 🚇 Bank. **Cerrado** al público.

Sir thomas gresham,
comerciante y cortesano
isabelino, fundó en 1565 la
Royal Exchange (la Bolsa)
como centro de toda clase de
operaciones comerciales. El
primer edificio se situaba en
una gran explanada
donde los comerciantes y
mercaderes hacían sus
transacciones. La reina Isabel I
dio a la Bolsa el título de real
(Royal), y todavía es uno de
los lugares donde se anuncia
la proclamación de los nuevos
monarcas. El edificio actual
data de 1844 y es el tercero
que se levanta en el mismo
sitio desde los tiempos de
Gresham.

La fachada de la Royal Exchange, de William Tite, de 1884

Bank of England Museum ❹

Bartholomew Lane EC2. **Plano** 15 B1.
📞 020-7601 5545. 📠 0171-601
5792. 🚇 Bank. **Abierto** 10.00–
17.00 lu–vi. **Cerrado** festivos.
📷 ♿ (sistema de lazo). 🔲 📷
Películas, conferencias.

**El duque de Wellington (1884),
frente al Banco de Inglaterra**

El banco de inglaterra se
fundó en 1694 para
conseguir dinero con que
financiar las guerras en el
extranjero, y creció hasta
convertirse en el banco central
de Gran Bretaña, emitiendo
también papel moneda.
　Sir John Soane (ver pp.136-
137) fue el arquitecto del primer edificio del banco, del que
sólo queda en pie la fachada. El
resto fue demolido en los años
veinte y treinta de nuestro siglo
para ampliar las oficinas. Se ha
llevado a cabo una reconstrucción del proyecto de Soane de
1793 y se ha destinado a
museo, donde se exponen
lingotes de oro y plata, objetos
diversos y un suelo de
mosaicos romano descubierto
durante las obras. El museo
muestra cómo opera el banco y
su sistema financiero. La tienda
de regalos vende pisapapeles
hechos con billetes usados.

St Mary-le-Bow ❺

(Bow Church) Cheapside EC2.
Plano 15 A2. 📞 020-7248 5139.
🚇 Mansion House. **Abierta** 6.30–
18.00 lu, ma, mi; 6.30–18.30 ju.
✝ 17.45 ju. 🍴

La iglesia toma el nombre de
los arcos (bow) de su cripta
normanda. Cuando Wren recibió el encargo de construirla,
tras el Gran Incendio (ver pp.
22–23), continuó en la misma
línea arquitectónica con los arcos del campanario. La veleta,
que data de 1674, es un dragón.
　La iglesia fue destruida por
los bombardeos de 1941, que
sólo dejaron intactos el campanario y dos muros exteriores.
Restaurada entre 1956 y 1962,
sus campanas volvieron a ser
fundidas y colgadas. Su tañido
es muy importante para los
londinenses: sólo los nacidos
dentro de su radio de acción
pueden considerarse auténticos
cockneys.

St Paul ❻

Ver pp.148–151.

Old Bailey ❼

EC4. **Plano** 14 F1. 📞 020-7248
3277. 🚇 St Paul's. **Abierta**
10.30–13.00, 14.00–16.30 lu–vi (las
horas varían de sala en sala). **Cerrada**
navidades, Año Nuevo, Semana
Santa, festivos. 📷

La Justicia en el tejado de Old Bailey

Esta corta calle posee una
antigua relación con el
crimen. Los nuevos Central
Criminal Courts se erigieron
aquí, en 1907, en el lugar
donde estaba la cárcel de
Newgate; en días específicos
del calendario legal, los jueces
portan ramilletes de flores en
recuerdo de aquellos tiempos.
En la acera de enfrente, el pub
Magpie and Stump servía los
"desayunos de ejecución"
hasta 1868, fecha en que
terminaron los ahorcamientos
a las puertas de la prisión.
　Las salas de justicia están
abiertas al público durante
las vistas.

St Paul's Cathedral ❻

T RAS EL GRAN INCENDIO de Londres de
1666, la catedral medieval de St
Paul's quedó en ruinas. Las autoridades
pidieron a Wren que la
reconstruyera, pero sus
ideas encontraron una
fuerte resistencia por parte
del conservador y tacaño
deán. El proyecto de Wren
de 1672 fue rechazado y
finalmente se aprobó otro
menos espectacular en
1675; sin embargo la
concepción de Wren se
impuso, como se puede
observar en el esplendor
de la catedral.

**Relieves en el
exterior del
crucero sur**

★ **La cúpula**
*Con sus 110 m
de altura, es la
segunda más grande
del mundo, tras la de
San Pedro, en Roma.
Es tan espectacular
por fuera como por
dentro.*

La balaustrada
de la parte alta se
añadió en 1718,
contra los deseos
de Wren.

Las tallas
del frontón, de
1706, muestran la
conversión de
san Pablo.

★ **Fachada oeste y
torres**
*Las torres no estaban
en el plano original,
pero Wren las añadió
en 1707, cuando tenía
75 años, para instalar
en ellas sendos relojes.*

Los arbotantes
sostienen los muros de la
nave y la cúpula.

RECOMENDAMOS

★ **Fachada oeste y
torres**

★ **Exterior e interior de
la cúpula**

★ **Whispering Gallery**

El pórtico oeste
comprende dos
filas de columnas,
en vez de una
como Wren
deseaba.

El pórtico oeste
es la entrada
principal de St
Paul, desde
Ludgate Hill.

Estatua de la reina Ana
*Una réplica de 1886 de la
original de Francis Bird
(de 1712) se alza en el
antepatio.*

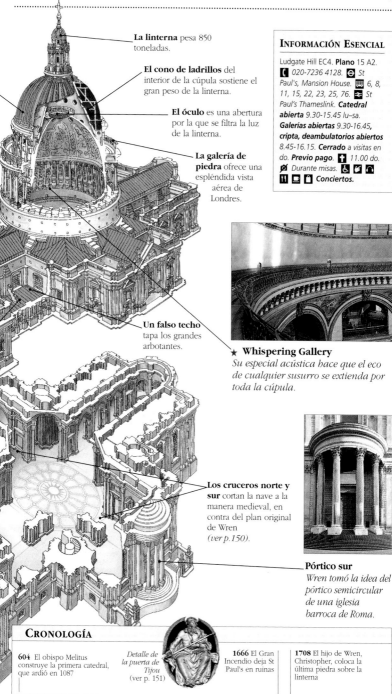

La linterna pesa 850 toneladas.

El cono de ladrillos del interior de la cúpula sostiene el gran peso de la linterna.

El óculo es una abertura por la que se filtra la luz de la linterna.

La galería de piedra ofrece una espléndida vista aérea de Londres.

Un falso techo tapa los grandes arbotantes.

Los cruceros norte y sur cortan la nave a la manera medieval, en contra del plan original de Wren *(ver p.150).*

INFORMACIÓN ESENCIAL

Ludgate Hill EC4. **Plano** 15 A2. 020-7236 4128. *St Paul's, Mansion House.* 6, 8, 11, 15, 22, 23, 25, 76. *St Paul's Thameslink.* **Catedral abierta** 9.30-15.45 lu–sa. **Galerías abiertas** 9.30-16.45, **cripta, deambulatorios abiertos** 8.45-16.15. **Cerrado** a visitas en do. **Previo pago.** 11.00 do. *Durante misas.* **Conciertos.**

★ **Whispering Gallery**
Su especial acústica hace que el eco de cualquier susurro se extienda por toda la cúpula.

Pórtico sur
Wren tomó la idea del pórtico semicircular de una iglesia barroca de Roma.

CRONOLOGÍA

604 El obispo Melitus construye la primera catedral, que ardió en 1087

Detalle de la puerta de Tijou (ver p. 151)

1666 El Gran Incendio deja St Paul's en ruinas

1708 El hijo de Wren, Christopher, coloca la última piedra sobre la linterna

600	800	1000	1200	1400	1600	1800

1087 El obispo Maurice comienza la vieja St Paul, una catedral normanda de piedra

1675 Se coloca la primera piedra de la catedral de Wren

1940–1941 Los bombardeos dañan la catedral

1981 Boda del príncipe Carlos y lady Diana Spencer

Cómo visitar St Paul's

QUIEN VISITA ST PAUL'S se siente inmediatamente impresionado por su interior, bellamente ordenado y extremadamente espacioso. La nave, los cruceros y el coro forman una cruz, como en todas las catedrales medievales; pero la visión clásica de Wren se impuso sobre aquel tradicional planteamiento. Ayudado por algunos de los mejores artesanos de la época, creó un interior majestuoso y de barroco esplendor, digno de las grandes ceremonias que habrían de celebrarse en él, como el funeral por Winston Churchill en 1965 y la boda del príncipe Carlos y lady Diana Spencer en 1981.

Los mosaicos del techo del coro fueron terminados en 1890 por William Richmond.

② **Nave lateral norte**
Está abovedada en toda su extensión, con pequeñas cúpulas que reproducen las del techo de la nave principal.

① **La nave**
Los grandes arcos y la sucesión de pequeñas cúpulas que rodean a la principal le proporcionan un aspecto grandioso.

⑨ **Nave lateral sur**
Desde aquí se pueden ascender los 259 escalones que llevan a la galería de los Susurros (Whispering Gallery) y comprobar su acústica.

Entrada a la Whispering Gallery

Entradas principales

⑧ **Tumba de Florence Nightingale**
Famosa por su pionero trabajo como enfermera, Florence Nightingale fue la primera mujer que recibió la Medalla al Mérito.

La escalera de caracol, de 92 escalones, da acceso a la biblioteca de la catedral.

⑦ **La tumba de Wren**
Posee una losa con la siguiente inscripción: "Lector, si buscas su mausoleo, mira a tu alrededor".

Signos Convencionales

━ ━ ━ Ruta recomendada

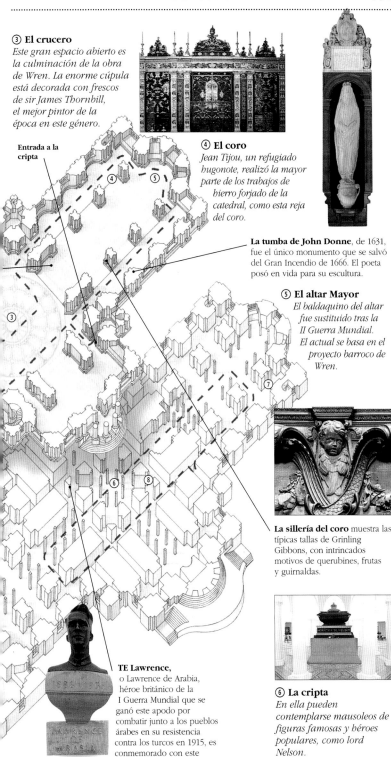

③ **El crucero**
Este gran espacio abierto es la culminación de la obra de Wren. La enorme cúpula está decorada con frescos de sir James Thornhill, el mejor pintor de la época en este género.

Entrada a la cripta

④ **El coro**
Jean Tijou, un refugiado hugonote, realizó la mayor parte de los trabajos de hierro forjado de la catedral, como esta reja del coro.

La tumba de John Donne, de 1631, fue el único monumento que se salvó del Gran Incendio de 1666. El poeta posó en vida para su escultura.

⑤ **El altar Mayor**
El baldaquino del altar fue sustituido tras la II Guerra Mundial. El actual se basa en el proyecto barroco de Wren.

La sillería del coro muestra las típicas tallas de Grinling Gibbons, con intrincados motivos de querubines, frutas y guirnaldas.

TE Lawrence, o Lawrence de Arabia, héroe británico de la I Guerra Mundial que se ganó este apodo por combatir junto a los pueblos árabes en su resistencia contra los turcos en 1915, es conmemorado con este busto en la cripta.

⑥ **La cripta**
En ella pueden contemplarse mausoleos de figuras famosas y héroes populares, como lord Nelson.

Apothecaries' Hall ⓰

Blackfriars Lane EC4. **Plano** 14 F2.
C 020-7236 1189. **⊖** *Blackfriars.*
Patio abierto 9.00–17.00 lu–vi.
Cerrado *festivos.* **Hall** *previa cita sólo grupos.* &

Apothecaries' Hall (1670)

D ESDE LOS TIEMPOS medievales, en Londres existen asociaciones para proteger los intereses comerciales de los distintos gremios. La Apothecaries' Society se fundó en 1617 para agrupar a los que prescribían, vendían o preparaban medicinas. Tuvo alumnos sorprendentes, como Oliver Cromwell y el poeta John Keats. Ahora, casi todos sus miembros son médicos y cirujanos.

Fishmongers' Hall ⓱

London Bridge EC4. **Plano** 15 B3.
C 020-7626 3531. **⊖** *Monument.*
Cerrado *al público.*

E L GREMIO DE LOS pescaderos es uno de los más antiguos de Londres (1272). El alcalde Walworth, que era miembro de la asociación, mató a Wat Tyler, líder de la Revuelta de los Campesinos de 1381 *(ver p.162).* Hoy día, el edificio, de 1834, todavía cumple su cometido: todo el pescado de la City ha de ser supervisado por sus inspectores.

St Magnus the Martyr ⓲

Lower Thames St EC3. **Plano** 15 C3.
C 020-7626 4481. **⊖** *Monument.*
◉ ✝ **Abierta** 10.00-16.00 ma-vi,
10.15-14.00 do. ✝ 11.00 do.

A QUÍ EXISTIÓ una iglesia hace 1.000 años. Su

santo patrón, San Magnus, conde de las islas Orcadas y un renombrado dirigente cristiano noruego fueron asesinados en 1110.

Cuando Christopher Wren construyó esta iglesia (1671–1676), estaba situada a los pies del viejo puente de Londres, hasta 1738 el único sobre el Támesis de la ciudad. Irremediablemente, quien se dirigiera hacia el sur tenía que pasar junto a la magnífica construcción de Wren. Son de especial interés los instrumentos musicales tallados que decoran la caja del órgano. El púlpito, que se asienta en un esbelto pie, fue restaurado en 1924.

Monument ⓳

Monument St EC3. **Plano** 15 C2.
C 020-7626 2717. **⊖** *Monument.*
Abierto 10.00-17.40 todos los días.
Cerrado *25-26 dic, 1 ene.*
Previo pago. ◉

E STA COLUMNA fue levantadapor Wren para conmemorar el Gran Incendio de Londres de septiembre de 1666. Tiene 62 m de altura y está a unos 62 m al oeste de donde se declaró el fuego, en Pudding Lane. Se situó en línea recta con el viejo puente de Londres, que estaba ubicado un poco más río abajo que el actual. Los relieves en la base de la columna muestran escenas de la reconstrucción de la ciudad, realizada según los deseos de

El altar de St Magnus el Mártir

Carlos II. Cuenta con 311 escalones hasta la plataforma superior; desde ella se goza de una excelente vista. En 1842, se colocó una verja de hierro, tras producirse un suicidio. Las vistas son espectaculares.

Billingsgate ⓴

Lower Thames St EC3. **Plano** 15 C3.
⊖ *Monument.* **Cerrado** *al público.*

Veleta en Billingsgate

E L PRINCIPAL mercado de pescado de Londres se alzó aquí durante cerca de 900 años, en uno de los primeros muelles de la City. Durante el siglo XIX y parte del XX, se vendían 400 toneladas de pescado al día. Era el mercado más bullicioso, conocido desde los tiempos de Shakespeare por el rudo lenguaje que en él se empleaba. En 1982 fue trasladado desde este edificio (de 1877) a la Isle of Dogs.

St Mary-at-Hill ㉓

Lovat Lane EC3. **Plano** 15 C2.
C 020-7626 4184. **⊖** *Monument.*
Conciertos. Abierto 10.00-15.00 lu-vi..

E L INTERIOR y el ala este de St Mary-at-Hill corresponden a los primeros proyectos de iglesia que hizo Wren (1670–1676). La planta de cruz griega era un prototipo para St Paul. Irónicamente, los estucados y el mobiliario del siglo XVII, que sobrevivieron a la manía victoriana de redecoración y a las bombas de la II Guerra Mundial,

All Hallows by the Tower 🕤

Byward St EC3. **Plano** 16 D3.
📞 020-7481 2928. 🚇 Tower Hill.
Abierto 9.00–17.30 lu-vi.
10.00–17.00 do. **Cerrado** 26 dic-
2 ene. ♿ ✝ 11.00 do. 📷

Losa romana de All Hallows

LA PRIMERA iglesia que estuvo aquí emplazada era sajona. El arco de la esquina suroeste, que conserva mosaicos romanos, data de ese periodo, así como algunas cruces ahora instaladas en la cripta. La mayor parte del interior se ha visto alterado en distintas restauraciones, pero queda un relieve de la pila bautismal, tallado por Grinling Gibbons en 1682.

William Penn, fundador del Estado de Pennsylvania

(EE UU), fue bautizado aquí en 1644 y John Quincy Adams se casó en esta iglesia en 1797, antes de ser presidente de EE UU. Samuel Pepys contempló el Gran Incendio desde la torre de la iglesia.

Torre de Londres 🕡

Ver pp.154–157.

---

fueron destruidos por un incendio en 1988. Restaurados con su apariencia original, una bomba del IRA los volvió a dañar en 1992.

St Margaret Pattens 🕔

Rood Lane y Eastcheap EC3. **Plano** 15 C2. 📞 020-7623 6630. 🚇 Monument. **Abierto** 8.00–16.00 lu-vi. **Cerrado** navidades. ✝ 13.15 ju.

ESTA IGLESIA, también de Wren (1684–1687), recibió su nombre de un tipo de zuecos que se hacía en la vecindad. Sus paredes de piedra de Portland contrastan con el estuco georgiano de la fachada principal. Conserva los bancos endoselados y una pila bautismal.

Tower Bridge 🕗

SE1. **Plano** 16 D3. 📞 020-7378 1928. 🚇 Tower Hill. **Abierto** abr–oct: 10.00–18.30 todos los días (últ. adm 17.15); nov–mar: 10.30–18.00 todos los días (últ.adm: 16.45). **Cerrado** 24–26 dic, 1 ene. **Previo pago.** 📷 ♿ 🔁 📷 Vídeo.

TERMINADO EN 1894, esta espectacular muestra de la ingeniería victoriana se convirtió pronto en un símbolo de Lon-dres. Sus torres y la pasarela que las une sostienen el mecanismo para levantar la calzada cuando han de pasar grandes barcos o en ocasiones señaladas.

El puente alberga ahora un museo sobre su propia historia, y desde la pasarela se disfruta de espléndidas vistas sobre el río. También puede contemplarse la máquina de vapor que levantaba el puente hasta 1976, fecha en que se instaló un sistema eléctrico.

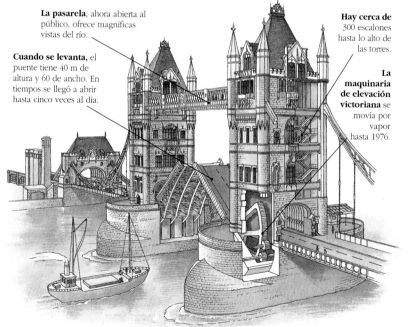

La pasarela, ahora abierta al público, ofrece magníficas vistas del río.

Cuando se levanta, el puente tiene 40 m de altura y 60 de ancho. En tiempos se llegó a abrir hasta cinco veces al día.

Hay cerca de 300 escalones hasta lo alto de las torres.

La maquinaria de elevación victoriana se movía por vapor hasta 1976.

Torre de Londres **⑯**

Durante gran parte de sus 900 años de historia, la Torre fue sinónimo de terror. Todos los que ofendían al monarca eran encerrados entre sus paredes. Los más afortunados vivían en una relativa comodidad, pero la mayoría habitó en unas condiciones tan espantosas que muchos no salieron con vida o fueron cruelmente torturados antes de ser ejecutados en la cercana Tower Hill.

★**White Tower**
Cuando se terminó, hacia 1097, era el edificio más alto de Londres, con 30 m.

★ **Jewel House** es donde se guardan las maravillosas joyas de la Corona *(ver p.156).*

Beefeaters
Cuarenta alabarderos guardan la Torre y viven en ella.

Beauchamp Tower
Muchas personas de alcurnia estuvieron presas aquí, acompañadas, frecuentemente, de sus sirvientes.

Tower Green era donde se ejecutaba a los presos distinguidos, apartados de la ruidosa multitud de Tower Hill. Sólo siete personas murieron aquí, incluidas dos de las seis esposas de Enrique VIII, mientras que fueron cientos las que sufrieron ejecuciones públicas.

Entrada principal

Recomendamos

★ **White Tower**

★ **Jewel House**

★ **Chapel of St John**

★ **Traitors' Gate**

Los Cuervos

Los residentes más famosos de la Torre son siete cuervos. No se sabe cuándo se asentaron en ella, pero la leyenda dice que cuando desaparezcan se desplomará el reino. Sin embargo, las aves tienen las alas cortadas, lo que hace imposible su huida. El Ravenmaster, uno de los alabarderos, cuida de ellos. Un

pequeño momumento en el foso recuerda a los cuervos muertos desde los años cincuenta.

Queen's House
Es la residencia oficial del gobernador de la Torre.

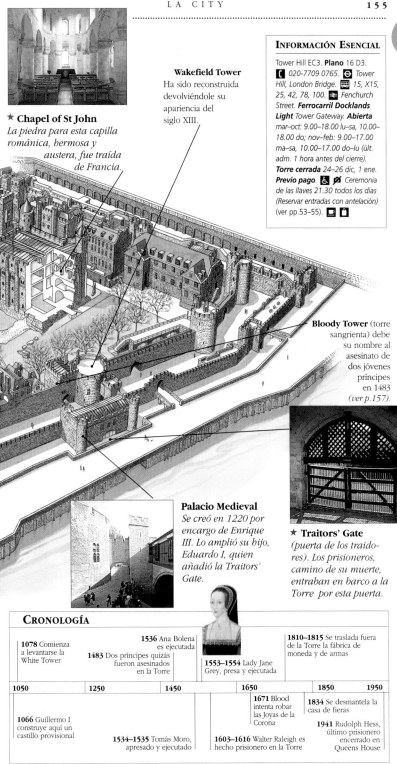

★ Chapel of St John
La piedra para esta capilla románica, hermosa y austera, fue traída de Francia.

Wakefield Tower
Ha sido reconstruida devolviéndole su apariencia del siglo XIII.

INFORMACIÓN ESENCIAL

Tower Hill EC3. **Plano** 16 D3.
☎ 020-7709 0765. ⊖ Tower Hill, London Bridge. 🚌 15, X15, 25, 42, 78, 100. 🚆 Fenchurch Street. **Ferrocarril Docklands Light** Tower Gateway. **Abierta** mar–oct: 9.00–18.00 lu–sa, 10.00–18.00 do; nov–feb: 9.00–17.00 ma–sa, 10.00–17.00 do–lu (últ. adm. 1 hora antes del cierre). **Torre cerrada** 24–26 dic, 1 ene. **Previo pago.** ♿ 📷 Ceremonia de las llaves 21.30 todos los días (Reservar entradas con antelación) (ver pp.53–55). 🖥 🍴

Bloody Tower (torre sangrienta) debe su nombre al asesinato de dos jóvenes príncipes en 1483 (ver p.157).

Palacio Medieval
Se creó en 1220 por encargo de Enrique III. Lo amplió su hijo, Eduardo I, quien añadió la Traitors' Gate.

★ Traitors' Gate
(puerta de los traidores). Los prisioneros, camino de su muerte, entraban en barco a la Torre por esta puerta.

CRONOLOGÍA

1050	1250	1450	1650	1850	1950

1078 Comienza a levantarse la White Tower

1483 Dos príncipes quizás fueron asesinados en la Torre

1536 Ana Bolena es ejecutada

1553–1554 Lady Jane Grey, presa y ejecutada

1810–1815 Se traslada fuera de la Torre la fábrica de moneda y de armas

1066 Guillermo I construye aquí un castillo provisional

1534–1535 Tomás Moro, apresado y ejecutado

1603–1616 Walter Raleigh es hecho prisionero en la Torre

1671 Blood intenta robar las Joyas de la Corona

1834 Se desmantela la casa de fieras

1941 Rudolph Hess, último prisionero encerrado en Queens House

Explorando la Torre de Londres

L A TORRE HA SIDO visita turística desde el reinado de Carlos II (1660–1685), cuando la colección de las joyas de la Corona y la de armaduras se mostró por primera vez al público. Hoy sigue siendo un exponente del poder y la riqueza de la monarquía.

El Orbe, simboliza el poder y el imperio de Cristo Redentor

LAS JOYAS DE LA CORONA

E STA COLECCIÓN está compuesta por coronas, espadas y cetros usados en las coronaciones y ceremonias oficiales solemnes. Es imposible adjudicarles un precio, pero su valor material resulta irrelevante comparado con su significado histórico y religioso. La mayoría de las joyas data de 1661, fecha en la que se realizaron con motivo de la coronación de Carlos II, ya que el Parlamento había destruido las anteriores, tras la ejecución de Carlos I en 1649. Sólo quedaron unas cuantas piezas, que fueron escondidas por los frailes de la abadía de Westminster hasta la Restauración.

La ceremonia de la coronación

Muchos elementos de esta ceremonia se remontan a tiempos de Eduardo el Confesor. El rey o la reina llega a la abadía de Westminster con varias joyas, entre ellas la espada de Estado, que representa la propia espada del monarca. Después es ungido con los santos óleos, que simbolizan la aprobación divina, e investido con los ornamentos y ropajes reales. Cada joya representa un aspecto del papel del monarca como jefe del Estado y de la Iglesia. El momento cumbre es la colocación en su cabeza de la corona de san Eduardo. Después se escucha el grito de "Dios salve al rey" (o a la reina), suenan las trompetas y se disparan salvas desde la Torre. La última coronación fue la de Isabel II, en 1953.

La corona Imperial, hecha para la reina Victoria en 1837, tiene 2.800 diamantes y otras piedras preciosas

Las coronas

Hay 10 coronas en la colección de la Torre. Muchas de ellas no se usan desde hace años, pero la corona Imperial se utiliza con frecuencia, porque la reina la lleva en las ceremonias oficiales, como en la apertura del Parlamento (*ver p. 73*). Esta corona fue elaborada en 1837 para Jorge VI y es parecida a la que se hizo para la reina Victoria. El zafiro de la cruz se cree que fue de un anillo de Eduardo el Confesor, quien reinó de 1042 a 1066.

La corona más reciente, sin embargo, no está en la Torre. Fue realizada para la investidura del príncipe Carlos como príncipe de Gales en el castillo de Caernavon, en el norte de Gales, en 1969, y se conserva en el museo de Gales, en Cardiff.

La corona de la Reina Madre data de la coronación de su esposo Jorge VI, en 1937. Es de platino, mientras que todas las demás de la Torre son de oro.

Otras joyas

Aparte de las coronas, hay otras piezas en la colección de las joyas de la Corona que son esenciales en la ceremonia de ascenso al trono. Entre ellas figuran tres Swords of Justice (espadas) que simbolizan la clemencia, la justicia espiritual y la temporal. El Orbe es una esfera hueca de oro, incrustada de piedras preciosas, que pesa 1,3 kg. El cetro con la cruz contiene el mayor diamante tallado del mundo, el First Star of Africa, de 530 quilates, cortado de una piedra de 3.106 quilates.

El anillo del soberano se conoce como el "anillo de bodas de Inglaterra"

Colección de vajillas

La Jewel House guarda también una magnífica serie de vajillas de oro y plata. La Maundy Dish todavía se usa en el Maundy Thursday, un jueves en que la reina distribuye dinero entre ancianos previamente seleccionados. El Exeter Salt (un gran salero de cuando la sal era un lujo) fue regalado por los ciudadanos de Exeter, baluarte de los realistas, a Carlos II durante la guerra civil de 1640.

La empuñadura y la vaina de oro macizo de la espada de Estado, una de las armas más valiosas del mundo

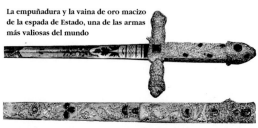

El cetro con la cruz (1660) fue remodelado en 1910, después de que le regalaran a Eduardo VII el diamante First Star of Africa

WHITE TOWER

Éste es el edificio más antiguo que todavía persiste en la Torre de Londres; fue comenzado por Guillermo I en 1077 y concluido antes del año 1100. Durante siglos sirvió como armería, y gran parte de la colección nacional de armas y armaduras se albergó aquí. En los años noventa muchas exposiciones se trasladaron a Ledds o Portsmouth, pero algunos de los objetos históricos, en especial los relacionados con la historia de la Torre, permanecen aquí. El espacio extra permite mostrar más eficazmente las exposiciones restantes y también los rasgos arquitectónicos sobresalientes del propio edificio.

Royal Castle y Armour Gallery

Estas dos salas, situadas en la primera planta, fueron las principales salas ceremoniales del castillo normando original. La primera, al este, es la menor, probablemente una antecámara del salón de banquetes contiguo, y contiene exposiciones sobre la historia de la White Tower. Linda con la St John's Chapel, superviviente de la primitiva torre normanda y virtualmente intacta, un compacto interior con escasa ornamentación. Originalmente las dos salas principales tenían el doble de altura. Aquí se encuentran armaduras completas de la época Tudor y Stuart, incluidas tres realizadas para Enrique VIII y una para su caballo. Una armadura de Carlos I está decorada con pan de oro.

La elaborada armadura de un guerrero samuray

Ordnance Gallery

Ésta y la galería para exposiciones temporales situada en la siguiente puerta fueron habitaciones creadas en 1490, año en el que se levantó el techo. Estas salas se utilizaron principalmente como almacén y en 1603 se levantó un nuevo suelo para poder acopiar pólvora: en 1667 se almacenaron en la Torre unos 10.000 barriles.

Small Armoury y cripta

La sala occidental de la planta baja podría haber sido originariamente la zona de estar; tiene trazas de la chimenea más antigua que se conoce en Inglaterra. Pistolas, mosquetes, espadas, picas y bayonetas están colocadas en los muros y en paneles

siguiendo elaborados patrones simétricos, basados en el tipo de exposiciones que era popular en las armerías de la Torre en los siglos XVIII y XIX. Se mostraba en la Grand Storehouse hasta que ardió en 1841. Se exhibe una colección de flechas tomadas a los hombres que planearon asesinar a Guillermo III en 1696, y en la sala contigua hay un bloque de madera realizado en 1747 para la ejecución de lord Lovat, en la última decapitación pública de Inglaterra. Actualmente la cripta alberga una tienda.

Line of kings

Son diez tallas de tamaño natural de prominentes monarcas ingleses, que visten armaduras y están sentados a caballo. Originarias de la época Tudor, ocho de estas figuras adornaban el palacio real de Grenwich. Dos más se añadieron en la época en que aparecieron en la Torre, en 1660, para celebrar la Restauración de Carlos II. En 1688 se encargaron 17 nuevos caballos y cabezas, algunos al gran escultor Grinling Gibbons (se cree que el tercero empezando por la izquierda es obra suya).

Armadura de Enrique VIII (1540)

LOS PRÍNCIPES DE LA TORRE

Uno de los misterios de la Torre gira en torno a dos jóvenes príncipes, hijos de Eduardo IV. Fueron encerrados en la Torre por su tío, Ricardo de Gloucester, cuando su padre murió en 1483. Nadie los volvió a ver y Ricardo fue coronado a finales de ese mismo año. En 1674, se encontraron los esqueletos de dos niños cerca de la Torre.

El atracadero de yates en el reformado muelle de St Katharine

St Katharine's Dock ⑱

E1. **Plano** 16 E3. **(** 020-7481 8350. ⊖ *Tower Hill.* ⛅ 🍴 🖵 📷

ES EL MÁS CÉNTRICO de los muelles de Londres; proyectado por Thomas Telford e inaugurado en 1828, se instaló sobre el antiguo hospital de St Katharine. Mercancías diversas como té, mármol y tortugas (la sopa de tortuga estaba de moda en la era victoriana) desembarcaban en él.

Durante el siglo XIX y principios del XX, los muelles tuvieron una gran actividad, pero a mitad de siglo los buques descargaban sus mercancías en grandes contenedores, por lo que los viejos muelles se quedaron pequeños y hubo que construir otros río abajo. St Katharine cerró en 1968, y el resto hizo lo mismo en los siguientes 15 años.

St Katharine se ha convertido en uno de los puntos de desarrollo urbanístico de más éxito, con zona residencial y comercial, un hotel y un fondeadero de yates. Los viejos almacenes albergan tiendas y restaurantes en su planta baja y oficinas en las de arriba.

En el lado norte está LIFFE Commodity Products, que se ocupa del comercio de mercancías como café, azúcar y petróleo. Aun-que no está abierto al público, en la entrada se permite contemplar a través de una pared de cristal la frenética actividad de su interior. El muelle merece un paseo tras visitar la Torre de Londres o la zona de Tower Bridge (ver pp.154–157 y p.153).

Stock Exchange ⑲

Old Broad St EC4. **Plano** 15 B1. ⊖ *Bank.* **Cerrada** al público.

LA PRIMERA Bolsa de Valores se estableció en Threadneedle Street en 1773 con unos agentes que anteriormente se reunían y cerraban sus negocios en cafeterías de la City. En el siglo XIX las reglas del cambio se dejaron y durante años la bolsa de Londres fue la mayor del mundo. Sin embargo, con el florecimiento de las economías estadounidense y japonesa en el siglo XX, gradualmente Londres ha ido perdiendo terreno y, hoy en día, es la tercera, detrás de Tokio y Nueva York. A diferencia de la mayoría de las bolsas, la de Londres no está legislada por el gobierno.

El edificio actual, de 1969, se utilizó para albergar la frenética planta de comercio, pero en 1986 las transacciones se informatizaron y la planta se quedó sin trabajo. La antigua galería pública ha sido cerrada por un ataque terrorista.

St Helen's Bishopsgate

St Helen's Bishopsgate ⑳

Great St Helen's EC3. **Plano** 15 C1. **(** 020-7283 2231. ⊖ *Liverpool St.* **Abierta** 9.00–17.00 lu, mi–vi. ✝ ma 12.35, 13.15, do 10.15, 19.00. ⛅

LA CURIOSA apariencia, dividida en dos secciones, de esta iglesia del siglo XIII se debe a que en origen tuvo dos lugares de culto distintos: como iglesia parroquial y como capilla de un convento de monjas, desaparecido hace tiempo.

Entre los mausoleos de la iglesia está el de sir Thomas Gresham, fundador del Royal Exchange (ver p.147).

St Katharine Cree ㉑

86 Leadenhall St EC3. **Plano** 16 D1 **(** 020-7283 5733. ⊖ *Aldgate, Tower Hill.* **Abierta** 10.30–16.30 lu–vi. **Cerrada** Navidades, Semana Santa. ⛔ Durante misas. ✝ 13.05 ju.

El órgano de St Katharine Cree

ESTA CURIOSA IGLESIA del siglo XVII, anterior a Wren, con una torre medieval, es una de las ocho que se salvaron del Gran Incendio. Los delicados trabajos de estuco, bajo el alto techo de la nave, muestran escudos de armas de los gremios con los que la iglesia mantenía especiales relaciones. Purcel y Haendel interpretaron su música en el magnífico órgano del siglo XVII que reposa sobre espléndidas columnas de madera tallada.

Leadenhall Market 22

Whittington Ave EC3. **Plano** 15 C2.
🚇 Bank, Monument. **Abierto**
7.00–16.00 lu–vi. Ver **De Compras**
pp.324–325.

ANTES FORO ROMANO, este
lugar acoge un mercado de
comestibles desde la Edad Media
(ver pp.16–17). Su nombre
deriva de una mansión con
tejado de plomo (lead es plomo
en inglés) que se erigía aquí en el
siglo XIV. El recinto victoriano
que hoy vemos fue proyectado
en 1881 por sir Horace Jones,
arquitecto del mercado de
pescado de Billingsgate (ver
p.152). Esencialmente es un
mercado de comida, que ofrece
caza, aves de corral y pollo,
pescado y carne. Leadenhall
también tiene un buen número
de tiendas independientes, que
ofrecen todo tipo de productos,
desde chocolates hasta vinos.
La zona se llena por completo a
las horas del desayuno y la
comida y la mejor época para
visitarla es en Navidad, cuando
las tiendas están adornadas. Es
particularmente popular entre
los trabajadores de la City,
muchos de los cuales trabajan
en el vecino edificio del Lloyd's
of London.

Lloyd's of London 23

1 Lime St EC3. **Plano** 15 C2.
📞 020-7327 1000. 🚇 Bank,
Monument, Liverpool St, Aldgate.
Cerrado al público.

LLOYD'S FUE FUNDADO a finales
del siglo XVII y toma su
nombre del café donde los
agentes y armadores se reunían
para hacer sus seguros de
navegación. Lloyd's llegó
pronto a convertirse en la
principal compañía de seguros
del mundo, y ha asegurado
desde grandes petroleros a las
piernas de Betty Grable.
El actual edificio, de Richard
Rogers (1986), es una de las
construcciones modernas más
interesantes de Londres (ver
p.30). La profusión de acero
inoxidable y los tubos del exterior recuerdan el vigoroso Centro
Pompidou de París, del mismo
arquitecto.

Mercado de Leadenhall, en 1881

Guildhall Art Gallery 24

Guildhall Yard EC2. **Plano** 15 B1.
📞 020-7332 3700. 🚇 St Paul's.
Abierta 10.00–17.00 lu–sa, 12.00–
16.00 do (últ admisión 30 min antes del
cierre). **Cerrada** 25-26 dic, 1 ene.
♿ **Guildhall** Gresham St EC2.
📞 020-7606 3030. **Abierta** llame
para información.

FUNDADA EN 1885, la Guildhall
Art Gallery se construyó
para albergar los cuadros y
esculturas de la Corporación de
Londres, uno de los más
antiguos gobiernos locales de
la ciudad.
La colección de pintura
incluye obras del artista del
siglo XX sir Matthew Smith,
retratos desde el siglo XVI hasta
la actualidad, una galería con
obras del siglo XVIII entre las
que se encuentra *Defeat of the
Floating Batteries at Gibraltar,*
de John Singleton Coply, y
numerosas obras victorianas.
La Main Gallery está dedicada a
pinturas de la Square Mile (el
corazón financiero de Londres), con obras que muestran
al alcalde lord Show y a la reina
Victoria en su celebración de
reinado de 1897.
El anexo Guildhall ha sido el
centro administrativo de la City
de los últimos 800 años.
Durante siglos fue utilizado
como sala de juicios y muchas
personas fueron condenadas
aquí a muerte, como Henry
Garnet, uno de los
conspiradores de Gunpowder
Plot (ver p. 22). Actualmente,
unos días después del desfile
del alcalde (ver pp. 54-55), el
primer ministro ofrece aquí un
banquete.

El Edificio Lloyd's, de Richard Rogers, iluminado por la noche

SMITHFIELD Y SPITALFIELDS

L AS ÁREAS QUE se extienden al norte de la City proporcionaron refugio a aquellos que no querían pertenecer a su jurisdicción o que no eran bien recibidos. Entre ellos se encontraban los hugonotes, en el siglo XVII, y otros inmigrantes de Europa e incluso de Bengala. Establecieron pequeñas fábricas y trajeron consigo su gastronomía y su religión. El nombre de Spitalfields deriva del priora-

Dragón en Smithfield Market

to medieval de St Mary Spital. Middlessex Street se conoció en el siglo XVI como Petticoat Lane debido a su mercado de ropa (*petticoat* significa enaguas), que todavía se celebra los domingos por la mañana; sus puestos se extienden hasta Brick Lane, calle jalonada de tiendas de alimentos de origen bengalí. En Smithfield hay un popular mercado de carne, y cerca se encuentra el Barbican, un complejo residencial y artístico.

LUGARES DE INTERÉS

Calles y edificios históricos
Barbican Centre **7**
Brick Lane **19**
Broadgate Centre **12**
Charterhouse **4**
Cloth Fair **5**
Dennis Severs House **20**
Fournier Street **16**
Petticoat Lane **13**
Spitalfields Centre Museum of Inmigration **18**
Wesley's Chapel–Leysian Centre **11**
Whitbread's Brewery **9**

Museos y galerías
Museum of London pp. 166–167 **3**
Whitechapel Gallery **14**

Iglesias y mezquitas
Christ Church, Spitalfields **15**
London Jamme Masjid **17**
St Bartholomew-the-Great **6**

St Botolph, Aldersgate **2**
St Giles, Cripplegate **8**

Cementerios
Bunhill Fields **10**

Mercados
Columbia Road Market **21**
Smithfield Market **1**

CÓMO LLEGAR
La zona está cubierta por las líneas de metro Northern, Hammersmith and City, Central y Circle, y también por el tren. Los autobuses 8 y 15 pasan cerca.

SIGNOS CONVENCIONALES
Plano en 3 dimensiones
Estación de metro
Estación de ferrocarril
Aparcamiento

MÁS INFORMACIÓN
- *Callejero*, planos 6, 7, 8, 15, 16
- *Alojamiento* pp.272–285
- *Restaurantes* pp. 286–311

◁ El mercado de flores de Columbia Road

Smithfield en 3 dimensiones

Esta área, una de las más históricas de Londres, alberga una de las iglesias más antiguas de la capital, algunas casas jacobinas, restos de la muralla romana (cerca del museo de Londres) y el único mercado de alimentación al por mayor que pervive en el centro de la ciudad. La historia de Smithfield es sangrienta. En 1381, el campesino rebelde Wat Tyler fue asesinado por un partidario de Ricardo II, cuando exigía al rey que redujera los impuestos. Más tarde, durante el reinado de María I (1553–1558), muchos protestantes murieron en la hoguera en sus calles.

Fat Boy, en recuerdo del Gran Incendio de 1666

El *pub* Fox and Anchor, que sirve desayunos desde las 7 de la mañana, ofrece buena cerveza a los trabajadores del mercado.

★ Smithfield Market
Este grabado muestra el edificio del mercado de carnes, obra de Horace Jones, cuando se terminó en 1867 ❶

Fat Boy

The Saracen's Head. Placa que señala el lugar donde se hallaba la posada de este nombre. Fue demolida en 1868, para dejar paso al viaducto de Holborn (ver p.140).

St Bartholomew-the-Less tiene una torre y una sacristía del siglo XV. Sus relaciones con el hospital se muestran en esta vidriera de principios del siglo XX que representa a una enfermera, regalo de la cofradía de vidrieros.

El hospital de St Bartholomew fue instalado en 1123. Algunos de los edificios datan de 1759.

SIGNOS CONVENCIONALES

– – – – – – Itinerario sugerido

0 metros   100

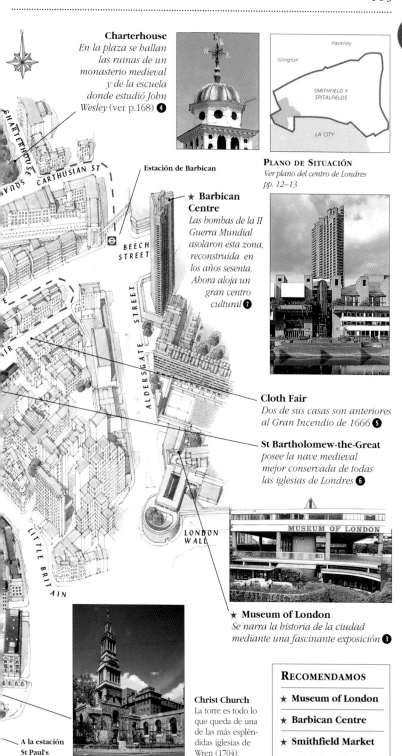

Charterhouse
En la plaza se hallan las ruinas de un monasterio medieval y de la escuela donde estudió John Wesley (ver p.168) ❹

PLANO DE SITUACIÓN
Ver plano del centro de Londres pp. 12–13

Hackney
Islington
SMITHFIELD Y SPITALFIELDS
LA CITY

CHARTERHOUSE
CARTHUSIAN ST
Estación de Barbican
BEECH STREET
ALDERSGATE STREET
LONDON WALL
LITTLE BRITAIN
A la estación St Paul's

★ **Barbican Centre**
Las bombas de la II Guerra Mundial asolaron esta zona, reconstruida en los años sesenta. Ahora aloja un gran centro cultural ❼

Cloth Fair
Dos de sus casas son anteriores al Gran Incendio de 1666 ❺

St Bartholomew-the-Great
posee la nave medieval mejor conservada de todas las iglesias de Londres ❻

MUSEUM OF LONDON

★ **Museum of London**
Se narra la historia de la ciudad mediante una fascinante exposición ❸

Christ Church
La torre es todo lo que queda de una de las más espléndidas iglesias de Wren (1704).

RECOMENDAMOS

★ **Museum of London**

★ **Barbican Centre**

★ **Smithfield Market**

Smithfield Market, oficialmente conocido como London Central Market

Smithfield Market ❶

Charterhouse St EC1. **Plano** 6 F5.
🚇 *Farringdon, Barbican.* **Abierto**
5.00–9.00 lu-vi.

E N ESTE MERCADO se ha comerciado con animales desde el siglo XII, pero el lugar fue reconocido como oficial en el año 1400. En 1648 se estableció oficialmente como mercado de ganado y lo continuó siendo hasta mediados del siglo XIX. En la actualidad se limita principalmente a la venta al por mayor de carne y pollo. Originalmente estaba situado en Smithfield, fuera de las murallas de la ciudad, en el lugar donde se realizaban las ejecuciones públicas. Aunque se trasladó hasta su situación actual en Charterhouse Street en 1850 y se le denominó London Central Meat Market, el nombre antiguo ha prevalecido sobre éste. Los antiguos edificios que lo componen se deben a sir Horace Jones, el arquitecto victoriano especializado en la construcción de mercados, pero tiene algunos añadidos del siglo XX. Varios *pubs* de la zona abren a horas de mercado para servir suculentas comidas, bien regadas con cerveza por los comerciantes y los oficinistas de la zona.

St Botolph, Aldersgate ❷

Aldersgate St EC1. **Plano** 15 A1.
📞 *020-7606 0684.* 🚇 *St Paul's.*
Abierto *11.00–15.00 mi-vi, lu y ma previa cita.* ✝ *13.10 ju.* ♿

U NA MODESTA fachada georgiana (terminada a finales del siglo XVIII) esconde el magnífico y bien conservado interior, con un techo elegantemente decorado, un órgano de madera noble y un púlpito de roble apoyado en una talla de madera que representa una palmera. Los bancos que se encuentran en la nave no son los originales. Algunas losas sepulcrales provienen de una iglesia del siglo XIV que se hallaba en este mismo lugar.

El patio parroquial fue convertido en 1880 en un jardín, conocido como Postman's Park (parque del cartero), porque era usado por los empleados del cercano Correos para descansar. El artista victoriano G.F. Watts llenó uno de los muros con una colección de placas en honor de los actos de valentía y sacrificio de las personas normales; algunas están todavía aquí. En 1973 se erigió un minotauro de bronce, obra del escultor Michael Ayrton.

Museum of London ❸

Ver pp.166–167.

Charterhouse ❹

Charterhouse Sq EC1. **Plano** 6 F5.
📞 *020-7253 9503.* 🚇 *Barbican.*
Abierto *abr-jul: 14.15 mi.* **Previo pago.** 📷 ✔

L A PUERTA del siglo XIV del lado norte de la plaza conduce al lugar donde se hallaba un antiguo monasterio cartujo clausurado bajo el reinado de Enrique VIII. Sus edificaciones se convirtieron en 1611 en hospital para indigentes y en una escuela de caridad llamada Charterhouse, entre cuyos alumnos se encontraban John Wesley *(ver p.168)*, el escritor William Thackeray y Robert Baden-Powell, fundador de los Boy Scouts. En 1872, la escuela –en la actualidad un internado de pago– se trasladó a Godalming, en Surrey. En el edificio se instaló la Escuela de Medicina del Hospital St Bartholomew. Algunas de las antiguas construcciones todavía permanecen en pie, como la capilla y parte de los claustros.

Charterhouse: figura tallada en piedra

Cloth Fair ❺

EC1. **Plano** 6 F5. 🚇 Barbican.

ESTA PRECIOSA calle toma su nombre del famoso Bartholomew Fair, el principal mercado de ropa de la Inglaterra medieval e isabelina, que se celebraba anualmente en Smithfield, hasta 1855. Los nºs 41 y 42 son construcciones del siglo XVII, con originales miradores de madera, aunque sus plantas bajas han sido modernizadas. El poeta John Betjeman, que murió en 1984, vivió en el nº 43 la mayor parte de su vida. La casa es ahora un bar que lleva su nombre.

Casas del siglo XVII en Cloth Fair

St Bartholomew-the-Great ❻

West Smithfield EC1. **Plano** 6 F5. 📞 020-7606 5171. 🚇 Barbican. **Abierto** 8.30–17.00 (16.00 en invierno), lu-vi, 10.30–13.30 sa,14.00–18.00 do. ✝ 9.00, 11.00, 18.30 do. 🅿 ♿ 📷 🚻 **Conciertos.**

SE TRATA DE UNA antigua iglesia, fundada en 1123 por un monje llamado Rahere, cuya tumba se conserva en ella. Bufón de Enrique I, Rahere tuvo un sueño en el que san Bartolomé le salvaba de un monstruo, a raíz del cual se hizo monje.

Un arco del siglo XIII proviene de la puerta de aquella iglesia; la nave del primitivo edificio se demolió tras la orden de Enrique VIII de clausurar el priorato. Hoy día el arco conduce desde Little Britain hasta un pequeño camposanto –la casa que descansa sobre el arco es posterior–.

La iglesia conserva el crucero y presbiterio originales, con arcos redon-deados y otras características normandas. También tiene ras-gos del periodo Tudor. El pintor William Hogarth (ver p.259) fue bautizado en ella en 1697.

En ocasiones, algunas estancias de la iglesia tuvieron usos civiles, como servir de fragua y de almacén. En 1725, el político estadounidense Benjamin Franklin trabajó en una imprenta situada en la capilla de Nuestra Señora.

Barbican Centre ❼

Silk St EC2. **Plano** 7 A5. 📞 020-7628 9760. 📠 020-7683 4141. 🚇 Barbican, Moorgate. **Abierto** 9.00–20.30 lu–sa, 12.00–23.00 do, festivos. ♿ 📷 🖥 🍴 🎬 🅿 **Proyecciones, conciertos, exposiciones.** Ver **Distracciones** pp.326–337.

Pórtico de St Bartholomew

PARTE DE UN ambicioso proyecto urbanístico de los años sesenta, este complejo residencial, comercial y artístico se comenzó en 1962 en una zona asolada por los bombardeos de la II Guerra Mundial, y no se terminó hasta cerca de 20 años después. Los altos edificios de viviendas rodean un centro cultural, que cuenta además con un lago, fuentes y praderas.

Todavía son visibles los restos de la vieja muralla de la ciudad, particularmente desde el museo de Londres (ver pp.166–167). La palabra "barbican" significa torre de defensa sobre una entrada, y posiblemente los arquitectos pensaran en ello cuando proyectaron esta comunidad autosuficiente. Bocacalles escondidas y pasos elevados lo apartan de la febril actividad de la City, pero, a pesar de los letreros y las líneas amarillas de la calzada, el centro resulta laberíntico y no es fácil orientarse en él.

Además de dos teatros y una sala de conciertos, el Barbican cuenta con cines, una de las galerías de arte más grandes de Londres, un centro de congresos y exposiciones, una biblioteca y una escuela de música, la Guildhall School of Music. También con un sorprendente invernadero sobre las instalaciones del centro.

El bien provisto invernadero del Barbican Centre

Museum of London ❸

Aᴮᴵᴱᴿᵀᴼ ᴱᴺ 1976 junto al Barbican, el museo ofrece una visión de la historia de Londres desde los tiempos prehistóricos a nuestros días. Reproducciones de interiores y de escenas callejeras se alternan con una exposición de objetos domésticos y piezas encontradas en excavaciones arqueológicas. Se encuentra también una maqueta animada del Gran Incendio de 1666, acompañada de la lectura del relato de Samuel Pepys, que fue testigo presencial.

GUÍA DEL MUSEO
La distribución cronológica de las salas permite un recorrido sencillo en el que se emplean unos 90 minutos.

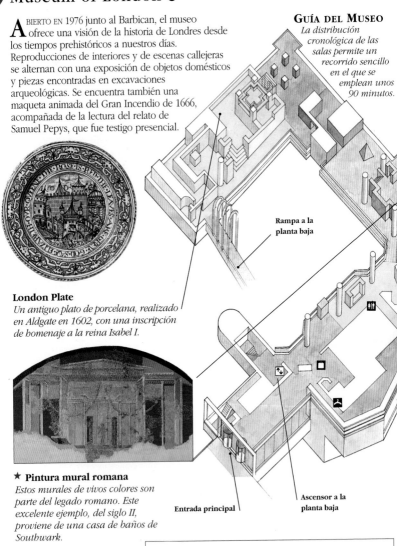

Rampa a la planta baja

London Plate
Un antiguo plato de porcelana, realizado en Aldgate en 1602, con una inscripción de homenaje a la reina Isabel I.

★ **Pintura mural romana**
Estos murales de vivos colores son parte del legado romano. Este excelente ejemplo, del siglo II, proviene de una casa de baños de Southwark.

Entrada principal

Ascensor a la planta baja

RECOMENDAMOS

★ **Pintura mural romana**

★ **Decoración estuardo**

★ **Tiendas victorianas**

Entrada al museo

ALDERSGATE STREET

LONDON WALL

A la estación St Paul's 🚇

ORIENTACIÓN
El museo es una edificación moderna, en el cruce de Aldersgate y London Wall. Su interior cuenta con escaleras y con rampas.

SIGNOS CONVENCIONALES

☐ Edificios del museo

▨ Pasos elevados

☐ Calles

INFORMACIÓN ESENCIAL

London Wall EC2. **Plano** 15 A1.
☎ 020-7600 3699.
Ⓔ Barbican, St Paul's,
Moorgate. 🚌 4, 6, 8, 9, 11, 15,
22, 25, 141, 279A, 501, 513,
502. 🚆 City Thameslink.
Abierto 10.00–17.50 lu–sa,
12.00–17.50 do. **Cerrado** 24–26
dic. **Previo pago**, gratuito
después 16.30. 🔲 ♿ 🔁 🚻
🔲 🅿 **Conferencias,
proyecciones**.

El Londres del siglo XX
Una muestra sobre los más
significativos acontecimientos
históricos del siglo. El
sufragio femenino, la
II Guerra Mundial, el auge
del cine y el "Swinging
London" son algunos
ejemplos.

★ **Tiendas victorianas**
*El modo de vida del Londres
del siglo XIX está reflejado
en varias tiendas, como ésta
de comestibles.*

Jardín

**Vestido del
siglo XVIII**
*La lujosa seda de
Spitalfields se usó
para este vestido de
1753, que se
utilizaba con
miriñaque.*

**Ascensor a las
galerías altas**

DISTRIBUCIÓN POR SALAS

☐ Londres prehistórico	
☐ Londres romano	
☐ Londres sajón	☐ Londres victoriano y capital del Imperio
☐ Londres medieval	☐ Londres del siglo XX
☐ Tudor y Estuardo temprano	☐ Carroza del alcalde
☐ Londres Estuardo tardío	☐ Exposiciones temporales
☐ Londres del siglo XVIII	☐ Espacio no expuesto

★ **Decoración estilo
Estuardo**. *Para recons-
truir esta habitación se
empleó mobiliario y objetos
decorativos de diversas
mansiones del siglo XVII.*

St Giles, Cripplegate **8**

Fore St EC2. **Plano** 7 A5.
[020-7638 1997. **⊖** *Barbican, Moorgate.* **Abierta** *11.00-16.00 lu-vi, 9.30-12.00 sa, 7.30-12.00 do.* **†** *8.00, 10.00 do (servicio familiar 11.30 3° do de cada mes).* **&** **✔**

Terminada en 1550, esta iglesia, que se salvó del Gran Incendio de 1666, fue, sin embargo, seriamente dañada durante la II Guerra Mundial, manteniéndose sólo la torre. Reconstruida en los años cincuenta para servir de iglesia parroquial a la nueva zona del Barbican, su recuperado aspecto antiguo contrasta con la modernidad de su entorno.

En ella contrajo matrimonio Oliver Cromwell (1620), y el poeta John Milton fue enterrado en 1674. Se conservan al sur de la iglesia restos de las murallas romana y medieval.

Whitbread's Brewery **9**

Chiswell St EC1. **Plano** 7 B5.
⊖ *Barbican, Moorgate.* **Cerrada al público.**

En 1736, tras cumplir 16 años, Samuel Whitbread comenzó a trabajar de aprendiz en una fábrica de cerveza de Bedford. Al morir en 1796, su fábrica de Chiswell Street (que había comprado en 1750) producía 909.200 litros de cerveza al año, un récord en Londres. La fábrica

Tumba de Blake, en Bunhill Fields

cerró sus puertas en 1976, y se convirtió en un espacio de uso privado, cerrado al público.

La sala Porter Tun, que se usa ahora para celebrar banquetes, posee el artesonado más grande de Europa, con una arcada de 18 m. El Overlord Embroidery, que conmemora una batalla de la I Guerra Mundial y es el mayor bordado del mundo, se encuentra en el edificio.

Las casas del siglo XVIII, a ambos lados de la calle, son ejemplos bien conservados de ese periodo y merecen ser conocidos por dentro. Una placa en una de ellas conmemora la visita a la fábrica, en 1787, del rey Jorge III y la reina Carlota.

Bunhill Fields **10**

City Rd EC1. **Plano** 7 B4.
[020-8472 3584. **⊖** *Old St.* **Abierto** *7.30–19.00 lu-vi, 9.30–16.00 sa, do.* **Cerrado** *25–26 dic, 1 ene.* **⊙** **&**

Convertido en cementerio tras la epidemia de peste de 1665 *(ver p.23),* se procedió a levantar un muro a su alrededor. Veinte años después acogió a ciertos religiosos, a quienes les era negada la sepultura en las

iglesias, por su negativa a usar el libro de rezos de la Iglesia de Inglaterra.

Quienes visiten este lugar, que está situado en los confines de la City y poblado de frondosos árboles, podrán contemplar los sepulcros de los célebres escritores Daniel Defoe, John Bunyan y William Blake, así como los de los miembros de la familia Cromwell.

John Milton escribió su famoso poema épico *El paraíso perdido* cuando vivía en Bunhill Row (situado al oeste del cementerio), un poco antes de su muerte, acaecida en 1674.

Wesley's Chapel-Leysian Centre **11**

49 City Rd EC1. **Plano** 7 B4. **[** 020-7253 2262. **⊖** *Old St.* **Casa, capilla y museo abiertos** *10.00–16.00 lu–sa, 12.00-14.00 do.* **Previo pago** *(excepto do).* **&** **†** *11.00 do, 12.45 ju.* **✔** **⊙** **Películas, exposiciones.**

Wesley's Chapel

John Wesley, fundador de la Iglesia metodista, colocó la primera piedra de esta capilla en 1777. Predicó en ella hasta su muerte en 1791 y está enterrado tras la capilla. Al lado se encuentra la casa donde vivió: hoy todavía se conservan muebles, libros y efectos personales suyos.

La capilla, realizada de acuerdo con los austeros principios religiosos de Wesley, posee unas columnas construidas con mástiles de barcos. Detrás hay un pequeño museo que muestra la historia de la Iglesia metodista. Margaret Thatcher, la única mujer que ha llegado a ser primera ministra (de 1979 a 1990), se casó en esta capilla.

St Giles, Cripplegate

Broadgate Centre ⑫

Exchange Sq EC2. **Plano** 7 C5.
☎ 020-7505 4608. ⊖ *Liverpool St.*
♿ 🍴 📷 🚻

Pista de patinaje de Broadgate

Sɪᴛᴜᴀᴅᴏ ѕᴏʙʀᴇ la estación de
Liverpool Street, terminal de
los trenes procedentes del
este de Inglaterra, es uno de
los centros comerciales y de
oficinas (1985–1991) más
cotizados. Cada una de sus
plazas posee una personalidad
propia. El Broadgate Arena
emula al Rockefeller Center de
Nueva York, con una pista de
patinaje en invierno que
acoge bares y espectáculos
en verano.

Entre las muchas esculturas
con que cuenta el recinto,
destacan *Rush Hour Group*, de
George Segal, y *Leaping Hare
on Crescent and Bell*, de Barry
Flanagan. Desde Exchange
Square se disfruta de una gran
vista de la estación de
Liverpool Street y su
espléndido tejado acristalado.

Petticoat Lane ⑬

Middlesex St E1. **Plano** 16 D1.
⊖ *Aldgate East, Aldgate, Liverpool
St.* **Abierto** 9.00–14.00 do. Ver
De Compras pp.324–325.

Eɴ ʟᴀ ᴘᴜʀɪᴛᴀɴᴀ Inglaterra
victoriana, el nombre de
esta calle, famosa durante siglos por su mercado, se cambió por el de Middlesex Street,
que parecía más respetable.
Todavía es ésta su denomina-
ción oficial, pero el viejo ape-
lativo, derivado del antiquísi-

mo mercado de ropa, no ha
desaparecido y se aplica ahora al mercadillo que se celebra
los domingos por la mañana
en esta calle y las adyacentes.
Se ha intentado muchas veces
suprimirlo, pero sin éxito. En
él se vende una gran variedad
de artículos, aunque
predomina la ropa usada,
especialmente las prendas de
cuero. El ambiente es ruidoso
y alegre. Los vendedores
hacen gala de su gracia y su
insolencia *cockney* para atraer
a los clientes. Hay docenas de
bares que ofrecen comidas
ligeras, muchas de ellas en el
tradicional estilo judío.

Whitechapel Art Gallery ⑭

Whitechapel High St E1. **Plano** 16 E1.
☎ 020-7522 7878. ⊖ *Aldgate East,
Aldgate.* **Abierta** 11.00–17.00 ma–
do, 11.00– 20.00 mi. **Cerrada** 25–26
dic, 1 ene (instalación exposiciones).
En ocasiones, previo pago. ♿ ✍
🍴 📷 🎬 **Películas, conferencias.**

Eѕᴛᴀ ʟᴜᴍɪɴᴏѕᴀ galería,
fundada en 1901, tiene
una chocante fachada *art
nouveau*, obra de C. Harrison

Entrada a Whitechapel Gallery

Townsend. Su objetivo es
difundir el arte entre los
habitantes del este de la
capital. Hoy disfruta de una
excelente fama internacional
por sus exposiciones de los
mejores artistas
contemporáneos, que se
alternan con otras de artistas
locales, de muy distintos
orígenes culturales. En los años
cincuenta y sesenta, expusieron
sus obras artistas como Jackson
Pollock, Robert Rauschenberg
y Anthony Caro. La primera
exposición de David Hockney
se celebró también aquí.

La galería posee una librería
bien provista de libros de arte,
además de un café donde se
pueden tomar comidas ligeras
en un ambiente agradable y
tranquilo.

El activo mercado de Petticoat Lane

Casa del siglo XVIII, Fournier Street

Christch Church, Spitalfields ⓯

Commercial St E1. **Plano** 8 E5.
☎ 020-7247 7202.
🚇 Aldgate East, Liverpool St.
Abierto 13.00–3.00 lu–vi. ✝
10.30, 19.00 do. ♿ **Conciertos** en junio y diciembre.

ES LA MEJOR de las seis iglesias de la capital realizadas por Nicholas Hawksmoor. Comenzada en 1714 y terminada en 1729, se vio afectada por las reformas victorianas. Sin embargo, este templo es el edificio más notable de la zona. Brushfield Street es el mejor punto para contemplar la aguja y el pórtico, en el que destacan las cuatro columnas toscanas.

Su construcción se debe a la Ley de Cincuenta Nuevas Iglesias de 1711, promulgada por el Parlamento para contrarrestar el crecimiento de los religiosos, que se oponían al establecimiento de la Iglesia de Inglaterra, y a la necesidad de contar con una iglesia anglicana en un área que se iba convirtiendo en fuerte reducto hugonote. Los protestantes hugonotes habían huido de la persecución en la Francia católica y se asentaban en Spitalfields para trabajar en la industria de la seda.

La impresión de amplitud y solidez del interior de la iglesia se debe a su alto techo, al artesonado de la puerta oeste y a la galería. Hawksmoor proyectó esta última de norte a sur, uniéndose en el extremo oeste a la del órgano, que data

de 1735. El real escudo de armas es de 1822.

En el siglo XIX, la mano de obra necesaria en la industria de la seda disminuyó debido a la aparición de las máquinas, y Spitalfield se encontró con dificultades para mantener la iglesia. A principios del siglo XX, el templo estaba muy deteriorado y en 1958 se cerró al público por amenaza de ruina. Su restauración comenzó en 1964 y se abrió al culto en 1987. Desde 1965 su cripta ha sido albergue de alcohólicos rehabilitados.

Fournier Street ⓰

E1. **Plano** 8 E5. 🚇 Aldgate East, Liverpool Street.

LAS CASAS DEL SIGLO XVIII, al norte de esta calle, son notables por los amplios ventanales de los pisos altos; se trataba de proporcionar la máxima luz a los hugonotes franceses que trabajaban en la industria de la seda. La fabricación textil se mantiene hoy en esta calle y las adyacentes, y depende de la mano de obra de los inmigrantes. Generalmente son bengalíes los que manejan las máquinas tejedoras, y pueblan la zona tan densamente como los hugonotes en su tiempo. Sin embargo, las condiciones de trabajo han mejorado y muchos talleres se han convertido en salas de exposición de las modernas factorías, establecidas fuera del centro de la ciudad.

Christ Church, Spitalfields

Fábrica bengalí de dulces: Brick Lane

London Jamme Masjid ⓱

Brick Lane E1. **Plano** 8 E5.
🚇 Liverpool St, Aldgate East.

LA COMUNIDAD musulmana de la zona se reúne en un edificio que resume la historia de la inmigración en el área. Construido en 1743 como templo hugonote, fue usado como capilla metodista a principios del siglo XX, y ahora es una mezquita. El reloj de sol sobre la entrada tiene la inscripción en latín *Umbra sumus* ("sombras somos").

Spitalfields Centre Museum of Inmigration ⓲

19 Princelet St E1. **Plano** 8 E5.
☎ 020-7247 0971. 🚇 Aldgate East, Liverpool St. **Cerrado** por restauración hasta 2000.
Exposiciones, teatro.

UNA PEQUEÑA sinagoga victoriana escondida detrás de la casa de 1719 de los comerciantes hugonotes de la seda es el lugar en el que se celebran exposiciones sobre la vida de los judíos y de otros pueblos que han llegado y se han asentado en el East End de Londres.

Brick Lane ⓳

E1. **Plano** 8 E5. 🚇 Liverpool St, Aldgate East, Shoreditch. **Mercado abierto** madrugada-12.00 do. Ver **De Compras** pp.324–325.

UN ANTIGUO camino es ahora el activo centro del distrito bengalí de Londres. Sus tiendas y casas, algunas del siglo XVIII,

La gran alcoba de Dennis Severs House

han recibido oleadas de inmigrantes de muchas nacionalidades; en la mayoría de ellas se venden comestibles, especias, sedas y saris. Los primeros bengalíes que vivieron aquí eran marineros, llegados en el siglo XIX, cuando el lugar era predominantemente judío, por lo que todavía existen algunas tiendas pertenecientes a esa primitiva comunidad.

Los domingos se celebra un gran mercado en esta calle y las adyacentes, complementario del de Petticoat Lane (ver p.169). En su extremo norte se halla la que fue fábrica de cervezas Black Eagle. El edificio es producto de la arquitectura industrial de los siglos XVIII y XIX, retocada ahora con elementos modernos.

Dennis Severs House ⑳

18 Folgate St E1. **Plano** 8 D5.
C 020-7247 4013. **⊖** Liverpool St.
Abierta primer do de mes
14.00–17.00. **Previo pago.**
Representaciones.
W www.dennissevershouse.co.uk

E N EL NÚMERO 18 de Folgate Street, que data de 1724, el diseñador y actor Dennis Severs ha recreado un interior que transporta a los visitantes a un viaje por los siglos XVII al XIX. Ofrece lo que el actor llama "una aventura de la imaginación, un repaso al modo de vida de las distintas épocas, más que una simple ojeada a la casa". Las habitaciones parecen llenas de vida, como si sus ocupantes acabaran de dejarlas

Retrato del siglo XVIII: Dennis Severs House

hace un momento. Hay restos de pan en los platos, vino en las copas, frutas, velas y ruido de cascos de caballos en la puerta. Dennis Severs ofrece también una visión del siglo XVIII, con música, bebidas y aperitivos. Esta experiencia, muy teatral, dista mucho de las nuevas creaciones museísticas más habituales y no es recomendable para niños menores de 12 años.

En la esquina con Elder Street hay dos hileras de casas, construidas en 1720. La mayoría de las mansiones georgianas de esta calle, de ladrillo rojo, han sido cuidadosamente restauradas.

Columbia Road Market ㉑

Columbia Rd E2. **Plano** 8 D3.
⊖ Liverpool St, Old St, Bethnal Green. **Abierta** 8.30–13.00 do.
Ver **De Compras** pp.322–323.

V ISITAR este mercado de flores y plantas es una de las mejores opciones para una mañana de domingo en Londres, por la gran variedad de especies exóticas que se pueden ver. Situado en una calle de pequeñas tiendas victorianas, ofrece un espectáculo lleno de aromas y colorido. Además de los puestos, hay tiendas donde se vende, entre otras cosas, pan casero, quesos, antigüedades y todo tipo de objetos relacionados con la jardinería. Existe también un establecimiento de especialidades culinarias españolas y un excelente *snack-bar* con sandwiches y humeantes tazas de chocolate para las mañanas invernales.

Mercado de flores, Columbia Road

SOUTHWARK Y BANKSIDE

SOUTHWARK CONSTITUÍA una vía de escape de la City, en la que muchas diversiones y placeres estaban prohibidos. En Borough High Street se alineaban las tabernas, algunos de cuyos patios medievales aún se conservan. The George sobrevive como la única posada con galerías de Londres. Los prostíbulos fueron ocupando las casas que daban al río, y los teatros y locales de peleas de osos y perros se establecieron en la zona a finales del siglo XVI. La compañía de Shakespeare tenía su sede en el Globe Theatre, que ha sido reconstruido cerca de su emplazamiento original. La histórica orilla sur del río ha sido rehabilitada. La llamada Millennium Mile se extiende desde el Westminster Bridge hasta el Design Museum. Entre sus lugares de interés destacan Southwark Cathedral y la nueva galería de arte Tate Modern.

Vidriera de Shakespeare, catedral de Southwark

LUGARES DE INTERÉS

Calles y edificios históricos
Cardinal's Wharf ❼
Hop Exchange ❷
The Old Operating Theatre ❺

Museos y galerías
Bankside Gallery ❽
Clink Prison Museum ⓬
Design Museum ⓯
London Dungeon ⓮

Shakespeare's Globe ❻
Tate Modern ❾
Vinopolis ⑪

Catedrales
Southwark Cathedral ❶

'Pubs'
George Inn ❹
The Anchor ❿

Mercados
Bermondsey Antiques
  Market ⑬
Borough Market ❸

Buques históricos
HMS Belfast ⓰

0 metros   500

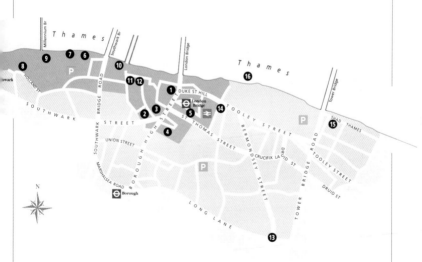

CÓMO LLEGAR
La línea de metro Northern tiene servicio regular en esta zona. Casi todos los ferrocarriles desde Charing Cross o Cannon Street se detienen en London Bridge y la línea Jubilee conecta desde el este y el oeste de Londres.

MÁS INFORMACIÓN
- *Callejero*, planos 14, 15, 16
- *Alojamiento* pp.272–285
- *Restaurantes* pp.286–311

SIGNOS CONVENCIONALES

▦	Plano en 3 dimensiones
Ⓔ	Estación de metro
⚏	Estación de ferrocarril
Ⓟ	Aparcamiento

◁ **El Millennium Bridge, frente a la galería Tate Modern**

Southwark en 3 dimensiones

DESDE LOS TIEMPOS medievales hasta el siglo XVIII, Southwark fue una popular zona en la búsqueda de placeres prohibidos, al estar al sur del Támesis y fuera de la jurisdicción de las autoridades de la City. Los siglos XVIII y XIX la llenaron de muelles, almacenes y factorías. En la actualidad, Southwark es de nuevo uno de los barrios más entretenidos de Londres, con la magnífica Tate Modern, el restaurado Borough Market y la impresionante recreación del Shakespeare's Globe Theatre.

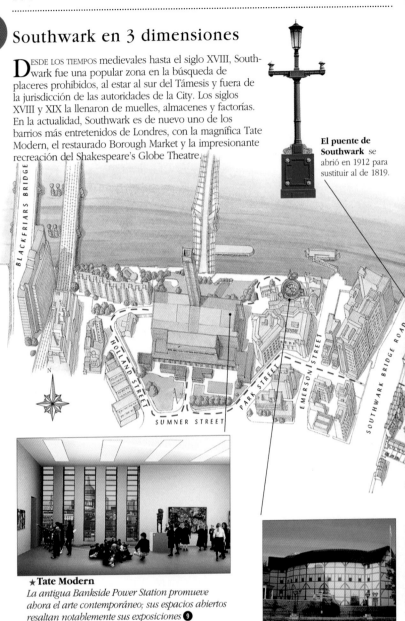

El puente de Southwark se abrió en 1912 para sustituir al de 1819.

BLACKFRIARS BRIDGE

HOLLAND STREET

SUMNER STREET

PARK STREET

EMERSON STREET

SOUTHWARK BRIDGE ROAD

N

★ **Tate Modern**
La antigua Bankside Power Station promueve ahora el arte contemporáneo; sus espacios abiertos resaltan notablemente sus exposiciones ❾

★ **Shakespeare's Globe**
Esta brillante recreación de un teatro isabelino ofrece representaciones al aire libre en los meses de verano ❻

RECOMENDAMOS

★ **Southwark Cathedral**

★ **Tate Modern**

★ **Shakespeare's Globe**

0 metros 100

SIGNOS CONVENCIONALES

– – – Itinerario sugerido

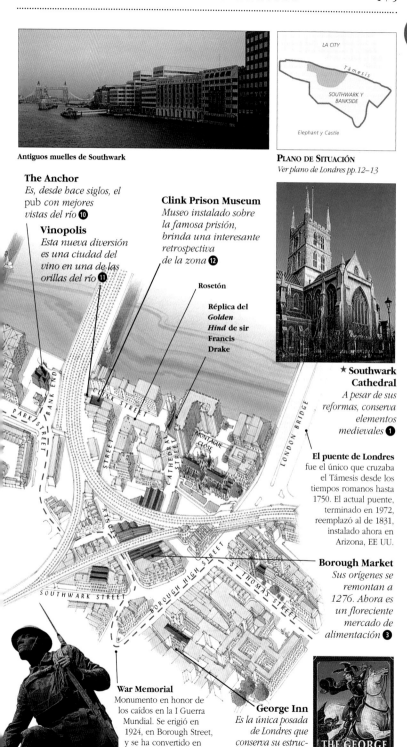

Antiguos muelles de Southwark

PLANO DE SITUACIÓN
Ver plano de Londres pp.12–13

LA CITY

Támesis

SOUTHWARK Y BANKSIDE

Elephant y Castle

The Anchor
Es, desde hace siglos, el pub con mejores vistas del río ❿

Vinopolis
Esta nueva diversión es una ciudad del vino en una de las orillas del río ⓫

Clink Prison Museum
Museo instalado sobre la famosa prisión, brinda una interesante retrospectiva de la zona ⓬

Rosetón

Réplica del *Golden Hind* de sir Francis Drake

★ **Southwark Cathedral**
A pesar de sus reformas, conserva elementos medievales ❶

El puente de Londres
fue el único que cruzaba el Támesis desde los tiempos romanos hasta 1750. El actual puente, terminado en 1972, reemplazó al de 1831, instalado ahora en Arizona, EE UU.

Borough Market
Sus orígenes se remontan a 1276. Ahora es un floreciente mercado de alimentación ❸

War Memorial
Monumento en honor de los caídos en la I Guerra Mundial. Se erigió en 1924, en Borough Street, y se ha convertido en todo un símbolo.

George Inn
Es la única posada de Londres que conserva su estructura original ❹

THE GEORGE

Southwark Cathedral ❶

Montague Close SE1. **Plano** 15 B3.
📞 020-7367 6700. 🚇 *London Bridge*.
Abierto *9.00–18.00 todos los días.*
✝ *11.00 do.* 🎵 **Conciertos**.

ESTA IGLESIA no fue declarada catedral hasta 1905. Sin embargo, algunas partes del edificio conservan sus elementos medievales, que se remontan al siglo XII, cuando formaba parte de un priorato. Las tumbas son fascinantes y entre ellas destaca una efigie de madera de un caballero de finales del siglo XIII. John Harvard, fundador de la Universidad de Harvard (EE UU), fue bautizado aquí en 1607 y una capilla lleva su nombre.

La catedral ha sido recientemente limpiada y restaurada gracias a un programa de reforma con una inversión multimillonaria. Esta reforma incluye la adición de nuevos edificios con tiendas, un entretenido centro de visitantes interactivo y un nuevo restaurante. El exterior ha sido reformado artísticamente para crear un jardín y un atractivo Millennium Courtyard que conduce a la orilla del río.

Vidriera de Shakespeare

Hop Exchange ❷

Southwark St SE1. **Plano** 15 B4. 🚇
London Bridge. **Cerrado** *al público.*

POR SU FÁCIL ACCESO a Kent, donde se cultiva el lúpulo, Southwark era el lugar natural para la fabricación de cerveza y para el comercio de dicha planta (que aromatiza y da sabor amargo a esta bebida).

El George Inn, propiedad ahora del Patrimonio Nacional

En 1866 se construyó este edificio como centro para su comercialización. Ahora, las oficinas conservan su aspecto originario, con tallas alegóricas de las cosechas; las cancelas de hierro también están adornadas con motivos referentes al lúpulo.

Borough Market ❸

Stoney St SE1. **Plano** 15 B4. 🚇 *London Bridge.* **Mercado al por menor abierto** *12.00-18.00 vi, 9.00-16.00 do.*

BOROUGH MARKET fue un mercado de venta al por mayor de verduras y frutas, con su origen en un mercado medieval y que se trasladó a su emplazamiento actual en 1756. En la actualidad es un popular mercado de alimentación, que vende productos de Gran Bretaña y Europa para *gourmets*, frutas y verduras de magnífica calidad y al que van desde lugareños y turistas.

George Inn ❹

77 Borough High St SE1. **Plano** 15 B4.
📞 020-7407 2056. 🚇 *London Bridge, Borough.* **Abierto** *11.00–23.00 lu–sa, 12.00–22.30 do.* 🍴 *Ver* **Restaurantes y pubs** *pp.307–309.*

ESTE EDIFICIO del siglo XVII es el único ejemplo de las viejas posadas de postas con galerías y se menciona en *La pequeña Dorrit* de Dickens. Fue reconstruido en estilo medieval tras el incendio que asoló Southwark en 1676.

Originariamente tenía tres alas alrededor del patio, donde se celebraban representaciones teatrales en el siglo XVII. En 1889 las alas norte y este fueron demolidas y tan sólo queda un ala.

La posada, que ahora pertenece al National Trust, funciona todavía como restaurante. Perfecto para los días fríos y lluviosos, este *pub* tiene un acogedor y cálido ambiente. En verano, el patio se llena de mesas y se ofrecen actuaciones de actores y bailarines.

The Old Operating Theatre ❺

9a St Thomas St SE1. **Plano** 15 B4.
📞 020-7955 4791. 🚇 *London Bridge.* **Abierto** *10.30–17.00 todos los días.* **Cerrado** *15 dic-5 ene.* **Previo pago.** 🗓

EL HOSPITAL DE St Thomas, uno de los más antiguos de Gran Bretaña, se alzó aquí desde su fundación en el siglo XII hasta que fue trasladado al oeste en 1862. Entonces, se demolió la mayoría de sus edificaciones para dejar paso al ferrocarril.

Instrumental quirúrgico (siglo XIX)

El quirófano para mujeres se salvó porque se encontraba situado fuera del edificio principal, en un desván sobre la iglesia del hospital (ahora, vicaría de la catedral). Allí permaneció, olvidado, hasta los años cincuenta; entonces se procedió a una minuciosa restauración, tal y como se encontraba en el siglo XIX, antes del descubrimiento de las anestesias y los antisépticos. En él se muestra cómo a los pacientes se les vendaban los ojos y la boca, y eran atados a la mesa de operaciones, bajo la cual una palangana con serrín recogía la sangre.

Enrique IV, de Shakespeare (representado en el Globe hacia 1600)

Shakespeare's Globe ❻

New Globe Walk SE1. **Plano** 15 A3. ☎ 020-7902 1400. ☎ oficinas 020-7401 9919. 🚇 *London Bridge, Mansion House*. ***Abierto exposiciones*** *med may-sep: 9.00-24.00; oct-med may: 10.00-17.00 todos los días.* **Representaciones** *med may-sep.* **Previo pago.** 📷 🎭 *cada 30 minutos.* 🅿 🍴 📷

Construido en la orilla del Támesis, el Shakespeare's Globe es una impresionante reconstrucción de un teatro isabelino en el que se representaron muchas obras del dramaturgo por vez primera. La estructura circular de madera está abierta en el medio y queda al aire libre parte del teatro, aunque los asientos están protegidos. Sólo hay representaciones en el verano y ver aquí una obra de teatro es

una maravillosa experiencia, con personajes situados enfrente del escenario animando a aplaudir o a abuchear. Cuando no hay representaciones se ofrece una visita informativa. Bajo el teatro se encuentra Shakespeare's Globe Exhibition, donde se explican aspectos de la obra y la vida de Shakespeare con modernas tecnologías y objetos antiguos.

Cardinal's Wharf ❼

SE1. **Plano** 15 A3. 🚇 *London Bridge*.

Un pequeño grupo de casas del siglo XVII todavía se conserva en pie junto a la nueva galería de arte Tate Modern *(ver pp. 178-181)*. Hay una placa que conmemora la presencia de Christopher Wren mientras se construía la catedral de St Paul's *(ver pp. 148-151)*. Habría tenido una panorámica particularmente buena de sus trabajos. Se cree que el nombre de *wharf* (muelle) se lo puso el cardenal Wolsey, que fue obispo de Winchester en 1529.

Bankside Gallery ❽

48 Hopton St SE1. **Plano** 14 F3. ☎ 020-7928 7521. 🚇 *Blackfriars, Southwark*. **Abierto** *10.00-20.00 ma, 10.00-17.00 mi-vi, 11.00-17.00 sa y do.* **Cerrado** *Navidad-2 ene.* **Previo pago.** ♿ 📷 **Conferencias**.

Esta moderna galería de la orilla es la sede de dos históricas sociedades británicas, la célebre Royal Watercolour Society (Real Sociedad de

Panorámica desde Founders' Arms

Acuarelas) y la Royal Society of Painter-Printmakers (Real Sociedad de Pintores y Grabadores). Los miembros de estas sociedades son elegidos por sus pares, una tradición de hace casi 200 años.

La colección permanente de la galería no está expuesta, pero hay constantes exposiciones temporales que muestran acuarelas contemporáneas y grabados originales de los artistas. Las exposiciones presentan el trabajo de ambas sociedades y muchas de las obras están en venta. Posee una magnífica tienda especializada en arte que vende libros y materiales.

Desde el cercano *pub* Founders' Arms –construido en el solar de la fundición en la que se realizaron las campanas de la catedral– se disfruta de una excepcional panorámica de St Paul's Cathedral. Al sur de aquí, en Hopton Street, hay unos hospicios de 1752.

Hilera de casas del siglo XVII en Cardinal's Wharf

Tate Modern ❾

Asomándose sobre la orilla meridional del Támesis, la Tate Modern ocupa la transformada Bankside Power Station, un dinámico espacio que alberga una de las mejores colecciones del mundo de arte del siglo XX. Hasta el año 2000, la colección Tate se repartía en tres galerías: Tate St Ives, Tate Liverpool y Tate Gallery, la actual Tate Britain (ver pp. 82-85). Cuando la Tate Modern juntó estas galerías, se creó un espacio único para albergar esta amplísima colección de arte. La constante rotación de obras y la instalación de exhibiciones especiales dan como resultado una convincente exposición que cambia continuamente.

★ **Composición (hombre y mujer)** (1927)
Esta escultura de Alberto Giacometti representa las formas humanas atrapadas en la vida urbana.

Do We Turn Round Inside Houses, or Is It Houses which Turn Around Us? (1977-1985)
Esta instalación con iglú de Mario Merz cuestiona la relación de los humanos con la naturaleza.

Death from Death Hope Life Fear (1984)
Gilbert and George explora el espíritu del hombre.

DISTRIBUCIÓN POR PLANTAS

- ☐ Turbine Hall
- ☐ Naturaleza muerta / Objeto / Vida real
- ☐ Paisaje / Sustancia / Ambiente
- ☐ Desnudo / Acción / Cuerpo
- ☐ Historia / Memoria / Sociedad
- ☐ Exposiciones temporales
- ☐ Espacio no expuesto

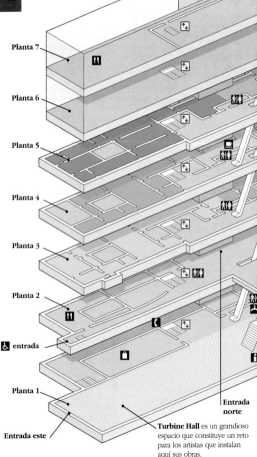

Planta 7
Planta 6
Planta 5
Planta 4
Planta 3
Planta 2
  entrada
Planta 1

Entrada norte

Turbine Hall es un grandioso espacio que constituye un reto para los artistas que instalan aquí sus obras.

Entrada este

Standing bay the Rags
(1988-1989)
Las sinceras representacio-
nes de la forma humana de
Lucian Freud animan al
visitante a pensar sobre su
propia noción del cuerpo
humano. Sus desnudos son
considerados como los más
delicados trabajos, y éste es
un magnífico ejemplo.

INFORMACIÓN ESENCIAL

Holland St, SE1. **Plano** 14 F3,
15 A3. ☎ 020-7887 8000.
🚇 Blackfriars, Mansion House,
Southwark. 🚌 45, 63, 100,
344, 381. **Abierta** 10.00-18.00
do-ju. 10.00-22.00 vi-sa.
Cerrada 24-26 dic. **Previo pago**
sólo para exposiciones especiales.
🍴 📷 🚫 🎧 ♿ 🏪
W www.tate.org.uk

El rayo de luz
son dos pisos de
cristal que
permiten filtrar la
luz hacia abajo
hasta Turbine Hall.

**Dos salas de
lectura** ofrecen una
selección de libros
de arte y cómodos
asientos.

Una terraza
proporciona magníficas
vistas de la catedral de St
Paul *(pp. 148-151),* al
otro lado del río.

Soft Drainpipe-
Blue (Cool)
Version *(1967)*
Un anuncio de un tubo
de desagüe fue la inspira-
ción de esta escultura de
Claes Oldenburg, del arte
pop. Como en la mayoría
de sus obras, se utiliza
material flexible para
representar la dura
superficie y hacer familiar
el objeto desconocido.

GUÍA DEL MUSEO
La entrada principal del este se adentra
en Turbine Hall. Desde aquí, unas
escaleras conducen al café y al vestíbulo
de la planta 2 y una escalera mecánica
llega a la planta 3. Las exposiciones
temporales se encuentran en la planta
4, mientras que la 5 está dedicada a las
galerías. A la planta 6 sólo tienen acceso
los miembros. La planta 7 posee un
magnífico restaurante con unas vistas
espectaculares de la ciudad.

★ **Light Red Over Black**
(1957)
Esta pintura de rectángulos
borrosos dispuestos en ver-
tical es típica de las obras
más tardías de Rothko.

★**El beso** *(1901-1904)*
Esta escultura de Auguste
Rodin rinde homenaje a
la escultura clásica a
pesar de no hacer caso
de las convenciones por
dejar parte del
mármol sin pulir.

RECOMENDAMOS

★ **Composición,** de
Giacometti

★ **Light Red Over
Black,** de Rothko

★ **El beso,** de Rodin

Explorando la Tate Modern

ROMPIENDO CON LA TRADICIÓN, la Tate Modern ha ordenado sus obras por temas, una práctica que cruza los movimientos, los periodos y los medios de expresión. Cuatro temas basados en los géneros tradicionales (Naturaleza muerta/Objeto/Vida real; Paisaje/ Sustancia/ Ambiente; Desnudo/Acción/Cuerpo; Historia/ Memoria/ Sociedad) revelan cómo los artistas han enfrentado, extendido o rechazado las tradiciones a lo largo del siglo XX.

After Lunch (1975), de Patrick Caulfield

NATURALEZA MUERTA/ OBJETO/VIDA REAL

ASÍ COMO LA música puede ser maravillosa sin bellas palabras, puede ser magnífica una pintura sin un tema importante. Este descubrimiento, el pensamiento sobre la naturaleza muerta, fue sólo completamente apreciado en el siglo XVII, cuando los artistas comenzaron a representar la pureza de la poesía del mundo físico. A principios del siglo XX artistas como Paul Cézanne, y más tarde Pablo Picasso y Georges Braque,

entraron en escena incluyendo realidad (periódicos, papel pintado...) en sus obras. En la década de 1930 los surrealistas incorporaron un toque de humor y contenido sicológico y sexual. La obra de Dalí, *Teléfono langosta (ver p. 41)* es un buen ejemplo. Marcel Duchamp reinterpretó radicalmente la noción de naturaleza muerta con su serie de obras que presentan objetos cotidianos como arte (el más famoso es el orinal de *Fuente*). En la segunda mitad del siglo XX esta idea fue nuevamente explorada por artistas como Cathy de Monchaux y Claes Oldenburg y, quizá más notablemente, por Carl Andre, cuya obra *Equivalent VII* semeja un montón de ladrillos. Patrick Caulfield investiga la diferencia entre naturaleza muerta y vida real en sus pinturas dando la vuelta a la relación entre representación y realidad. En *After Lunch*, el paisaje idealizado que cuelga en la pared es más realista que lo cotidiano que está pintado gráficamente alrededor.

PAISAJE/SUSTANCIA/ AMBIENTE

LOS PAISAJES comenzaron a popularizarse en el siglo XIX ya que la industrialización amenazaba con destruir el campo. En estas salas, la Tate Modern muestra cómo los artistas del siglo XX responden a este desafío en la representación del ambiente, empezando por las radicales transformaciones de los impresionistas. Cézanne en *The Grounds of the Château Noir* y Henri Matisse en *La Plage Rouge* tratan de capturar la esencia de la naturaleza pintando qué es lo que ellos han visto más que lo que ellos deberían ver. En una de las salas, la obra del siglo XIX *Water Lilies* de Claude Monet está colocada junto a *Red State Circle*, del siglo XX, de Richard Long para ampliar el sentido de inmersión en el paisaje de ambos artistas. Los exuberantes abstractos de Jackson Pollock y los mágicos colores de Mark Rothko se encuentran también en estas salas, así como la biomórfica escultura de Barbara Hepworth y Henry Moore, quienes intentaron representar la naturaleza en una forma abstracta tridimensional.

DESNUDO/ACCIÓN/CUERPO

DESDE EL ARTE GRIEGO en adelante, la figura humana ha sido uno de los temas fundamentales del arte occidental. La Tate Modern ha reunido a artistas del siglo XX que han intentado reformar el cuerpo humano en sus obras. Entre las

Bankside Power Station

Esta severa fortaleza fue diseñada en 1947 por sir Giles Gilbert Scott, el arquitecto de la Battersea Power Station, del Waterloo Bridge y de las famosas cabinas rojas de teléfonos. Esta central eléctrica es una construcción con una estructura de acero revestida de más de cuatro millones de ladrillos. La Turbine Hall fue proyectada para acomodar unos generadores enormes de petróleo. Tres tanques de petróleo todavía están aquí, enterrados justo al sur del edificio. Los tanques se emplearán en una futura etapa de la Tate Modern. La central eléctrica fue reformada por los arquitectos suizos Herzog y De Meuron, quienes diseñaron los dos pisos de cristal que recorren la longitud del edificio. Esto hace que la antigua Turbine Hall se inunde de luz y proporciona unas magníficas vistas de Londres.

Fachada, chimenea y *rayo de luz* **de la Tate Modern**

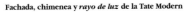

Summertime: Number 9A (1948), de Jackson Pollock

pinturas y las esculturas que se exponen se encuentran el angustioso *Tres estudios de figuras basadas en la Crucifixión* de Francis Bacon y *Los tres bailarines* de Picasso, con proporcionadas figuras. Con su escultura *Man Pointing,* Alberto Giacometti coincidió con Modigliani en su reinterpretación de cómo la forma humana está representada en el arte africano. Pierre Bonnard en *El baño* creó una sensual representación de la forma humana con colores suaves en una composición geométrica. Las detalladas descripciones del cuerpo de Lucian Freud expresan una franca honestidad con respecto a la figura humana.

A principios de 1960, el arte utilizó el propio cuerpo del artista como medio de expresión y a menudo aparecía fotografiado o filmado. Algunos artistas contemporáneos, como Gilbert and George y Steve McQueen, utilizaron una combinación de métodos multimedia y tácticas de choque para ampliar la exploración del cuerpo.

Historia/Memoria/Sociedad

Tomando como base la generación que abarca el antiguo mito, la literatura y los acontecimientos históricos, esta serie de salas reúne a artistas del siglo XX que se comprometieron con la moral, la sociedad o la política. La escultura *Unique Forms of Continuity in Space* de Umberto Boccioni encarna la velocidad, la fuerza y la mecanización características del movimiento futurista. *Mujer llorando* de Picasso es tanto una obra personal como una representación

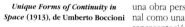

Unique Forms of Continuity in Space (1913), de Umberto Boccioni

del sufrimiento de España durante la Guerra Civil. Una sala está dedicada a los artistas de De Stijl, movimiento holandés que buscó crear un arte esencial puramente abstracto accesible para todos. El artista más reconocido de este movimiento es Piet Mondrian, cuyas delicadas pinturas abstractas se exponen cerca de las toscas esculturas con tubos fluorescentes de

Dan Flavin. Tal inesperada agrupación desafía al visitante a preguntarse por qué ciertas obras se exponen juntas y qué es lo que tienen en común. También está expuesta la obra de artistas de la vanguardia modernista que buscan no el compromiso con el pasado o el presente sino borrarlo. Por medio de obras como *Fluxipingpong,* que supone un juego realizado con palos imposibles, el colectivo Fluxus invita a los visitantes a ver todo como arte excepto aquellas obras que se encuentran en museos y galerías.

Maman (2000), de Louise Bourgeois

Exposiciones Especiales

Como complemento a la colección permanente, la Tate Modern presenta un dinámico programa de exposiciones temporales que incluyen tres muestras cada año a gran escala (retrospectivas de artistas contemporáneos o trayectorias de importantes movimientos) y proyectos a menor escala. Una vez al año, la Tate Modern encarga a un artista una creación capaz de abarcar la inmensa Turbine Hall. Louise Bourgeois fue la primera en crear su instalación aquí. Tres torres gigantes con escaleras en espiral y una sólida araña de 9 metros de altura fue su creación.

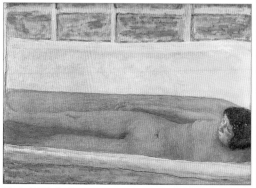

El baño (1925), de Pierre Bonnard

The Anchor ❿

34 Park St SE1. **Plano** 15 A3.
📞 020-7407 1577. 🚇 London
Bridge. *Abierto* 11.00–23.00 lu–sa,
12.00–22.30 do. 🍴

Es uno de los *pubs* más
famosos de esta orilla del
Támesis. Se abrió tras el incendio de Southwark de 1676, que
devastó el área *(ver pp. 22-23)*.
El actual edificio es del siglo
XVIII, pero se han descubierto
debajo restos muchos más
antiguos. El *pub* estuvo en
tiempos asociado con una
fábrica de cerveza del otro lado
de la calle, propiedad de Henry
Thrale, amigo íntimo del Dr.
Samuel Johnson *(ver p. 140)*.
Cuando Thrale murió en 1781,
el Dr. Johnson fue al lugar y
animó a los clientes con una
frase que ha pasado a formar
parte de los dichos
londinenses: "La posibilidad de
hacerse rico más allá de los
sueños de avaricia".

Letrero del *pub* The Anchor Inn

Vinopolis ⓫

1 Bank End SE1. **Plano** 15 B3.
📞 0870 444 4777. 🚇 London
Bridge. *Abierto* 11.00-21.00 (últ
admisión 19.00) lu, 11.00-18.00 (últ
admisión 16.00) ma-vi y do, 11.00-
20.00 (últ admisión 18.00) sa. **Previo
pago.** 📷 🎧 🍴 🛍 ♿

Vinopolis es un lugar único
dedicado al disfrute del
vino. Su mezcla de juegos
interactivos y exposiciones
educativas lo convierten
en un popular destino
para aquellos que deseen
conocer mejor cómo se
elabora y se bebe el vino.
Situado dentro de unos arcos
de ferrocarril
victorianos, Vinopolis
explora la historia de
esta bebida desde los
tiempos más remotos y
su proceso de
elaboración hasta que
se embotella. *Tasting
stations* ofrece la
oportunidad de
saborear este líquido.
Una selección de vinos
de escogidas cosechas
se puede adquirir en el
almacén después de la
visita, mientras que la
tienda dispone de un
amplio surtido de
mercancía, desde
novedosos
sacacorchos hasta
copas para cava.

Clink Prison Museum ⓬

1 Clink St SE1. **Plano** 15 B3.
📞 020-7378 1558. 🚇 London
Bridge. *Abierto* jun-sep: 10.00-22.00
todos los días; oct-may: 10.00-18.00
todos los días. *Cerrado* 25 dic.
Previo pago. 📷 🎧 🛍 para grupos
(llamar con antelación).

Ahora un macabro museo, la
prisión que estaba situada
aquí abrió por primera vez en
el siglo XII. Perteneció a los
sucesivos obispos de Win-
chester, quienes vivieron en el
palacio que se encuentra justo
al este del museo. Durante el
siglo XV la prisión comenzó a
ser conocida como Clink y
finalmente cerró en 1780.
El museo ilustra la historia
de la cárcel y de la armería
que más tarde ocupó el
edificio. Narran anécdotas de
presidiarios, así como de
prostitutas, morosos y

**Réplica de un
casco de la guerra
civil hecho en Clink**

Antigüedades en Bermondsey Market

sacerdotes. Se exponen
métodos de tortura y aparatos
disuasorios que dejan volar la
imaginación y que no son
aptos para pusilánimes.

Bermondsey Antiques Market ⓭

(New Caledonian Market) Long Lane y
Bermondsey St SE1. **Plano** 15 C5.
🚇 London Bridge, Borough. *Abierto*
5.00–15.00 vi, comienza a cerrar
12.00. Ver *De Compras* p.324-325.

Bermondsey market fue uno
de los principales
mercados de Londres durante
la década de 1960, cuando el
antiguo Caledonian Market de
Islington cerró por reforma.
Cada viernes de madrugada,
los anticuarios comienzan sus
transacciones en Bermondsey.
Hay frecuentes reportajes de
prensa que informan sobre
obras maestras que han sido
adquiridas por precios
irrisorios y los más optimistas
acuden aquí para probar
suerte. Un paseo por el
mercado es para muchos un
día perfecto. Sin embargo,
tenga en cuenta que las
mejores mercancías sólo se
encuentran muy temprano,
antes de que llegue la mayoría
de la gente.
Algunas tiendas de anti-
güedades permanecen
abiertas toda la semana. Las
más interesantes son las
situadas en una hilera de viejos
almacenes, en Tower Bridge
Road, donde se apilan objetos
de todo tipo y precios.

London Dungeon ⑭

Tooley St SE1. **Plano** 15 C3.
0171-7403 7221. *020-7403 0606*
*London Bridge. **Abiertas** jul-sep:
10.00-20.00 todos los días; oct-jun:
10.00-17.30 todos los días (últ admisión 30 min antes del cierre). **Cerradas** 25 dic. **Previo pago.***

U NA VERSIÓN amplificada de
la cámara de los horrores
de Madame Tussaud *(ver
p.220),* este museo sintetiza los
pasajes más espeluznantes de
la historia británica. Su objetivo
es producir terror y se muestran
los gritos de un sacrificio
humano, llevado a cabo por los
druidas en Stonehenge; la decapitación de Ana Bolena por
orden de su esposo Enrique
VIII o una sala llena de agoni-
zantes durante la peste de 1665.
Torturas, asesinatos y brujería
entretienen a los visitantes.

**Escultura de Paolozzi,
en el museo del Diseño**

Design Museum ⑮

Butlers Wharf, Shad Thames SE1.
Plano 16 E4. *020-7403 6933.*
Tower Hill, London Bridge.
Abierto 11.30-18.00 lu-vi (últ. adm.
17.30); 10.30-18.00 sa y do. **Cerrado**
24–26 dic. **Previo pago.**
020-7378 7031 (reservas).

E STE MUSEO fue el
primerodel mundo
dedicado en exclusiva a los
objetos diseñados y
producidos en serie y en
explicar su función y su
apariencia. La colección
permanente ofrece una visión
nostálgica de mobiliario,
equipamiento de oficinas,
coches, radios, televisores y
utensilios domésticos del
pasado. Las exposiciones

**Letrero de The London Dungeon,
con sus espeluznantes exposiciones**

temporales de diseño
internacional en las galerías
Review y Collections ofrecen
objetos que son cotidianos
actualmente y los que lo serán
en el futuro. La galería
Collections está ordenada
temáticamente y muestra el
uso, el significado la forma y
la tecnología de objetos de
diseño que han cambiado a lo
largo del tiempo. Incluye
piezas que datan de cuando
se introdujo la
industrialización. Por otra
parte, la galería Review, está
dedicada a los más
innovadores diseños actuales,
conceptos y prototipos que
determinarán una mejora en
la vida del futuro. La
exposición incluye diseños de
campos tan diferentes como
la ingeniería, la tecnología, el
mobiliario, la moda y la
arquitectura.
En la primera planta está el
restaurante Blueprint Café,
que ofrece unas magníficas
vistas del Támesis,
especialmente al anochecer.

'HMS Belfast' ⑯

Morgan's Lane, Tooley St SE1.
Plano 16 D3. *020-7940 6328.*
London Bridge, Tower Hill.
*Tower Pier. **Abierto** 10.00–17.00
todos los días. **Cerrado** 24–26 dic.*
Previo pago. *excepto el café.*

O RIGINALMENTE FABRICADO en
1938 para la II Guerra
Mundial, el *HMS Belfast*
contribuyó en la destrucción
del buque alemán
Scharnhorst en la batalla de
North Cape y también
desempeñó un papel
fundamental en el
desembarco de Normandía.
Después de la guerra, el
buque, diseñado para
acciones ofensivas, fue
enviado a Corea por las
Naciones Unidas. Permaneció
al servicio de la Marina de
Gran Bretaña hasta 1965.
Desde 1971, este acorazado
se utiliza como museo naval
flotante. Parte de él recrea el
aspecto del buque de cuando
participó en el hundimiento
en 1943 de su rival alemán.
Una exposición muestra la
vida en el barco en la II
Guerra Mundial y otra, más
general, ilustra la historia de la
Royal Navy.
Esta visita permite pasar un
magnífico día familiar ya que
los niños pueden participar en
actividades educativas durante
los fines de semana a bordo
del barco.

Vista del acorazado naval *HMS Belfast* sobre el Támesis

SOUTH BANK

TRAS EL FESTIVAL de Gran Bretaña de 1951, el centro artístico de South Bank creció alrededor del entonces recién levantado Royal Festival Hall. La arquitectura de algunos edificios fue criticada, especialmente la masa de hormigón de la galería Hayward. Pero el área ha tenido gran éxito y es muy frecuentada por los amantes de la cultura, especialmente por las tardes. Además de teatros, salas de conciertos y galerías, la zona cuenta con el National Film Institute y el cine más impresionante de Londres: el IMAX *(ver p. 331)*. A orillas del río también se ha levantado uno de los símbolos británicos del nuevo milenio: el British Airways London Eye, la noria más alta del mundo.

Señalización en South Bank Centre

LUGARES DE INTERÉS

Calles y edificios históricos
Lambeth Palace **8**
Gabriel's Wharf **11**
Waterloo Station **12**

Museos y galerías
Florence Nightingale Museum **6**
Hayward Gallery **2**
Imperial War Museum **9**
Museum of Garden History **7**

Atracciones
British Airways London Eye **5**
London Aquarium **4**

Teatros y salas de música
Old Vic **10**
Royal Festival Hall **3**
Royal National Theatre **1**

'Pubs'
Doggett's Coat and Badge **15**

CÓMO LLEGAR
Las líneas de metro Northern y Bakerloo pasan por la estación de Waterloo, una importante terminal de ferrocarriles. Los autobuses 12, 53 y 176 vía Oxford Circus y Trafalgar Sq, paran al sur del río, a corta distancia de South Bank Centre.

0 metros   500

MÁS INFORMACIÓN
- *Callejero*, planos 13, 22
- *Alojamiento* pp.272–285
- *Restaurantes* pp.286–311

SIGNOS CONVENCIONALES
▨	Plano en 3 dimensiones
Ⓔ	Estación de metro
🚆	Estación de ferrocarril
Ⓟ	Aparcamiento

◁ **Paseo junto al Támesis, en South Bank Centre**

South Bank Centre en 3 dimensiones

Ésta era una zona de muelles y factorías que resultó seriamente dañada por los bombardeos de la II Guerra Mundial. En 1951 fue elegida como sede del Festival de Gran Bretaña (ver p.30), que conmemoraba el centenario de la Gran Exposición (ver pp.26–27). El Royal Festival Hall es el único edificio de 1951 que queda en pie, pero desde entonces se han creado a su alrededor muchos centros artísticos, como un teatro nacional, un auditorio, una sala de cine y una gran galería de arte.

Monumento a las Brigadas Internacionales de la guerra civil española

A The Strand

National Film Theatre
Se estableció en 1953 para la proyección de películas clave en la historia del cine (ver pp.330–331).

Festival Pier

Queen Elizabeth Hall
Ofrece conciertos para audiencias más pequeñas que el Festival Hall. El cercano Purcell Room ofrece música de cámara (ver pp.332–333).

★ **Royal National Theatre**
Programa en sus tres salas gran variedad de obras, desde el teatro clásico al de vanguardia ❶

Hayward Gallery
El arte moderno que se expone en esta galería encaja a la perfección con el interior de hormigón de las salas ❷

★ **Royal Festival Hall**
La Orquesta Filarmónica de Londres es una de las muchas de fama mundial que actúan aquí, auténtico corazón del South Bank Centre ❸

Hungerford Bridge
Este puente se instaló en 1864 como acceso de trenes y peatones a Charing Cross.

RECOMENDAMOS

★ **British Airways London Eye**

★ **Royal National Theatre**

★ **Royal Festival Hall**

Signos Convencionales

– – – Itinerario sugerido

0 metros   100

★**British Airways London Eye**
La noria más alta del mundo ofrece una vista única de Londres ❺

El puente de Waterloo se terminó en 1945 según proyecto de sir Giles Gilbert Scott; reemplazó al puente de Rennie de 1817.

PLANO DE SITUACIÓN
Ver plano del centro de Londres pp. 12–13

La lucha es mi vida es un bronce del líder surafricano Nelson Mandela. Obra de Ian Walters, fue colocado en 1985.

Shell Building: sede de la compañía internacional de petróleo (Shell), se terminó en 1963. Sus méritos arquitectónicos son todavía discutidos.

Acuario de Londres
Un león esculpido en 1837 guarda el antiguo Ayuntamiento, ahora Acuario de Londres ❹

Jubilee Gardens
Se trazaron en 1977 para celebrar el 25º aniversario del reinado de Isabel II.

A la estación de Westminster

La austera fachada de hormigón de la galería Hayward

tras la II Guerra Mundial y ha soportado tan bien la prueba del tiempo que las mejores instituciones del mundo arte se han agrupado en torno a él. El vestíbulo y sus escalinatas producen una admiración general por su majestuosa línea que es, a la vez, funcional. En su escenario han actuado artistas como la violonchelista Jacqueline du Pré y el director de orquesta Georg Solti. El órgano fue instalado en 1954. Cuenta con numerosos cafés y puestos de libros y música en la planta baja; se organizan visitas a los camerinos y bastidores.

Royal National Theatre ❶

South Bank Centre SE1. **Plano** 14 D3.
📠 020-7452 3000. 🚇 Waterloo.
Abierto 10.00–23.00 lu–sa. **Cerrado** 24–25 dic. 🚫 durante representaciones. 🚻 🍴 📷 🛍 **Conciertos** a las 18.00, **exposiciones**. Ver **Distracciones** pp.326–327.

AUNQUE NO se vaya a asistir a una representación, merece la pena visitar este centro. El edificio, de sir Denys Lasdun, se inauguró en 1976, tras 200 años de debates sobre si debía existir o no un teatro nacional y dónde debía situarse. La compañía se formó en 1963 bajo la dirección de sir Laurence Olivier, el actor británico más importante del siglo XX. La mayor de las tres salas del centro lleva su nombre. Las otras, Cottesloe y Lyttleton, el de sus administradores.

Cartel del Festival de Gran Bretaña

Hayward Gallery ❷

South Bank Centre SE1. **Plano** 14 D3.
📠 020-7928 3144. 🚇 Waterloo.
Abierta 10.00–20.00 ma–mi, 10.00–18.00 ju–lu. **Cerrada** 24–26 dic, 1 ene, Viernes Santo, 1er lu may, entre exposiciones. **Previo pago.**
🚫 🛍 🍴 📷 🛍

LA GALERÍA HAYWARD es una de las principales de Londres y está destinada a grandes exposiciones. Su sobria fachada de hormigón resulta demasiado moderna para muchos gustos, y existen fuertes presiones para que sea reemplazada o modificada casi desde que se inauguró en 1968.

Las exposiciones acogen arte clásico y moderno, pero las obras de los artistas británicos contemporáneos tienen preferencia. Suele haber largas colas para entrar, sobre todo los fines de semana.

Royal Festival Hall ❸

South Bank Centre SE1. **Plano** 14 D4.
📠 020-7960 4242. 🚇 Waterloo.
Abierto 10.00–22.00 todos los días. **Cerrado** 25 dic. 🚫 durante representaciones. 🚻 🍴 📷 🛍
Coloquios, exposiciones, conciertos gratis. Ver **Distracciones** p.330.

ES LA ÚNICA construcción, de las levantadas para el Festival de Gran Bretaña de 1951, que permanece en pie. La sala de conciertos de sir Robert Matthew y sir Leslie Martin fue el mayor edificio oficial construido en la capital

London Aquarium ❹

County Hall, York Rd SE1. **Plano** 13 C4.
📠 020-7967 8000. 🚇 Waterloo, Westminster. **Abierto** 10.00-18.00 todos los días. **Previo pago.** 🚻 🍴

Tiburón en el acuario de Londres

ESTE MODERNO acuario, uno de los mayores de Europa, ocupa parte de la que fuera sede del Great London Council. Esta autoridad londinense fue abolida en 1986 y el edificio permaneció vacío durante años. En la actualidad, peces y otras criaturas acuáticas se exhiben en tanques que simulan lo más posible sus hábitats naturales; los dos mayores están dedicados a los océanos Atlántico y Pacífico. Otras partes del County Hall han sido convertidas en hotel y apartamentos.

British Airways London Eye ❺

Esta noria de 135 metros de altura se instaló en el año 2000 como parte de las celebraciones que se hicieron en Londres para conmemorar el nuevo milenio y se ha convertido en uno de los lugares de interés más famosos, no sólo por su tamaño, sino también por su diseño circular en medio de los edificios que la flanquean. Sus 32 cabinas, cada una para 25 personas, realizan viajes circulares de unos 30 minutos. En los días claros, las vistas alcanzan 40 kilómetros a la redonda, una impresionante panorámica tanto de la ciudad como del campo.

INFORMACIÓN ESENCIAL

Jubilee Gardens SE1. **Plano** 14 D4. 📞 0870 5000 600 (información y reserva de tiques con 24 horas de antelación, se recomienda sacarlos varios días antes). 🚇 Waterloo, Westminster. 🚆 **Abierta** ene-mar y oct-dic: 9.30-19.00; abr-may y sep: 9.30-20.00; jun-ago: 9.30-22.00. **Cerrada** 25 dic, 1 ene. **Previo pago.** Saque los tiques en County Hall (junto a la noria) al menos 30 min antes del embarque. 🔲 🔲 🔲 ♿
Ⓦ www.ba-londoneye.com

Casas del Parlamento
No se pierda la espectacular vista aérea sobre Westminster, a los 17 minutos de la vuelta.

Battersea Power Station
A los 15 minutos es visible el inconfundible humo blanco de esta central eléctrica.

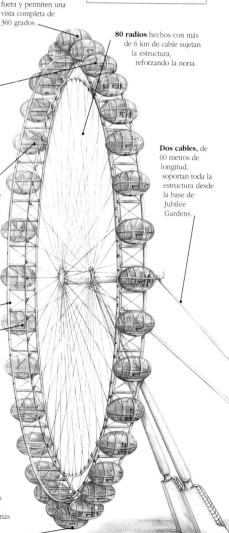

Las cabinas de cristal están montadas por fuera y permiten una vista completa de 360 grados.

80 radios hechos con más de 6 km de cable sujetan la estructura, reforzando la noria.

Dos cables, de 60 metros de longitud, soportan toda la estructura desde la base de Jubilee Gardens.

La llanta de la noria flotó bajo el Támesis en secciones y después se montó.

Buckingham Palace
A los 10 minutos la residencia oficial de la reina aparece a la vista.

La noria da vueltas continuamente y se mueve lo bastante despacio como para que se pueda subir a las cabinas mientras está moviéndose. Se puede parar si alguien requiere ayuda.

Florence Nightingale Museum ⑥

2 Lambeth Palace Rd SE1. **Plano** 14 D5. 020-7620 0374. Waterloo, Westminster. **Abierto** 10.00–17.00 lu–vi, 11.30-16.30 sa, do y festivos (última admisión una hora antes del cierre). **Cerrado** 24 dic-2 ene, Viernes Santo, Domingo Resurrección. **Previo pago.** Vídeos, conferencias.

L A DETERMINACIÓN y el valor de Florence Nightingale, enfermera en la guerra de Crimea (1853–1856), cautivaron a la nación. En 1860, Florence fundó la primera escuela de enfermeras de Gran Bretaña en el antiguo hospital de St Thomas.

Situado cerca de la entrada del nuevo hospital, el museo merece una visita, porque ofrece un fascinante repaso a la vida de esta mujer a través de documentos, fotografías y objetos personales. Sus logros en materia sanitaria, hasta que murió en 1910 a la edad de 90 años, están reflejados en la exposición.

Florence Nightingale

Museum of Garden History ⑦

Lambeth Palace Rd SE1. **Plano** 21 C1. 020-7401 8865. Waterloo, Vauxhall, Lambeth North, Westminster. **Abierto** 10.30–16.00 lu–vi, 10.30–17.00 do. **Cerrado** 2° do dic–1er do mar. pequeña tarifa. Conferencias, proyecciones.

E L MUSEO, QUE se extiende alrededor de la torre de la iglesia de St Mary, del siglo XIV, se abrió en 1979. En el camposanto de la iglesia se hallan las tumbas de un padre y un hijo, ambos llamados John Tradescant. Eran jardineros reales en el siglo XVII, y destacados pioneros en la búsqueda de plantas en América, Rusia y Europa. Su inestimable colección fue la base del Ashmolean Museum de Oxford.

El museo repasa la historia de la jardinería en Gran Bretaña, completamente ilustrada con antiguas herramientas, planos y documentos. Asimismo, posee un jardín dedicado a las plantas de la época de los Tradescant. También existe una tienda con útiles de jardinería.

Lambeth Palace ⑧

SE1. **Plano** 21 C1. Lambeth North, Westminster, Waterloo, Vauxhall. **Cerrado** al público.

E S LA residencia londinense del arzobispo de Canterbury, primera autoridad eclesiástica de la Iglesia de Inglaterra –la jefatura pertenece a la Corona– desde hace 800 años. La capilla conserva partes del siglo XIII. El palacio fue restaurado por última vez por Edward Blore, de 1828 a 1834. El zaguán, de estilo Tudor, data de 1485 y es la imagen más característica del palacio, contemplado desde el río.

Hasta que se tendió el primer puente de Westminster, la balsa que operaba entre Lambeth y Millbank era la única forma de cruzar el río. El pago del peaje iba a las arcas arzobispales, que recibieron compensación por sus pérdidas cuando se inauguró el puente en 1750.

Entrada Tudor

Imperial War Museum ⑨

Lambeth Rd SE1. **Plano** 22 E1. 020-7416 5000. 020-7820 1683. Lambeth North, Elephant y Castle. **Abierto** 10.00–18.00 todos los días. **Cerrado** 24–26 dic, entrada libre después de las 16.30. **Previo pago.** Proyecciones, conferencias. www.iwm.org.uk

A PESAR DE los dos colosales cañones que apuntan desde la entrada principal, este lugar no es sólo una muestra de moderna maquinaria bélica. Se exponen enormes tanques, elementos de artillería, bombas, aviones, etcétera. Pero lo más fascinante del museo reside en su muestra de los efectos sociales de las guerras del siglo XX y su impacto en la vida de las gentes, más que en la explicación de las artes militares. Hay muestras del racionamiento de la comida, de las precauciones contra los ataques aéreos, de la censura y de los estímulos para levantar la moral en tiempos de guerra.

Maquinaria bélica de diferentes épocas

También cuenta con películas de guerra, programas de radio y literatura bélica, más cientos de fotografías, pinturas de Graham Sutherland y Paul Nash y esculturas de Jacob Epstein. Henry Moore dibujó evocadoras escenas de los bombardeos de 1940, cuando muchos londinenses dormían en las estaciones de metro para protegerse.

El museo se mantiene al día con piezas procedentes de las últimas operaciones de las fuerzas británicas, incluida la guerra del Golfo de 1991. Está situado en lo que era el hospital psiquiátrico de Bethlehem, construido en 1811, donde acudían numerosos visitantes en el siglo XIX para contemplar las excentricidades de los locos. El manicomio se trasladó a Surrey en 1930, dejando vacío el gran edificio. Las dos alas que lo flanqueaban fueron demolidas y el cuerpo central se convirtió en 1936 en el museo actual, que estaba hasta entonces en South Kensington.

Monumento a los caídos en la I Guerra Mundial, en la estación de Waterloo

presentados por un maestro de ceremonias que había de tener una potente voz para controlar el alboroto del público.

En 1912 se encargó de su dirección Lillian Baylis y, en 1914, ésta comenzó a representar obras de Shakespeare en el teatro. Desde 1963 a 1976 fue la sede del National Theatre (ver p.184). El teatro fue restaurado en 1983 y es hoy uno más de los numerosos treatros del West End.

Gabriel's Wharf ⓫

56 Upper Ground SE1. **Plano** 14 E3.
🚇 Waterloo. Ver **De Compras** pp.324–325.

ESTE DELICIOSO enclave de *boutiques,* tiendas de artesanía y cafés es el producto de un largo y polémico debate sobre el futuro de lo que fue en tiempos zona industrial de la ribera del río. Los residentes de Waterloo se opusieron a varios proyectos de complejos de oficinas, hasta que una comunidad de vecinos adquirió los solares en 1984 para hacer una cooperativa de viviendas alrededor del antiguo muelle. Junto al mercado se extiende un pequeño jardín, y un paseo que discurre paralelo al río proporciona hermosas vistas de la City. OXO Tower, en el extremo este, fue construida en 1928 y burla con ingenio las restricciones sobre publicidad, anunciando en sus ventanas la marca de un popular extracto de carne; ahora alberga un buen restaurante (ver p. 296).

Waterloo Station ⓬

York Rd SE1. **Plano** 14 D4.
📞 0345 484 950. 🚇 Waterloo.
Ver **Llegada y desplazamientos** pp. 358–359.

ESTA TERMINAL de los ferrocarriles procedentes del suroeste de Inglaterra se ha ampliado para convertirse en el principal enlace de Londres con el túnel del canal. Construida en 1848, se remodeló por completo a principios del siglo XX, con una gran entrada en la esquina noreste. Hoy, su explanada, repleta de tiendas, la convierte en la más práctica de las estaciones de la capital.

A finales del siglo XX la estación se amplió para conectar con el primer tren que circula por el túnel del canal de la Mancha que enlaza Londres con Europa. A pesar de la controversia que suscitó, actualmente es el medio más utilizado para viajar a Europa. El barrio que rodea Waterloo posee un vecindario muy agradable y merece la pena pasear por Bayliss Street.

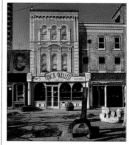

Fachadas pintadas en los edificios de Gabriel's Wharf

La fachada de Old Vic, en 1816

Old Vic ❿

Waterloo Rd SE1. **Plano** 14 E5.
📞 020-7928 7616. 📠 020-7928 7618. 🚇 Waterloo. **Abierto** sólo para representaciones 🎭 📱 Ver **Distracciones** pp.328-329.

ESTE ESPLÉNDIDO edificio data de 1816, cuando se inauguró como Royal Coburg Theatre. En 1833 pasó a denominarse Royal Victoria, en honor de la futura reina. Poco después, el teatro se especializó en la revista musical, espectáculo muy popular en la era victoriana: los cantantes y actores eran

CHELSEA

L A JUVENIL clientela que se agolpaba en las tiendas de King's Road desde los sesenta a los ochenta prácticamente ha desaparecido, al igual que la fama de vida bohemia y despreocupada que acompañaba en el siglo XIX a la zona, entonces poblada de artistas e intelectuales. Originariamente un pueblecito junto al río, Chelsea se puso de moda en los tiempos de los Tudor. A Enrique VIII le gustaba tanto que construyó aquí un pequeño palacio, desaparecido hace largo tiempo. Artistas como Turner, Whistler y Rossetti se sintieron atraídos por las panorámicas

Cabeza de vaca de la vieja vaquería, en Old Church Street

del río que se disfrutaban desde Cheyne Walk. El historiador Thomas Carlyle y el ensayista Leigh Hunt se instalaron en 1830 y dieron inicio a su tradición literaria, continuada por escritores como el poeta Swinburne. Chelsea tuvo siempre un sello disoluto: en el siglo XVIII sus jardines estaban llenos de bellas cortesanas, y el Chelsea Arts Club organizó bailes notoriamente escandalosos durante más de un siglo. El barrio resulta hoy día demasiado caro para los artistas, pero la conexión con el mundo del arte se mantiene en sus galerías y tiendas de antigüedades.

LUGARES DE INTERÉS

Calles y edificios históricos
Carlyle's House **2**
Cheyne Walk **5**
King's Road **1**
Royal Hospital **8**
Sloane Square **9**

Museos
National Army Museum **7**

Iglesias
Chelsea Old Church **3**

Jardines
Chelsea Physic Garden **6**
Roper's Garden **4**

CÓMO LLEGAR
Las líneas de metro Distric y Circle llegan a Sloane Square; la línea Piccadilly pasa cerca de esta zona, en South Kensington. Los autobuses 11, 19 y 22 paran en King's Road.

MÁS INFORMACIÓN

• *Callejero*, planos 19, 20

• *Alojamiento* pp. 272–285

• *Restaurantes* pp. 286–311

• *Paseo por Chelsea y Battersea* pp. 266–267

El nº 5 de Oakley Street, donde vivió el explorador del Polo R. F. Scott

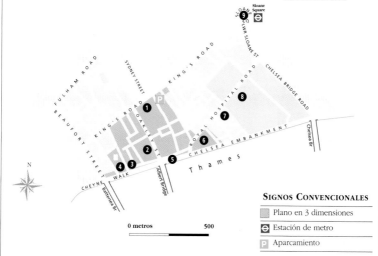

SIGNOS CONVENCIONALES

Plano en 3 dimensiones

⊖ Estación de metro

P Aparcamiento

◁ **Típicas residencias de Chelsea en un callejón sin salida de King's Road**

Chelsea en 3 dimensiones

EN TIEMPOS un apacible pueblo junto al río, Chelsea se puso de moda en la época Tudor, cuando Tomás Moro, el presidente de la Cámara de los Lores con Enrique VIII, vivió aquí. Artistas como Turner, Whistler y Rossetti se sintieron atraídos por las bellas vistas que se contemplaban desde Cheyne Walk –antes de que una concurrida calle perturbase su paz–. Los lazos que unieron Chelsea con el mundo artístico se mantienen en sus numerosas galerías de arte y tiendas de antigüedades.

King's Road
En los sesenta y setenta, era un centro de moda, lleno de tiendas; hoy sigue siendo una calle comercial importante ❶

Old Dairy se construyó en el nº 46 de Old Church Street, en 1796, cuando las vacas pastaban en los alrededores. El mosaico es el original.

A King's Road

Carlyle's House
El historiador y filósofo vivió aquí desde 1834 hasta su muerte en 1882 ❷

Chelsea Old Church
Aunque afectada por los bombardeos, todavía conserva interesantes obras de estilo Tudor ❸

Roper's Garden
Guarda una escultura de Jacob Epstein, quien tenía aquí su estudio ❹

Tomás Moro, esculpido en 1969 por L. Cubitt Bevis, mira serenamente al río junto al que vivió.

RECOMENDAMOS

★ **Chelsea Physic Garden**

SIGNOS CONVENCIONALES

– – – Itinerario sugerido

0 metros   100

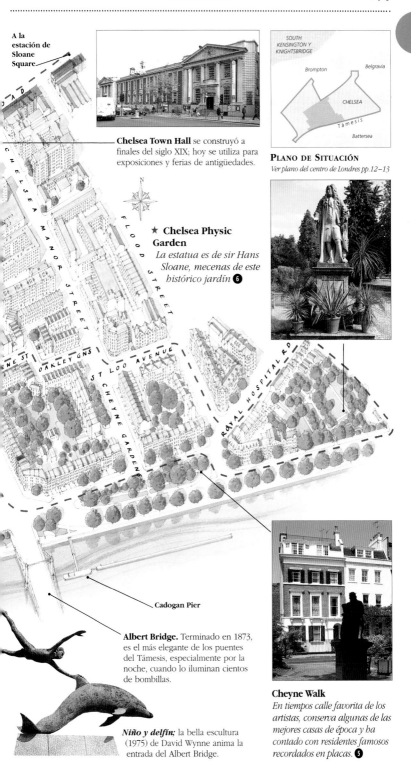

Chelsea Town Hall se construyó a finales del siglo XIX; hoy se utiliza para exposiciones y ferias de antigüedades.

SOUTH KENSINGTON Y KNIGHTSBRIDGE

Brompton

Belgravia

CHELSEA

Támesis

Battersea

PLANO DE SITUACIÓN
Ver plano del centro de Londres pp.12–13

★ **Chelsea Physic Garden**
La estatua es de sir Hans Sloane, mecenas de este histórico jardín ❻

A la estación de Sloane Square

Cadogan Pier

Albert Bridge. Terminado en 1873, es el más elegante de los puentes del Támesis, especialmente por la noche, cuando lo iluminan cientos de bombillas.

Niño y delfín; la bella escultura (1975) de David Wynne anima la entrada del Albert Bridge.

Cheyne Walk
En tiempos calle favorita de los artistas, conserva algunas de las mejores casas de época y ha contado con residentes famosos recordados en placas. ❺

Pheasantry, en King's Road

King's Road ❶

SW3 y SW10. **Plano** 19 B3.
🚇 *Sloane Square. Ver De Compras pp.312–325.*

Es la arteria central de Chelsea, con sus pequeñas y lujosas tiendas de ropa a las que acude aún la gente joven en busca de las últimas novedades. La revolución de la minifalda de los sesenta comenzó aquí, así como otras tendencias de vanguardia, como el punk.

En el nº 152 se encuentra situado el Pheasantry, con elegante fachada. Construido en 1881 como escaparate de un fabricante de muebles, acoge ahora un moderno restaurante. Los amantes de las antigüedades encontrarán tres lugares imprescindibles en la parte sur de King's Road: Antiquarius en el nº 137; las galerías Chenil en los nºs 181–183; y el Chelsea Antiques Market, en el nº 253.

Carlyle's House ❷

24 Cheyne Row SW3. **Plano** 19 B4.
📞 020-7352 7087. 🚇 *Sloane Square, South Kensington.* **Abierto** *abr–nov: 11.00–17.00 mi–do, festivos (últ. adm: 16.30).* **Cerrado** *Viernes Santo.* **Previo pago.** 🚫 📷 ☑ *previa cita.*

El historiador y fundador de la Biblioteca de Londres (*ver St James Square p.92*), Thomas Carlyle, ocupó esta modesta casa en 1834 y escribió en ella muchos de sus libros, entre los que destacan *La Revolución Francesa* y *Federico*

el Grande. Su presencia afianzó Chelsea como lugar de moda, y su casa se convirtió en una especie de meca para las grandes figuras literarias del siglo pasado. Los novelistas Charles Dickens y William Thackeray, el poeta Alfred Lord Tennyson, el naturalista Charles Darwin y el filósofo John Stuart Mill eran asiduos visitantes. La casa, bien restaurada, es ahora un museo dedicado a la vida y trabajo de Carlyle.

Chelsea Old Church ❸

Cheyne Walk SW3. **Plano** 19 A4.
📞 020-7795 1019. 🚇 *Sloane Square, South Kensington.* **Abierto** *10.00–13.00, 14.00–17.00 todos los días.* 🚫 ♿ ☑ ✝ *10.00, 11.00 do.*

Chelsea Old Church en 1860

Reconstruida después de la II Guerra Mundial, esta iglesia cuadrada y con torre tiene una apariencia moderna. Sin embargo, los grabados de la época confirman que es una réplica fiel de la iglesia medieval que destruyeron las bombas.

Lo mejor del templo son sus monumentos Tudor. Uno de Tomás Moro, que construyó aquí una capilla en 1528, contiene una inscripción que él mismo escribió en latín, en la cual pide ser enterrado junto a su esposa. Entre otros monumentos se encuentran una capilla funeraria de sir Thomas Lawrence, mercader isabelino, y un mausoleo del siglo XVII de lady Jane Cheyne, de cuyo marido toma el nombre Cheyne Walk. Frente a la iglesia se halla la estatua de Tomás Moro, con la inscripción de "estadista, erudito y santo".

Roper's Garden ❹

Cheyne Walk SW3. **Plano** 19 A4.
🚇 *Sloane Square, South Kensington.*

Este pequeño jardín frente a Chelsea Old Church recibe el nombre de la hija de Tomás Moro, Margarita, y su marido William Roper (quien escribió la biografía de su suegro). El escultor sir Jacob Epstein tuvo un estudio en este lugar entre 1909 y 1914, como se recuerda en un monumento de piedra que él mismo labró. El parque también posee la escultura de un desnudo de mujer, obra de Gilbert Carter.

Cheyne Walk ❺

SW3. **Plano** 19 B4. 🚇 *Sloane Square, South Kensington.*

Hasta que se construyó Chelsea Embankment, en 1874, Cheyne Walk era una agradable calle que discurría junto al río. Ahora, el gran volumen de tráfico que soporta la zona le ha restado mucho encanto. Muchas de sus casas son del siglo XVIII y están llenas de placas azules que recuerdan a sus ilustres residentes del pasado. El pintor J. M. W. Turner residió de incógnito en el nº 119; George Eliot murió en el nº 4 y los escritores Henry James, T. S. Eliot e Ian Fleming residieron (en épocas diferentes) en Carlyle Mansions.

Tomás Moro en Cheyne Walk

Chelsea Physic Garden ❻

Swan Walk SW3. **Plano** 19 C4.
📞 *020-7352 5646.* ⊖ *Sloane
Square.* **Abierto** *abr–oct: 12.00–
17.00 mi, 14.00–18.00 do.* **Previo
pago.** ♿ 🖥 *15.15–16.45.* 🏛
Exposición anual *durante Feria de
Flores de Chelsea, ver p.56.*
Escuela de jardinería

Fundado en 1673 por la Sociedad de Farmacéuticos, para
el estudio de las plantas medicinales, ha perdurado hasta hoy.
En 1772 se salvó de su clausura
gracias a una donación de sir
Hans Sloane, cuya estatua lo
adorna. Desde entonces ha visto
ampliado considerablemente el
número de especies, conservan-
do su objetivo originario.

Se han cultivado muchas
variedades nuevas en los
invernaderos, como el algodón
de las plantaciones del sur de
Estados Unidos. Los visitantes
pueden contemplar árboles
centenarios, y uno de los
primeros jardines de rocas de
Gran Bretaña, instalado en 1772.

Chelsea Physic Garden

National Army Museum ❼

Royal Hospital Rd SW3. **Plano** 19 C4.
📞 *020-7730 0717.* ⊖ *Sloane
Square.* **Abierto** *10.00–17.30 todos los
días.* **Cerrado** *24–26 dic, 1 ene, Viernes
Santo, 1er lunes de mayo.* ♿ 🖥 🏛

La historia del ejército de
tierra británico, desde 1485
hasta nuestros días, está bien
documentada en este museo.
Cuadros, dioramas y fragmentos
de películas de archivo ilustran
las más importantes acciones
militares y ofrecen una idea de la
vida en las trincheras. Hay
buenos cuadros de motivos
bélicos y retratos de militares
ilustres. La tienda del museo
ofrece gran variedad de libros
castrenses y soldaditos de plomo.

Royal Hospital ❽

Royal Hospital Rd SW3. **Plano** 20 D3.
📞 *020-7730 0161.* ⊖ *Sloane Square.*
Abierto *8.30-12.30, 14.30-16.30 lu-sa,
14.00-16.00 do.* **Cerrado** *festivos.*

Este atractivo conjunto de
edificaciones fue encargado
por Carlos II a Christopher
Wren, en 1682, como casa de
retiro para militares, ancianos o
heridos, conocidos desde
entonces como Chelsea
Pensioners. El hospital abrió
diez años más tarde, y es
todavía la residencia de unos
400 soldados retirados,
fácilmente identificables por sus
casacas rojas y tricornios, un
uniforme que data del
siglo XVII.

Flanqueando la entrada norte,
hay dos obras de Wren: la
capilla, notable por su
magnífica simplicidad, y el
Great Hall, que todavía se usa
como comedor. En un
pequeño museo se explica la
historia de los célebres
Pensioners.

Una estatua de Carlos II, obra
de Grinling Gibbons, se
encuentra en la terraza desde la
que se contemplan los restos de
la antigua estación eléctrica de
Battersea.

Sloane Square ❾

SW1. **Plano** 20 D2. ⊖ *Sloane*

Fuente de Sloane Square

En el centro de esta atractiva
plaza, de forma rectangular,
se alza una fuente con la figura
de Venus. Realizada a finales
del siglo XVIII, tomó su nombre
de sir Hans Sloane, un rico
coleccionista que compró una
mansión en Chelsea en 1712.
Frente a Peter Jones, los
grandes almacenes de 1936, de
la esquina oeste, se halla el
Royal Court Theatre, que
durante más de un siglo se
ha dedicado a poner en
escena obras de dramaturgos
noveles.

Uniforme de los Chelsea Pensioner

SOUTH KENSINGTON Y KNIGHTSBRIDGE

CON SUS NUMEROSAS embajadas y consulados, South Kensington y Knightsbridge se cuentan entre las zonas más elegantes de Londres. La proximidad del palacio de Kensington, todavía residencia real, ha contribuido a que el área se conserve fiel a su aspecto original.

Las lujosísimas tiendas de Knightsbridge, con Harrod's a la cabeza, se corresponden con los acaudalados residentes del barrio. Hyde Park al norte y algunos museos de tradición victoriana en el corazón del distrito proporcionan al visitante una combinación perfecta de paz y grandiosidad.

LUGARES DE INTERÉS

Calles y edificios históricos
Kensington Palace ⑩
Royal College of Art ⑦
Royal College of Music ⑤
Speakers' Corner ⑬

Iglesias
Brompton Oratory ④

Museos y galerías
Natural History Museum pp.204–205 ①
Serpentine Gallery ⑨
Science Museum pp.208–209 ②

Victoria and Albert Museum pp.198–201 ③

Parques y jardines
Hyde Park ⑫
Kensington Gardens ⑪

Monumentos
Albert Memorial ⑧
Marble Arch ⑭

Salas de música
Royal Albert Hall ⑥

Tiendas
Harrod's ⑮

Bajorrelieve del museo de Historia Natural

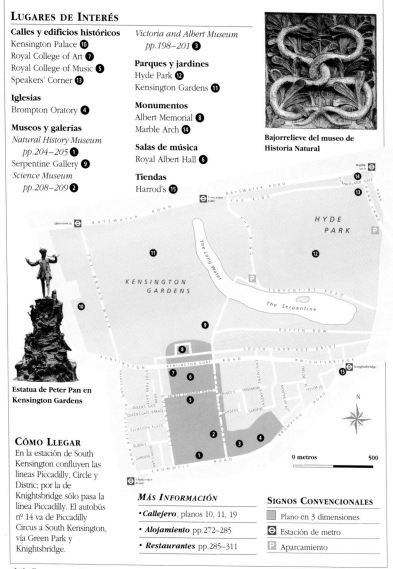

Estatua de Peter Pan en Kensington Gardens

CÓMO LLEGAR
En la estación de South Kensington confluyen las líneas Piccadilly, Circle y Distric; por la de Knightsbridge sólo pasa la línea Piccadilly. El autobús nº 14 va de Piccadilly Circus a South Kensington, vía Green Park y Knightsbridge.

MÁS INFORMACIÓN
• *Callejero*, planos 10, 11, 19
• *Alojamiento* pp.272–285
• *Restaurantes* pp.285–311

SIGNOS CONVENCIONALES
Plano en 3 dimensiones
Estación de metro
Aparcamiento

◁ **El Albert Memorial, situado frente al Royal Albert Hall**

South Kensington en 3 dimensiones

UN GRAN NÚMERO de museos y de instituciones universitarias proporcionan un marcado carácter cultural a esta zona. La Gran Exposición de 1851 celebrada en Hyde Park tuvo tal éxito que en los años sucesivos se celebraron varias más pequeñas. A finales del siglo XIX, algunas de ellas se convirtieron en museos permanentes, instalados en grandiosos edificios victorianos.

Royal College of Art
Entre los grandes artistas que estudiaron en él se encuentran David Hockney y Peter Blake **7**

Royal College of Organists. Fue decorado por F. W. Moody en 1876.

★**Royal Albert Hall**
Inaugurado en 1870, se financió en parte con el alquiler de asientos por un periodo de 999 años **6**

Royal College of Music
En él se exponen instrumentos musicales antiguos, como este clavicordio de 1531 **5**

★**Natural History Museum**
Los dinosaurios son una de sus más populares atracciones **1**

★**Science Museum**
Los visitantes de este museo de la Ciencia pueden participar activamente **2**

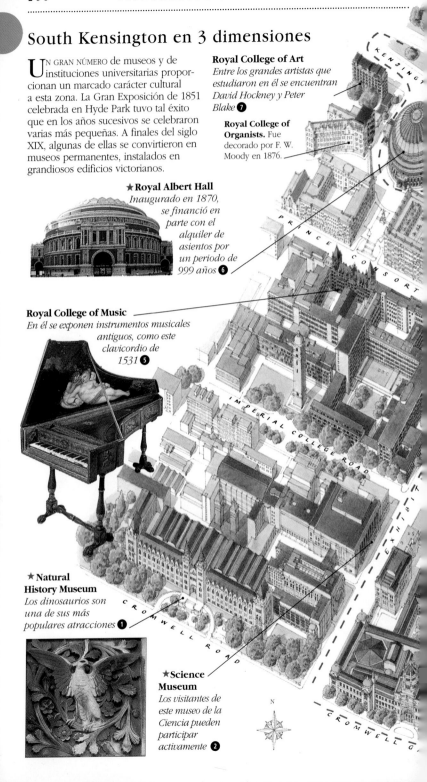

N

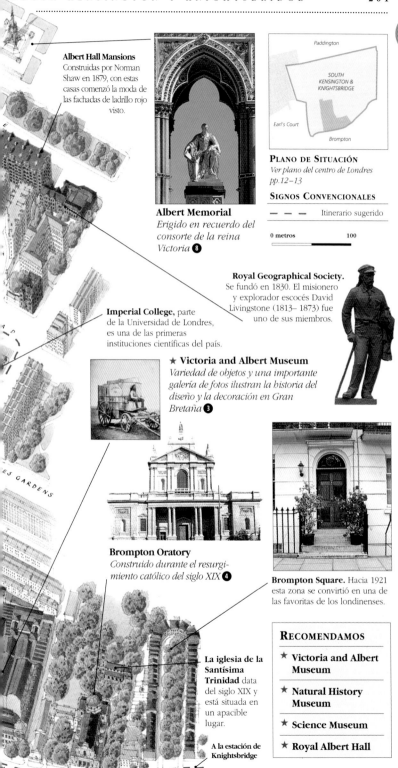

Albert Hall Mansions
Construidas por Norman Shaw en 1879, con estas casas comenzó la moda de las fachadas de ladrillo rojo visto.

Albert Memorial
Erigido en recuerdo del consorte de la reina Victoria ❽

PLANO DE SITUACIÓN
Ver plano del centro de Londres pp.12–13

SIGNOS CONVENCIONALES

– – –   Itinerario sugerido

0 metros   100

Royal Geographical Society.
Se fundó en 1830. El misionero y explorador escocés David Livingstone (1813– 1873) fue uno de sus miembros.

Imperial College, parte de la Universidad de Londres, es una de las primeras instituciones científicas del país.

★ Victoria and Albert Museum
Variedad de objetos y una importante galería de fotos ilustran la historia del diseño y la decoración en Gran Bretaña ❸

Brompton Oratory
Construido durante el resurgimiento católico del siglo XIX ❹

Brompton Square. Hacia 1921 esta zona se convirtió en una de las favoritas de los londinenses.

La iglesia de la Santísima Trinidad data del siglo XIX y está situada en un apacible lugar.

A la estación de Knightsbridge

RECOMENDAMOS

★ **Victoria and Albert Museum**

★ **Natural History Museum**

★ **Science Museum**

★ **Royal Albert Hall**

Victoria and Albert Museum ❸

Entrada principal

ESTE MUSEO, CONOCIDO por sus siglas V&A, contiene una de las mayores colecciones de artes decorativas del mundo, desde objetos religiosos de principios del cristianismo a las botas de Doc Marten, o desde los paisajes de John Constable al arte del sureste asiático. El V&A también posee colecciones de esculturas, acuarelas, joyas e instrumentos musicales. Recientemente se han abierto las British Galleries, que ilustran la historia de la cultura británica –diseño, arte, sociedad e ideas– desde 1500 a 1900.

Galería del siglo XX

Está dedicada al arte moderno, como Radio en una bolsa, *de Daniel Weil (1983).*

GUÍA DEL MUSEO

El V&A tiene 11 laberínticos kilómetros dispuestos en 145 galerías que ocupan cuatro plantas principales. Las galerías están dedicadas a una cultura en especial o a una época, por ejemplo la Italia renacentista, o a un material específico o expresión artística. La planta baja alberga las colecciones de arte oriental, representadas por las culturas de Japón, China, India y el mundo islámico. También en esta planta se encuentran los tesoros medievales y renacentistas y la escultura posclásica. Las nuevas British Galleries se sitúan en la primera y segunda plantas. Las galerías dedicadas al vidrio, la plata, las cerámicas, los trabajos en hierro y la tapicería se localizan en las plantas superiores. La Henry Cole Wing está situada en la parte noroeste del edificio principal y alberga las colecciones de pintura, dibujos, grabados y fotografías, así como la galería Frank Lloyd Wright.

★ British Galleries

En estas recién inauguradas galerías se exponen objetos evocadores, como el escritorio del rey Enrique VIII, que ilustra la fascinante historia británica.

Ala Henry Cole

Entrada al museo en Exhibition Road

Colección Constable

Situada en la Henry Cole Wing, la obra Un molino entre casas *de John Constable (1776-1837) captó magistralmente el paisaje inglés.*

DISTRIBUCIÓN POR PLANTAS

☐ Sótano
☐ Planta baja
☐ Entreplanta
☐ Primera planta
☐ Entreplanta
■ Segunda planta
☐ Ala Henry Cole

RECOMENDAMOS

★ **British Galleries**

★ **Tesoro medieval**

★ **Colección de vestidos**

★ **Salas Morris y Gamble**

★ **Nehru Gallery of Indian Art**

★ **Salas Morris y Gamble**
Presentan decoraciones victorianas y materiales de la época industrial.

INFORMACIÓN ESENCIAL

Cromwell Rd SW7. **Plano** 19 A1.
020-7942 2000. 0870
442 0808. South Kensington.
14, 74, C1. **Abierto** 10.00–
17.45 todos los días (10.00-22.00
mi y ult vi mes). **Cerrado** 24–26
dic. **Previo pago.**
Conferencias, actividades
educativas, presentaciones,
conciertos, exposiciones.
www.vam.ac.uk

T T Tsui Gallery of Chinese Art
Este retrato en acuarela sobre seda es de la dinastía Qing (1644–1912).

★ **Tesoro medieval**
El relicario Eltenberg (1180) es una obra maestra de la artesanía medieval.

★ **Nehru Gallery of Indian Art**
La mayor parte de esta colección data de los tiempos en que Gran Bretaña gobernaba la India. Esta copa de jade del emperador Shah Jahan es de 1657.

★ **Colección de vestidos de época**
Se exponen ropajes desde 1600 a nuestros días.

Jardín Pirelli

Entrada principal

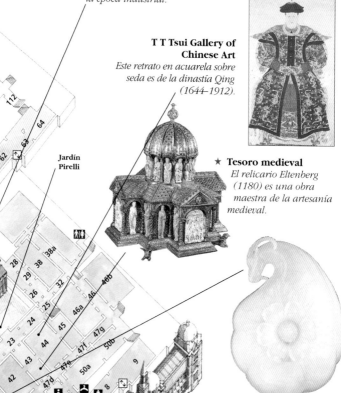

Explorando el Victoria and Albert Museum

E L V&A SE FUNDÓ en 1852 como Museum of Manufactures, destinado a los estudiantes de decoración. Fue rebautizado por la reina Victoria en 1899, en memoria del príncipe Alberto. Muchas de sus piezas provienen de diversos puntos del que fuera Imperio Británico, y posee la mayor colección de arte indio (fuera de la India). El museo alberga la biblioteca Nacional de Arte, que contiene trabajos sobre diseño, material ilustrativo de la producción de libros desde la Edad Media hasta nuestros días, y diarios y correspondencia de artistas.

Copa con un castillo alemán (siglo XV)

BRITISH GALLERIES

U NA PARTE DE LAS grandes salas de la primera y segunda plantas está dedicada a las British Galleries, el lugar más interesante del museo. Cuatrocientos años de diseño, desde 1500 a 1900, trazan el ascenso de Gran Bretaña desde la oscuridad hasta que se convirtió en el *taller del mundo*. Las exposiciones están organizadas en cuatro temas, ordenados cronológicamente. *Style* explora el sentido de los objetos parecidos; *Who led Taste?* identifica las épocas con los líderes; *What was New?* examina la evolución del diseño; y *Fashionable Living* ilustra los diferentes estilos de vida. Destacan en estas galerías la gran cama de Ware, el traje de boda de Jacobo II, la estatua de Handel y numerosos diseños de Robert Adam, William Morris, Thomas Chippendale y Charles Rennie Mackintosh. Una exposición interactiva explica el proceso y la elaboración de los objetos más interesantes.

ESCULTURA

L A ESCULTURA posclásica se sitúa a lo largo de 26 galerías, una de las cuales muestra un relieve de marfil, *La Ascensión*, de Donatello. Alabastros, marfiles, bronces y escayolas se exponen aquí, así como varias piezas de India, Oriente Próximo y Extremo Oriente.

CERÁMICA Y CRISTAL

E N NUMEROSAS GALERÍAS se exhiben piezas de cerámica, porcelana y cristal, de hace 2.000 años. Las porcelanas pertenecen a las mejores fábricas europeas, como Meissen, Sèvres, Royal Copenhagen y Royal Worcester; entre los cristales pintados hay piezas que abarcan desde los tiempos medievales a maestros tan famosos como William De Morgan, Bernard Leach y Picasso. Existe una rica e interesante colección de mosaicos persas y turcos.

Porcelana rusa (1862)

ORFEBRERÍA

C OPAS DE METAL labrado, catavinos, medallas, cajas de polvos, armas y armaduras, cuernos de caza y relojes se encuentran entre las 35.000 piezas de Europa y Oriente Próximo que se exponen en 22 galerías. Destacan el Burghley Nef (sala 26) del siglo XVI, un gran salero de plata que se colocaba en la mesa para indicar el lugar del anfitrión; una original y afiligranada copa con forma de castillo alemán (sala 27). Las nuevas galerías English Silver exploran la historia y las técnicas de la elaboración de la plata.

LA GRAN CAMA DE WARE

Construida hacia 1590, en marquetería de roble, mide 3,6 m de largo por 3,6 de ancho, con una altura de 2,6 m; es el mueble más admirado del Victoria and Albert Museum. Por su elaborada y profusa decoración, la cama es un soberbio ejemplo del arte de los tallistas ingleses.

Su nombre proviene de la ciudad de Ware, en el condado de Hertford, donde estuvo instalada en numerosas posadas. El enorme tamaño de la cama explica por qué es una atracción turística, pero el interés se le despertó mucho antes, ya que Shakespeare la mencionó en *Twelfth Night*, que escribió en 1601.

Recientemente redecorada y retapizada, la cama está expuesta en las British Galleries.

El tigre de Tippoo, tallado en madera para el sultán de Mysore en 1790, está representado mientras ataca a un soldado europeo.

ARTE INDIO

En la NEHRU GALLERY of Indian Art se recoge una gran colección de objetos artísticos de la India, de 1550 a 1900, periodo que incluye el imperio mogol y la India británica. Telas, armas, joyas, objetos de orfebrería y cristalería, pinturas profanas y religiosas se exhiben en ella. Entre lo más destacado de la colección se encuentran una carpa de algodón de la época mogol (1640), decorada con pájaros, árboles y un águila de dos cabezas (sala 41), y un bronce del siglo XI, que representa a la deidad hindú Shiva como Señor de la Danza Eterna (sala 47B).

Tapiz indio de algodón teñido y pintado, del siglo XVIII

TELAS Y VESTIDOS

La MUY AFAMADA colección de vestidos, expuesta en la sala 40, está dedicada a la moda desde el siglo XVII hasta nuestros días. Los maniquíes están totalmente vestidos, con sus adornos y complementos; también hay vitrinas llenas de botones, zapatos, sombreros y sombrillas.

La amplia exposición, que ocupa 18 galerías, comienza por el antiguo Egipto. Las telas inglesas de los tres últimos siglos tienen nutrida presencia.

Los cuatro grandes tapices medievales de la sala 94 (de la colección del duque de Devonshire) representan fascinantes escenas de la vida cortesana, mientras el Syon Cope, de 1300–1320, es un exquisito ejemplo de *opus anglicanun*, un tipo de bordado inglés muy popular en Europa durante la Edad Media.

ARTE DEL EXTREMO ORIENTE

Ocho galerías están dedicadas al arte de China, Japón, Corea y otros países del Extremo Oriente. Bajo un espectacular arco de aletas de acero bruñido que representa el espinazo de un dragón chino, la T T Tsui Gallery of Chinese Art muestra cómo se usaban en la vida cotidiana las piezas en exposición. Entre lo más destacable de la colección figura una gigantesca cabeza de Buda (700–900 d.C.), y una gran cama Ming con dosel y raros jades y porcelanas (sala 44). El arte japonés se concentra en la galería Toshiba, que es notable por sus lacas, porcelanas y telas,

Túnica de un monje budista de mitad del siglo XIX

armaduras de samurais y grabados sobre madera. Especialmente bellas son una mesa escritorio del siglo XVII, con hilos de oro y lacada en plata, y la armadura Akita, de 1714, ambas en la sala 38A.

PINTURAS, GRABADOS, DIBUJOS Y FOTOGRAFÍAS

La MAYORIA DE ESTAS colecciones se encuentran en el ala Henry Cole e incluyen pintura británica de 1700 a 1900, algunos magníficos retratos ingleses en miniatura, pintura europea de 1500 a 1900, y la mayor exposición de óleos y dibujos de John Constable. La sala de grabados ofrece una colección de más de medio millón de ejemplares, acuarelas, dibujos a tinta e, incluso, barajas y papeles pintados. La Raphael Gallery, en la parte principal del museo, muestra siete tapices de este artista renacentista.

Un joven entre rosas, de Nicholas Hilliard (1588)

Natural History Museum ❶

Ver pp. 204–205.

Relieve, museo de Historia Natural

Science Museum ❷

Ver pp. 212–213.

Victoria and Albert Museum ❸

Ver pp. 202–205.

Brompton Oratory ❹

Brompton Rd SW7. **Plano** 19 A1.
📞 020-7808 0900. ❺ South
Kensington. **Abierto** 6.30–20.00 todos
los días. ✝ 11.00 do misa en latín. ♿

Este templo, de estilo italianizante, es un rico (para algunos demasiado rico) monumento al resurgimiento del catolicismo inglés, a finales del siglo XIX. Fue fundado por John Henry Newman (que llegaría a ser cardenal). El padre Frederick William Faber (1814–1863) había fundado una comunidad de sacerdotes en Charing Cross. Ésta se trasladó a Brompton, entonces una zona apartada, que estaba necesitada de un templo. Newman y Faber (ambos anglicanos convertidos al catolicismo) siguieron el ejemplo de san Felipe Neri, quien fundó una comunidad de sacerdotes que vivían en las grandes ciudades.

Brompton Oratory se abrió al culto en 1884. La fachada y la cúpula se añadieron en 1890, y el interior se ha ido completando desde entonces. El arquitecto Herbert Gribble, que se acaba de convertir al catolicismo, ganó este prestigioso concurso para construir el templo cuando tenía 29 años.

Las piezas más valiosas de la iglesia fueron adquiridas en diferentes iglesias de Italia. Las figuras de los doce apóstoles las realizó Giuseppe Mazzuoli, a finales del siglo XVII, para la catedral de Siena. El altar de la Virgen se hizo en 1693 para la iglesia dominica de Brescia, y el altar del siglo XVIII de la capilla de San Wilfredo se trasladó desde Rochefort, Bélgica.

Brompton Oratory ha sido desde siempre muy famoso por su espléndida tradición musical.

Royal College of Music ❺

Prince Consort Rd SW7. **Plano** 10 F5.
📞 020-7589 3643. ❺ High St
Kensington, Knightsbridge, South
Kensington. **Museo Instrumentos
Musicales abierto** 14.00–16.30
mi. **Previo pago**. 🚫 ▫

Sir Arthur Blomfield proyectó este palacio gótico, con sus torreones y aire bávaro, que alberga al distinguido Royal College of Music desde 1894. Fue fundado en 1882 por George Grove, quien también compiló un famoso *Diccionario de la Música*. Entre sus famosos alumnos se encuentran Benjamin Britten y Ralph Vaughan Williams.

Visitar el museo de Instrumentos Musicales no es tarea fácil, pues raramente abre sus puertas. Contiene instrumentos de diferentes épocas y lugares del mundo. Algunos de ellos pertenecieron a grandes músicos, como Haendel y Haydn.

Viola del siglo XVII en el Royal College of Music

El suntuoso interior del Brompton Oratory

Estatua del príncipe Alberto, de Joseph Durham (1858), frente al Royal Albert

Royal Albert Hall ❻

Kensington Gore SW7. **Plano** 10 F5.
C 020-7589 3203. ⊖ *High St
Kensington, South Kensington
Knightsbridge.* **Abierto** *para
representaciones.* ⊘ 🚻 ▢ *Ver
Distracciones pp.332–333.*

PROYECTADA POR el ingeniero
Francis Fowke, y termina-
da en 1871, esta enorme sala
de conciertos está concebida
como un anfiteatro romano y
se distingue de la mayoría de
las edificaciones victorianas
por su sencillez. El único
alarde en la fachada de
ladrillo rojo es un precioso
friso que simboliza el triunfo
de las artes y la ciencia.
Cuando se poryectó el
edificio, la sala se iba a llamar
Hall of Arts and Science, pero
la reina Victoria le cambió el
nombre en memoria de su
esposo al colo-car la primera
piedra en 1868.
   En la sala se ofrecen
númerosos conciertos de
música clásica y otra clase de
espectáculos, como combates
de boxeo (el primero tuvo
lugar en 1919) y conferencias
de negocios.

Royal College of Art ❼

Kensington Gore SW7.
Plano 10 F5. **C** 020-7590 4444.
⊖ *High St Kensington, South
Kensington, Knightsbridge.* **Abierto**
*10.00-18.00 lu-mi (telefonear
primero)* ▢ 🎦 **Conferencias,
proyecciones, exposiciones.**

EL EDIFICIO de sir Hugh
Casson (1973), con una
fachada casi enteramente de
cristal, contrasta con su
entorno victoriano. El colegio
se fundó en 1837 como
escuela de diseño para las
industrias manufactureras. Se
especializó en arte moderno
en 1950, gracias a la labor de
David Hockney, Peter Blake y
Eduardo Paolozzi.

Albert Memorial ❽

South Carriage Drive, Kensington
Gdns SW7. **Plano** 10 F5. ⊖ *High St
Kensington, Knightsbridge, South
Kensington.*

ESTE GRANDIOSO monumento,
que la reina Victoria
dedicó a su amado esposo, se
terminó en 1876, 15 años
después de su muerte. Alberto
era un príncipe alemán, primo
de la reina Victoria. Cuando
murió de tifus en 1861, tenía
41 años y llevaba felizmente
casado 21; la pareja tuvo 9
hijos. El monumento se alza
cerca del lugar donde se
celebró la exposición de 1851
(ver p.26), con la que el
príncipe Alberto estaba
totalmente identificado. La
estatua, de tamaño natural,
obra de John Foyle, lo muestra
con un catálogo de la
exposición en sus rodillas.
   La desolada reina eligió a sir
George Gilbert Scott para
proyectar el monumento, que
tiene una altura de 55 m.
Está basado en la estructura de
un templete medieval, aunque
mucho más elaborado, con un
capitel negro y dorado,
mármoles multicolores,
mosaicos, esmaltes, hierros
forjados y cerca de 200 figuras
esculpidas. En las escaleras
que lo rodean están
simbolizadas, en cuatro
grupos, Europa, África,
América y Asia. En las esquinas
se muestran la Ingeniería, la
Agricultura, las Manufacturas y
el Comercio.

**Victoria y Alberto en la inauguración
de la Gran Exposición (1851)**

Natural History Museum ❶

Principal entrada al museo

EL PLANETA TIERRA y las diferentes formas de vida que en él se han dado son los temas desarrollados en este museo. Se combinan las últimas técnicas interactivas con la exposición de piezas tradicionales y se enfocan aspectos tan fundamentales como el delicado equilibrio ecológico de nuestro planeta y su gradual progreso durante millones de años, la evolución de las especies y el desarrollo de los seres humanos. El gran edificio del museo, con aspecto de catedral, es en sí mismo una obra maestra. Se inauguró en 1881 y fue proyectado por Alfred Waterhouse, quien utilizó técnicas de construcción revolucionarias. Tiene una estructura de hierro y acero, escondida por arcos y columnas, ricamente decoradas con esculturas de animales y plantas.

★ Artrópodos
Ocho de cada diez especies son artrópodos, como esta tarántula.

106

105

Primera planta

24

Planta baja

26 23

22

21

13

12

★ Dinosaurios
El dinosaurio asesino Deinonychus *es uno de los ejemplares mecanizados de tamaño natural de este museo.*

11

20

10

33

34

30
31

32

GUÍA DEL MUSEO
El museo está dividido en galerías de la Vida y galerías de la Tierra. El esqueleto de 26 m de un dinosaurio Diplodocus domina el vestíbulo de entrada **(10)** *en las Galerías de la Vida: las secciones de Dinosaurios* **(21),** *Biología Humana* **(22)** *y Mamíferos* **(23-24)** *están a la izquierda del vestíbulo, mientras que Artrópodos y Ecología están a la derecha. Reptiles y Peces* **(12)** *quedan detrás de la sala principal. En la primera planta se halla el Origen de las especies* **(105)** *y los Minerales y Meteoritos* **(102-103).** *La escalera mecánica gigante de Visiones de la Tierra (Visions of Earth)* **(60)** *conduce a través de un imponente globo hacia las atracciones principales de las Galerías de la Tierra (Earth Galleries), La fuerza interna (The Power within)* **(61)** *y Tesoros de la Tierra (Earth Treasury)* **(64).**

Entrada principal de Cromwell Road: Galerías de la Vida

Acceso al sótano

★ Ecología
Con una reproducción de un bosque húmedo y sonidos de la vida natural, se inicia la visita a esta sala dedicada a la naturaleza y al papel del hombre en ella.

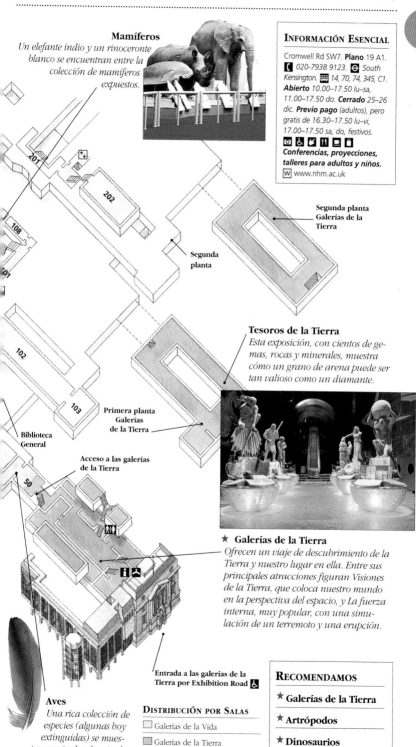

Mamíferos

Un elefante indio y un rinoceronte blanco se encuentran entre la colección de mamíferos expuestos.

INFORMACIÓN ESENCIAL

Cromwell Rd SW7. **Plano** 19 A1.
📞 020-7938 9123. 🚇 *South Kensington*. 🚌 *14, 70, 74, 345, C1*.
Abierto *10.00–17.50 lu–sa, 11.00–17.50 do.* **Cerrado** *25–26 dic.* **Previo pago** *(adultos), pero gratis de 16.30–17.50 lu–vi, 17.00–17.50 sa, do, festivos.*
🎥 ♿ 🎟 🍴 📷
Conferencias, proyecciones, talleres para adultos y niños.
🌐 www.nhm.ac.uk

Segunda planta
Galerías de la
Tierra

Segunda
planta

Tesoros de la Tierra

Esta exposición, con cientos de gemas, rocas y minerales, muestra cómo un grano de arena puede ser tan valioso como un diamante.

Primera planta
Galerías
de la Tierra

Biblioteca
General

Acceso a las galerías
de la Tierra

★ Galerías de la Tierra

Ofrecen un viaje de descubrimiento de la Tierra y nuestro lugar en ella. Entre sus principales atracciones figuran Visiones de la Tierra, que coloca nuestro mundo en la perspectiva del espacio, y La fuerza interna, muy popular, con una simulación de un terremoto y una erupción.

Entrada a las galerías de la
Tierra por Exhibition Road ♿

RECOMENDAMOS

★ **Galerías de la Tierra**

★ **Artrópodos**

★ **Dinosaurios**

DISTRIBUCIÓN POR SALAS

☐ Galerías de la Vida

☐ Galerías de la Tierra

Aves

Una rica colección de especies (algunas hoy extinguidas) se muestran en jaulas de cristal.

Estatua de la joven reina Victoria frente a Kensington Palace

Serpentine Gallery ❾

Kensington Gdns W2. **Plano** 10 F4.
📞 020-7402 6075. ⊖ *Lancaster Gate, South Kensington.* **Abierta** *10.00–18.00 todos los días.* **Cerrada** *para instalación de exposiciones, Navidades.* ♿ 🚻 *librería sobre arte.* **Conferencias** *sobre cada exposición 15.00 sa.*

E N LA ESQUINA sureste de Kensington Gardens se halla esta galería de arte, que expone pintura y escultura contemporáneas. El edificio era un antiguo pabellón de té construido en 1912; las exposiciones frecuentemente se extienden por el parque que lo rodea. Tiene una pequeña tienda de libros de arte.

Kensington Palace ❿

Kensington Palace Gdns W8. **Plano** 10 D4. 📞 020-7937 9561. ⊖ *High St Kensington, Queensway.* **Abierto** *Verano: 10.00-18.00 todos los días; invierno: 10.00-17.00 todos los días (últ. adm. 1h antes).* **Cerrado** *22–26 dic, 1 ene, Viernes Santo.* **Previo pago.** 🚫 ♿ *Sólo planta baja.* 📷🚻 **Exposiciones, actividades vacacionales.**

L A MITAD DE este palacio está ocupada por dependencias reales. La otra mitad, incluidos los salones oficiales del siglo XVIII, se halla abierta al público. Cuando Guillermo III ascendió al trono en 1689, compró una mansión de 1605 y encargó a Christopher Wren que la convirtiera en palacio. Wren construyó *suites* separadas, para el rey y la reina, y hoy el público entra por las dependencias de esta última.

El palacio ha sido testigo de importantes acontecimientos reales. En 1714, la reina Ana murió de una apoplejía producida por un exceso de comida y el 20 de junio de 1837, Victoria, princesa de Kent, fue despertada a las cinco de la madrugada para comunicarle que su tío Guillermo IV había muerto y que comenzaba su reinado, que duraría 64 años.

Tras la muerte de Diana de Gales en 1997, la puerta se convirtió en foco de reunión de cientos de personas que convirtieron la zona circundante en un campo de ramos de flores.

Entrada Coalbrookdale (detalle), Kensington Gardens

Arco, de Henry Moore (1979), en Kensington Gardens

Kensington Gardens ⓫

W8. **Plano** 10 E4. 📞 0171-262 5484. ⊖ *Bayswater, High St Kensington, Queensway, Lancaster Gate.* **Abiertos** *5.00–24.00 todos los días.*

L OS ANTIGUOS jardines del palacio de Kensington se abrieron al público en 1841. Una pequeña parte ha sido dedicada como jardín en memoria de Diana, princesa de Gales (*ver p. 219*). No les falta encanto, comenzando por la estatua de 1912 de Peter Pan (el niño que nunca creció, creado por J. M. Barrie), obra del escultor sir George Frampton. La estatua se alza al lado oeste del lago Serpentine, no lejos de donde Harriet, la mujer del poeta Percy Bysshe Shelley, se suicidó en 1816.

En el lado norte hay fuentes ornamentales y estatuas, como la *Rima*, de Jacob Epstein, cerca del lago. La estatua de George Frederick Watts de un musculoso caballo y su jinete, *Energía física*, se alza al sur. Cerca se encuentran una casa de verano diseñada por William Kent en 1735 y la Serpentine Gallery.

El Round Pond, un estanque creado en 1728 al este del palacio, lo frecuentan los niños y los aficionados a los barcos en miniatura; en ocasiones se puede patinar sobre él en invierno. Al norte, cerca de Lancaster Gate, hay un cementerio de perros que *inauguró* en 1880 el duque de Cambridge, enterrando a uno de los suyos.

Hyde Park **⑫**

W2. **Plano** 11 B3. 020-7262 5484. Hyde Park Corner, Knightsbridge, Lancaster Gate, Marble Arch. **Abierto** 5.00–24.00 todos los días. **Instalaciones deportivas**.

Paseo ecuestre por Hyde Park

HYDE PARK pertenecía a tierras de la abadía de Westminster, expropiadas por Enrique VIII en 1536, y sigue siendo parque real desde entonces. Enrique VIII lo usó como coto de caza, pero Jacobo I lo abrió al público a principios del siglo XVII, convirtiéndose de inmediato en uno de los espacios abiertos más apreciados de la ciudad. El lago artificial Serpentine fue creado por Carolina, esposa de Jorge II, cuando se embalsaron las aguas del río Westbourne en 1730.

El parque ha sido escenario de duelos, paseos a caballo, atracos, manifestaciones políticas, conciertos musicales –como los de Mick Jagger y Luciano Pavarotti– y desfiles. La exposición de 1851 se celebró en un palacio de cristal del parque *(ver pp.26–27)* y la aristocracia se paseó en carroza por sus caminos.

Speakers' Corner **⑬**

Hyde Park W2. **Plano** 11 C2. Marble Arch.

UNA LEY DE 1872 autorizó las asambleas públicas y los discursos sobre cualquier tema. Desde entonces, esta esquina de Hyde Park se convirtió en el punto de reunión permanente de oradores y excéntricos. Los domingos por la mañana, el público acude a escuchar a miembros de grupos extraparlamentarios o a aprendices de visionarios que defienden sus planes para una sociedad mejor; mientras unos escuchan y aplauden, otros abuchean sin piedad.

Marble Arch **⑭**

Park Lane W1. **Plano** 11 C2. Marble Arch.

JOHN NASH proyectó este arco en 1827 para servir de entrada principal al palacio de Buckingham. Era, no obstante, demasiado estrecho para el paso de las grandes carrozas y se trasladó aquí en 1851. Ahora solamente se permite pasar bajo él a la familia real y a uno de los regimientos de artillería.

El arco se alza cerca del antiguo patíbulo de Tyburn (señalado con una placa), donde se ejecutaba a los criminales más notorios frente a una multitud de espectadores.

Un orador en Speakers' Corner

Harrod's **⑮**

Knightsbridge SW1. **Plano** 11 C5. 020-7730 1234. Knightsbridge. **Abierto** Ver **De Compras** p.313.

LOS MÁS FAMOSOS almacenes de Londres abrieron sus puertas en 1849, cuando Henry Charles Harrod inauguró una pequeña tienda de comestibles cerca de Brompton Road. La suma de productos de calidad e impecable servicio (pero no precios asequibles), dio popularidad al establecimiento, que se fue ampliando hasta convertirse en el símbolo que es en la actualidad.

Se dice que en Harrod's se puede comprar desde un paquete de agujas a un elefante; aunque esto no sea rigurosamente cierto, no se puede negar que su oferta es fantástica.

Harrod's se ilumina por la noche con 11.500 bombillas

Science Museum ❷

Siglos de progreso científico y tecnológico tienen cabida en las colecciones de este museo. La exposición de máquinas es magnífica: locomotoras de vapor, los primeros y los últimos ordenadores, aviones y cohetes espaciales... La lista es interminable. También es interesante el trato que se da al contexto social de la ciencia y al significado de los inventos y descubrimientos en la vida diaria. La nueva Wellcome Wing posee un cine IMAX en tres dimensiones y magníficas exposiciones interactivas.

Fachada del Science Museum

★ **Plataforma de lanzamiento**
En el sótano existen numerosas muestras interactivas destinadas a los niños, donde se explican también los principios básicos de la ciencia.

Guía del Museo

El museo tiene siete plantas. En el sótano se encuentran The Garden, *para los niños más pequeños, y* Things, Launch Pad *y* The Secret Life of the Home *para los más mayores. Las máquinas de vapor ocupan la planta baja, donde también están* Space *y* Making the Modern World. *La planta primera alberga* Challenge of Materials *y* Food for Thought. *En la segunda planta hay galerías dedicadas a las centrales nucleares, la navegación, la impresión y la informática. En la tercera planta se sitúan* Flight *y* Science in the 18th Century. *En las plantas cuarta y quinta se encuentran* Science and Art of Medicine *y* Veterinary History. *La nueva Wellcome Wing posee cuatro plantas de espacio interactivo dedicado a la ciencia contemporánea y a la tecnología.*

★ **Repaso a la historia de la Medicina**
Esta vasija italiana del siglo XVII para guardar veneno de serpiente es parte de la fascinante colección.

Ordenadores y matemáticas:
la historia de las máquinas calculadoras y ordenadores, desde el ábaco hasta los últimos aparatos.

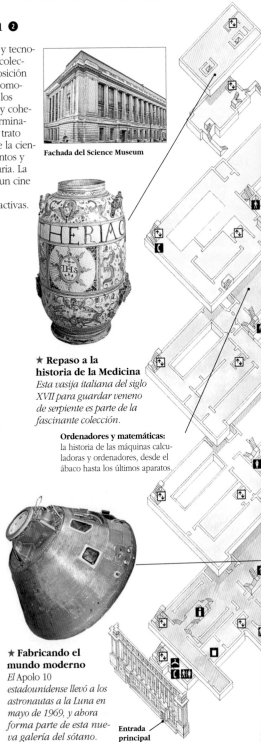

★ **Fabricando el mundo moderno**
El Apolo 10 *estadounidense llevó a los astronautas a la Luna en mayo de 1969, y ahora forma parte de esta nueva galería del sótano.*

Entrada principal

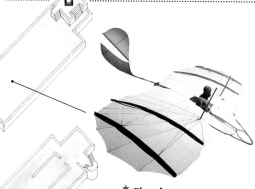

INFORMACIÓN ESENCIAL

Exhibition Rd SW7. **Plano** 19 A1.
📞 020-7942 4000. 🚇 *South Kensington.* 🚌 9, 10, 49, 52, 74, 345, C1. **Abierto** *10.00– 18.00 todos los días.* **Cerrado** *24–26 dic.* 📷 ♿ **Conferencias, proyecciones, talleres experimentales.** 🍴 🎁
🌐 www.sciencemuseum.org.uk

★ El vuelo

La réplica de un planeador de Otto Lilienthal (1895) está en esta exposición, que abarca desde los sueños del hombre por volar hasta los jets de hoy.

Ingeniería marina

Ofrece una amplia colección de instrumentos, como éste de Joannes Macarius (1676).

Como, luego existo

La ciencia y la historia social de la comida se exploran a través de demostraciones y de reconstrucciones históricas.

Galería de pintura

La segunda planta posee una exposición de arte sobre temas científicos, como esta pintura de un cometa del siglo XVI.

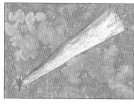

DISTRIBUCIÓN POR PLANTAS

- ☐ Sótano
- ☐ Planta baja
- ☐ Primera planta
- ☐ Segunda planta
- ☐ Tercera planta
- ☐ Cuarta planta
- ☐ Quinta planta

★ Retos en los materiales

Nuestras expectativas respecto a los materiales se funden en objetos como este traje de novia, de acero, o un puente de cristal.

RECOMENDAMOS

- ★ **Plataforma**
- ★ **Fabricando el mundo moderno**
- ★ **Retos en los materiales**
- ★ **El vuelo**
- ★ **Repaso a la historia de la Medicina**

KENSINGTON Y HOLLAND PARK

LOS LADOS oeste y norte de Kensington Gardens constituyen una zona residencial de lujo, con numerosas embajadas extranjeras. Sus tiendas son casi tan elegantes como las de Knightsbridge. Kensington Church Street es famosa por sus anticuarios. Alrededor de Holland Park hay magníficas casas victorianas, dos de las cuales están abiertas al público. Pero cuando se llega a Bayswater y Notting Hill, se entra en una de las áreas más cosmopolitas de Londres. Los hoteles de la zona son de precio medio y hay numerosos restaurantes baratos. Siempre ha escondido algo misterioso Bayswater; aquí, los hombres victorianos mantenían a sus queridas en las casas adosadas.

Símbolo de Holland House en mosaico

El escándalo del ministro Prófumo (1963), que provocó la dimisión del Gobierno, ocurrió en este lugar; hoy la prostitución se mantiene como un pujante, aunque discreto, negocio local. La calle principal de esta zona, Queensway, es el lugar idóneo de reuniones en clubes y cafés, mientras que más al oeste, Portobello Road cuenta con un popular mercado callejero. En Notting Hill hay una gran comunidad de negros caribeños, que se asentó aquí en torno a 1966 y que cada agosto, durante tres días, celebra su famoso

LUGARES DE INTERÉS

Calles y edificios históricos
Holland House **2**
Kensington Palace Gardens **7**
Kensington Square **6**
Leighton House **3**
Linley Sambourne House **4**
Queensway **9**

Parques y jardines
Holland Park **1**
Kesington Roof Gardens **5**
The Diana, Princess of Wales Memorial Playground **8**

Mercados
Portobello Road **10**

Áreas históricas
Notting Hill **11**

CÓMO LLEGAR
Se pueden utilizar las líneas de metro Circle y Central. Los autobuses 9, 10, 27, 28, 49, 52, 70, 73, C1 y 31 paran en Kensington High Street; los nos 12, 27, 28, 31, 52, 70 y 94 van a Notting Hill Gate; y los 70, 7, 23, 27, 36, 12 y 94 cruzan Bayswater.

SIGNOS CONVENCIONALES
Plano en 3 dimensiones
Estación de metro

MÁS INFORMACIÓN
• *Callejero*, planos 9, 17
• *Alojamiento* pp.272–285
• *Restaurantes* pp.286–311

◁ **Entrada de una casa en Edwardes Square, Kensington**

Kensington y Holland Park en 3 dimensiones

Aunque ahora forma parte del centro de Londres, hasta 1830 la zona era un pueblo rural de mercados y mansiones. La más famosa es Holland House, parte de cuyas tierras constituye ahora Holland Park. El área creció rápidamente en el siglo XIX, por lo que la mayoría de sus edificios data de entonces, principalmente apartamentos costosos, mansiones convertidas en pisos y tiendas de moda.

Holland House
Esta laberíntica mansión se construyó en 1605; el grabado muestra cómo era en 1795. Fue parcialmente demolida en torno a 1950 ❷

★ **Holland Park**
Parte de los antiguos jardines de Holland House se ha conservado para constituir este delicioso parque público ❶

The Orangery, ahora restaurante, conserva partes de 1630, cuando estaba en los jardines de Holland House.

Melbury Road está formada por grandes casas victorianas. Muchas fueron de famosos artistas de la época.

El buzón victoriano de High Street es uno de los más antiguos de Londres.

★ **Leighton House**
Se conserva como cuando el pintor victoriano lord Leighton –apasionado de los mosaicos– vivía en ella ❸

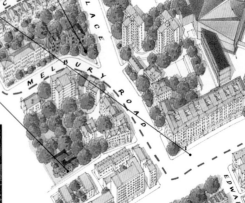

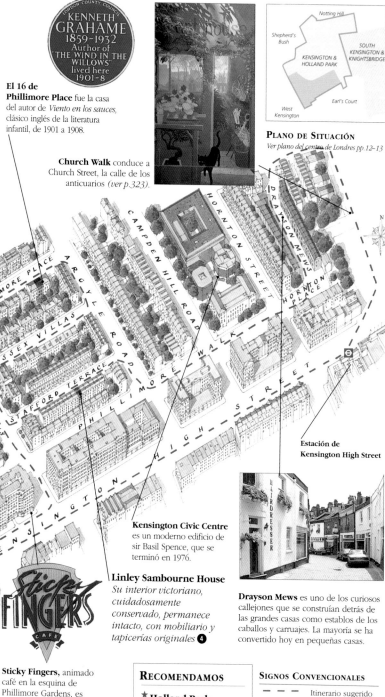

KENNETH
GRAHAME
1859–1932
Author of
"THE WIND IN THE
WILLOWS"
lived here
1901–8

**El 16 de
Phillimore Place** fue la casa
del autor de *Viento en los sauces,*
clásico inglés de la literatura
infantil, de 1901 a 1908.

Church Walk conduce a
Church Street, la calle de los
anticuarios *(ver p.323)*.

PLANO DE SITUACIÓN
Ver plano del centro de Londres pp.12–13

Estación de
Kensington High Street

Kensington Civic Centre
es un moderno edificio de
sir Basil Spence, que se
terminó en 1976.

Linley Sambourne House
*Su interior victoriano,
cuidadosamente
conservado, permanece
intacto, con mobiliario y
tapicerías originales* ❹

Drayson Mews es uno de los curiosos
callejones que se construían detrás de
las grandes casas como establos de los
caballos y carruajes. La mayoría se ha
convertido hoy en pequeñas casas.

Sticky Fingers, animado
café en la esquina de
Phillimore Gardens, es
propiedad de Bill Wyman,
ex guitarrista del grupo de
rock Rolling Stones.

RECOMENDAMOS

★ **Holland Park**

★ **Leighton House**

SIGNOS CONVENCIONALES

--- Itinerario sugerido

0 metros   100

Holland Park ❶

Abbotsbury Rd W14. **Plano** 9 B4.
📞 020-7602 9487. 🚇 *Holland Park, High St Kensington, Notting Hill Gate.* **Abierto** *abr–oct: 7.30–22.00 todos los días (flexible); oct–mar: 7.45–16.30 (23.00, zonas iluminadas).* 🍴 🚻 *Ópera al aire libre, teatro, danzas.* **Exposiciones de arte** *abr–oct. Ver* **Distracciones** *pp.328–329.*

E STE PEQUEÑO y delicioso parque, con más arbolado que los grandes Hyde Park y Kensington Gardens, al este *(ver pp.206–207)*, se abrió al público en 1952 en lo que quedaba de las tierras de Holland House –tras la venta efectuada a finales del siglo XIX para construcción de viviendas en el norte y el oeste–. El parque todavía conserva algunos de los jardines originales del siglo XIX. Hay también un jardín japonés, creado en 1991 para el Festival de Japón en Londres. El parque posee una abundante fauna, incluidos pavos reales.

Holland House ❷

Holland Park W8. **Plano** 9 B5.
Residencia juvenil
📞 020-7937 0748. 🚇 *Holland Park, High Street Kensington.*

Mosaico original en Holland House

D URANTE SUS mejores años, en el siglo XIX, fue un notable centro social y de intrigas políticas. Estadistas, como lord Palmerston, se mezclaban aquí con intelectuales, entre ellos el poeta Lord Byron. Lo que queda de la mansión se utiliza ahora como residencia para jóvenes.
   Sus dependencias se dedican a exposiciones, y la antigua sala de baile, Garden Ballroom, es ahora un restaurante.

El café en Holland Park

Leighton House ❸

12 Holland Park Rd W14. **Plano** 17 B1.
📞 020-7602 3316. 🚇 *High St Kensington.* **Abierta** *11.00–17.30 lu, mi–sa.* **Cerrada** *festivos.* 🎫 *12.00 mi–ju o previa cita.* 📷 *Conciertos, exposiciones.* 🌐 *www.rbkc.gov.uk/ leightonhousemuseum*

C ONSTRUIDA POR el pintor lord Leighton en 1866, la casa ha sido conservada con su opulenta decoración casi intacta, como un monumento al movimiento estético victoriano. Destaca el vestíbulo árabe que lord Leighton añadió en 1879 para albergar su espléndida colección de mosaicos islámicos, muchos de ellos con inscripciones del Corán. Los mejores cuadros de Edward Burne-Jones, John Millais y del propio lord Leighton pueden contemplarse en las salas de recepción de la planta baja.

Linley Sambourne House ❹

18 Stafford Terrace W8. **Plano** 9 C5.
📞 020-8994 1019. 🚇 *High St Kensington.* **Abierta** *1 mar–31 oct: 10.00–16.00 mi, 14.00–17.00 do.* **Cerrada** *1 nov–28 feb.*
Previo pago 🚫 📷

C ONSTRUIDA en 1870, apenas ha variado desde que Linley Sambourne la decoró al estilo victoriano, con porcelanas y cortinajes de terciopelo. Era un caricaturista del semanario satírico *Punch*, y cubrió las paredes con dibujos, muchos de su mano.

Hay habitaciones con papel pintado de William Morris *(ver p.245)*, e incluso el retrete es una joya victoriana.

Kensington Roof Gardens ❺

99 High Street W8 (entrada por Derry Street). **Plano** 10 D5. 📞 020-7937 7994. **Abierto** *9.00-17.00 todos los días (llamar antes).* 🅿️ 🍴

A ESCASOS METROS por encima del bullicio de Kensington High Street está uno de los secretos mejor conservados de Londres, 6.000 metros cuadrados de jardines en una terraza. Originalmente plantado en la década de 1930 por los propietarios de Derry and Toms, los almacenes de debajo (actualmente una sucursal de BHS), los jardines son abundantes en

Logotipo del semanario *Punch* (1841–1992)

caprichos y presentan un bosque (con riachuelo), un jardín español (con palmeras, fuentes y el blanco muro de un convento) y un jardín formal inglés (con un estanque con patos y un par de flamencos rosas). Su acceso es gratuito, aunque no está permitida la entrada si hay algún acontecimiento.

Kensington Square ❻

W8. **Plano** 10 D5. 🚇 High St Kensington.

Es UNA DE las plazas más antiguas de Londres. Se proyectó en 1680. Quedan todavía algunas casas del siglo XVIII; las de los números 11 y 12 son las más antiguas.

El conocido filósofo John Stuart Mill vivió en el número 18 y el pintor e ilustrador Edward Burne-Jones, en el 41.

Placa conmemorativa con **en Kensington Square**

Kensington Palace Gardens ❼

W8. **Plano** 10 D3. 🚇 High St Kensington, Notting Hill Gate, Queensway.

Esta CALLE PRIVADA de mansiones lujosas se halla en lo que era la huerta del palacio de Kensington (ver p.206); su último tramo cambia de nombre y se conoce como Palace Gardens. Es una calle peatonal y no se permiten coches nada más que en casos muy concretos. La mayoría de las casas están ocupadas por embajadas y su personal, por lo que prácticamente todos los vehículos a los que se permite cruzar las barreras son del cuerpo diplomático.

Tienda de Queensway

The Diana, Princess of Wales Memorial Playground ❽

Kensington Gardens. **Plano** 10 E3.
📞 020 7298 2141. 🚇 Abierto
10.00-18.45 todos los días. 🔲 ♿

En KENSINGTON GARDENS se han abierto en el año 2000 tres parques de juegos dedicados a la memoria de la princesa Diana. Situados cerca de la estatua de Peter Pan (su creador, J. M. Barrie fundó el primer parque que se construyó aquí), este innovador parque infantil tiene como tema a los niños que se resisten a crecer y está repleto de nuevas ideas y actividades, incluyendo una ensenada con un galeón de piratas, casas en los árboles con senderos y rampas y una fuente con forma de sirena junto a somnolientos cocodrilos (¡cuidado con despertarlos!). Los niños deben ir acompañados de un adulto, aunque un equipo de profesionales está para cuidar de la seguridad de los pequeños. Muchas de las exhibiciones del parque, como el jardín musical, han sido diseñadas para niños con necesidades especiales.

Queensway ❾

W2. **Plano** 10 D2. 🚇 Queensway, Bayswater.

UNA DE LAS CALLES más cosmopolitas, con la mayor concentración de restaurantes después del Soho. En los quioscos se pueden ver más periódicos extranjeros que británicos. En su lado norte se encuentran los almacenes Whiteley. Fundados por William Whiteley, nacido en el condado de York en 1863, fueron unos de los primeros almacenes del mundo. El actual edificio, rematado por una cúpula, data de 1911.

El nombre de la calle tiene su origen en la reina Victoria, que solía montar a caballo por ella cuando era joven.

Portobello Road ❿

W11. **Plano** 9 C3. 🚇 Notting Hill Gate, Ladbroke Grove. **Mercado de antigüedades abierto** 9.30– 16.00 vi, 8.00–17.00 sa. Ver también **De Compras** p.325.

Este MERCADO existe desde 1837. La parte sur está dedicada casi exclusivamente a puestos de antigüedades, joyería y recuerdos populares para los turistas. El mercado es extremadamente popular y está abarrotado los fines de semana veraniegos. Merece la pena visitarlo por su ambiente alegre y su colorido, aunque no se compre nada. Es difícil encontrar gangas, ya que los comerciantes tienen una idea muy exacta del valor de lo que venden.

Tienda en Portobello Road

Notting Hill ⓫

W11. **Plano** 9 C3. 🚇 Notting Hill Gate.

En LO QUE ERAN tierras de labranza hasta el siglo XIX, se celebra ahora el mayor carnaval callejero de Europa. En los años cincuenta y sesenta, Notting Hill se convirtió en el centro de la comunidad caribeña afro negra. Desde la década de los sesenta, se instituyó el carnaval de acuerdo a sus costumbres, durante el mes de agosto, con desfiles y música que llenan sus calles (ver p.57).

REGENT'S PARK Y MARYLEBONE

E L ÁREA SITUADA AL SUR de Regent's Park, en la que se encuentra el pueblo medieval de Marylebone, tiene la mayor y mejor concentración de mansiones georgianas de toda la capital. Fue planeada por Robert Harley, conde de Oxford, cuando Londres se expandió hacia el oeste en el siglo XVIII. Diversas casas de John Nash embellecen el extremo sur del siempre concurrido Regent's Park, mientras que al noroeste se encuentra John's Wood, un distrito elegante.

CÓMO LLEGAR

Las estaciones de metro más cercanas son Regent's Park y Baker Street. En Marylebone hay metro y ferrocarril. Los autobuses 13, 139 y 159 van desde Trafalgar Square a cerca de Baker Street y otros circulan por Oxford St, Baker St y Gloucester Pl.

LUGARES DE INTERÉS

Calles y edificios históricos
Broadcasting House **6**
Cumberland Terrace **15**
Harley Street **4**
Portland Place **5**

Museos y galerías
Colección Wallace **10**
Museo de Sherlock Holmes **11**

Iglesias y mezquitas
All Souls, Langham Place **7**
Mezquita del centro
	de Londres **12**
St Marylebone Parish Church **3**

Parques y jardines
Regent's Park **2**

Distracciones
Madame Tussauds y
	el Planetario **1**
Wigmore Hall **9**
Zoo de Londres **14**

Hoteles históricos
Langham Hilton Hotel **8**

Canales históricos
Regent's Canal **13**

SIGNOS CONVENCIONALES

Plano en 3 dimensiones
Estación de metro
Aparcamiento

0 metros		500

MÁS INFORMACIÓN

◁ **St Andrew's Place, en Regent's Park**

Marylebone en 3 dimensiones

L AS MAGNÍFICAS CASAS georgianas del antiguo pueblo
medieval de Marylebone (originariamente
Maryburne, como el arroyo que corría junto a la iglesia
de St Mary) son el distintivo de este área situada al sur
de Regent's Park. Hasta el siglo XVIII estaba rodeada
de campos y jardines, cuando el Londres de moda se
extendió hacia el oeste. En el siglo XIX, los

**Monumento
en recuerdo
de Tiananmen:
Portland Place**

profesionales, especialmente médicos,
utilizaron las espaciosas casas para atender a
su clientela. Hoy día, la zona mantiene su
tradición médica y su elegancia.

★ Regent's Park
*John Nash proyectó este
parque real en 1812,
complemento de las
clásicas villas con
parterres* ❷

**La Real Academia de
Música,** primera de
Inglaterra en su género,
se fundó en 1774. El
actual edificio de ladrillo,
con su propia sala de
conciertos, se
construyó
en 1911.

**★ Madame Tussauds y el
planetario.** *El museo de cera de
figuras históricas y contemporáneas
constituye una de las atracciones
más populares de Londres. Contiguo
a él, el planetario muestra
el firmamento* ❶

**A Regent's
Park**

**St Marylebone Parish
Church**
*Los poetas Robert Browning
y Elizabeth Barrett se
casaron aquí* ❸

SIGNOS CONVENCIONALES

– – –　Itinerario sugerido

**Estación de
Baker Street**

0 metros   100

Park Crescent posee unas bellísimas fachadas de John Nash, aunque los interiores se reformaron para oficinas en los años sesenta. El Crescent marca el final de la ruta arquitectónica del norte de Nash, desde St James's a Regent's Park, vía Regent Street y Portland Place.

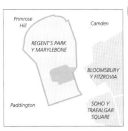

London Clinic es uno de los hospitales privados más conocidos de este distrito de tradición médica.

Estación de Regent's Park

PLANO DE SITUACIÓN
Ver plano del centro de Londres pp.12–13

Portland Place
En el centro de esta calle se alza la estatua del mariscal de campo sir George Sturt White, que ganó la cruz Victoria por su valor en la guerra de Afganistán de 1879 **5**

El Real Instituto de Arquitectos Británicos ocupa un polémico edificio *art déco* de Grey Wornum, construido en 1934.

Harley Street
Las consultas de eminentes médicos especialistas están aquí desde hace más de un siglo **4**

RECOMENDAMOS

★ **Madame Tussauds y el planetario**

★ **Regent's Park**

Madame Tussauds y el planetario ●

Marylebone Rd NW1. **Plano** 4 D5.
📞 *0870-400 3000.* 🚇 *Baker St.*
Abierto *10.00-17.30 todos los días*
(planetario); 9.30–17.30 todos los días
(Mme Tussauds). **Cerrado** *25 dic.*
Previo pago. 🚻 *Telefonear primero.*
📷 🎬 🏪

Tradicional moldeado de cera en Madame Tussauds

MADAME TUSSAUD comenzó su profesión de moldear en cera a partir de máscaras mortuorias de muchas de las más conocidas víctimas de la Revolución Francesa. En 1835 realizó una exposición de sus trabajos en Baker Street, no lejos del lugar que ocupa ahora su museo.

La colección de la actual década está realizada con las técnicas tradicionales de esta forma de moldear.
Se representan figuras de la política, el cine, la televisión o el deporte.

Las principales secciones del museo son el Garden Party, donde los visitantes se mezclan con figuras de celebridades de increíble parecido; Super Stars, dedicada a estrellas del mundo del espectáculo, y el Grand Hall. Esta última la forman reyes, estadistas, escritores y artistas, donde aparecen juntos Lenin y Martin Luther King o William Shakespeare y Picasso.

La cámara de los horrores es la parte más conocida. Junto a las mascarillas originales de la Revolución Francesa, se recrean los más famosos episodios de la historia del crimen y su castigo: los asesinos Dr Crippen y Ethel le Neve, Gary Gilmore ante el pelotón de ejecución y la lúgubre escena de un callejón victoriano en el Londres de Jack el Destripador.

El Espíritu de Londres marca el final. Los visitantes viajan en los característicos taxis y participan en acontecimientos como el Gran Incendio de 1666 o el *Swinging London* de los sesenta.

Justo al lado se halla el **planetario de Londres**, con una exhibición de estrellas que revela algunos de los misterios del sistema solar.
La exposición interactiva "Camino del Espacio" contiene maquetas detallados de planetas, satélites y naves espaciales.

Figura de cera de Isabel II

Tulipanes en Queen Mary's Gardens, Regent's Park

Regent's Park ●

NW1. **Plano** 3 C2. 📞 *020-7486 7905.*
🚇 *Regent's Park, Baker St, Great Portland St.* **Abierto** *5.00–anochecer todos los días.* ♿ 📷 **Teatro al aire libre.** Ver **Distracciones** pp.328-329.

ESTA ZONA se cerró como parque en 1812. John Nash lo planificó como un jardín de distrito, con 56 villas en una variedad de estilos clásicos y un palacio de recreo para el príncipe regente. Al final se construyeron finalmente sólo ocho casas –ni siquiera el palacio–, de las que sobreviven tres al final de Inner Circle.

El lago, con su gran variedad de aves acuáticas, proporciona un maravilloso ambiente romántico, con las barcas que lo cruzan y la música del cercano quiosco. El Queen Mary's Garden parece un mar de flores, con un penetrante aroma en verano, cuando los visitantes pueden disfrutar de las obras de Shakespeare en el teatro al aire libre. Se puede dar un sugerente paseo por Broad Walk desde Park Square.

El plan de Nash continúa en el extremo noreste de Park Village East y West. Las cautivadoras casas de esta zona, con elegantes trabajos de estuco, se terminaron en 1828, y algunas están adornadas con medallones de cerámica Wedgwood.

St Marylebone Parish Church ●

Marylebone Rd NW1. **Plano** 4 D5.
📞 *020-7935 7315.* 🚇 *Regent's Park.*
Abierta *12.30–13.30 lu–vi, do mañanas.* ♿ 📷 ✝ *11.00 do.* 📷

EN ESTA IGLESIA se casaron los poetas Robert Browning y Elizabeth Barrett, tras huir de sus estrictas familias, residentes en la cercana Wimpole Street. Construida por Thomas Hardwick, fue consagrada en 1817, fecha en que la antigua parroquia, donde se bautizó a lord Byron, se había quedado ya demasiado pequeña.

Hardwick decidió que no ocurriera lo mismo con su iglesia, por lo que todo en ella es de grandes proporciones.

Vidriera conmemorativa en St Marylebone Parish Church

Harley Street ❹

W1. **Plano** 4 E5. 🚇 *Regent's Park, Oxford Circus, Bond St, Great Portland St.*

L AS GRANDES CASAS de esta calle de finales del siglo XIX fueron las preferidas por los médicos en boga para sus consultas, debido al espacio de las mismas y por estar en una elegante zona residencial. La calle de los médicos, donde hay muy pocas casas privadas y algunos apartamentos –William Gladstone vivió en el nº 73 de 1876 a 1882–, tiene un carácter tranquilo comparado con el bullicio del centro de Londres.

Portland Place ❺

W1. **Plano** 4 E5. 🚇 *Regent's Park.*

L OS HERMANOS Robert y James Adam proyectaron al principio esta calle en 1773. Pocas de sus casas originales permanecen hoy en pie, las mejores son las de los nºˢ 27 al 47 en el lado oeste, al sur de Devonshire Street. John Nash añadió a su historial esta calle, que va de Carlton House a Regent's Park y termina al norte en Park Crescent.

El edificio del Real Instituto de Arquitectos Británicos (1934), en el nº 66, está adornado con estatuas simbólicas y bajorrelieves. En sus puertas de bronce hay relieves de edificios de Londres y del Támesis.

Broadcasting House ❻

Portland Place W1. **Plano** 12 E1.
🚇 *Oxford Circus.* **BBC Experience**
📞 *0870-603 0304.* **Abierta** *10.30-16.30 ma-do, 13.00-15.30 lu.* **Previo pago.** ♿ 📷

B ROADCASTING HOUSE fue construida en 1931, en estilo *art déco,* como sede de la recién nacida corporación. Su fachada, en curva con la calle, está dominada por el relieve de Próspero y Ariel, obra de Eric Gill; mucha de la distintiva ornamentación escultórica se puede ver más arriba. El vestíbulo ha sido restaurado cuidadosamente, dándole la apariencia de los años treinta. En los noventa la mayoría de los estudios de la BBC se trasladaron al oeste de Londres y el edificio está ocupado ahora por la dirección. Los visitantes pueden probar sus habilidades en diversas funciones, incluidos los comentarios deportivos, la presentación del parte meteorológico y la actuación en una obra.

La historia de la radiodifusión se ilustra mediante la colección Marconi de equipos primitivos de radio; existen numerosas grabaciones y *vídeo clips* de los programas favoritos de todas las épocas.

Relieve en el Real Instituto de Arquitectos Británicos, en Portland Place

All Souls, Langham Place ❼

Langham Place W1. **Plano** 12 F1.
📞 *020-7580 3522.* 🚇 *Oxford Circus.* **Abierta** *9.30–18.00 lu-vi, 9.00–21.00 do.* ♿ 🕙 *11.30 do.* 📷

J OHN NASH proyectó esta iglesia en 1824. Su peculiar estructura redonda puede verse mejor desde Regent Street. Cuando fue construida, se ridiculizó el campanario por su forma. Es la única iglesia de Londres realizada por Nash, y le unen estrechos lazos con la Broadcasting House, hasta el punto de que a veces se usa como estudio de grabación.

Langham Hilton Hotel ❽

1 Portland Place W1. **Plano** 12 E1.
📞 *020-7636 1000.* 🚇 *Oxford Circus.* Ver **Alojamiento** *p.282.*

E RA EL MEJOR HOTEL de Londres cuando se inauguró en 1865. Los escritores Oscar Wilde y Mark Twain y el compositor Antonin Dvorák fueron algunos de sus huéspedes. Durante algún tiempo lo utilizó la BBC. Desde entonces se ha restaurado respetando su fachada. Su vestíbulo conduce a la Palm Court, donde hay música de piano a la hora del té. La época colonial se rememora en el restaurante Memories of the Empire y en el bar Chukka.

All Souls, Langham Place (1824)

Wigmore Hall

36 Wigmore St W1. **Plano** 12 E1.
📞 *020-7935 2141.* 🚇 *Bond St.,
Oxford Cir. Ver* **Distracciones** *p. 333.*

Esta pequeña y atractiva sala
de conciertos de cámara
fue proyectada por el arquitecto del hotel Savoy, T. E.
Collcutt *(ver p.284),* en 1900.
Al principio se llamó Bechtein
Hall porque estaba contigua al
establecimiento de pianos
Bechtein, en el área que constituía el corazón del comercio
de pianos. Enfrente se halla el
edificio de mosaico blanco de
los primeros almacenes
Debenham y Freebody (1907),
predecesores de los actuales
Debenham de Oxford Street.

La Mezquita al borde de Regent's Park

Wallace Collection ⑩

Hertford House, Manchester Square
W1. **Plano** 12 D1. 📞 *020-7935 0687.*
🚇 *Bond St.* **Abierta** *10.00–17.00
lu–sa, 14.00–17.00 do.* **Cerrada** *24–26
dic, 1 ene, Viernes Santo.*
🚫 ♿ ✏️ 🏛 *Conferencias.*

**Plato italiano del siglo XVI en la
colección Wallace**

Es una de las mejores
colecciones privadas de
arte del mundo. Ha
permanecido intacta desde
que fue donada al Gobierno
en 1897 con la condición de
que permaneciera abierta al
público sin quitar ni añadir
nada. Es el producto de la
pasión coleccionista de cuatro
generaciones de la familia
Hertford, y muestra la
evolución del arte hasta finales
del siglo XIX.

Sus mejores obras están en
la galería 22, que contiene 70
cuadros de maestros antiguos,
entre ellos *El caballero
sonriente* de Frans Hals, *Tito*

de Rembrandt, *Perseo y
Andrómeda* de Tiziano y *Una
danza a la música del tiempo*
de Nicolás Poussin. Hay
soberbios retratos de pintores
ingleses como Reynolds,
Gainsborough y Rommey. Las
25 galerías contienen bellas
porcelanas de Sèvres y esculturas de Houdon, Roubiliac y
Rysbrack. También cuenta con
una colección de armaduras.

Sherlock Holmes Museum ⑪

221b Baker St NW1. **Plano** 3 C5.
📞 *020-7935 8866.* 🚇 *Baker St.*
Abierto *9.30– 18.00 todos los días.*
Cerrado *25 dic.* **Previo pago.** 📷
🚻 🏛

El detective creado por sir
Arthur Conan Doyle se
suponía que vivía en el 221b

Sherlock Holmes de Conan Doyle

de Baker St., y este museo,
que ostenta ese número, está
situado entre los números 237
y 239. El "portero" de Sherlock
Holmes recibe a los visitantes
y les enseña el museo. En la
cuarta planta se venden las
historias del investigador y
sus sombreros de cazador.

London Central Mosque ⑫

146 Park Rd NW8. **Plano** 3 B3.
📞 *020-7724 3363.* 🚇 *Marylebone,
St John's Wood, Baker St.* **Abierta** *del
amanecer al anochecer todos los días.*
♿ 🏛 *Conferencias.*

Rodeada de árboles a la
orilla de Regent's Park,
esta gran mezquita, de cúpula
dorada, fue proyectada por sir
Frederick Gibberd y terminada
en 1978. Se construyó para
atender el creciente número
de musulmanes residentes y
visitantes. El espacio principal
dedicado a la oración es de
planta cuadrada, con techo
abovedado, y puede llegar a
albergar hasta 1.800 personas.
Está escasamente amueblada,
aparte de una alfombra y una
colosal lámpara central. La
cúpula está realizada en el
tradicional estilo islámico,
predominando el color azul.
Los visitantes deben dejar sus
zapatos fuera, y las mujeres,
para quienes hay una galería
separada, tienen que cubrir
sus cabezas con un velo.

Regent's Canal 🔞

NW1 y NW8. **Plano** 3 C1. 📞 020-7482 2660. 🚇 Camden Town, St John's Wood, Warwick Ave. **Atracaderos abiertos** amanecer– anochecer todos los días. Ver **Tres paseos** p.264-265.

Barco en Regent's Canal

JOHN NASH mostró gran entusiasmo por este canal, abierto en 1820 para unir el canal Grand Junction que acaba en Little Venice en Paddington, al oeste, con los muelles de Londres en Limehouse, al este. Lo consideró como una atracción más para su nuevo Regent's Park y originalmente pensó que el canal atravesara el parque. Se le persuadió de lo contrario, aduciendo que el tradicional mal lenguaje de los barqueros ofendería a los educados residentes, además de que las barcazas de vapor que lo surcarían serían sucias y peligrosas.

En 1874, una embarcación que transportaba pólvora voló en el recodo del zoológico, matando a la tripulación, destrozando un puente y aterrorizando a personas y animales. Tras un periodo de prosperidad, el canal comenzó a acusar la competencia del ferrocarril y su tráfico decayó.

Hoy se ha reanimado con viajes de recreo. Sus márgenes se han pavimentado y hay barcos que hacen cortos trayectos entre Little Venice y Camden Lock, donde hay un activo mercado de artesanía. Los visitantes del zoo pueden usar el embarcadero situado frente a éste.

Zoo de Londres 🔟

Regent's Park NW1. **Plano** 4 D2. 📞 020-7722 3333. 🚇 Camden Town. **Abierto** 10.00-16.00 todos los días (última admisión 15.00). **Cerrado** 25 dic. **Previo pago.** 🌐 www.zsl.org

ABIERTO EN 1828, el zoológico ha sido desde entonces una de las mayores atracciones turísticas de Londres, así como un impor-tante centro de investigación. Sin embargo, los espectacula-res programas de televisión sobre fauna y las dudas éticas sobre mantener o no animales en cautividad, han hecho descender la asistencia de público; en los años

El aviario del Zoo de Londres, diseñado por Lord Snowdon (1964)

cincuenta se llegaba a los tres millones de visitantes por año. En la actualidad, el futuro del zoo parece incierto.

Cumberland Terrace 🔢

NW1. **Plano** 4 E2. 🚇 Great Portland St, Regent's Park, Camden Town.

JAMES THOMSON es el autor del proyecto de este edificio, el más largo y elaborado de los construidos por Nash alrededor de Regent's Park. Su cuerpo central de columnas jónicas está rematado por un frontón triangular. Terminado en 1828, se construyó de manera que pudiera verse desde el palacio que Nash proyectaba para el príncipe Regente (el futuro Jorge IV) que nunca llegó a concluirse: el príncipe estaba demasiado ocupado con sus planes para el palacio de Buckingham *(ver pp.94–95).*

Cumberland Terrace, de Nash; data de 1828

HAMPSTEAD

HAMPSTEAD siempre ha estado alejado de Londres, dominando desde su altura la parte norte de la metrópoli. Hoy es, esencialmente, una localidad georgiana. La floresta separa Hampstead de Highgate y refuerza ese aislamiento de la ciudad moderna. Un paseo por sus calles llenas de encanto, atravesando parques y zonas verdes, constituye uno de los más aconsejables que pueden realizarse en Londres.

LUGARES DE INTERÉS

**Calles y edificios
históricos**
Church Row ❺
Downshire Hill ❻
Flask Walk y Well Walk ❶
Vale of Health ⓭

Museos y galerías
Burgh House ❷
Fenton House ❹
Keats House ❼
Kenwood House ❿

Parques y jardines
Hampstead Heath ❽
Parliament Hill ❾
The Hill ⓬

'Pubs' y restaurantes
Jack Straw's Castle ❸
Spaniards Inn ⓫

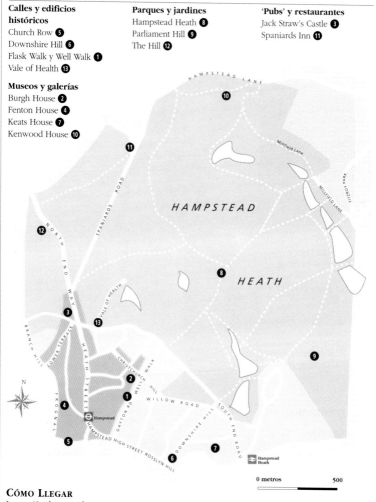

CÓMO LLEGAR

La estación de metro de Hampstead está en el ramal de Edgware de la línea Northern; hay un servicio de ferrocarril que para en Hampstead Heath. El autobús 24 recorre diariamente de Victoria a Hampstead Heath, vía Trafalgar Square y Tottenham Court Road.

MÁS INFORMACIÓN

• *Callejero*, planos 1, 2

• *Alojamiento* pp.272–285

• *Restaurantes* pp.286–311

SIGNOS CONVENCIONALES

▢	Plano en 3 dimensiones
Ⓔ	Estación de metro
≆	Estación de ferrocarril

◁ **Vista de Hampstead Heath desde Holly Hill**

Hampstead en 3 dimensiones

D ESDE SU POSICIÓN sobre una colina, con su extenso bosque en el norte, Hampstead ha mantenido siempre su aire campestre y su aislamiento del estrés urbano. Por eso ha atraído a artistas y escritores desde los tiempos georgianos y ha sido una cotizada área residencial. Sus mansiones y casas se encuentran perfectamente conservadas y pasear por sus calles es uno de los mayores placeres que ofrece Londres.

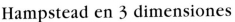

Jack Straw's Castle
Este pub lleva el nombre de un rebelde del siglo XIV ❸

★ **Hampstead Heath**
Un refugio de la ciudad, con amplias zonas verdes, lagos aptos para bañarse y praderas ❽

Whitestone Pond toma el nombre del viejo hito de piedra blanca que marca la distancia desde Holborn (7 km) *(ver pp.132–141).*

Grove Lodge fue la casa del novelista John Galsworthy, (1867–1933) autor de *La saga de los Forsyte,* durante los últimos 15 años de su vida.

Admiral's House data de alrededor del 1700. Construida por un capitán de barco, su nombre proviene de los motivos de navegación de su fachada, aunque nunca la habitó un almirante.

RECOMENDAMOS

★ **Burgh House**

★ **Hampstead Heath**

★ **Fenton House**

★ **Church Row**

SIGNOS CONVENCIONALES

— — —   Itinerario sugerido

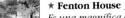

★ **Fenton House**
Es una magnífica casa de fines del siglo XVII, con un delicioso jardín vallado, escondida en el entramado de calles junto al bosque ❹

0 metros   100

★ **Burgh House**
Construida en 1702,
aunque muy reformada
posteriormente, la casa
alberga un interesante
museo de la historia local
y un café que da a un
pequeño jardín ❷

PLANO DE SITUACIÓN
Ver plano del Gran Londres pp.10–11

The New End Theatre ofrece
originales e interesantes
representaciones. El edificio se
usó antes como funeraria.

En el nº 40 de Well Walk
vivió el pintor John Constable
mientras trabajaba en sus
cuadros de Hampstead.

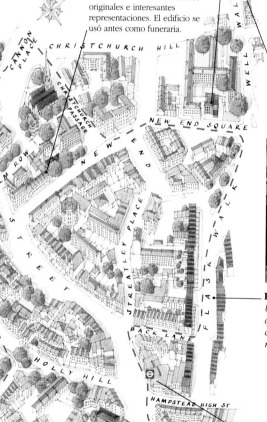

Flask Walk y Well Walk
Una callejuela de tiendas
que se ensancha hasta
convertirse en una calle
residencial ❶

**Estación de
Hampstead**

**The
Everyman
Cinema**
es un cine de
arte y ensayo
desde 1933.

★ **Church Row**
Sus altas casas son
ricas en detalles origi-
nales. Destacan los hierros
forjados de la que es, proba-
blemente, la mejor calle
georgiana de Londres ❺

Jack Straw's Castle en el siglo XIX

Flask Walk y Well Walk ❶

NW3. **Plano** 1 B5. 🚇 *Hampstead.*

A FLASK WALK le viene el nombre del *pub* Flask. En el siglo XVIII se embotellaban las aguas medicinales del que era entonces un pueblo separado de Hampstead y se vendían a los visitantes o se enviaban a Londres. Éstas, ricas en sales de hierro, provenían del cercano Well (pozo) Walk. Una antigua fuente marca ahora el lugar donde se encontraba. Frente a ella, la Well Tavern era una hostería que en tiempos se especializó en acomodar parejas de "relaciones ilícitas".

Más tarde Well Walk se convirtió en una zona residencial, donde vivió en el nº 40 el pintor John Constable y después los novelistas D. H. Lawrence y J. B. Priestley, así como el poeta John Keats antes de mudarse a lo que ahora se llama Keats Grove.

Al final de High Street, Flask Walk se estrecha y tiene

Lugar del pozo en Well Walk

numerosas tiendas. Pasado el *pub* (en el que destacan los mosaicos exteriores) se ensancha en dos hileras de casas estilo regencia, una de las cuales pertenecía al novelista Kingsley Amis.

Burgh House ❷

New End Sq NW3. **Plano** 1 B4.
📞 *020-7431 0144.* 🚇 *Hampstead.*
Abierta *12.00–17.00 mi–do,*
14.00–17.00 festivos.
Cerrada *semana Navidades.* 📷 🍴
🎵 **Recitales de música.**

E L ÚLTIMO inquilino privado de esta casa fue el yerno del escritor Rudyard Kipling, que vivió en ella ocasionalmente hasta 1936 durante los tres últimos años de su vida. Tras pertenecer al Ayuntamiento de Hampstead, la casa fue alquilada a la Fundación independiente Burgh House que, desde 1979, mantiene en ella el museo de Hampstead que ilustra la historia del área y está dedicado a sus más célebres residentes.

Una sala muestra la vida de John Constable, que pintó una extraordinaria serie de estudios de nubes sobre Hampstead Heath. El museo tiene también salas dedicadas a Lawrence, Keats, al artista Stanley Spencer y otros que vivieron y trabajaron en la zona, así como una interesante exposición de Hampstead como balneario en los siglos XVIII y XIX. En Burgh House se celebran exposiciones de artistas contemporáneos locales. La casa fue edificada en 1703, pero su nombre se debe a un

residente del siglo XIX, el reverendo Allatson Burgh. Ha sido bastante remodelada en su interior, que tiene como principal atracción una escalera bellamente tallada. La sala de música, reconstruida en 1920, pero todavía con elementos del siglo XVIII, es otro de sus atractivos. El doctor William Gibbons, físico responsable del entonces naciente balneario, vivió en esta casa en los años de la década de 1720.

En la planta baja tiene un café de precios moderados, con una terraza que da a un bonito jardín.

Escalera de Burgh House

Jack Straw's Castle ❸

12 North End Way NW3. **Plano** 1 A3.
📞 *020-7435 8885.* 🚇 *Hampstead.*
Abierto *12.00–20.00*
todos los días. ♿

E STE 'PUB' toma su nombre de uno de los lugartenientes de Wat Tyler en la Rebelión de los Campesinos de 1381 *(ver p.162).* Se dice que Jack Straw montó aquí un campamento desde el que planeaba tomar Londres, pero fue capturado y ahorcado por los hombres del rey. En el lugar ha existido un *pub* durante siglos –Charles Dickens era uno de sus clientes– pero el actual, que imita a un castillo, se construyó en 1962. Es un edificio grande que tiene excelentes vistas desde el restaurante y desde el Turret Bar, en el segundo piso.

Fenton House ❹

20 Hampstead Grove NW3.
Plano 1 A4. 📞 *020-7435 3471.*
🚇 *Hampstead.* **Abierta** *14.00–17.00
mi–vi, 11.00–17.00 sa, do, festivos.*
Cerrada *nov–mar.* **Previo pago.** 🅿️
Conciertos de verano *20.00 mi.*

CONSTRUIDA EN 1693, esta
espléndida casa, de la
época de Guillermo y María, es
la más antigua de Hampstead.
Contiene dos colecciones
especializadas que se exhiben
al público durante el verano: la
de primitivos instrumentos de
cuerda de Benton-Fletcher,
que incluye un clave de 1612
que se dice utilizó Haendel, y
una excelente colección de
porcelanas. Los instrumentos
están perfectamente
conservados y se usan para los
conciertos que se dan aquí. La
colección de porcelanas fue
reunida por lady Binning,
quien en 1952 donó la
casa y todo lo que
contiene al National
Trust.

Church Row ❺

NW3. **Plano** 1 A5. 🚇 *Hampstead.*

ES UNA de las calles
georgianas más impor-
tantes de Londres, manteniéndose intacta la mayoría de sus
originales adornos, como la
notable rejería de hierro.
   En su parte oeste se halla la
iglesia parroquial de St John's,
construida en 1745. Sus rejas
de hierro son aún más
antiguas y fueron traídas de
Canons Park, en Edgware. En
la iglesia hay un busto de John
Keats, y la tumba de John
Constable se encuentra en el
patio. En el cementerio reposan
celebridades de Hampstead.

Downshire Hill ❻

NW3. **Plano** 1 C5. 🚇 *Hampstead.*

UNA BELLA CALLE con
numerosas casas de estilo
regencia que dio su nombre a
un grupo de artistas, entre
ellos Stanley Spencer y Mark
Gertler, que se reunían en el
n° 47 entre las dos Guerras

Mundiales. La misma casa fue
punto de encuentro de artistas
como Dante Gabriel Rosetti y
Edward Burne-Jones. Más
actualmente, en el n° 5 ha
vivido Jim Henson, creador de
los muñecos de televisión *The
Muppets* (los *Teleñecos*).
   La iglesia de la esquina (la
segunda de Hampstead que se
llamó St John's) se construyó
en 1823. En ella se conservan
los bancos originales.

Keats House ❼

Keats Grove NW3. **Plano** 1 C5.
🆔 *020-7435 2062.* 🚇 *Hampstead,
Belsize Park.* **Abierta** *12.00-17.00 ma-
do (20.00 mi).* **Cerrada** *periódicamente
por renovación. Telefonear antes para
más información.* 🎧 **Recitales de
poesía, coloquios.**

**Estuche perteneciente a
John Keats**

LA CASA CONSISTÍA
originalmente en dos
adosadas construidas en 1816.
John Keats fue convencido en

St John's, Downshire Hill

1818 por un amigo para que
se instalara en la más
pequeña, en la que el poeta
pasó dos fructíferos años. La
Oda al ruiseñor, quizá su
poema más conocido, fue
escrita en el jardín bajo un
ciruelo. La familia Brawne se
instaló en la casa adyacente un
año más tarde y Keats se
enamoró de su hija Fanny,
comprometiéndose con ella.
Sin embargo, el matrimonio
nunca se celebró porque Keats
murió en Roma de
tuberculosis dos años más
tarde, con sólo 25 años.
   Una de las cartas de amor de
Keats a Fanny, el anillo de compromiso que le regaló y un
estuche con un mechón de su
pelo son recuerdos que se
exhiben en la casa, abierta al
público desde 1925. Los visitantes pueden también ver libros y
manuscritos de Keats, parte de
una colección que sirve para
evocar la memoria del poeta.

La fachada del siglo XVII de Fenton House

Vista de Londres desde Hampstead Heath

Hampstead Heath ❽

NW3. **Plano** 1 C2. 📞 020-8348 9945. 🚇 Belsize Park, Hampstead. **Abierto** 24h todos los días. **Excursiones especiales** en do. **Conciertos, lecturas de poesía, actividades infantiles** en verano. **Instalaciones para deportes, baños en lagos. Reservas deportes** 📞 0181-458 4548.

E L MEJOR MOMENTO para pasear por esta extensión de praderas y arbolado (8 km²) es un domingo por la tarde, cuando los residentes disfrutan de una merienda y comenta el contenido del periódico. El Heath, que separa los pueblos de Hampstead y Highgate (ver p.246), está formado por tierras que eran propiedades separadas y se unieron posteriormente. Es muy variado, con bosques, prados, colinas, lagos y estanques. No contiene ni edificios ni estatuas como suele ser habitual en los parques de Londres, y su belleza natural y sus amplios espacios son muy apreciados por los londinenses que hacen de él su lugar favorito de los fines de semana. Hay lagos en los que se permite pescar y bañarse. Tres fines de semana al año (Semana Santa, primavera y verano) hay ferias populares (ver pp.56–59).

Parliament Hill ❾

NW5. **Plano** 2 E4. 📞 020-7485 4491. 🚇 Belsize Park, Hampstead. ♿ **Conciertos, atracciones infantiles** en verano. **Instalaciones deportivas.** 🔲

U NA IMPROBABLE pero romántica explicación para el nombre de esta zona es que fue el lugar donde se reunieron el 5 de noviembre de 1605 Guy Fawkes y sus conspiradores, en el vano intento de ver volar el edificio del Parlamento tras haber colocado la dinamita (ver p.22). Más probable es que fuera el emplazamiento de artillería contra el Parlamento en la guerra civil 40 años más

Kenwood House ❿

Hampstead Lane NW3. **Plano** 1 C1. 📞 020-8348 1286. 🚇 Highgate, Archway. **Abierta** abr–sep: 10.00–18.00 todos los días; oct–mar: 10.00–16.00 todos los días. **Cerrada** 24–25 dic. ♿ 🅿 **Conciertos junto al lago** en verano. **Exposiciones, lecturas de poesía, recitales.** 🔢 📷 Ver **Distracciones** pp.332–333.

E S UNA MAGNÍFICA mansión del arquitecto Robert Adam, con una colección de cuadros de maestros como Vermeer, Tunner y Rommey (que vivió en Hampstead). Está situada en un alto junto a Hampstead Heath. La casa original data de 1616 y fue remodelada por Robert Adam en 1764 para el conde de Mansfied, a la sazón presidente de la Cámara de los Lores. Adam redecoró y amuebló las habitaciones existentes y añadió otras al edificio original. La mayoría de ellas y su contenido han sobrevivido, destacando la biblioteca. Un autorretrato de Rembrandt es la estrella de la exposición, donde se exhiben también cuadros de Van Dyk, Hals y Reynolds entre otros.

The orangery se usa ahora para recitales y conciertos ocasionales

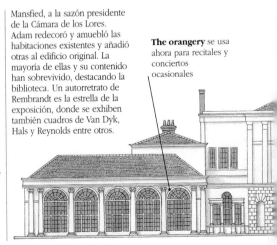

tarde, ya que desde allí se tiene una clara perspectiva de Westminster, aún hoy, con numerosos edificios por medio. Entre las vistas destaca la grandiosa cúpula de St Paul's.

Parliament Hill es también un lugar idóneo para volar cometas y hacer navegar barquitos en el estanque.

Spaniards Inn ⓫

Spaniards Rd NW3. **Plano** 1 B1.
C 020-8731 6571. **E** *Hampstead, Golders Green.* **Abierto** *11.00–23.00 lu–sa, 12.00–22.30 do.*
& Ver **Restaurantes y pubs** *pp.286–311.*

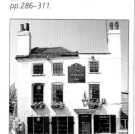

La histórica Spaniards Inn

E L NOMBRE SE DEBE a que fue residencia del embajador español durante el reinado de Jacobo I. Se dice que Dick Turpin, el notorio salteador de caminos del siglo XVIII, frecuentaba este *pub* y que, cuando no se dedicaba a asaltar las

diligencias que iban y venían de Londres, encerraba su caballo Black Bess en estos establos. El edificio data con seguridad de tiempos de Turpin y aunque el bar de la primera planta ha sido reformado frecuentemente, el de la segunda es el original. Se dice también que un par de pistolas que hay en el bar fueron tomadas de los amotinados anticatólicos que llegaron a Hampstead con la intención de quemar Kenwood House, residencia del presidente de la Cámara de los Lores, durante las Revueltas de Gordon de 1780. El tabernero los entretuvo, ofreciéndoles cerveza gratis y, cuando estuvieron borrachos, los desarmó.

The Hill ⓬

North End Way NW3. **Plano** 1 A2.
C 020-8455 5183. **E** *Hampstead, Golders Green.* **Abierto** *9.00–una hora antes del anochecer todos los días.*

E STE ENCANTADOR jardín fue creado por el fabricante de jabones y mecenas artístico eduardiano lord Leverhulme. Fue el jardín de su casa, hoy hospital, y ahora forma parte de Hampstead Heath. Posee una soberbia pérgola, que se adorna en verano con las flores de sus plantas, y un bello estanque.

El paseo de la pérgola en The Hill

Vale of Health ⓭

NW3. **Plano** 1 B4. **E** *Hampstead.*

E STA ZONA era famosa por su insalubre pantano, que fue desecado en 1770. Hasta enton-ces, era conocida como Hatches Bottom. Su nuevo nombre puede provenir de la gente que se refugió aquí huyendo del cólera en Londres, a finales del siglo XVIII. También puede ser el nombre de un hombre de negocios que tuvo propiedades por la zona en 1801.

El poeta James Henry Leigh Hunt lo situó en el mundo literario al residir en esta zona en 1815 y ser anfitrión de Coleridge, Byron, Shelley y Keats. D. H. Lawrence también vivió aquí y Stanley Spencer pintó una habitación en el Health Hotel, demolido en 1964.

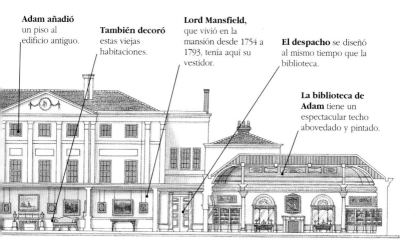

Adam añadió un piso al edificio antiguo.

También decoró estas viejas habitaciones.

Lord Mansfield, que vivió en la mansión desde 1754 a 1793, tenía aquí su vestidor.

El despacho se diseñó al mismo tiempo que la biblioteca.

La biblioteca de Adam tiene un espectacular techo abovedado y pintado.

GREENWICH Y BLACKHEATH

ONOCIDO, sobre todo, por ser el lugar donde se definen los husos horarios mundiales, Greenwich se encumbra en la histórica entrada de Londres, tanto por tierra como por agua. Es la sede del museo Marítimo Nacional y de la exquisita Queen's House. Greenwich, a diferencia de los barrios vecinos, evitó la industrialización del siglo XIX y aún se mantiene como un elegante oasis de librerías, anticuarios y mercados. Blackheath se halla en su lado sur.

LUGARES DE INTERÉS

Calles y edificios históricos
Croom's Hill ⑫
Old Royal Observatory ⑨
Queen's House ②
Royal Naval College ⑦

Museos
Fan Museum ⑬
National Maritime Museum ①

Iglesias
St Alfege Church ③

Parques y jardines
Blackheath ⑪
Greenwich Park ⑩

Paseos
Greenwich Foot Tunnel ⑥

'Pubs' y restaurantes
Trafalgar Tavern ⑧

Barcos
Cutty Sark ⑤
Gipsy Moth IV ④

CÓMO LLEGAR
La mejor forma es en ferrocarril desde las estaciones de Charing Cross, Cannon St o London Bridge. No hay autobuses directos desde el centro, pero existen numerosos barcos *(ver pp.60–65)*.

MÁS INFORMACIÓN
- *Callejero*, planos 23, 24
- *Alojamiento* pp.272–285
- *Restaurantes* pp.286–311

SIGNOS CONVENCIONALES
	Plano en 3 dimensiones
Ⓔ	Estación de metro
Ⓡ	Estación de ferrocarril
Ⓟ	Aparcamiento

◁ **Vista sobre el Támesis, desde Greenwich Park, con Queen's House**

Greenwich en 3 dimensiones

ESTE HISTÓRICO barrio marca la llegada a Londres por el este, y la mejor manera de visitarlo es navegando por el río *(ver pp.60–65)*. En la época Tudor se erigía aquí un palacio muy apreciado por Enrique VIII, ya que era un buen lugar de caza cercano a su base naval. Tanto él como sus hijas Isabel I y María nacieron en el viejo palacio, ya desaparecido, quedando sólo la exquisita Queen's House, que Íñigo Jones construyó para la esposa de Jacobo I. Museos, librerías, anticuarios y mercados, junto a las obras de Wren y el parque, hacen de Greenwich un delicioso lugar de excursión.

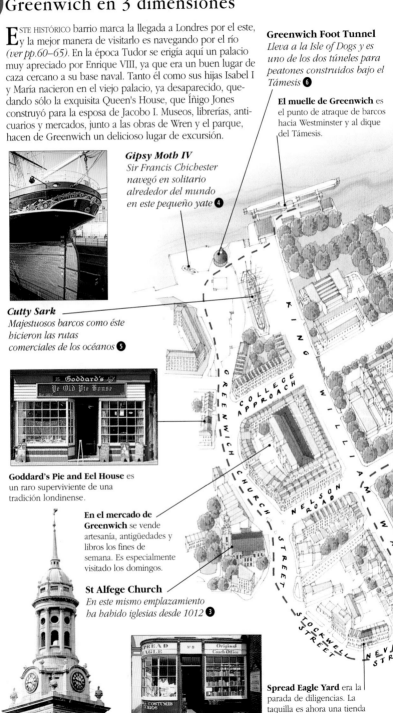

Greenwich Foot Tunnel
Lleva a la Isle of Dogs y es uno de los dos túneles para peatones construidos bajo el Támesis ❻

El muelle de Greenwich es el punto de atraque de barcos hacia Westminster y al dique del Támesis.

Gipsy Moth IV
Sir Francis Chichester navegó en solitario alrededor del mundo en este pequeño yate ❹

Cutty Sark
Majestuosos barcos como éste hicieron las rutas comerciales de los océanos ❺

Goddard's Pie and Eel House es un raro superviviente de una tradición londinense.

En el mercado de Greenwich se vende artesanía, antigüedades y libros los fines de semana. Es especialmente visitado los domingos.

St Alfege Church
En este mismo emplazamiento ha habido iglesias desde 1012 ❸

Spread Eagle Yard era la parada de diligencias. La taquilla es ahora una tienda de libros de viejo.

★ Royal Naval College
Wren concibió esta curiosa estructura para que la Queen's House pudiera mantener sus vistas del río ❼

PLANO DE SITUACIÓN
Ver plano del Gran Londres pp. 10–11

La estatua de Jorge II fue esculpida por John Rysbrack en 1735 y representa al rey como un emperador romano.

The Painted Hall contiene murales del siglo XVIII de sir James Thornhill, quien pintó también el interior de la cúpula de la catedral de St Paul.

★ Queen's House
Fue el primer edificio que proyectó Íñigo Jones a su vuelta de Italia en estilo paladiano ❷

RECOMENDAMOS

★ Royal Naval College

★ Queen's House

SIGNOS CONVENCIONALES

– – – Itinerario sugerido

0 metros   100

National Maritime Museum
Barcos reales y maquetas, pinturas e instrumentos, como esta brújula del siglo XVIII, ilustran la historia naval en este museo ❶

National Maritime Museum **1**

Romney Rd SE10. **Plano** 23 C2.
📞 020-8858 4422. 🚇 Cutty Sark
DLR. 🚇 Maze Hill. **Abierto** 10.00-
17.00 todos los días (últ. adm: 30 m
antes de cerrar). **Cerrado** 24–26 dic.
Previo pago. 🚹 casi todo el museo.
Conferencias, exposiciones. 🖵 🎞

Eᴌ ᴍᴀʀ ʜᴀ ᴊᴜɢᴀᴅᴏ siempre
un importante papel en la
historia británica; este museo
realza la herencia marítima de
"esta nación insular". Se
exhiben desde las primeras
canoas huecas, hechas de
madera y piel, pasando por
modelos de los galeones
isabelinos hasta los cargueros
modernos y los buques de
guerra y de pasajeros. Hay
una sección dedicada al
comercio del imperio y a las
expediciones del capitán
Cook, así como a las guerras
napoleónicas.

Una de las estrellas del
museo es el uniforme que el
almirante Nelson lucía cuando
fue herido en la batalla de
Trafalgar en octubre de 1805;
se puede ver fácilmente el
agujero de la bala y la mancha
de sangre. Más espectaculares,
sin embargo, son las falúas
reales en la planta baja,
especialmente la que fue
construida para el príncipe
Federico en 1732, decorada
con sirenas doradas, conchas
y gallardetes, y sus plumas de
príncipe de Gales en la proa.
En el museo, construido en el
siglo XIX como escuela para
hijos de marinos, hay cientos
de excelentes maquetas
de barcos y pinturas
históricas.

**Falúa del príncipe Federico en el
museo Marítimo Nacional**

Altar de St Alfege con forjados de Jean Tijou

Queen's House **2**

Romney Rd SE10. **Plano** 23 C2.
📞 020-8858 4422. 🚇 Cutty Sark
DLR. 🚇 Maze Hill. **Abierta**
10.00–17.00 todos los días (última
admisión: 16.30). **Previo pago**. ⬚
🍴 🖵 🎞 **Conferencias,
conciertos, exposiciones**.

Eᴌ ᴇᴅɪꜰɪᴄɪᴏ fue
diseñado por
Íñigo Jones tras su
vuelta de Italia y
terminado en 1637.
Estaba destinado a ser la
casa de Ana de Dinamarca,
esposa de Jacobo I, pero
murió mientras se realizaban
las obras y se terminó para la
esposa de Carlos I, Enriqueta
María. Ella la adoraba y la
llamaba "la casa de las
delicias". Tras la guerra civil
fue ocupada brevemente por
Enriqueta como reina viuda.
La familia real no la ha
utilizado apenas desde
aquellos acontecimientos.

Ha sido amueblada como
lo estaba en el siglo XVII, con
paredes empapeladas y
enteladas. La casa se
construyó en dos cuerpos,
con uno a cada lado del
camino de Woolwich a
Deptford, unidos por un
puente. Más tarde, se desvió
el camino y el antiguo se
empedró como patio. El
vestíbulo principal es un
cubo perfecto de 12 metros
en sus tres ejes principales.
Otro atractivo es su "escalera
de tulipanes" (llamada
así por el dibujo de sus
tallas), que sube
sinuosamente en espiral
sin apoyo central.

St Alfege Church **3**

Greenwich Church St SE10.
Plano 23 B2. 📞 020-8853 2703.
🚇 Cutty Sark DLR. **Abierta**
12.30–16.00 lu, mi, vi, 9.00–11.00 sa.
🕅 9.30, 11.15 do. 🎦 🚹 🎞
Conciertos, exposiciones.

Eꜱᴛᴀ ɪɢʟᴇꜱɪᴀ ᴇꜱ uno de los
grandiosos y personales
proyectos de Nicholas

Hawksmoor, con gigantescas columnas y frontones. Se terminó en 1714, en el solar de otra iglesia que conmemoraba el martirio de St Alfege, arzobispo de Canterbury, asesinado en ese lugar por los invasores daneses en 1012.

Algunas de las tallas de madera son de Grinling Gibbons. Su interior fue dañado durante la II Guerra Mundial y ha sido restaurado. La cancela de hierro del altar es la original, atribuida a Jean Tijou. Hay una reproducción de la hoja de registro del bautismo de Enrique VIII y una placa de cobre señala el lugar de la tumba del general Wolfe, que murió peleando contra los franceses en Quebec en 1759. Una ventana recuerda a Thomas Tallis, compositor del siglo XVI y organista, enterrado aquí.

'Gipsy Moth IV' ❹

King William Walk SE10. **Plano** 23 B2. [*020-8858 3445.* ⊖ *Cutty Sark DLR.* 🚢 *Greenwich Pier.* **Cerrado** *al público.* 📷

Gipsy Moth IV

S IR FRANCIS CHICHESTER navegó en solitario alrededor del mundo en este pequeño velero. El viaje, entre 1966 y 1967, duró 226 días durante los que cubrió 48.000 km. Tuvo que soportar muy duras condiciones en su barco de 16 m de eslora. La reina le ordenó caballero a bordo con la misma espada que usó Isabel I con sir Francis Drake.

Las cúpulas de la terminal del Greenwich Foot Tunnel

'Cutty Sark' ❺

King William Walk SE10. **Plano** 23 B2. [*0181-858 3445.* 🇫 *020-8858 3445.* ⊖ *Cutty Sark DLR.* 🚢 *Greenwich Pier.* **Abierto** *10.00–17.00 todos los días.* **Cerrado** *24–26 dic.* **Previo pago.** 📷 ♿ *restringido.* 🎞 📽 **Proyecciones, videos.**

E STE MAJESTUOSO barco es un superviviente de los esbeltos y rápidos *clippers* que cruzaban el Atlántico y el Pacífico en el siglo XIX. Botado en 1869 para el comercio del té, ganó la regata anual de *clippers* de China a Londres en 1871, empleando 107 días en la travesía. Hizo su último viaje en 1938 y comenzó a exhibirse aquí en 1957. A bordo puede verse cómo vivía la tripulación. La historia de la navegación comercial en el Pacífico se muestra con gráficos y cuenta con una colección de mascarones de proa.

Greenwich Foot Tunnel ❻

Entre Greenwich Pier SE10 y la Isle of Dogs E14. **Plano** 23 B1. ⊖ *Island Gardens, Cutty Sark DLR.* 🚢 *Greenwich Pier.* **Abierto** *24h todos los días.* **Ascensores abiertos** *5.00–21.00 todos los días.* 📷 ♿ *Cuando están abiertos los ascensores.*

E STE TÚNEL, de 370 m de longitud, se abrió en 1902 para permitir a los trabajadores del sur de Londres llegar a los mue-

lles Millwall. Es interesante cruzarlo para observar las magníficas vistas del Real Colegio Naval, de Christopher Wren, y de la Queen's House, de Íñigo Jones.

Los pabellones circulares de ladrillo rojo con cúpula de cristal, situados a ambos lados del río, contienen sendos ascensores. El túnel tiene una altura de unos 2.5 m y cuenta con 200.000 azulejos.

Los dos extremos del túnel están cerca de las estaciones del nuevo Docklands Light Railway (DLR), con trenes a Canary Wharf *(ver p. 249),* Limehouse, este de Londres, Tower Hill y Lewisham. Aunque hay cámaras de seguridad, el túnel puede ser peligroso por la noche.

Un mascarón de finales de siglo XIX en el *Cutty Sark*

Royal Naval College ❼

Greenwich SE10. **Plano** 23 C2.
📞 020-8269 4747. 🚊 Greenwich,
Maze Hill. **Abierto** 10.00-17.00 lu-sa,
12.00-17.00 do (últ admisión 16.45).
Cerrado festivos. ⊘

E L AMBICIOSO edificio de
Christopher Wren se
construyó en el solar de un
antiguo palacio del siglo XV
en el que vivieron Enrique
VIII, María I e Isabel I. La
capilla y el vestíbulo son las
únicas zonas abiertas al
público. La fachada oeste fue
terminada por Vanbrugh.

La capilla, de Wren, fue
destruida por un incendio en
1779. El actual interior rococó
fue proyectado por James
Stuart y es espacioso y
elegante, con motivos de
escayola. La cancela del altar y
el banco de comunión, así
como los candelabros, son
dorados.

El Painted Hall fue
soberbiamente decorado por
sir James Tornhill en el primer
cuarto del siglo XVIII. El techo,
que muestra magníficas
pinturas, se apoya sobre falsos
pilares y frisos. Al pie de uno
de sus murales, el propio artista
se muestra alargando su mano
en actitud de pedir dinero.

Retrato del rey Guillermo, de Thornhill, en el hall del Royal Naval College

Trafalgar Tavern ❽

Park Row SE10. **Plano** 23 C1.
📞 020-8858 2437. Ver
Restaurantes y pubs pp.286–311.

E STE ENCANTADOR *pub* fue
construido en 1837 y pronto adquirió gran fama, junto
con otros a la orilla del río en
Greenwich, como el "lugar

para comer arenques"; hasta
el punto de que, desde
ministros a funcionarios
relevantes de Westminter,
hacían el viaje por el río
desde Charing Cross, en
señaladas ocasiones, para
degustar este tipo de pescado
fresco. El último *consejo* de
ministros que se celebró en la
taberna fue en 1885. Los
arenques todavía son la
especialidad del restaurante
de este *pub*, aunque ya no se
pescan en el río Támesis.

Fue también otro de los
refugios de Charles Dickens,
quien acudía aquí con uno de
los más famosos ilustradores
de sus novelas, el grabador
George Cruickshank.

En 1915 el *pub* se convirtió
en una institución para los
viejos marinos. Fue restaurado
en 1965, tras un breve periodo
en el que fue un club para
trabajadores.

Old Royal Observatory ❾

Greenwich Park SE10.
Plano 23 C3. 📞 020-8858 4422.
🚊 Maze Hill, Greenwich.
Abierto 10.00– 17.00 todos los
días. **Previo pago.**
Cerrado 23–26 dic. ⊘ 🅿

E L MERIDIANO (0° de longitud)
que divide los hemisferios
este y oeste de la tierra pasa
por este punto: millones de
turistas se han retratado con
un pie a cada lado. En 1884, el
Greenwich Mean Time (GMT)
se convirtió en la base de la
medida horaria para la mayor
parte del mundo, como
consecuencia de un acuerdo
internacional.

El edificio original, que
todavía está en pie, es
Flamsteed House, diseñado
por Wren. Tiene una sala
octogonal en lo alto, escondida tras unos muros exteriores
cuadrados con dos torretas.
Sobre una de ellas hay una
bola que, con su descenso,
marca las 13.00 horas cada día
desde 1833, para que los
navegantes y los fabricantes
de cronómetros marinos
pudieran ajustar sus relojes.

Flamsteed fue el primer
Astrónomo Real, nombrado
por Carlos II, y en este edificio
estuvo el observatorio oficial
de 1675 a 1948, momento en
que las luces de Londres eran

Trafalgar Tavern vista desde el Támesis

tan brillantes que los astrólogos tuvieron que irse a un lugar más oscuro en el condado de Sussex. Hoy, el Astrónomo Real tiene su sede en Cambridge. El Observatorio encierra una colección de instrumentos de astrología, cronómetros y relojes.

Un original reloj de 24 horas en el Old Royal Observatory

Greenwich Park ⓾

SE10. **Plano** 23 C3. ☏ 020-8858 2608. ⊠ Greenwich, Blackheath, Maze Hill. **Abierto** 6.00–18.00 todos los días. ♿ ▣ **Actividades infantiles, música, deportes. Ranger's House,** Chesterfield Walk, Greenwich Park SE10. **Plano** 23 C4. ☏ 020-8853 0035. **Abierto** 1 abr-30 sep: 10.00-18.00 todos los días; 1-21 oct: 10.00-17.00 todos los días; 22 oct-31 mar 10.00-16.00 mi-do. **Cerrado** 24–25 dic. ⧗ previa cita.

Ⓔran las posesiones de un palacio real y todavía pertenecen a la Corona. El parque fue cerrado en 1433 y su muro de ladrillos fue levantado en el reinado de Jacobo I. Posteriormente, en el siglo XVII, el jardinero real francés André Le Nôtre, que proyectó los jardines de Versalles, fue invitado para hacer uno en Greenwich. La ancha avenida,

era parte de su plan, porque desde allí pueden contemplarse bellas vistas del río y, en un día claro, casi todo Londres. En el sureste, la Ranger's House (1688), destinada en 1815 al jardinero mayor, alberga hoy la colección Suffolk de retratos ingleses del siglo XVII, pintados por Larkin, Lely y otros artistas, así como una muestra de instrumentos musicales históricos.

Blackheath ⓫

SE3. **Plano** 24 D5. ⊠ Blackheath.

Ⓔste espacio abierto era punto de reunión de los grupos disidentes que pretendían entrar en Londres, como los rebeldes de Wat Tyler en la Revolución de los Campesinos de 1381. En este lugar, Jacobo I introdujo el golf de su nativa Escocia entre los ingleses, escépticos ante el nuevo juego.

Una visita a Blackheath ofrece la contemplación de las casas georgianas que lo rodean. Al sur, en un lugar llamado Tranquil Vale, hay anticuarios y librerías.

Croom's Hill ⓬

SE10. **Plano** 23 C3. ⊠ Greenwich.

Ⓔs una de las calles de los siglos XVII al XIX mejor cuidadas de Londres. Las edificaciones más

Ranger's House en Greenwich Park

antiguas están en el extremo sur, cerca de Blackheath: la Manor House de 1695; la del nº 68, de la misma época; y la que está en nº 66, la más antigua.

El general Wolfe, enterrado en St Alfege, y el actor irlandés Daniel Day Lewis residieron en Croom's Hill.

Fan Museum ⓭

12 Croom's Hill SE10. **Plano** 23 B3. ☏ 020-8858 7879. ⊠ Greenwich. **Abierto** 11.00–17.00 ma-sa, 12.00–17.00 do). **Previo pago.** Precio reducido para pensionistas y minusválidos. ▣ ♿ ⧗ ▣ **Conferencias, taller de confección de abanicos** el primer do de mes.

Ⓔste museo del abanico es el único del mundo en su género. Fue inaugurado en 1989 y lo creó Helene Alexander, cuya colección personal de 2.000 abanicos desde el siglo XVII ha ido aumentando con donaciones, incluidos los fabricados para el teatro. Las exposiciones van cambiando regularmente para mostrar así una amplia gama de esta artesanía que abarca decoración, arte de la miniatura, pintura, tallado y bordado. H. Alexander es la persona que suele enseñar la exposición.

Abanico de una opereta de D'Oyly Carte

LAS AFUERAS

MUCHAS DE LAS mansiones que se construyeron en el campo para huir del trajín de la capital, fueron absorbidas por la expansión de Londres en la era victoriana. Afortunadamente, algunas sobreviven como museos aunque en ambientes menos rústicos. La mayoría está a una hora del centro de Londres. Richmond Park y Wimbledon Common mantienen su atmósfera campestre, mientras un viaje a Times Barrier constituye toda una aventura.

LUGARES DE INTERÉS

Calles y edificios históricos

Charlton House **19**
Chiswick House **40**
Eltham Palace **20**
Fulham Palace **42**
Ham House **29**
Hampton Court pp.254–255 **28**
Marble Hill House **31**
Orleans House **30**
Osterley Park House **35**
Pitshanger Manor and Gallery **36**
Strand on the Green **39**
Sutton House **11**
Syon House **33**
Syon House **33**

Iglesias

St Anne's, Limehouse **14**
St Mary, Rotherhithe **13**
St Mary's, Battersea **24**

Museos y galerías

Bethnal Green Museum of Childhood **12**
Colección Saatchi **2**
Crafts Council Gallery **8**
Dulwich Picture Gallery **22**
Freud Museum **3**
Geffrye Museum **10**
Hogarth's House **41**
Horniman Museum **21**
Kew Bridge Steam Museum **37**
Lord's Cricket Ground **1**
Musical Museum **34**
St John's Gate **7**
The Jewish Museum **6**
William Morris Gallery **16**
Wimbledon Lawn Tennis Museum **25**
Wimbledon Windmill Museum **26**

Parques y jardines

Battersea Park **23**
Kew Gardens pp.260-261 **38**
Richmond Park **27**

Cementerios

Highgate Cemetery **5**

Arquitectura moderna

Canary Wharf **15**
Chelsea Harbour **43**
The Dome **18**

Distritos históricos

Highgate **4**
Islington **9**
Richmond **32**

Moderna tecnología

Dique del Támesis **17**

Los lugares de esta sección están dentro de la autopista M25 *(ver pp.10–11)*.

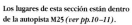

0 kilómetros 5

SIGNOS CONVENCIONALES

Principales zonas de visitas
Autopista

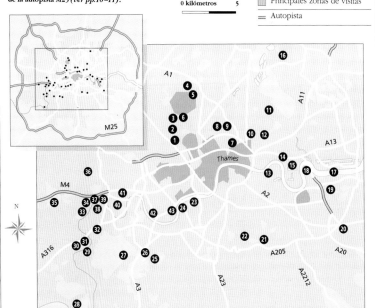

Zona norte

Lord's Cricket Ground ❶

NW8. **Plano** 3 A3. 📞 020-7289
1611. 🚇 *St John's Wood.* **Abierto**
*sólo para visitas guiadas y si se tiene
entrada a los partidos.* **Cerrado**
25 dic. **Previo pago.** 📷 ♿ 📹
*med. sep-med. abr: 10.00, 12.00,
14.00.* ◻ *Ver* **Distracciones**
pp.338-339. 🌐 www.lords.org

E L "CUARTEL general" del
deporte favorito del
verano británico posee un
ameno y excéntrico museo:
alberga un gorrión disecado,
muerto por una pelota de
críquet, y las *ashes* (cenizas
de madera guardadas en una
urna), que son objeto de una
feroz competición entre los
equipos de Inglaterra y
Australia. El museo muestra
la historia de este deporte
y ofrece pinturas,
fotografías y recuerdos
de jugadores notables.
El pionero del críquet,
Thomas Lord, trasladó
su primer campo a
este lugar en 1814. El
Pabellón (1890),
prohibido para las
mujeres hasta 1999, es
una edificación
victoriana. Se reciben
grupos con guía
cuando no haya
partidos.

Las cenizas en Lord's

Saatchi Collection ❷

98a Boundary Rd NW8. 📞 020-7624
8299. 🚇 *St John's Wood, Swiss
Cottage.* **Abierta** *12.00-18.00 ma-
do.* **Previo pago.** ◻ **Conferencias.**
📷 *previa cita.*

C HARLES SAATCHI, un conocido
publicista, y su primera
esposa establecieron este
museo de arte contemporáneo
en un almacén reformado (hay
que estar atento porque no
tiene indicador alguno que lo
anuncie). Posee cerca de 600
obras de artistas como Andy
Warhol, Carl André y Frank
Stella, y realiza exposiciones
con una selección de ellas que
varía cada pocos meses.

El famoso diván de Sigmund Freud

Freud Museum ❸

20 Maresfield Gdns NW3.
📞 020-7435 2002. 🚇 *Finchley Rd.*
Abierto *12.00-17.00 mi-do.*
Cerrado *24-26 dic.* **Previo pago.** 📷
♿ ◻ **Conferencias, vídeos.**
🌐 www.freud.org.uk

E N 1938 SIGMUND FREUD,
fundador del psicoanálisis,
huyó de la persecución nazi en
Viena y se instaló en esta
casa de Hampstead.
Con las posesiones que
trajo, su familia revivió
la atmósfera de su
consulta en Viena. Tras
su muerte en 1939, su
hija Anna (pionera del
psicoanálisis infantil)
conservó la casa tal cual
estaba. En 1986, cuatro
años después de la
muerte de Anna, se
abrió como museo
de Freud. La pieza
más famosa es el
diván donde los
pacientes se tumba-
ban durante las sesio-
nes. Películas de los años treinta muestran desde momentos
felices de Freud jugando con su
perro hasta escenas del ataque
nazi a su casa de Viena. En la
librería se vende gran parte de
sus obras.

Highgate ❹

N6. 🚇 *Highgate.*

E STE LUGAR ha estado
habitado desde la Edad
Media, cuando se estableció
una importante posta en el
camino de Londres hacia el
norte y una puerta para controlar el acceso. Como Hampstead a través del Heath *(ver
pp.234-235),* pronto se puso
de moda por su aire limpio y

los nobles construyeron aquí
sus casas. Todavía conserva
cierto aire de distinción con
una High Street georgiana,
llena de lujosas viviendas. En
Highgate Hill, una estatua de
un gato negro indica el lugar
donde se dice que Richard
Whittington y su animal se
detuvieron a descansar cuando
dejaban Londres. Fue entonces
cuando oyeron las campanas
de Bow que le requerían para
ser alcalde *(ver p.39).*

Highgate Cemetery ❺

Swain's Lane N6. 📞 020-8340 1834.
🚇 *Archway.* **Cementerio Este
abierto** *abr-oct: 10.00-17.00 lu-vi,
11.00-17.00 sa-do; nov-mar:
10.00-16.00 todos los días.*
Cementerio Oeste abierto 🎫 *Sólo
abr-oct: 12.00, 14.00, 16.00 lu-vi,
11.00-16.00 sa, do; nov-mar: 11.00-
15.00 sa, do.* **Cerrado** *25-26 dic y
durante funerales (llame para
información).* **Previo pago.** ♿

L A PARTE OESTE de este
cementerio victoriano se
abrió en 1839. Las tumbas y
mausoleos reflejan el gusto de
la época. Durante años ha
permanecido abandonado,
hasta que los Amigos del
Cementerio de Highgate lo
tomaron a su cargo. Han
restaurado la avenida Egipcia,
una calle de tumbas familiares
al estilo del antiguo Egipto, y
el Círculo del Líbano, con
tumbas en forma circular
alrededor de un gran cedro.
En la sección este descansa
Karl Marx. La novelista George
Eliot (cuyo verdadero nombre
era Mary Anne Evans) también
está enterrada aquí.

**Mausoleo de George Wombwell,
en el cementerio de Highgate**

**Insignia de Jewish Bakers' Union,
c.1926, Jewish Museum, Camden**

The Jewish Museum ❻

Raymond Burton House, 129–31
Albert Street, NW1. **Plano** 4 E1.
📞 020-7824 1997. 🚇 *Camden
Town.* 80 East End Road, Finchley N3.
📞 020-8349 1143. 🚇 *Finchley
Central.* **Abierto** *10.00-16.00 lu-vi,
10.00-17.00 do.* **Cerrado** *sa, fiestas
judías.* **Previo pago.** ♿ 📷

EL JEWISH MUSEUM de Londres
se fundó en 1932. Hoy
abarca dos edificios. El de
Camden posee tres galerías
que conmemoran la vida de
los judíos en este país a lo
largo de la Edad Media. El
museo está atestado con
memorabilia y exposiciones
interactivas y es la colección
nacional más importante de
arte ceremonial judío, que
incluye lámparas de Januká,
anillos de boda y algunos
contratos matrimoniales ilu-
minados. De todos modos, lo
más interesante de la
colección es un decorado
grabado del siglo XVI y un arco
de una sinagoga veneciana.

El edificio de Finchley
alberga las colecciones sobre
la historia social y se muestran
archivos de cintas y fotografías, así como una reconstrucción de una sastrería y una
carpintería y una exposición
dedicada al Holocausto.

St John's Gate ❼

St John's Lane EC1. **Plano** 6 F4.
📞 020-7253 6644. 🚇 *Farringdon.*
Museo abierto *10.00–17.00 lu–vi,
10.00–16.00 sa.* **Cerrado** *fines de
semana, festivos.* **Previo pago.** 📷
♿ 📷 *11.00, 14.30 ma, vi, sa.* 📷

LA PORTERÍA TUDOR y restos
de la iglesia del siglo XII
son todo lo que queda del
priorato de los Caballeros de
St John, que estuvo
emplazado aquí durante más
de 400 años. Las edificaciones
del priorato han tenido
diversos usos: oficinas del
Maestro de Fiestas de Isabel I,
pub, café regentado por el
padre del pintor William
Hogarth y sede del
Gentlemen's Magazine (1731-
1754). El museo de la historia
de la Orden está abierto todos
los días, pero para ver el resto
del edificio hay que unirse a
una visita con guía.

Crafts Council Gallery

Crafts Council Gallery ❽

44a Pentonville Rd N1. **Plano** 6 D2.
📞 020-7278 7700. 🚇 *Angel.*
Abierta *11.00–18.00 ma–sa, 14.00–
18.00 do.* **Cerrada** *25-26 dic, 1 ene.*
♿ 📷 📷 *Conferencias.*

ESTE CONSEJO es la institución
nacional para ayudar y
promover los oficios artesanos
en Gran Bretaña. Posee una
colección de piezas británicas
contemporáneas, algunas de
las cuales se exhiben aquí.

Islington ❾

N1. **Plano** 6 E1. 🚇 *Angel, Highbury
e Islington.*

ISLINGTON FUE en tiempos un
conocido balneario, pero los
residentes adinerados comenzaron a abandonarlo al final del
siglo XVIII, con lo que el área se
deterioró rápidamente. Durante
el siglo XX vivieron en ella
escritores como Evelyn Waugh,
George Orwell y Joe Orton.
Ahora, Islington ha vuelto a
recobrar su aire aburguesado
con ejecutivos que han comprado y restaurado las casas.

Una de sus reliquias más
antiguas es Canonbury Tower,
restos de una mansión medieval
que se convirtió en viviendas en
el siglo XVIII. En ella residieron
escritores como Washington
Irving y Oliver Goldsmith; hoy es
el Tower Theatre. En Islington
Green hay una estatua de sir
Hugh Myddleton, quien
construyó un canal a través de
Islington en 1613 para traer el
agua del condado de Hertford a
Londres. Desde sus orillas se
puede apreciar un atractivo
paisaje entre las estaciones de
ferrocarril de Essex Road y
Canonbury.

Hay dos mercados cercanos a
la estación de Angel *(ver p.324):*
Chapel Road, donde se venden
alimentos frescos y ropas, y
Camden Passage, con
antigüedades caras.

El priorato de St John, del que sólo se conserva la portería

Zona este

Habitación victoriana, museo Geffrye

Geffrye Museum ❿

Kingsland Rd E2. **☎** 020-7739 9893.
⊖ Liverpool St, Old St. **Abierto**
10.00–17.00 ma–sa, 14.00–17.00 do
(también 14.00–17.00 lu y festivos).
Cerrado 24–26 dic, 1 ene, Viernes
Santo. **🚻 Exposiciones,
conferencias**. **w** www.geffrye-
museum.org.uk

E STE MUSEO está situado en un
atractivo conjunto de asilos
de 1715, contruidos en terrenos
donados por sir Robert Geffrye,
un alcalde de Londres del siglo
XVII que hizo su fortuna comer-
ciando principalmente con es-
clavos. Los asilos (construidos
para acoger a jubilados del sector metalúrgico y a sus esposas)
se han remodelado como
habitaciones típicas de distintos
periodos, lo que proporciona
una idea de la historia de la vida
familiar y de la evolución del
diseño de interiores. La serie
comienza con una sala isabelina
(con un magnífico artesonado)
y continúa con otros estilos
hasta finalizar con el *art
nouveau* y el diseño de los años
noventa del siglo XX.
Cada habitación tiene espléndidas piezas de mobiliario
de cada periodo, traídas de
toda Gran Bretaña. La capilla
ha sufrido alteraciones poco
significativas con respecto a
su apariencia original; dispone de bancos tipo arcón. Hay
unos bellos jardines en el exterior, uno con muros cubiertos
de enredaderas.

Sutton House ⓫

2–4 Homerton High St E9. **☎** 020-
8986 2264. **⊖** Bethnal Green, luego
autobús 253. **Abierto** feb–nov:
11.30–17.00 mi, do. **Cerrado** dic, ene,
Viernes Santo. **Previo pago**. **🚻 Conciertos, conferencias**.

U NO DE LOS ESCASOS edificios
comerciales de la época
Tudor de Londres; está siendo
restaurado. Construido en 1535
por Ralph Sadleir, cortesano de
Enrique VIII, fue propiedad de
varias familias de comerciantes
antes de convertirse en una
escuela de niñas en el siglo
XVII. En el XVIII se alteró su
fachada, pero la estructura
Tudor quedó intacta, con la
mayoría de sus ladrillos
originales, chimeneas y motivos
decorativos.

Bethnal Green Museum of Childhood ⓬

Cambridge Heath Rd E2.
☎ 020-8983 5200. **⊖** Bethnal
Green. **Abierto** 10.00–17.50 lu–ju,
sa, do. **Cerrado** 24–26 dic, 1 ene, Día
Mayo. **🚻 Trabajos de taller,
actividades infantiles**.
w www.museumofchildhood.org.uk

E S UNA DEPENDENCIA del
Victoria and Albert
Museum *(ver pp. 202–205)*,
más conocido como el museo
del Juguete, aunque hay
planes de ampliarlo con
exposiciones de historia social
de la infancia. Su colección de
muñecas, casas de muñecas
(algunas donadas por la

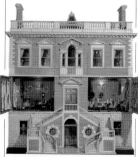

Casa de muñecas hecha en 1760

realeza), maquetas de trenes,
teatros de marionetas y juegos
es tan interesante como
cautivadora.
El edificio fue erigido
especialmente para museo en
el lugar donde estaba el V&A.
En 1872, cuando éste fue
ampliado, se desmanteló y se
volvió a levantar en su actual
emplazamiento del East End.
La colección de juguetes
comenzó a principios de este
siglo y Bethnal Green abrió
como museo en 1974.

St Mary, Rotherhithe ⓭

St Marychurch St SE16.
☎ 020-7231 2465.
⊖ Rotherhithe. **Abierto**
7.30–18.00 todos los días. **🕙** 9.30,
18.00 do. **🚻** limitado.

St Mary, Rotherhithe

L A IGLESIA fue construida en
1715 sobre una iglesia
medieval, cuyo recuerdo se
aprecia en la torre. Tiene
connotaciones náuticas,
destacando el mausoleo de
Christopher Jones, capitán del
Mayflower, en el que los
Founding Fathers navegaron a
Norteamérica. El techo
semeja una bodega de
barco invertida y el
reclinatorio es de madera
del *Temeraire*, un barco de
guerra cuyo viaje final al
desguazadero de Rotherhithe
fue evocado por Turner en un
cuadro que está en la National
Gallery *(ver pp.104–107)*.

Tapiz de William Morris (1885)

St Anne's, Limehouse 🄬

Commercial Rd E14.
[020-7987 1502. **Docklands
Light Railway** *Westferry.* **Abierta**
*14.00–16.00 lu–vi, 14.30–17.00 sa,
do (previa cita).* **✝** *10.30, 18.00 do.*
📷 🛈 **Conciertos, conferencias.**

E S UNA DE LAS IGLESIAS
diseñadas en el East End
por Nicholas Hawksmoor. Se
terminó en 1724. Su torre, de
40 metros de altura, se
convirtió en un punto de
referencia para los barcos que
atracaban en los muelles del
East End; tiene el reloj de
iglesia más alto de Londres.
Sufrió un incendio en 1850 y,
mientras era restaurada, el
arquitecto Philip Hardwick
le dio un estilo victoriano
a su interior. Fue
bombardeada en la
II Guerra Mundial y hoy
necesita una restauración.

Canary Wharf 🄯

E14. 🚇 *Docklands Light Railway
Canary Wharf.* ♿ 🅿 📷 🛈
**Centro de información, conciertos,
exposiciones.** *Ver* **Historia de
Londres** *pp.30–31.*

E L MÁS AMBICIOSO complejo
comercial de Londres se
inauguró en 1991, cuando los
primeros inquilinos se
acomodaron en la Canada
Tower, edificio de 50 plantas
proyectado por el arquitecto
César Pelli. Con sus 250 m es
el inmueble de oficinas más
alto de Europa. Se alza en lo
que era el West India Dock
–cerrado, como los demás
muelles de Londres, entre
1960 y 1980 cuando el tráfico
comercial de los contenedores
se trasladó al puerto de
Tilbury, río abajo–. Tras una
década de recesión, Canary
Wharf está creciendo y
prosperando. Está formado por
21 edificios de oficinas,
tiendas y lugares de recreo.

William Morris Gallery 🄰

Lloyd Park, Forest Rd E17. **[** 020-
8527 3782. 🚇 *Walthamstow Central.*
Abierta *10.00–13.00, 14.00–17.00
ma–sa, 10.00–13.00, 14.00–17.00
primer do de mes.* **Cerrada** *24-26 dic y
festivos.* ♿ 🛈 **Conferencias.**

F IGURA FUNDAMENTAL de las
artes decorativas
victorianas, nació en 1834 y
vivió durante su juventud en
esta casa del siglo XVIII, ahora
museo de William Morris. Era
artista, pintor, escritor,
artesano y pionero del
socialismo. Se exhiben
ejemplos de su trabajo y de
otros miembros del
movimiento Arts and Crafts,
como muebles de A. H.
Mackmurdo, libros de
Kelmscott Press,
mosaicos de
Morgan,
cerámicas
de los
hermanos
Martin y
pinturas.

Canada Tower, en Canary Wharf

Thames Barrier 🄱

Unity Way SE18. **[** 020-8854 1373.
🚇 *Charlton, Silvertown.* **Abierto**
*10.00–17.00 lu–vi (oct-feb 10.00-
16.00), 10.30–17.30 sa, do.* **Cerrado**
25–26 dic. **Previo pago.** 📷 ♿ 🛈
🛈 **Espectáculo multimedia,
exposición.**

E N 1236 EL TÁMESIS creció a tal
altura que la gente cruzó en
botes a través de Westminster
Hall. Londres se inundó de
nuevo en 1663, 1929 y 1953. En
1965, el Greater London
Council *(ver Country Hall
p.183)* convocó un concurso
para arbitrar soluciones. En
1984 se completó un dique de
520 m de ancho: la Thames
Barrier. Sus 10 compuertas se
elevan desde su posición normal en el lecho del río hasta
una altura de 1.60 m por encima del nivel que alcanzó la ria-
da en 1953.

The Dome

The Dome 🄲

North Greenwich SE10. **[** 0870-606
2000. 🚇 *North Greenwich/The Dome
(Jubilee Line).* **Cerrada** *al público.*

E STA ESTRUCTURA fue el principal atractivo de las celebraciones británicas por el nuevo
milenio. Obra controvertida
desde sus inicios, no cabe duda
de que es una proeza de la ingeniería. Su base es diez veces
más grande que la de la catedral de San Pablo, y la columna
de Nelson cabría bajo su techo.
La cubierta está compuesta por
10.000 m² cuadrados de fibra
de vidrio revestida de teflón, y
sostenida por 70 km de cable
de acero aparejados en 12
mástiles de 100 m de altura.
   La intención es vender el
edificio al mejor postor después del año 2000. De todos
modos, permanece cerrado
hasta que no se confirme el
comprador y se tenga una idea
clara de qué se va a hacer con
el edificio.

Zona sur

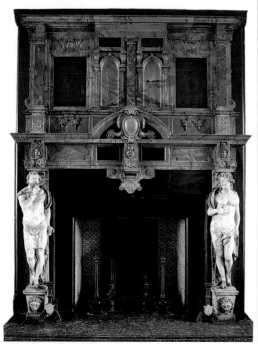

Chimenea jacobina en Charlton House

Charlton House ⓳

Charlton Rd SE7. 📞 020-8856 3951.
🚉 *Charlton.* **Abierta** *9.00–22.00
lu–vi, 10.00–17.00 sa (llamar para
confirmar).* **Cerrada** *festivos.*
📷 *con permiso.* 🎫 💻

L A CASA FUE TERMINADA en
1612 por Adam Newton,
tutor del príncipe Enrique,
hijo mayor de Jacobo I.
Cuenta con unas espléndidas
vistas del río y actualmente es
la mansión jacobina mejor
conservada de Londres.
Posee aún muchos
de los techos y chimeneas
originales, así como
la escalera principal tallada,
todo profusamente adornado.
Algunas partes del artesonado
también son originales,
y los techos se han restaurado
usando las molduras
originales.
   En el jardín hay un cenador
que posiblemente fue
concebido por Íñigo Jones,
y una morera, probablemente
la más vieja de Inglaterra, que
fue plantada por Jacobo I

en 1608 en su intento fallido
de poner en marcha una
industria sedera inglesa.

Eltham Palace ⓴

Court Yard SE9. 📞 0181-28294 2548.
🚉 *Eltham y después 15 minutos a
pie.* **Abierto** *mi–vi, do. Abr–sep:
10.00–18.00; oct: 10.00–17.00; nov–
mar: 10.00–16.00.* **Previo pago**.
♿ 📷 📱

L OS REYES pasaban aquí
las fiestas de Navidad en el
siglo XIV. Los Tudor usaron
el palacio para sus cacerías de
ciervos, pero fue destruido
parcialmente durante la guerra
civil (1642–1648). En 1932,
Stephen Courtauld, director de
cine y miembro de una familia
fabricante de tejidos, restauró
la entrada que, junto con el
puente sobre el foso, era la
única parte del palacio
medieval que se mantenía en
pie. Cerca de él construyó una
casa, "maravillosa
combinación del encanto de
Hollywood y el diseño *art*

déco". Ha sido magníficamente restaurada y abierta,
junto con el foso y el
excelente jardín de los años
treinta, que ofrece unas
maravillosas panorámicas de
Londres.

Horniman Museum ㉑

100 London Rd SE23. 📞 020-8699
1872. 🚉 *Forest Hill.* **Jardines abiertos**
8.00–anochecer todos los días. **Museo
abierto** *10.30–17.30 lu–sa,
14.00–17.30 do.* **Cerrado** *24–26 dic.*
♿ 💻 📱 *Conciertos, conferencias,
acontecimientos.*

F REDERICK HORNIMAN, el
comerciante de té, fundó
este museo para exhibir las
curiosidades que reunió en
sus viajes. Tiene una clara
inspiración victoriana, desde
los mosaicos de la fachada
hasta las morsas disecadas que
se hallan en su interior. El
museo está íntegramente
dedicado a todo aquello que
tiene relación con el té.

Dulwich Picture Gallery ㉒

College Rd SE21. 📞 020-8693 8000.
🚉 *West Dulwich, North Dulwich.*
Abierta *10.00–13.00, 14.00–17.00
ma–vi, 11.00–17.00 sa, 14.00–17.00
do (últ. adm: 16.45).* **Cerrada** *festivos.*
Previo pago. *Vi gratuita.* 📷 ♿ 🎫
💻 📱 *Conciertos, acontecimientos,
conferencias, clases de arte.*

L A GALERÍA de arte más
antigua de Londres se abrió
en 1817 y fue obra de sir John
Soane *(ver pp.136–137).* La
utilización de luz cenital sirvió

Jacobo II de Gheyn de Rembrandt,
Dulwich Picture Gallery

de modelo para la mayoría de las galerías de arte. Fue destinada a albergar la colección del cercano Dulwich College, obra de Charles Barry, abierto en 1870.

Esta colección tiene obras como el *Jacobo II de Gheyn* de Rembrandt, y otras de Murillo, Canaletto, Poussin, Claude, Watteau, y Rafael.

Alberga el mausoleo de Desenfans y Bourgeouis, fundadores de la colección, realizado por Soane. La carretera bordea Dulwich Park.

Battersea Park ㉓

Albert Bridge Rd SW11. **Plano** 19 C5.
📞 020-8871 7530. 🚇 *Sloane Square, luego autobús 137.* 🚃 *Battersea Park.* **Abierto** *amanecer– anochecer todos los días.* 📷 ♿ **Proyecto de mejora de los jardines** 📞 020-7720 2212. 📷 **Acontecimientos.** Ver **Tres paseos** pp.266–267.

Pagoda de la Paz, Battersea Park

ÉSTE FUE EL segundo parque público creado para aliviar el creciente "estrés" urbano en la época victoriana (el primero fue Victoria Park en el East End). Se abrió en 1858, en los antiguos campos de Battersea, un área pantanosa de muy mala fama, en torno a Old Red House, un *pub* también de pésima reputación.

El nuevo parque se hizo muy popular por su lago artificial con sus románticas rocas, jardines y cascadas. Después se convirtió en el lugar preferido para la práctica del ciclismo.

En 1985 se levantó en el parque la pagoda de la Paz, una de las 70 que se instalaron en todo el mundo. Monjes y monjas budistas emplearon 11 meses en construirlo, de 35 m de alto. Posee un pequeño zoo..

Raqueta y red de tenis de 1888. Wimbledon Lawn Tennis Museum

St Mary's, Battersea ㉔

Battersea Church Rd SW11. 📞 020-7228 9648. 🚇 *Sloane Square, luego autobús 19 o 219.* **Abierta** *jun-sep: 11.00–15.00 ma, mi, previa cita.* ✝ *11.00, 18.30 do.* 📷 **Conciertos**.

POR LO MENOS desde el siglo X ha existido una iglesia en este mismo lugar. La actual data de 1775, pero los cristales esmerilados que conmemoran a los reyes Tudor provienen de la iglesia anterior.

En 1782, el poeta y artista William Blake se casó en esta iglesia. Después, J. M. W. Turner pintó algunos de sus maravillosos cuadros del Támesis desde la torre. Cerca está Old Battersea House (1699).

Wimbledon Lawn Tennis Museum ㉕

Church Rd SW19. 📞 020-8946 6131. 🚇 *Southfields.* **Abierto** *10.30-17.00 todos los días (no durante los campeonatos, excepto si se posee entrada).* **Cerrado** *Viernes Santo, 25 dic, 1 ene.* **Previo pago.** ♿ 📷 **Exposiciones**.

INCLUSO a los que sienten poco interés por el deporte, este atractivo museo, instalado en el recinto del famoso torneo internacional de tenis, puede depararles un buen rato. Muestra el desarrollo seguido desde que el mayor Walter Clopton Wingfield introdujo en 1873 la versión del tenis moderno, hasta la actualidad, en que este deporte se ha convertido en un

espectáculo millonario. Junto a equipos utilizados en el siglo XIX, se pueden ver películas de grandes jugadores del pasado.

Wimbledon Windmill Museum ㉖

Windmill Rd SW19. 📞 020-8947 2825. 🚇 🚃 *Wimbledon y luego 30 min a pie.* **Abierto** *Sem Santa–31 oct: 14.00– 17.00 sa–do.* **Cerrado** *1 nov– Sem Santa (excepto para grupos; confirmar antes).* **Previo pago.** 📷 📷 📷 *previa cita.*

EL MOLINO de Wimbledon Common se construyó en 1817. El edificio se convirtió en viviendas en 1864. Lord Baden-Powell, fundador de los Boy Scouts, vivió en la casa del molino. El lugar es ahora un museo.

St Mary's, Battersea

Zona oeste

Ham House

Richmond Park ㉗

Kingston Vale SW15. 📞 020-8948
3209. 🚇 ➤ Richmond, luego autobús
65 o 71. **Abierto** oct–mar: 7.30–
anochecer todos los días; abr–sep: 7.00–
anochecer todos los días. **Pesca, golf.**

Ciervos en Richmond Park

Cuando Carlos I era príncipe
de Gales en 1637, ordenó
construir una valla de 13 km
de perímetro para cerrar el
parque real como coto de caza.
Hoy todavía pacen los ciervos
entre los castaños y los robles,
y han aprendido a coexistir
–aunque manteniendo una
cierta distancia– con los miles
de personas que van al
parque, principalmente los
fines de semana.

Al final de la primavera, el
gran espectáculo es la Isabella
Plantation, con su multitud de
rododendros, mientras los
pescadores optimistas frecuentan el cercano estanque Pen
(el estanque Adam es para
barcos en miniatura). El resto
del parque es bosque y monte
bajo. Richmond Gate, en la
esquina noroeste, fue di-
señada por el jardinero Capability Brown en 1798. Cerca
está el montículo de Enrique
VIII, donde el rey, que estaba

en Richmond Palace, esperó
en 1536 la señal de que su
esposa Ana Bolena había sido
ejecutada. El Palladian White
Lodge, construido por Jorge II
en 1729, alberga la Royal
Ballet School.

Hampton Court ㉘

Ver pp.254–257.

Ham House ㉙

Ham St, Richmond. 📞 020-8940
1950. 🚇 ➤ Richmond, luego autobús
65 o 371. **Abierto** 13.00– 17.00
sa-mi. **Cerrado** nov–mar. **Previo pago.**
🎫 🍴 ♿ 📷 (previa cita)

Esta magnífica casa a la vera
del Támesis fue construida en
1610, pero adquirió su plenitud a
mediados de ese siglo, cuando se
convirtió en la mansión del
duque de Lauderdale, confidente
de Carlos II y ministro de Escocia.

Marble Hill House

Su esposa, la condesa de Dysart,
heredó la casa de su padre,
quien en su infancia había sido el
"whipping boy" (cabeza de
turco) de Carlos I, ya que él era
el castigado por las travesuras del
pequeño futuro rey. Desde 1762
el duque modernizó la casa y sus
terrenos hasta conseguir que
fuera considerada una de las
mejores de Inglaterra. El cronista
John Evelyn sentía gran
admiración por el jardín, que ha
sido restaurado tal como era en
el siglo XVII.

Algunos días del verano, un
transbordador enlaza este lugar
con Marble Hill House y Orleans
House en Twickenham.

Orleans House ㉚

Orleans Rd, Twickenham. 📞 020-
8892 0221. 🚇 ➤ Richmond, luego
autobús 33, 90, 290, R68 o R70.
Abierta abr–sep: 13.30–17.30 ma–sa,
14.00–17.30 do, festivos. oct–mar:
13.30–16.30 ma–sa, 14.00–16.30 do,
festivos. **Cerrada** 24–26 dic, Viernes
Santo. ♿ Restringido.
📷 Conciertos, conferencias.

Sólo la sala denominada
Octagon, diseñada por
James Johnson en 1720,
permanece en esta casa de
principios del siglo XVIII. Toma
su nombre del duque de
Orléans, que vivió en ella en el
exilio entre 1800 y 1817, antes
de ser coronado rey de Francia
en 1830. La decoración interior
del Octagon permanece
intacta. En la galería contigua
se celebran exposiciones
temporales, algunas dedicadas
a la historia de la zona.

Marble Hill House ㉛

Richmond Rd, Twickenham.
📞 020-8892 5115. 🚇 ➤ Richmond, luego autobús 33, 90, 290,
R68 o R70. **Abierto** abr–sep:
10.00–18.00 todos los días; oct–mar:
10.00–17.00 mi-do. **Cerrado** 24–26
dic. 🚫 ♿ restringido. 📷 🍴 📷
Conciertos, fuegos artificiales
fines de semana de verano.
Ver **Distracciones** p.333.

Construida en 1729 para la
amante de Jorge II, la casa
y sus tierras se abrieron al
público en 1903. Ha sido

ampliamente restaurada en su aspecto georgiano, pero no está totalmente amueblada. Tiene cuadros de William Hogarth y una vista del río y de la casa, pintada en 1762 por Richard Wilson, considerado el padre del paisajismo inglés.

Richmond ❷

SW15. 🔵 ⇄ *Richmond.*

Una callejuela de Richmond

Este atractivo suburbio de Londres toma el nombre del palacio que Enrique VII construyó en él en 1500. Muchas casas de principios del siglo XVIII sobreviven cerca del río, junto a Richmond Hill, destacando Maids of Honour Row, construida en 1724. La clásica vista del río desde lo alto de la cuesta, pintada por numerosos paisajistas, conserva su encanto.

Syon House ❸

London Rd, Brentford. 📞 *020-8560 0881.* 🔵 *Gunnersbury luego bus 237 o 267.* **Casa abierta** *med mar-oct: 11.00-17.00 mi-ju, do (últ. adm 16.15).* **Casa cerrada** *nov-med mar.* **Jardines abiertos** *10.00-18.00 aprox. todos los días.* **Previo pago.** 🚫 ♿ *Sólo jardines.* ♿ 🏠 🖥 🍴

Los condes y duques de Northumberland han vivido aquí durante 400 años; todavía es de su propiedad. Es la única gran mansión de la

zona y sus dependencias exteriores acogen, una casa de mariposas, un centro de arte, una tienda de regalos y dos restaurantes. Sin embargo, la mansión continúa siendo la máxima atracción por sí misma, por su maravillosos interiores de Robert Adam. Algunas salas están enteladas con sedas de Spitalfields y guardan valiosos cuadros.

En los jardines hay una rosaleda y un espectacular invernadero, que fue construido en 1830.

Musical Museum ❹

368 High St, Brentford. 📞 *020-8560 8108.* 🔵 *Gunnersbury, South Ealing luego autobús 65, 237 o 267.* **Abierto** *abr-jun, sep-oct: 14.00–17.00 sa y do; jul y ago: 14.00–16.00 mi.* **Cerrado** *nov-mar.* **Previo pago.** 📷 ♿ 🖥 🚻

Este museo posee diversos instrumentos musicales (la mayoría en funcionamiento), entre los que destacan viejas pianolas, pianos de cine, así como el único órgano automático Wurlitzer que se conserva en Europa.

Sala de Osterley Park House

Osterley Park House ❺

Isleworth. 📞 *020-8232 5050.* 🔵 *Osterley.* **Abierto** *13.00-16.30 mi-do (últ. adm: 16.00).* **Cerrado** *1 nov-31 mar, Viernes Santo.* 🖥 🚻 **Jardín abierto** *9.00-anochecer.*

Considerado uno de los mejores trabajos de Robert Adam por su pórtico de columnatas y el techo de su biblioteca. La mayoría del mobiliario fue diseñado por Adam. El jardín y su templete son de William Chambers, arquitecto de Somerset House *(ver p.117),* y el invernadero, de Adam.

El salón rojo de Syon House, diseñado por Robert Adam

Hampton Court ㉘

Decoración del techo en el cuarto de estar de la reina

EL PODEROSO cardenal Wolsey, arzobispo de York con Enrique VIII, comenzó a construir Hampton Court en 1514. Originalmente no iba a ser un palacio real, sino la residencia campestre, junto al río, de Wosley. En 1525, con objeto de seguir obteniendo el favor real, el cardenal le regaló la casa al rey. Tras la toma de posesión por Enrique VIII, Hampton Court fue renovado y ampliado dos veces, primero por el propio monarca y después, en 1690, por Guillermo y María, quienes contaron con el arquitecto Christopher Wren.

Hay un gran contraste entre el estilo clásico de los aposentos reales de Wren y el Tudor de las torretas, tejados a dos aguas y chimeneas por doquier. Los jardines conservan los rasgos de la época de Guillermo y María, para los que Wren creó un vasto paisaje barroco, con avenidas radiales de majestuosos tilos y plantas exóticas.

★ The Maze
Piérdase en una de las atracciones más populares del jardín.

Royal Tennis Court

Embarcadero del río

Entrada principal

★ The Great Vine
Esta parra fue plantada en 1768 y en el siglo XIX dio 910 kilos de uva negra.

Río Támesis

The Pond Garden
Este jardín acuático era parte del elaborado proyecto de Enrique VIII.

Privy Garden

★The Mantegna Gallery
Los nueve lienzos de Andrea Mantegna, que representan El triunfo de Julio César *(1490), están expuestos aquí.*

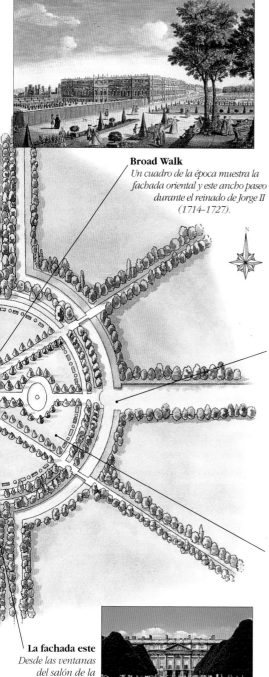

Información Esencial

Surrey KT8 9AU. 020-8781 9500. 111, 216, 267, 411, 440. Hampton Court. Hampton Court Pier. **Abierto** med. mar-med. oct: 9.30-18.00 ma-do, 10.15-18.00 lu; med. oct-med. mar: 9.30-16.30 ma-do, 10.15-16.30 lu (últ. adm.: 45 min antes del cierre). **Cerrado** 24–26 dic. **Previo pago.** Ver **Alojamiento** p.274.

Broad Walk
Un cuadro de la época muestra la fachada oriental y este ancho paseo durante el reinado de Jorge II (1714–1727).

Long Water
Lago artificial que discurre paralelo al Támesis desde Fountain Garden a través de Home Park.

Fountain Garden
Unos cuantos árboles de este jardín fueron plantados durante el reinado de Guillermo y María.

La fachada este
Desde las ventanas del salón de la reina, obra de Wren, se divisa la avenida central del Pond Garden.

Recomendamos

★ **The Great Vine**

★ **The Mantegna Gallery**

★ **The Maze**

Explorando el palacio

P OR SU CONDICIÓN de palacio Real histórico, Hampton Court mantiene la huella de muchos reyes de Inglaterra desde Enrique VIII a nuestros días. El exterior presenta una armoniosa mezcla de Tudor y barroco inglés; en su interior los visitantes pueden contemplar el

Figura en el techo del Great Hall

Great Hall, construido por Enrique VIII, y los aposentos de estado de la Corte de los Tudor. Muchos de esos aposentos, incluidos los que están sobre el Fountain Court de Christopher Wren, están decorados con muebles, tapices y cuadros de antiguos maestros de la colección real.

Chimeneas Tudor
Decorativas chimeneas, originales unas y restauradas otras, adornan el tejado del palacio.

Cámara de la reina

Cámara de la guardia de la reina

★ **Chapel Royal**
La capilla Tudor fue decorada por Wren, respetando el techo abovedado, tallado y dorado.

Haunted Gallery

★ **Great Hall**
La vidriera en el gran salón Tudor muestra a Enrique VIII flanqueado por los escudos de armas de sus seis mujeres.

★ **Clock Court**
La puerta de Ana Bolena está a la entrada del Clock Court. El reloj astronómico, instalado por Enrique VIII en 1540, se halla también aquí.

Gran habitación del rey
Guillermo III compró la cama carmesí a su lord Chambelán.

CARDENAL WOLSEY
Thomas Wolsey (c.1475–1530) –simultáneamente, cardenal, arzobispo de York y ministro de Hacienda– era, después del rey, el hombre más poderoso de Inglaterra. Sin embargo, no pudo persuadir al Papa para que autorizase el divorcio de Enrique VIII de su primera mujer, Catalina de Aragón, y perdió el favor real. Murió camino del tribunal que le acusaba de traición.

Fachada este de Wren

Queen's Gallery
Esta chimenea de mármol, de John Nost, adorna la galería de la Reina, donde se celebraban frecuentes recepciones.

★ **Fountain Court**
Las ventanas de los aposentos reales se hallan sobre el claustro de este patio.

Escalera del rey
Lleva a los aposentos de gala y tiene frescos de Antonio Verrio.

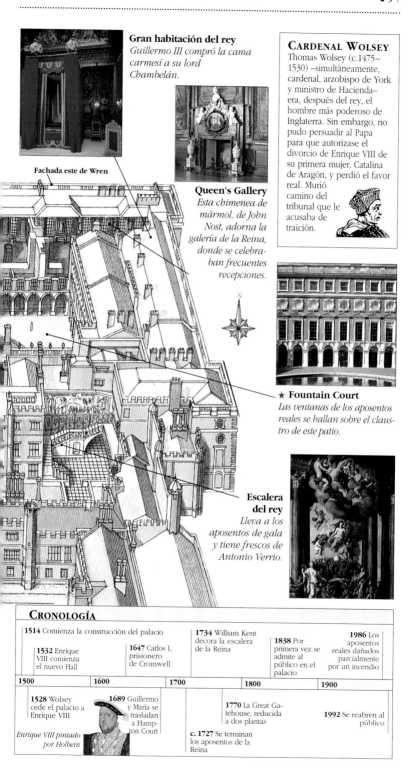

CRONOLOGÍA

1514 Comienza la construcción del palacio

1532 Enrique VIII comienza el nuevo Hall

1647 Carlos I, prisionero de Cromwell

1734 William Kent decora la escalera de la Reina

1838 Por primera vez se admite al público en el palacio

1986 Los aposentos reales dañados parcialmente por un incendio

1500	1600	1700	1800	1900

1528 Wolsey cede el palacio a Enrique VIII

Enrique VIII pintado por Holbein

1689 Guillermo y María se trasladan a Hampton Court

c. 1727 Se terminan los aposentos de la Reina

1770 La Great Gatehouse, reducida a dos plantas

1992 Se reabren al público

Pitshanger Manor and Gallery ③⑥

Mattock Lane W5. **C** 020-8567 1227. **⊖** Ealing Broadway. **Abierto** 10.00–17.00 ma–sa. **Cerrado** algunos festivos. **Exposiciones, cursos, conferencias**.

S IR JOHN SOANE, arquitecto del Banco de Inglaterra (ver p.147), proyectó esta casa en el emplazamiento de una anterior. Cuando la terminó en 1803 la utilizó como residencia campestre. Presenta claros rasgos de su elaborada construcción en Lincoln's Inn Fields (ver pp.136–137), especialmente en la biblioteca, con su imaginativo uso de espejos; en la sala de desayuno, pintada de oscuro, y en el "comedor conventual", situado en la planta baja.

Soane aprovechó dos habitaciones principales de la antigua casa, la sala de estar y el comedor, que fueron concebidas en 1768 por George Dance el Joven, con quien Soane trabajó antes de adquirir su propia reputación.

Un anexo del siglo XX ha sido reformado como galería, y ofrece exposiciones de arte contemporáneo.

La casa contiene también una gran colección de cerámica de Martinware, que se hacía en Southall entre 1877 y 1915, y que fue muy popular al final de la era victoriana. El jardín de

El pájaro Martinware en Pitshanger Manor

Pitshunger Manor es ahora un placentero parque público, que contrasta con el activo centro comercial del cercano Ealing.

Kew Bridge Steam Museum ③⑦

Green Dragon Lane, Brentford. **C** 020-8568 4757. **⊖** Kew Bridge, Gunnersbury, luego autobús 237 o 267. **Abierto** 11.00–17.00 todos los días. **Cerrado** sem antes Navidad, Viernes Santo. **Previo pago**. ⊙ & 🔲 □ □ previa cita. **W** www.kbsm.org

L A ESTACIÓN de bombeo de agua del siglo XIX, en el extremo norte de Kew Bridge, ha sido abierta ahora como museo de la Energía de Vapor. Su mayor atracción son cinco gigantescas máquinas que se usaban para bombear el agua del río y distribuirla por Londres. Las primeras máquinas, de 1820, fueron fabricadas para extraer el agua de las minas de estaño y cobre de Cornish. Se pueden ver en acción los festivos y los fines de semana.

Kew Gardens ③⑧

Ver pp. 260–261.

'Pub' City Barge: Strand on the Green

Strand on the Green ③⑨

W4. **⊖** Gunnersbury luego autobús 237 o 267. **⊠** Kew Bridge

E STE ENCANTADOR paseo por la orilla del Támesis posee algunas bellas casas del siglo XVIII e hileras de modestas casitas que fueron habitadas por pescadores. El más antiguo de los tres pubs es el City Barge (ver pp.309–311), con partes que datan del siglo XV. Su nombre proviene de los tiempos en que la barca del alcalde de Londres atracaba a su puerta.

Chiswick House ④⓪

Burlington Lane W4. **C** 020-8995 0508. **⊖** Chiswick. **Abierta** Semana Santa-oct: 10.00–18.00 todos los días; nov-Viernes Santo: 10.00–16.00 mi–do. **Previo pago**. 🚫 □ □

T ERMINADA EN 1729 bajo proyecto del tercer conde de Burlington, es un buen ejemplo de villa paladiana. Las estatuas de Burlington y de su discípulo Íñigo Jones –reverenciaban este estilo– están en el exterior.

Chiswick House

Construida en torno a una sala octogonal central, la casa está llena de referencias de la antigua Roma, como las habitaciones, cuyas medidas forman cubos de medidas perfectas.

Chiswick era la residencia campestre de Burlington y se construyó como anexo de otra casa mayor y más antigua, que más tarde fue demolida. Se concibió como lugar de recreo –lord Hervey, que era enemigo declarado de Burlington, sentenció que "era demasiado pequeña para vivir y demasiado grande para colgarla de la cadena del reloj"–. Algunos de los frescos de los techos son de William Kent, quien también proyectó los jardines.

La casa fue residencia privada de enfermos mentales, de 1892 a 1928, cuando comenzó a restaurarse. Los restauradores están todavía buscando piezas de su mobiliario original. El jardín, ahora parque público, permanece casi como lo proyectó Kent.

Complejo residencial y de ocio en Chelsea Harbour

Placa en Hogarth's House

Hogarth's House 🔢

Hogarth Lane, W4. **℡** *0181-994 6757.* 🚇 *Turnham Green.* **Abierta** *abr-oct: 13.00–17.00 ma-vi, 13.00–18.00 sa-do; nov-dic y feb-mar: 13.00–16.00 ma-vi, 13.00–17.00 sa-do.* **Cerrada** *ene.* 🚫 📷 ♿ *sólo planta baja.* 📷

Cuando el pintor William Hogarth vivió en esta casa, desde 1749 hasta su muerte en 1764, la llamó "una cajita campestre junto al Támesis" y pintó paisajes bucólicos desde sus ventanas, cuando se trasladó desde Leicester Square (*ver p.103*). Hoy, un denso tráfico discurre desde y hacia el

aeropuerto de Heathrow. A pesar del medio ambiente hostil, de los años de abandono y de los bombardeos de la II Guerra Mundial, la casa se conserva bien y se ha convertido ahora en un pequeño museo y galería, que muestra principalmente copias moralistas de Hogarth. Así, se pueden ver *The Rake's Progress* (el original está en el museo Sir John Soane, *ver pp.136–137*), *Marriage à la Mode, An Election Entertainment* y muchos otros.

Fulham Palace 🔢

Bishops Ave SW6. **℡** *0171-736 3233.* 🚇 *Putney Bridge.* **Abierto** *mi–do, festivos lu, mar–oct: 14.00–17.00; nov–mar: 13.00–16.00 ju-do.* **Cerrado** *Viernes Santo 25–26 dic.* **Parque abierto** *horas de luz.* **Previo pago** *para el museo del palacio.* ♿ 🚫 📷 📷 *Acontecimientos, conciertos, conferencias.*

Fue la sede episcopal de Londres desde el siglo VIII hasta 1973. Sus zonas más antiguas datan del siglo XV. Se alza en sus propios jardines, en Bishop's Park, al oeste y norte del puente de Putney, donde anualmente se celebra la regata entre Oxford y Cambridge (*ver p.56*).

Chelsea Harbour 🔢

SW10. 🚇 *Fulham Broadway.* ♿ *Exposiciones.* 📷 📷

Es un impresionante complejo de apartamentos, tiendas, oficinas, restaurantes, un hotel y un puerto deportivo. Está cerca de Cremorne Pleasure Gardens, cerrados en 1877 tras más de 40 años con espectáculos de danza y actividades circenses. Su edificio central es el Belvedere, una torre de 20 plantas con un ascensor exterior de cristal y un tejado piramidal, rematado con una bola dorada que sube y baja con la marea.

Entrada Tudor de Fulham Palace

Kew Gardens 🕸

THE ROYAL BOTANIC GARDENS en Kew son los jardines públicos más completos del mundo. Su renombre fue conseguido gracias a sir Joseph Banks, naturalista británico e investigador botánico, que trabajó en él a finales del siglo XVIII. En 1841, el antiguo jardín real fue donado a la nación y ahora exhibe 40.000 variedades de plantas. Kew es también un centro de investigación de horticultura y botánica, y un paraíso para los amantes de los jardines.

Princesa Augusta
La madre de Jorge III estableció el primer jardín en Kew en 1759, en 3,6 hectáreas de terreno.

Queen's Cottage

★ **Temperate House**
El edificio data de 1899. Las plantas están ordenadas por su origen geográfico.

★ **Pagoda**
La fascinación por lo oriental inspiró a William Chambers, que construyó esta pagoda en 1762.

POR ESTACIONES

Primavera
Fresas en flor ①
Alfombra de azafrán ②

Verano
Jardín rocoso ③
Rosaleda ④

Otoño
Follaje otoñal ⑤

Invierno
Casa alpina ⑥
Carpes ⑦

Entrada de Lion Gate

Evolution House
Cuenta la historia detallada de la vida de las plantas en la Tierra.

Mástil

Marianne North Gallery
La pintora de flores Marianne North donó sus obras a Kew y adquirió esta galería en 1882.

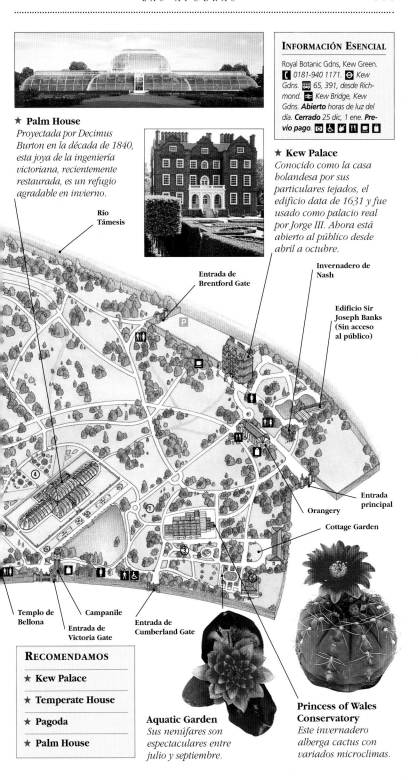

★ **Palm House**
Proyectada por Decimus Burton en la década de 1840, esta joya de la ingeniería victoriana, recientemente restaurada, es un refugio agradable en invierno.

Río Támesis

INFORMACIÓN ESENCIAL

Royal Botanic Gdns, Kew Green. 0181-940 1171. Kew Gdns. 65, 391, desde Richmond. Kew Bridge, Kew Gdns. **Abierto** *horas de luz del día.* **Cerrado** *25 dic, 1 ene.* **Previo pago.**

★ **Kew Palace**
Conocido como la casa holandesa por sus particulares tejados, el edificio data de 1631 y fue usado como palacio real por Jorge III. Ahora está abierto al público desde abril a octubre.

Entrada de Brentford Gate

Invernadero de Nash

Edificio Sir Joseph Banks (Sin acceso al público)

Entrada principal

Orangery

Cottage Garden

Entrada de Cumberland Gate

Templo de Bellona

Campanile

Entrada de Victoria Gate

Aquatic Garden
Sus nenúfares son espectaculares entre julio y septiembre.

Princess of Wales Conservatory
Este invernadero alberga cactus con variados microclimas.

RECOMENDAMOS

★ **Kew Palace**

★ **Temperate House**

★ **Pagoda**

★ **Palm House**

TRES PASEOS

LONDRES ES una excelente ciudad para caminantes. A pesar de que está mucho más extendida que la mayoría de las capitales europeas, muchos de sus principales atractivos turísticos se hallan relativamente cercanos entre sí *(ver pp. 12–13);* existen varias rutas propuestas por las autoridades turísticas y locales. Éstas incluyen caminos a lo largo de los canales y del río, y el paseo Silver Jubilee, planeado en 1977 para conmemorar el 25 aniversario de la ascensión al trono de la reina. El paseo se extiende a lo largo de 19 km entre el Lambeth Bridge en el oeste y el Tower Bridge en el este. En London Tourist Board *(ver p. 347)* tienen mapas de la ruta, que está marcada con placas de color plata colocadas a intervalos en el pavimento. Cada una

Estatua de niño y delfín en Regent's Park

de las 16 áreas descritas en la sección *Itinerarios* de este libro tiene un corto paseo marcado en su *Plano en 3 dimensiones*. Esos paseos conducen a los lugares más interesantes de la zona. En las páginas siguientes se muestran tres rutas a través de áreas de Londres no descritas con detalle en otras páginas. Van desde la bulliciosa King's Road *(ver pp. 266–267)* a los anchos espacios abiertos al lado del río en Richmond y Kew *(ver pp. 268–269).*

Varias empresas ofrecen paseos con guía. Muchos son temáticos, como por ejemplo Fantasmas o El Londres de Shakespeare. Hay distintas publicaciones *(ver p. 326)* que ofrecen más detalles.

Información The Original London Walks
C 020-7624 3978. **W** www.walds.com

ELEGIR UN PASEO

Los tres paseos
Este mapa muestra la localización de los tres paseos recomendados con respecto a las principales áreas de Londres.

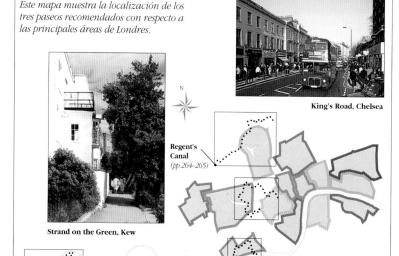

King's Road, Chelsea

Strand on the Green, Kew

Regent's Canal *(pp.264–265)*

Chelsea y Battersea *(pp.266–267)*

aRichmond y Kew *(pp.268–269)*

0 kilómetros 4

SIGNOS CONVENCIONALES

···· Ruta de paseo

◁ **Barcos vivienda en Regent's Canal, Little Venice**

Un paseo de 2 horas por Regent's Canal

EL ARQUITECTO John Nash quiso que el Regent's Canal pasara a través de Hyde Park; no llegó a ser así, ya que lo rodea por el norte. Abierto en 1820, ha dejado de ser una vía fluvial comercial para convertirse en un canal de recreo. Este paseo comienza en Little Venice y termina en el mercado de Campden Lock, desviándose para admirar las vistas desde Primrose Hill. Para más detalles de los lugares cercanos al Regent's Canal ver pp.220–227.

Barcos-vivienda en el canal ③

De Little Venice a Lisson Grove

En la estación de Warwick Avenue ① tomar la salida a la izquierda y caminar hasta el semáforo junto al puente sobre el canal en Blomfield Road. Girar a la derecha y descender al canal a través de una cancela de hierro ② frente al nº42, señalado como "Lady Rose of Regent". La bonita dársena, con barcos atracados, es Little Venice ③. Al pie de las escaleras girar a la izquierda y caminar bajo el puente de hierro de color azul ④. Enseguida se sube al nivel de la calle otra vez, ya que ese tramo de camino está

El Warwick Castle, cerca de Warwick Avenue

reservado para el acceso a los barcos. Hay que cruzar Edgware Road y caminar hasta Aberdeen Place. Cuando la calle gira a la izquierda, en un *pub* llamado Crockers ⑤, seguir las indicaciones Canal Way, a la derecha de unos pisos modernos. Continúe a lo largo del camino de sirga del canal, cruzando Park Road en el nivel de la calle. El entorno no tiene interés hasta que el color verde del césped anuncia que se camina junto a Regent's Park ⑥.

Barcos-vivienda atracados en Little Venice ③

SIGNOS CONVENCIONALES

— Itinerario

🔆 Punto panorámico

Ⓔ Estación de metro

🚊 Estación de tren

Regent's Park

Pronto se ven cuatro mansiones ⑦. Un puente señalizado como "Coalbroockdale" ⑧ une Avenue Road con el parque. Cruzar el próximo puente, con el zoo de Londres ⑨ a la derecha, y volver a la izquierda. Unos metros después, tomar la bifurcación derecha, volver a la izquierda y cruzar Prince Albert Road. Girar a la derecha antes de entrar en Primrose Hill por una puerta a la izquierda ⑩.

Mansión con jardines junto al río ⑦

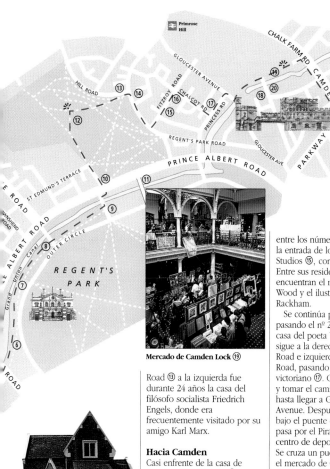

Mercado de Camden Lock ⑲

Road ⑬ a la izquierda fue durante 24 años la casa del filósofo socialista Friedrich Engels, donde era frecuentemente visitado por su amigo Karl Marx.

Hacia Camden

Casi enfrente de la casa de Engels está el Queens ⑭, un *pub* victoriano. Girar a la derecha aquí y caminar por Regent's Park Road durante 135 m para torcer a la izquierda, a Fitzroy Road. A la derecha,

Primrose Lodge, Primrose Hill ⑩

Primrose Hill

Desde aquí se ve el aviario del zoo ⑪ diseñado por lord Snowdon y abierto en 1965. Dentro del parque, continuar por el camino de la izquierda que sube a la colina y tomar la bifurcación de la derecha en la cima, que ofrece una buena vista de la ciudad. Un mapa ⑫ ayuda a identificar los edificios, pero no incluye el rascacielos Canary Wharf con su remate piramidal, a la izquierda. Hay que descender a la izquierda hacia el parque y alcanzar la entrada en el cruce de Regent's Park Road y Primrose Hill Road. El nº 122 de Regent's Park

entre los números 41 y 39, está la entrada de los Primrose Hill Studios ⑮, construidos en 1882. Entre sus residentes se encuentran el músico sir Henry Wood y el ilustrador Arthur Rackham.

Se continúa por Fitzroy Road, pasando el nº 23 ⑯, que fue casa del poeta W. B. Yeats, y se sigue a la derecha por Chalcot Road e izquierda por Princess Road, pasando un internado victoriano ⑰. Girar a la derecha y tomar el camino junto al canal hasta llegar a Gloucester Avenue. Después, a la izquierda, bajo el puente del ferrocarril, se pasa por el Pirate Castle ⑱, un centro de deportes acuáticos. Se cruza un puente y se entra en el mercado de Camden Lock ⑲ *(ver p.324)* a través de un arco a la izquierda. Tomar un barco ⑳ que lleva a Little Venice o girar a la derecha a Chalk Farm Road y caminar hasta la estación de metro de Camden Town.

Puente de peatones sobre el canal en Camden Lock ⑲

Un paseo de 3 horas por Chelsea y Battersea

Este delicioso paseo circular discurre a través de los alrededores del Royal Hospital y cruza el río hasta Battersea Park, con su romántico paisaje victoriano, para retornar entre las estrechas calles de Chelsea y las elegantes tiendas de King's Road. Para más detalles de los lugares de Chelsea ver las páginas 192–197.

Royal Hospital ③

Sloane Square a Battersea Park

Desde la estación ① girar a la izquierda y dirigirse a Holbein Place. La conexión de este pintor del Renacimiento con Chelsea proviene de su amistad con Tomás Moro, que vivía cerca. Pasando unos cuantos buenos anticuarios ② está la Royal Hospital Road. Se entra en el recinto del hospital ③ proyectado por Christopher Wren y se vuelve a la izquierda a Ranelagh Gardens ④. El pequeño pabellón, obra de John Soane ⑤, muestra la historia de estos jardines: un placentero lugar georgiano que era el punto de reunión de moda de la sociedad de Londres. En el

Galeón en Chelsea Bridge

hospital se encuentra la estatua de bronce de Carlos II, obra de Grinling Gibbons ⑥. El obelisco de granito ⑦ conmemora la batalla de Chilianwalla (1849), en lo que ahora es Paquistán, y es la pieza principal de la marquesina de la entrada a la Feria de Flores de Chelsea (ver p.56)

Battersea Park

Cuando se cruza el puente de Chelsea ⑧ (1937) se ven cuatro galeones dorados rematando los pilares de cada lado. Se vuelve hacia Battersea Park ⑨ (ver p.251), uno de los parques más animados, y se sigue el camino a lo largo del río para disfrutar de las vistas de Chelsea. Se gira a la izquierda en la pagoda Budista de la Paz ⑩, situada en la parte principal del parque.

Pasadas las pistas de bolos se encuentra la escultura de Henry Moore *Tres figuras en pie* ⑪ (1948) y el lago, un lugar con ánades y donde se alquilan barcas. Detrás de la escultura, dirigirse al noroeste y, después de cruzar la avenida central, torcer a la derecha hacia la puerta de madera del Old English Garden ⑫. Dejar el jardín por la puerta de hierro y retornar a Chelsea por el victoriano puente de Alberto ⑬.

Estatua de Carlos II, Royal Hospital ⑥

Tres figuras en pie de Henry Moore ⑪

Signos Convencionales

— Itinerario

☆ Punto panorámico

🚇 Estación de metro

Algunos Consejos

Punto de partida: Sloane Square.

Recorrido: 6.5 km.

Cómo llegar: la estación de metro más cercana es Sloane Square. Hay frecuentes autobuses 11, 19, 22 y 349 a Sloane Square y a lo largo de King's Road.

El recinto del Royal Hospital está abierto sólo: 10.00–18.00 lu-sa, 14.00–18.00 do.

Altos en el camino: hay un café junto al lago en Battersea Park. El King's Head and Eight Bells en Cheyne Walk, es un pub bien conocido. Hay varios más, así como restaurantes y bares de sándwiches en King's Road. El mercado The Chelsea Farmers en Sydney Street tiene varios cafés.

Old English Garden en Battersea Park ⑫

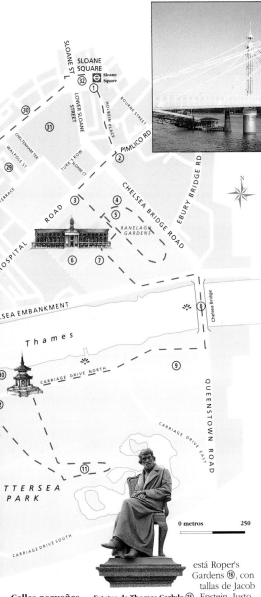

Puente Albert ⑬

conserva mucho de su carácter original. En la confluencia de Glebe Place y King's Road hay tres preciosas casas de principios del XVIII ㉓. Se cruza Dovenhouse Green, frente al mercado de Chelsea Farmers ㉔, que fue un antiguo cementerio y hoy es un enclave de cafés y tiendas de artesanía.

King's Road

Se deja el mercado en Sydney Street, cruzando al jardín de la iglesia de St Luke ㉕ donde se casó Charles Dickens. El paseo se adentra en pequeñas calles hasta que sale de nuevo a King's Road ㉖ *(ver p.196)*, que estuvo muy de moda en los años sesenta. A la izquierda está The Pheasantry ㉗. Las calles adyacentes y las plazas son muy atractivas. Wellington Sq ㉘ y después Royal Avenue ㉙ ofrecen un espléndido camino hasta el Royal Hospital y Blacklands Terrace ㉚, donde los amantes de los libros pueden visitar la tienda de John Sandoe. El cuartel general de los Territoriales del duque de York ㉛ (1803), a la derecha, marca la aproximación a Sloane Square ㉜ y al teatro Royal Court *(ver Sloane Square p.197)*.

Estatua de Thomas Carlyle ⑮

Calles pequeñas de Chelsea

Tras el puente está la escultura de un niño y un delfín ⑭ de David Wynne (1975). Se pasa por las residencias de Cheynne Walk y las estatuas del historiador sir Thomas Carlyle ⑮ y de sir Tomás Moro ⑯. El área tuvo renombre por ser la preferida de muchos intelectuales. Tras la Old Church de Chelsea ⑰

está Roper's Gardens ⑱, con tallas de Jacob Epstein. Justo detrás se encuentra el medieval Crosby Hall ⑲. Justice Walk ⑳ ofrece la vista de dos casas georgianas, Duke's House y Monmouth House. Se sigue a la izquierda para pasar por la factoría de porcelana de Chelsea ㉑, que estuvo muy de moda en el siglo XVIII y hoy tiene gran valor para los coleccionistas. Glebe Place ㉒

Teatro Royal Court ㉜

Paseo de 90 minutos entre Richmond y Kew

E STE ATRACTIVO paseo junto al río comienza en las ruinas del espléndido palacio que Enrique VII levantara en el histórico Richmond y termina en Kew, el mejor jardín botánico de Gran Bretaña. Para más detalles de los lugares de Richmond y Kew ver las páginas 252–258.

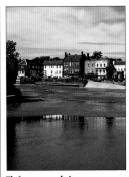

Richmond Green

Desde la estación de Richmond ① se va a Oriel House ② que está casi enfrente. Se toma el camino detrás de esta casa y se vuelve a la izquierda hacia el Richmond Theatre ③, de ladrillo rojo y terracota, construido en 1899. El actor Edmund Kean, cuya corta y meteórica carrera a principios del siglo XIX tuvo un decisivo impacto en la escena inglesa, estuvo asociado a un teatro anterior en el mismo sitio. Enfrente está Richmond Green ④. Se cruza en diagonal y se pasa a través de una entrada en arco ⑤ del viejo palacio Tudor, adornada con las armas de Enrique VII.

Talla sobre la entrada del viejo Palacio ⑤

bastante modificadas de las edificaciones del siglo XVI.

Dejando el Old Palace Yard por la esquina derecha ⑥, se sigue la señal *To the River* (al río) y se vuelve a la izquierda para pasar por el *pub* White Swan ⑦. Una vez en el río, se sigue el camino a la derecha, bajo el puente de hierro del ferrocarril y luego el de hormigón de Twickenham ⑧, terminado en 1933, hasta alcanzar Richmond Lock ⑨, con su puente de hierro para peatones construido en 1894. El Támesis tiene mareas hasta Teddington, unos 5 km arriba de la corriente y la esclusa se usa para hacer al río navegable.

La ribera del río

No cruzar el puente y continuar en el camino a lo largo del río hasta Isleworth Ait ⑩, una isla alargada en la que abundan las garzas y tras la cual está All Saints' Church ⑪, con una torre del siglo XV que ha sobrevivido a varias reformas, la última de las cuales fue en 1960. Algo más lejos se encuentra Isleworth ⑫, que fue un pueblo pequeño con un activo muelle y ahora es una ciudad-dormitorio de Londres. Constituye un buen punto para ver el tráfico del río, barcazas, yates y los barcos de pasajeros que hacen el servicio a Hampton Court *(ver pp.254-257)*. Muchos remeros se entrenan allí la mayor parte del año para las regatas, entre las que destacan la de Henley en julio y la de Cambridge y Oxford cada primavera, desde Putney a Mortlake *(ver p.56)*.

El río en marea baja

Richmond Theatre ③

Richmond

Richmond debe gran parte de su importancia y su nombre a Enrique, el vencedor de las Guerras de las Rosas y el primer monarca de la dinastía Tudor. Al ser coronado rey en 1485, pasó gran parte de su vida en una residencia en este lugar, Sheen Palace, del siglo XII. El palacio se quemó en 1499 y Enrique lo reconstruyó llamándolo Richmond, como la ciudad en el condado de York, cuyo título ostentaba. En 1603 murió en él Isabel I. Las casas dentro de la arcada, a la izquierda, tienen partes

Garzas pescan en el río

SIGNOS CONVENCIONALES

—	Itinerario
☆	Punto panorámico
Ⓔ	Estación de metro
⤢	Estación de tren

(Map labels:) HIGH ST · LONDON ROAD · SYON PAR · Thame · King's Observatory · Twickenh Bridge · TWIC · THE AVENUE · ⑧ ⑨ ⑩ ⑪ ⑫ ⑯

Kew

Tras un breve trecho, las barandillas de hierro a la derecha marcan el lugar donde el Old Deer Park ⑬ se junta con Kew Gardens ⑭ (más correctamente The Royal Botanic Gardens –ver pp.260–261). Era una entrada para los visitantes que venían andando o por el río, pero

Kew Palace en Kew Gardens ⑲

Museo del Vapor ⑱

la puerta ⑮ está ahora cerrada y el acceso más cercano se halla al norte, cerca del aparcamiento. Al otro lado del río hay unas magníficas vistas de Syon House ⑯, sede de los duques de Northumberland desde 1594. Parte de la actual mansión data del siglo XVI, pero fue profundamente reformada por Robert Adam en 1760. Se ve desde el jardín Capability Brown, plantado en

el siglo XVIII. Detrás de éste hay modernos apartamentos en Brentford ⑰, junto al río, que era en tiempos un suburbio industrial situado donde el Grand Union Canal se une al Támesis. Al fondo, se ve la alta chimenea de la estación de aguas ⑱ que ahora es un museo dedicado a la energía de vapor. A la derecha, detrás del aparcamiento de Kew Gardens, se puede ver el Kew Palace ⑲, un sombrío edificio construido en 1631.

Más allá del aparcamiento, se deja el río por Ferry Lane hacia Kew Green ⑳. Desde ahí se puede pasar el resto del día en Kew Gardens o cruzar el Kew Bridge y girar a la derecha a Strand on the Green ㉑, un pintoresco camino con atractivos *pubs*, de los cuales el más antiguo es el City Barge ㉒. Si se quiere volver, hay que dirigirse a Kew Road y girar a la izquierda en Kew Gardens Road, hacia la estación de Kew Gardens (línea District).

ALGUNOS CONSEJOS

Punto de partida: Estación de Richmond, District Line.
Recorrido: 5 km.
Cómo llegar: Estaciones de metro o ferrocarril de Richmond. El autobús 415 llega desde Victoria, el 391 y R68 desde Kew.
Altos en el camino: Hay muchos cafés, pubs y salones de té en Richmond. El famoso salón de té Maids of Honour está en Kew, así como el buen restaurante Jasper's Bun in the Oven.

La orilla del río entre Richmond y Kew

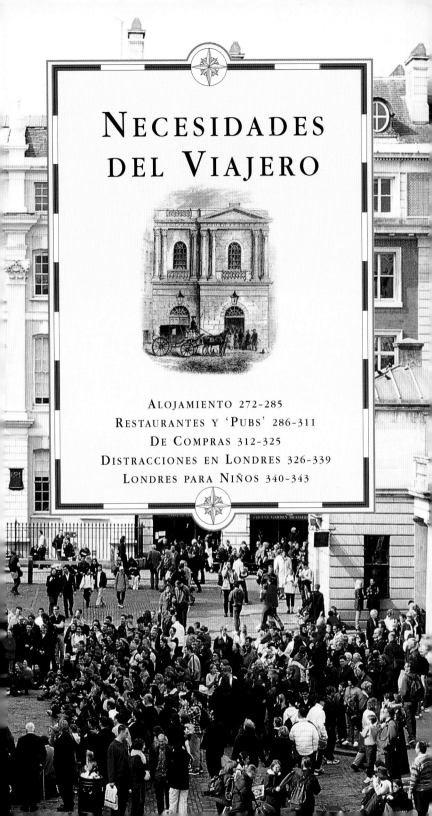

NECESIDADES DEL VIAJERO

ALOJAMIENTO

E L ALTO PRECIO del alojamiento en Londres es uno de los mayores inconvenientes que tienen los visitantes. No hay escasez de caros y lujosos hoteles, como pueden ser el Savoy o el Ritz. Los hoteles de nivel medio, aunque existen muchos, suelen estar apartados del centro de la ciudad. Desafortunadamente, muchos de los hoteles económicos suelen ser sórdidos y decadentes, un problema exacerbado por la subida de precios de la propiedad y del terreno. De todos modos, se puede alojar en Londres sin caer en bancarrota. Las cadenas de hoteles de

Portero del Hilton

bajo precio, como Travel Inn, Express de Holiday Inn e Ibis, están situados en lugares convenientes y ofrecen una buena calidad con precios asequibles. Se han inspeccionado más de 250 hoteles y apartamentos de todas las categorías de precios y hay más de 120 que son lo mejor de su clase. Para más detalles, vea el listado de las páginas 276-285. Los apartamentos de alquiler y las casas privadas *(ver pp. 274-275)* poseen una amplia gama de precios. Los albergues y residencias de estudiantes, así como cámpings, son otras posibilidades para bolsillos con bajo presupuesto *(ver p. 275)*.

SU ELECCIÓN

L OS HOTELES más caros suelen estar en las áreas elegantes del West End, como Mayfair o Belgravia. Generalmente son grandes y suntuosos, con porteros uniformados, pero no son siempre lugares tranquilos. Para encontrar hoteles más pequeños, pero también lujosos, ha de buscarse en South Kensington o Holland Park.

Las calles adyacentes a Earl's Court están llenas de establecimientos hoteleros económicos. Varias de las grandes estaciones de ferrocarril tienen también pequeños hoteles cerca, como

Ebury Street, en Victoria, o Sussex Gardens, en Paddington. Desde Euston, dirigirse a Bloomsbury (evitando la poco recomendable área detrás de King's Cross) donde hay varios hoteles modernos con precios razonables.

Hay hoteles con buenos precios en los suburbios, como Ealing, Hendon, Wembley o Harrow, donde se puede aparcar el coche y trasladarse al centro en transporte público, aunque se tarda casi una hora.

Para recabar información sobre la oferta hotelera en los aeropuertos, consultar la lista de la página 361.

Si se desea obtener más información, consejos o hacer reservas, puede ponerse en contacto con **London Tourist Board**, donde se ofrecen folletos sobre alojamiento en el Gran Londres.

TARIFAS ESPECIALES

L OS PRECIOS tienden a ser altosdurante todo el año, pero se pueden encontrar ofertas. Muchos hoteles, especialmente para los grupos, reducen sus tarifas los fines de semana y en fiestas especiales *(ver p.274)*. Otros cobran en función del nivel de ocupación de las habitaciones. Si el hotel no está lleno, siempre es posible obtener un descuento.

Los hoteles económicos tienen habitaciones sin baño o ducha, que cuestan menos de la tarifa normal.

EXTRAS

E S FRECUENTE que se exhiban los precios sin las tasas o impuestos, con la consiguiente sorpresa desagradable al recibir la factura, por lo que conviene leer la letra pequeña. En la mayoría de los hoteles se da el precio por habitación y no por persona, por lo que conviene aclararlo, así como el cargo por servicio, que suele estar incluido en el precio, aunque en algunos casos se añade. Deben cuidarse otros

El salón de té del hotel Waldorf *(ver p. 284)*

**Hotel Raddison Edwardian
Hampshire** *(ver p.281)*

extras, como las llamadas telefónicas. El desayuno se suele cargar sobre el precio de la habitación en los hoteles más caros, pero lo incluyen en los más baratos. El desayuno continental normalmente consiste en café, zumo de fruta y panecillo, tostada o cruasán con jamón. El desayuno inglés (completo) da fuerza suficiente para un día de turismo, pues consiste básicamente en cereales, zumos, huevos, beicon y tostadas.

Las propinas parecen algo consustancial a los hoteles de lujo, pero generalmente no se dan más que a los botones y al conserje si, por ejemplo, reserva entradas para espectáculos.

A los viajeros solos se les carga generalmente un suplemento y pagan un 80% de la tarifa de una habitación doble, aunque se ocupe una individual.

**El elegante vestíbulo del hotel
Gore en Kensington** *(ver p.276)*

INSTALACIONES Y SERVICIOS

Las habitaciones en los hoteles de Londres, sea cual fuere su precio, tienden a ser pequeñas, pero la mayoría dispone de teléfono, televisor y baño o duchas en las habitaciones. Los hoteles más lujosos ofrecen los equipos más modernos de vídeo, ordenadores y música. El lujo más reciente consiste en unas pequeñas pantallas de televisión instaladas en el cuarto de baño. Cualquier hotel espera que se deje la habitación libre a las 12.00 del día de la salida, a veces incluso antes.

RESERVAS

Es siempre aconsejable reservar con antelación, ya que la disponibilidad en los hoteles de más calidad está siempre sujeta a la constante demanda. Puede reservar directamente por carta, teléfono, fax o vía Internet. Generalmente se le exigirá alguna garantía: el número de la tarjeta de crédito por si hubiera una cancelación poder deducir los gastos o un depósito por una noche (algo más para estancias largas). No olvide que si cancela la reserva por alguna razón, parte del precio de la habitación le será cargado, a menos que el hotel pueda realquilar la habitación.

El **London Tourist Board (LTB)** posee un servicio gratuito de reservas. Para usarlo, debe escribir con al menos seis semanas de antelación a Accommodation Service's Advance Booking Office, indicando cuánto se quiere gastar. Recuerde que debe reconfirmar las reservas que le hagan. Si les avisa con menos de seis semanas, le cobrarán un pequeño recargo más un depósito de estancia que se deduce de la factura final. Puede reservar con la tarjeta de crédito por teléfono o yendo a Tourist Information Centre de LTB en las estaciones Victoria y Liverpool o en el aeropuerto de Heathrow (en la estación subterránea de las terminales 1, 2 y 3). La LTB también posee sucursales en Harrods, Selfridges y en la Torre de Londres. Publican

**Uno de los cuartos de baño del
hotel Portobello** *(ver p.277)*

unos folletos que proporcionan información sobre el alojamiento en Londres.

Otro servicio de reservas es el **British Travel Centre,** situado en Regent Street. Y hay numerosas agencias de reservas en la mayoría de las estaciones de tren, que cargan una pequeña tarifa para peticiones personales. Se deben evitar los *ganchos* que ofrecen alojamiento barato para los turistas en las estaciones de trenes y autobuses.

RESERVAS EN INTERNET

La mayoría de hoteles tiene sus propias páginas *web* y a menudo la información disponible en ellas está más actualizada que la de los folletos. Si usted está familiarizado con la tecnología, este sistema de reservas le resultará rápido y eficaz. Hay algunas buenas ofertas disponibles en Internet, especialmente en los grandes hoteles. Las agencias de reservas y de viajes también utilizan Internet como modo más efectivo y, en la mayoría de los casos, más económico para los usuarios. Poco a poco, Internet demuestra la fluctuación de los *rack rates* de muchos hoteles (esto es, los precios impresos en la hoja de tarifas), los cuales, lejos de ser invariables, fluctúan profundamente de acuerdo con las leyes de la oferta y la demanda.

OFERTAS ESPECIALES

E N MUCHAS AGENCIAS de viajes tienen folletos de las grandes cadenas de hoteles con ofertas especiales, basadas en una estancia mínima de dos noches. Algunas representan una extraordinaria reducción comparadas con las tarifas normales. Para muchos viajeros, ésta es la mejor forma de utilizar los hoteles.

Otros folletos son de operadores especializados en vacaciones, sin conexión con ninguna cadena, y muchos hoteles privados tienen sus propias ofertas. Las compañías aéreas y de transbordadores ofrecen sus *paquetes* que incluyen el alojamiento. A veces, el mismo hotel aparece en varios folletos con diferentes precios y condiciones. Por eso es mejor preguntar al propio establecimiento sus tarifas especiales o mirarlo en internet.

VIAJEROS DISCAPACITADOS

L A INFORMACIÓN que se ofrece sobre accesos para discapacitados está basada en los cuestionarios de los hoteles, pero el viajero con necesidades especiales siempre debe confirmar cuando haga la reserva que el establecimiento posee lo indicado. En todo caso, la mayoría de los hoteles proporciona ayuda a los discapacitados. *Tourism for All* proporciona detalles sobre alojamiento e instalaciones para viajeros con problemas de movilidad. Para más información sobre los hoteles que se acogen a *National Accesible Standard,* contacte con **LTB** o **Holiday Care Service.** En **RADAR** obtendrá el folleto *Access in London.*

Cartel del Savoy de 1920

VIAJAR CON NIÑOS

L OS HOTELES DE Londres, hasta hace poco, eran famosos por no acoger niños. Actualmente, un gran número de hoteles se esfuerza en atender las necesidades de las personas que viajen con niños y proporcionan cunas, sillas altas, servicio de canguros y comidas especiales. Pregunte siempre en el hotel por los servicios que disponen para los niños, ya que pueden ofrecer tarifas especiales o permitir que los niños se alojen gratuitamente si duermen en la habitación de los padres. Los hoteles recomendados *(ver pp. 272-285)* informan sobre si poseen instalaciones para los niños o si ponen restricciones de edad.

AGENCIAS DE APARTAMENTOS

M UCHAS AGENCIAS ofrecen alojamiento en apartamentos, usualmente para estancias de una semana o más. Los precios dependen del tamaño y de la zona, empezando por unas 300 libras por semana. Algunos complejos más lujosos ofrecen todo tipo de servicios, por lo que no tendrá necesidad de cocinar o limpiar. **Bridge Street Accommodations** posee 550 apartamentos en Londres en buenas zonas. Están dirigidos principalmente a empresas o personas en viajes de negocios, pero suelen poder alquilarse para estancias cortas siempre que haya disponibles.

Landmark Trust alquila apartamentos en edificios históricos o singulares, como por ejemplo en Hampton Court *(ver pp. 250-253)* o pisos en las preciosas casitas del siglo XVIII de la City, una de las cuales fue el hogar del famoso poeta sir John Betjeman. Se puede adquirir un catálogo de las propiedades de Landmark Trust por un módico precio.

ESTANCIAS EN CASAS PRIVADAS

D IVERSAS AGENCIAS organizan estancias en casas privadas, algunas registradas en LTB. Se pueden reservar con la tarjeta de crédito por teléfono a través del servicio de reservas de LTB. Varias agencias exigen como mínimo una semana de estancia. Los precios dependen de la zona, empezando por unas 20 libras por persona y noche. A veces se comparte la casa con la familia, pero esto no está garantizado, pregunte cuando haga la reserva. Suelen pedir un depósito que se cancela a la reserva. **Bed & Breakfast and Homestay Association (BBHA)** es una asociación de conocidas agencias cuyas propiedades se inspeccionan regularmente. Varias BBHA están reseñadas en el epígrafe de Información General.

Uptown Reservations ofrece *bed and breakfast* en interesantes y bien situadas casas de Londres, que son inspeccionadas para su seguridad y comodidad. Los precios suelen ser de 85 libras por noche en habitación doble. Trabajan con **Wolsey Lodges,** un consorcio de casas privadas, a menudo en edificios históricos o de

Suntuosidad clásica en el hotel Claridge's *(ver p.281)*

interés, ofreciendo un magnífico hospedaje y una buena cena. Wolsey Lodges tiene una lista de estas encantadoras casas de Londres.

ALOJAMIENTO ECONÓMICO

A PESAR DEL alto coste de los hospedajes, por lo general, existen opciones módicas, y no sólo para jóvenes.

Alojamiento para dormir y albergues para jóvenes

Se pueden reservar a través del centro de información de la LTB en Victoria, por una pequeña tarifa más un depósito reembolsable. Hay hostales privados alrededor de Earl's Court, donde una cama y desayuno cuesta 10 £ por noche. **London Hostel Association** ofrece una selección de alojamientos con precios razonables por todo el centro de Londres.

Hay siete albergues de **Youth Hostels Association**.

Hostal de jóvenes City of London

A pesar del nombre (juventud) no hay límite de edad. Uno de los más interesantes es Holland House, una mansión jacobina en Holland Park *(ver p.214)*. Ha de reservarse con antelación, ya que está muy solicitada.

Residencias universitarias

Muchas habitaciones de estudiantes están disponibles en Semana Santa y desde julio a septiembre a precios muy asequibles. Algunas se encuentran en lugares muy céntricos como South Kensington. Se recomienda reservar con antelación, pues las plazas están disponibles con muy poco tiempo. Contacte con **City University** o, si necesita alojamiento rápido, **King's College** o **Imperial College.**

CÁMPINGS

E N HACKNEY, al este del centro de la ciudad, está **Tent City** (abre de junio a agosto), un cámping con todas las instalaciones básicas. Hay también en Edmonton, Leyton, Chingford y Crystal Palace, con mejores instalaciones y espacio para caravanas. LTB publica un folleto con detallada información sobre lugares e instalaciones de los cámpings de Londres.

INFORMACIÓN GENERAL

RESERVAS E INFORMACIÓN

London Tourist Board (LTB)
Glen House, Stag Place, SW1E 5LT.
📞 020-7932 2020 (se exige tarjeta de crédito para reservar alojamiento).
🖥 www.londontown.com

British Hotel Reservation Centre
13 Grosvenor Gardens SW1W 0BD.
📞 0800 282888.
🖥 www.bhronline.com

VIAJEROS DISCAPACITADOS

Holiday Care Service
2ª planta, Imperial Buildings, Victoria Road, Horley, Surrey RH6 7BZ.
📞 01293 771500.

RADAR
250 City Road EC1V 8AF.
📞 020-7250 3222.

AGENCIAS DE APARTAMENTOS

Bridge Street Accommodations
42 Lower Sloane St SW1W 8BP.
📞 020-7792 2222.
🖥 www.bridgestreet.com

Landmark Trust
Shottesbrooke, Maidenhead, Berks SL6 3SW.
📞 01628 825925.
🖥 www.landmarktrust.co.uk

AGENCIAS PARA ESTANCIAS EN CASAS PRIVADAS

Bed & Breakfast and Homestay Association
🖥 www.bbha.org.uk

Host and Guest Services
103 Dawes Road SW6 7DU
📞 020-7385 9922.
🖥 www.host-guest.co.uk

London Bed and Breakfast Agency
71 Fellows Road NW3 3JY
📞 020-7586 2768.
🖥 www.londonbb.com

Uptown Reservations
41 Paradise Walk SW3 4JL.
📞 020-7351 3445.
🖥 www.uptownres.co.uk

Wolsey Lodges
9 Market Place, Hadleigh, Ipswich, Suffolk, IP7 5DL.
📞 01473 822058.
🖥 www.wolsey-lodges.co.uk

ALBERGUES

London Hostel Association
54 Eccleston Sq SW1V 1PG.
📞 020-7834 1545.
🖥 www.london-hostels.co.uk

Youth Hostels Association
Trevelyan House, 8 St Stephen's Hill, St Albans, Herts AL1 2DY.
📞 01727 855215.

CÁMPING

Tent City
Millfields Road, Hackney E5 0AR.
📞 020-8985 7656.
🖥 www.tentcity.co.uk

RESIDENCIAS UNIVERSITARIAS

City University Accommodation and Conference Service
Northampton Sq EC1V 0HB.
📞 020-7477 8037.

Imperial College Summer Accommodation Centre
Watts Way Princes Gdns SW7 1LU.
📞 020-7594 9507.

King's Campus Vacation Bureau
127 Stamford St, SE1 9NQ.
📞 020-7928 3777.

Elegir un hotel

L OS HOTELES han sido seleccionados de una amplia gama de precios por su buena relación calidad-precio, sus instalaciones y su ubicación. Están ordenados por zonas. Comienza por las áreas del oeste y suroeste de Londres, y sigue hacia el centro de la ciudad y los barrios del este, así como algunos hoteles de las afueras. Para las referencias a los planos, vea las páginas 370-407.

	TARJETAS DE CRÉDITO	NÚMERO DE HABITACIONES	RESTAURANTE	SERVICIOS PARA NIÑOS	UBICACIÓN TRANQUILA
BAYSWATER, PADDINGTON					
DELMERE 130 Sussex Gardens, W2. **Plano** 11 A2. £££ 📞 020 7706 3344. FAX 020 7262 1863. W www.delmerehotels.com Hotel acogedor y bien dirigido situado en una calle atestada de hoteles económicos. Habitaciones pequeñas y limpias. 🔲🔲🔲	AE DC JCB MC V	38	▨		
PAVILION 34–36 Sussex Gardens, W2. **Plano** 11 A1. £££ 📞 020 7262 0905. FAX 020 7262 1324. W www.msi.com.mt/pavilion Lugar informal y económico, en el que las habitaciones están decoradas por temas. Hay fiesta en el Silver Salon casi todas las noches. 🔲	AE DC JCB MC V	27			
MORNINGTON 12 Lancaster Gate, W2. **Plano** 10 F2. £££ 📞 020 7262 7361. FAX 020 7706 1028. W www.mornington.se Preciosas habitaciones que contrastan con el ambiente masculino del bar de este hotel sueco que ofrece bufé *smorgasbord* como desayuno. 🔲🔲🔲🔲	AE DC JCB MC V	66		●	▨
QUALITY 8–14 Talbot Square, W2. **Plano** 11 A2. ££££ 📞 020 7262 6699. FAX 020 7229 3333. W www.choicehotelslondon.com Amable servicio y divertida decoración caracterizan a este hotel situado en una tranquila y arbolada plaza. 🔲🔲🔲🔲	AE DC JCB MC V	75		●	▨
HEMPEL 31 Craven Hill Gardens, W2. £££ 📞 020 7298 9000. FAX 020 7402 4666. W www.the-hempel.co.uk El diseño ultraelegante de Anouska Hempel se combina con una innovadora decoración, un magnífico servicio y una moderna tecnología. 🔲🔲🔲🔲🔲🔲	AE DC JCB MC V	47	▨		▨
NORTH KENSINGTON, EARL'S COURT					
ABBEY HOUSE 11 Vicarage Gate, W8. **Plano** 10 D4. £ 📞 020 7727 2594. W www.abbeyhousekensington.com En este popular *bed and breakfast* se valora realmente el presupuesto de los viajeros que necesitan tarifas económicas. Buena ubicación y habitaciones sencillas y limpias.		16		●	▨
47 WARWICK GARDENS 47 Warwick Gardens, W14. **Plano** 17 C2. £££ 📞 020 7603 7614. FAX 020 7602 5473. @ nanette@stylianou.fsnet.co.uk Casa bellamente conservada muy bien comunicada y con un bonito jardín en la parte de atrás para tomar algo. Excelente desayuno. 🔲🔲	MC V	3			
RUSHMORE 11 Trebovir Road, SW5. **Plano** 17 C2. £££ 📞 020 7370 3839. FAX 020 7370 0274. Muy cerca de Earl's Court Tube, esta bien conservada casa victoriana ofrece habitaciones bellamente decoradas. 🔲🔲	AE DC JCB MC V	22		●	▨
KENSINGTON HOUSE 15–16 Prince of Wales Terrace, W8. **Plano** 10 E5. ££££ 📞 020 7937 2345. FAX 020 7368 6700. W www.kenhouse.com Simpático y recién abierto hotel que combina decoración de época y contemporánea. 🔲🔲🔲🔲	AE DC JCB MC V	41	▨	●	▨
ROYAL GARDEN 2–24 Kensington High St, W8. **Plano** 10 5E. ££££ 📞 020 7937 8000. FAX 020 7361 1991. W www.royalgardenhotel.co.uk Las vistas de Kensington Gardens se añaden al placer de la estancia en este pre- cioso hotel de negocios. Servicio cortés y aparcamiento. 🔲🔲🔲🔲🔲🔲🔲	AE DC JCB MC V	396	▨	●	
TWENTY NEVERN SQUARE 20 Nevern Square, SW5. **Plano** 17 C2. ££££ 📞 020 7565 9555. FAX 020 7565 9444. @ hotel@twentynevernsquare.co.uk Hotel suntuosamente decorado con una imaginativa mezcla de tejidos y objetos orientales. 🔲🔲🔲🔲					
THE GORE 189 Queen's Gate, SW7. **Plano** 10 F5. £££££ 📞 020 7584 6601. FAX 020 7589 8127. W www.gorehotel.com Peculiar hotel victoriano con cuadros de ventiscas y curiosa decoración de época. Posee dos excelentes restaurantes. Cerrado en Navidad. 🔲🔲🔲🔲	AE DC JCB MC V	53	▨	●	▨

		TARJETAS DE CRÉDITO	NÚMERO DE HABITACIONES	RESTAURANTE	SERVICIOS PARA NIÑOS	UBICACIÓN TRANQUILA

Precios por noche en una habitación doble normal, incluidos desayuno, servicios e impuestos adicionales:

£ menos de 80 libras
££ 80-120 libras
£££ 120-180 libras
££££ 180-220 libras
£££££ más de 220 libras

TARJETAS DE CRÉDITO
Se aceptan las tarjetas de crédito *AE* American Express, *DC* Dinners Club, *JCB* Japan Credit Bureau, *MC* MasterCard/Access, *V* Visa.

RESTAURANTE
El hotel dispone de restaurante o comedor. A veces no está abierto a los no residentes.

SERVICIOS PARA NIÑOS
El hotel puede ofrecer cunas, sillas altas, canguros, comida para niños, juegos, habitaciones familiares.

UBICACIÓN TRANQUILA
Situado en una zona sin mucho tráfico por la noche.

	Tarjetas de crédito	N.º Hab.	Rest.	Niños	Tranq.
THE MILESTONE 1 Kensington Court, W8. **Plano** 10 E5. **£££££** (020 7917 1000. FAX 020 7917 1010. W www.redcarnationhotels.com Dos casas forman este hotel situado enfrente de Kensington Gardens. Excelentes instalaciones. Dispone de *suites* y apartamentos. 🔲🔲🔲🔲🔲	AE DC JCB MC V	57	▦	●	

NOTTING HILL, HOLLAND PARK

	Tarjetas de crédito	N.º Hab.	Rest.	Niños	Tranq.
ABBEY COURT 20 Pembridge Gardens, W2. **Plano** 9 C3. **£££** (020 7221 7518. FAX 020 7792 0858. W www.abbeycourthotel.co.uk Habitaciones tranquilas decoradas con libros y toques personales caracterizan esta casa victoriana situada cerca de Notting Hill Gate. 🔲🔲🔲	AE DC JCB MC V	22		●	▦
PEMBRIDGE COURT 34 Pembridge Gardens, W2. **Plano** 9 C3. **£££** (020 7229 9977. FAX 020 7727 4982. W www.pemct.co.uk Hotel familiar repleto de curiosidades victorianas. El agradable bar del sótano ofrece precios bajos. 🔲🔲🔲🔲		20		●	▦
PORTOBELLO 21 Stanley Gardens, W11. **Plano** 9 B2. **££££** (020 7727 2777. FAX 020 7792 9641. W www.portobello-hotel.co.uk Excéntrico y delicioso hotel lleno de antigüedades. Habitaciones decoradas con exotismo. Cerrado en Navidad y Año Nuevo. 🔲🔲🔲	AE MC V	24	▦	●	▦
MILLERS 111a Westbourne Grove, W2. **Plano** 10 D2. **££££** (020 7243 1024. FAX 020 7243 1064. W www.millersuk.com Este hotel es como la cueva de Aladino, con fascinantes objetos de arte coleccionados por el gurú de las antigüedades Martin Miller. 🔲🔲🔲	AE MC V	7			
WESTBOURNE 165 Westbourne Grove, W11. **Plano** 9 B2. **££££** (020 7243 6008. FAX 020 7229 7201. W www.zoohotels.com El ambiente de este visitadísimo hotel en el corazón de Notting Hill es elegante y contemporáneo. Originales obras de arte. 🔲🔲🔲🔲🔲	AE DC JCB MC V	20	▦	●	▦
HALCYON 81 Holland Park, W11. **Plano** 9 A4. **£££££** (020 727 7288. FAX 020 7229 8516. W www.thehalcyon.com Romántico escondite en el elegante Holland Park, un mundo de lujo que rezuma encanto clásico en todos sus rincones. 🔲🔲🔲🔲🔲	AE DC JCB MC V	42	▦	●	▦

KNIGHTSBRIDGE, BROMPTON, BELGRAVIA

	Tarjetas de crédito	N.º Hab.	Rest.	Niños	Tranq.
WILLETT 32 Sloane Gardens, SW1. **Plano** 20 D2. **££** (020 7824 8415. FAX 020 7730 4830. W www.eeh.co.uk Elegante *bed and breakfast* discretamente situado en Sloane Square. Sus precios son bajos para su magnífica ubicación. 🔲🔲🔲	AE DC JCB MC V	19		●	▦
CLAVERLEY 13-14 Beaufort Gardens, SW3. **Plano** 19 B1. **£££** (020 7589 8541. FAX 020 7584 3410. @ reservations@claverleyhotel.co.uk *Bed and breakfast* de calidad en un lugar tranquilo y arbolado. Las habitaciones son preciosas (las mejores tienen grandes ventanas y están en el primer piso). 🔲🔲🔲🔲	AE DC JCB MC V	33		●	▦
KNIGHTSBRIDGE GREEN 159 Knightsbridge, SW1. **Plano** 11 C5. **£££** (020 7584 6274. FAX 020 7225 1635. W www.thekghotel.co.uk Hotel idealmente situado cerca de la zona de compras de Knightsbridge con tres tipos de desayuno en sus espaciosas habitaciones. 🔲🔲🔲🔲🔲	AE DC MC V	28	▦	●	▦
SEARCY'S ROOF GARDEN 30 Pavilion Road, SW1. **Plano** 11 C5. **£££** (020 7584 4921. FAX 020 7823 8694. W www.searcys.co.uk Estos elegantes apartamentos son un real hallazgo. Se accede por un precioso y antiguo ascensor. 🔲🔲🔲🔲	AE MC V	11			▦
57 POND ST 57 Pond St, SW1. **Plano** 19 C1. **££££** (020 7590 1090. FAX 020 7590 1099. W www.no57.com Encantador hotel con preciosos diseños de moda, con cuidada decoración y un íntimo bar en la planta baja. 🔲🔲🔲🔲🔲	AE DC JCB MC V	22	▦	●	

Para el significado de los símbolos ver solapa posterior

Precios por noche en una habitación doble normal, incluidos desayuno, servicios e impuestos adicionales:

£ menos de 80 libras
££ 80-120 libras
£££ 120-180 libras
££££ 180-220 libras
£££££ más de 220 libras

TARJETAS DE CRÉDITO
Se aceptan las tarjetas de crédito *AE* American Express, *DC* Dinners Club, *JCB* Japan Credit Bureau, *MC* MasterCard/Access, *V* Visa.
RESTAURANTE
El hotel dispone de restaurante o comedor. A veces no está abierto a los no residentes.
SERVICIOS PARA NIÑOS
El hotel puede ofrecer cunas, sillas altas, canguros, comida para niños, juegos, habitaciones familiares.
UBICACIÓN TRANQUILA
Situado en una zona sin mucho tráfico por la noche.

	TARJETAS DE CRÉDITO	NÚMERO DE HABITACIONES	RESTAURANTE	SERVICIOS PARA NIÑOS	UBICACIÓN TRANQUILA
BEAUFORT 33 Beaufort Gardens, SW3. **Plano** 19 B1. ££££ 020 7584 5252. FAX 020 7589 2834. W www.thebeaufort.co.uk Hotel situado en una tranquila plaza con habitaciones bellamente decoradas. Servicio de habitaciones y club de salud gratuito para los residentes.	AE DC JCB MC V	28		●	■
L'HOTEL 28 Basil St, SW3. **Plano** 11 C5. ££££ 020 7589 6286. FAX 020 7823 7826. W www.lhotel.co.uk *Bed and breakfast* con refinadas habitaciones y un bar en el sótano, Le Metro, que ofrece imaginativas comidas.	AE DC JCB MC V	12	■		■
BEAUFORT HOUSE 45 Beaufort Gardens, SW3. **Plano** 19 B1. £££££ 020 7584 2600. FAX 020 7584 6532. W www.beauforthouse.co.uk Apartamentos muy bien amueblados en una tranquila calle. La tarifa incluye servicio de habitaciones diario y ser socio del club de salud Champneys.	AE DC MC V			●	■
BASIL STREET 23 Basil St, SW3. **Plano** 11 C5. £££££ 020 7581 3311. FAX 020 7581 3693. W www.thebasil.com Popular hotel situado al lado de Sloane Street. Con una larga historia y lleno de personalidad.	AE DC JCB MC V	80			
BERKELEY Wilton Place, SW1. **Plano** 12 D5. £££££ 020 7235 6000. FAX 020 7235 4330. W www.savoy-group.co.uk Este elegante hotel tiene dos restaurantes muy buenos (Vog y Tante Claire), así como el conocido club de salud Christian Dior.	AE DC JCB MC V	168	■	●	
CAPITAL 22–24 Basil St, SW3. **Plano** 11 C5. £££££ 020 7589 5171. FAX 020 7225 0011. W www.capitalhotel.co.uk Su famoso restaurante es la principal atracción de este pequeño hotel, el alojamiento es llevado de modo similar.	AE DC JCB MC V	48	■	●	■
EGERTON HOUSE Egerton Terrace, SW3. **Plano** 19 B1. £££££ 020 7589 2412. FAX 020 7584 6540. W www.egertonhousehotel.co.uk Esta íntima casa con vistas a dos arboladas plazas es un hotel que ofrece un muy buen nivel y decoración clásica.	AE DC MC V	29		●	■
HALKIN 5 Halkin St, SW1. **Plano** 12 D5. £££££ 020 7333 1000. FAX 020 7333 1100. W www.halkin.co.uk Sofisticado diseño italiano con toques orientales y el restaurante de Stephano Cavallini, con vistas a los jardines de un patio, hacen de este hotel un maravilloso lugar.	AE DC JCB MC V	41	■	●	■
MANDARIN ORIENTAL 66 Knightsbridge, SW1. **Plano** 11 C5. £££££ 020 7235 2000. FAX 020 7235 4552. W www.mandarinoriental.com Hotel con vistas a Hyde Park que ofrece magníficas habitaciones e instalaciones, así como un club de salud oriental.	AE DC MC V	200	■	●	

SOUTH KENSINGTON, CHELSEA

	TARJETAS DE CRÉDITO	NÚMERO DE HABITACIONES	RESTAURANTE	SERVICIOS PARA NIÑOS	UBICACIÓN TRANQUILA
HOTEL 167 167 Old Brompton Road, SW5. **Plano** 18 E3. ££ 020 7373 0672. FAX 020 7373 3360. W www.hotel167.com Asequible *bed and breakfast* situado en una elegante parte de South Kensington. Habitaciones con estilo.	AE DC JCB MC V	19			
SWISS HOUSE 171 Old Brompton Road, SW5. **Plano** 18 E3. ££ 020 7373 2769. FAX 020 7373 4983. W www.swiss-hh.demon.co.uk Acogedora y bien conservada casa de huéspedes con toques encantadores. Habitaciones preciosas con buenos baños.	AE DC MC V	16		●	
ASTONS APARTMENTS 31 Rosary Gardens, SW7. **Plano** 18 E3. ££ 020 7590 6000. FAX 020 7590 6060. W www.astons-apartments.com Apartamentos y estudios que varían en cuanto a tamaño e instalaciones, de más bajo precio que lo que cuesta un hotel.	AE DC JCB MC V	54		●	■

ASTER HOUSE 3 Sumner Place, SW7. **Plano** 19 A2. £££
📞 020 7581 5888. FAX 020 7584 4925. W www.asterhouse.com
JCB MC V · 14
Acogedor *bed and breakfast* en una tranquila y elegante calle. Habitaciones limpias y un precioso jardín en la parte de atrás. Estrictamente para no fumadores. 🛏 ♒

FIVE SUMNER PLACE 5 Sumner Place, SW7. **Plano** 19 A2. £££
📞 020 7584 7586. FAX 020 7823 9962. W www.sumnerplace.com
AE JCB MC V · 15
Pequeño hotel tranquilo con buenas instalaciones. El desayuno se acompaña con periódicos. 🛏 📺 ♒

GAINSBOROUGH 7–11 Queensberry Place, SW7. **Plano** 18 F2. £££
📞 020 7957 0000. FAX 020 7957 0001. W www.eeh.co.uk
AE DC JCB MC V · 49
Situado cerca de los museos de South Kensington, este hotel está decorado bellamente. Confortables habitaciones con servicio de 24 horas. 🛏 📺 🔒 ▤

GALLERY 8–10 Queensbury Place, SW7. **Plano** 18 F2. £££
📞 020 7915 0000. FAX 020 7915 4400. W www.eeh.co.uk
AE DC JCB MC V · 36
Bajo la misma dirección que el Gainsborough, este hotel dispone de elegantes habitaciones y cuadros originales. 🛏 📺 🔒 ▤

CRANLEY 10–12 Bina Gardens, SW5. **Plano** 18 E2. ££££
📞 020 7373 0123. FAX 020 7373 9497. W www.thecranley.com
AE DC JCB MC V · 38
Casa decorada con antigüedades y un atractivo diseño interior. Aperitivos y té por las tardes. 🛏 📺 ♒ 🔒 ▤

LONDON OUTPOST 69 Cadogan Gardens, SW3. **Plano** 19 C2. ££££
📞 020 7589 7333. FAX 020 7531 4958. W www.carnegie.club.co.uk
AE DC JCB MC V · 11
En una preciosa casa eduardiana de Sloane Street, este hotel dispone de sala de billar, periódicos y cómodos sillones. 🛏 📺 ♒ 🔒 ▤

NUMBER SIXTEEN 16 Sumner Place, SW7. **Plano** 19 A2. ££££
📞 020 7589 5232. FAX 020 7584 8615. W www.numbersixteenhotel.co.uk
AE MC V · 37
Antigüedades, flores y preciosas telas otorgan a este hotel un elegante ambiente. Posee un encantador jardín. 🛏 📺 ▤

PELHAM 15 Cromwell Place, SW7. **Plano** 19 A2. ££££
📞 020 7589 8288. FAX 020 7584 8444. W www.firmdale.com
AE MC V · 51
Cada rincón del interior de este hotel es como un sueño, con personales toques de extravagancia. 🛏 📺 🔒 ▤

BLAKES 33 Roland Gardens, SW7. **Plano** 18 F3. £££££
📞 020 7370 6701. FAX 020 7373 0442.
AE DC JCB MC V · 50
Opulento hotel en el que cada habitación es una fantasía de materiales naturales y magníficas antigüedades. Posee un tranquilo jardín y un restaurante de estilo oriental. 🛏 📺 🔒 ▤

CADOGAN 75 Sloane St, SW1. **Plano** 19 C1. £££££
📞 020 7235 7141. FAX 020 7245 0994. W www.cadogan.com
AE MC V · 65
Esta casa evoca la grandeza y la formalidad del pasado. Actualmente los móviles los han hecho los dueños de las zonas comunes. 🛏 📺 🔒 ♒ 🔒 ▤

CLIVEDEN TOWN HOUSE 26 Cadogan Gardens, SW3. **Plano** 19 C1. £££££
📞 020 7730 6466. FAX 020 7730 0236. W www.clivedentownhouse.co.uk
AE DC JCB MC V · 35
Grandioso hotel con lujosas habitaciones eduardianas y *suites* y retirados jardines. 🛏 📺 🔒 ▤

DRAYCOTT HOUSE APARTMENTS 10 Draycott Av, SW3. **Plano** 19 C2. £££££
📞 020 7584 4659. FAX 020 7225 3694. W www.draycotthouse.co.uk
AE DC JCB MC V · 13
Estos lujosos apartamentos en una elegante mansión de Chelsea están equipados con todos los aparatos que se pueda imaginar. Algunos poseen balcones privados. 🛏 📺 🔒 ▤

VICTORIA, WESTMINSTER, PIMLICO

MORGAN HOUSE 120 Ebury St, SW1. **Plano** 20 E2. £
📞 020 7730 2384. FAX 020 7730 8442. W www.morganhouse.co.uk
MC V · 11
Bed and breakfast económico en una casa georgiana con moderna decoración. Sólo tres habitaciones tienen baño. ♒

LIME TREE 135–137 Ebury St, SW1. **Plano** 20 E2. ££
📞 020 7730 8191. FAX 020 7730 7865. W www.limetreehotel.co.uk
AE DC JCB MC V · 26
Precioso *bed and breakfast* que sirve el desayuno en una agradable sala que da a un jardín de rosas. No se admiten niños menores de 5 años. 🛏 ♒

Precios por noche en una habitación doble normal, incluidos desayuno, servicios e impuestos adicionales:

£ menos de 80 libras
££ 80-120 libras
£££ 120-180 libras
££££ 180-220 libras
£££££ más de 220 libras

TARJETAS DE CRÉDITO
Se aceptan las tarjetas de crédito *AE* American Express, *DC* Dinners Club, *JCB* Japan Credit Bureau, *MC* MasterCard/Access, *V* Visa.

RESTAURANTE
El hotel dispone de restaurante o comedor. A veces no está abierto a los no residentes.

SERVICIOS PARA NIÑOS
El hotel puede ofrecer cunas, sillas altas, canguros, comida para niños, juegos, habitaciones familiares.

UBICACIÓN TRANQUILA
Situado en una zona sin mucho tráfico por la noche.

	Tarjetas de Crédito	Número de Habitaciones	Restaurante	Servicios para Niños	Ubicación Tranquila

WINDERMERE 142–144 Warwick St, SW1. **Plano** 20 E2. ££
020 7834 5163. FAX 020 7630 8831. W www.tophams.co.uk
Hotel familiar con variadas habitaciones muy cuidadas. El atractivo restaurante del sótano sirve una amplia gama de deliciosos platos. ▪ ▪ ▪
AE JCB MC V — 22 — ▪ ● —

DOLPHIN SQUARE Chichester St, SW1. **Plano** 21 A3. £££
020 7834 3800. FAX 020 7798 8735. W www.dolphinsquarehotel.co.uk
Acogedor complejo de *suites* y estudios cerca de la Tate Britain. Las instalaciones incluyen jardín, sala de deportes, piscina, tiendas, el restaurante Gary Rhodes y una *brasserie*. ▪ ▪ ▪ ▪ ▪ ▪
AE DC MC V — 148 — ▪ ● ▪

TOPHAMS BELGRAVIA 28 Ebury St, SW1. **Plano** 20 E1. £££
020 7730 8147. FAX 020 7823 5966. W www.tophams.co.uk
Hotel familiar con historia cerca de la estación Victoria que ocupa varias casas. Buena relación calidad-precio. ▪ ▪ ▪
AE DC JCB MC V — 39 — ▪ — —

41 41 Buckingham Palace Road, SW1. **Plano** 12 F5. £££££
020 7300 0041. FAX 020 7300 0141. W www.redcarnationhotels.com
Impresionante hotel situado enfrente de Buckingham Palace. La tarifa incluye todos los extras. Decoración en blanco y negro. ▪ ▪ ▪ ▪
AE DC JCB MC V — 20 — ▪ — —

CROWNE PLAZA Buckingham Gate, SW1. **Plano** 12 F5. £££££
020 7834 6655. FAX 020 7630 7587. W www.london.crowneplaza.com
Las instalaciones de esta casa eduardiana cerca de St James's Park incluyen un equipado gimnasio y tres famosos restaurantes. ▪ ▪ ▪ ▪ ▪ ▪
AE DC JCB MC V — 458 — ▪ — —

GORING Beeston Place, SW1. £££££
020 7396 9000. FAX 020 7834 4393. W www.goringhotel.co.uk
Elegante hotel de Belgravia con delicados muebles y cálida bienvenida. Preciosos jardines en la parte de atrás. ▪ ▪ ▪ ▪
AE DC MC V — 75 — ▪ ● —

JOLLY ST ERMIN'S 2 Caxton St, SW1. **Plano** 13 A5. £££££
020 7222 7888. FAX 020 7222 6814. W www.jollyhotels.it/eng/
Hotel de finales de la época victoriana con llamativas molduras muy cerca de Westminster y el favorito de los políticos. ▪ ▪ ▪ ▪ ▪
AE DC JCB MC V — 290 — ▪ ● —

ROYAL HORSEGUARDS Whitehall Court, SW1. **Plano** 13 C4. £££££
020 7839 3400. FAX 020 7925 2263. W www.thistlehotels.com
Gran edificio entre Whitehall y el Támesis. Algunas habitaciones disfrutan de vistas al río. El interior es acogedoramente tradicional. ▪ ▪ ▪ ▪ ▪ ▪ ▪
AE DC JCB MC V — 280 — ▪ ● —

MAYFAIR, ST JAMES'S

CHESTERFIELD 35 Charles St, W1. **Plano** 12 E3. ££££
020 7491 2622. FAX 020 7491 4793. W www.redcarnationhotels.com
Tranquilo y bien conservado hotel cerca de Berkeley Square decorado con flores y frutas, con habitaciones de lujo y un servicio muy acogedor. ▪ ▪ ▪ ▪ ▪
AE DC MC V — 110 — ▪ ● —

22 JERMYN STREET 22 Jermyn St, SW1. **Plano** 13 A3. £££££
020 7734 2353. FAX 020 7734 9750. W www.22jermyn.com
Lujoso complejo de *suites* y estudios con buen servicio y videoteca. El cliente puede utilizar el cercano club de salud. ▪ ▪ ▪ ▪ ▪
AE DC JCB MC V — 18 — — ● ▪

ASCOTT 49 Hill St, W1. **Plano** 12 E3. £££££
020 7499 6868. FAX 020 7499 0705. W www.the-ascott.com
Apartamentos con todas las instalaciones para negocios, fiestas o cenas privadas. ▪ ▪ ▪ ▪ ▪
AE DC JCB MC V — 56 — — ● ▪

ATHENAEUM 116 Piccadilly, W1. **Plano** 12 E4. £££££
020 7499 3464. FAX 020 7493 1860. W www.athenaeumhotel.com
Con su buena ubicación y sus instalaciones, este hotel es cómodo e íntimo, a diferencia de los otros grandes establecimientos de Mayfair. Buenos apartamentos y habitaciones. ▪ ▪ ▪ ▪ ▪ ▪
AE DC JCB MC V — 157 — ▪ ● —

BROWN'S Albemarle St, W1. **Plano** 12 F3. £££££
📞 020 7493 6020. 📠 020 7493 9381. 🌐 www.brownshotel.com
AE DC JCB MC V — 118
Hotel antiguo y tradicional que se extiende por 11 casas y ofrece clásicas
habitaciones. 🛏 📶 🚻 🏊 📺 🎱 🔌 🍽

CLARIDGE'S Brook St, W1. **Plano** 12 E2. £££££
📞 020 7235 6000. 📠 020 7235 4330. 🌐 www.savoy-group.co.uk
AE DC JCB MC V — 197
Un reciente lavado de cara ha rejuvenecido a esta vieja gran dama y las
virtudes del personal de servicio y la lencería de época conviven con los
últimos adelantos y las instalaciones deportivas. 🛏 📶 🚻 🏊 📺 🔌 🍽

CONNAUGHT Carlos Place, W1. **Plano** 12 E2. £££££
📞 020 7499 7070. 📠 020 7495 3262. 🌐 www.savoy-group.co.uk
AE DC JCB MC V — 90
El Connaught evoca sus glorias de hace siglos. El servicio es
sorprendentemente moderno y las habitaciones están repletas de aparatos
discretamente escondidos. 🛏 📶 🚻 🔌 🍽

DORCHESTER Park Lane, W1. **Plano** 12 D3. £££££
📞 020 7629 8888. 📠 020 7409 0114. 🌐 www.dorchesterhotel.com
AE DC JCB MC V — 250
El Dorchester es un mundo fantástico de espejos y estatuas con suntuosas
habitaciones. Tomar el té en el Promenade es un regalo, así como sus
baños termales *art déco* y sus famosos restaurantes. 🛏 📶 🚻 🏊 📺 🔌 🍽

DUKES St James's Place, SW1. **Plano** 12 F4. £££££
📞 020 7491 4840. 📠 020 7493 1264. 🌐 www.dukeshotel.co.uk
AE DC JCB MC V — 89
Situado en un pequeño patio, el Duke parece estar completamente retirado. Su
elegante interior está amueblado de manera campestre. El acogedor bar sirve
unos legendarios martinis y coñás de reserva. 🛏 📶 🏊 📺 🔌 🍽

LE MERIDIEN PICCADILLY 21 Piccadilly, W1. **Plano** 12 F3. £££££
📞 0870 400 8400. 📠 020 7437 3574. 🌐 www.lemeridien-piccadilly.com
AE DC JCB MC V — 266
La puntuación de este hotel de negocios sube por su famoso y aclamado
restaurante Oak Room y porque el club de salud Champney está situado
aquí. 🛏 📶 🚻 🏊 📺 🎱 🔌 🍽

METROPOLITAN Old Park Lane, W1. **Plano** 12 E1. £££££
📞 020 7447 1000. 📠 020 7447 1100. 🌐 www.metropolitan.co.uk
AE DC JCB MC V — 155
Moderno hotel que sirve comida japonesa y posee un gimnasio con equipo
cardiovascular. El Met Bar ofrece vistas sobre Hyde Park. 🛏 📶 🚻 🏊 📺 🔌 🍽

NO.5 MADDOX STREET 5 Maddox St, W1. **Plano** 12 F2. £££££
📞 020 7647 0200. 📠 020 7647 0300. 🌐 www.living-rooms.co.uk
AE DC JCB MC V — 12
Urbanismo minimalista en las *suites* y en las cocinas abastecidas con
helados Ben and Jerry's. 🛏 🔌 🍽

RITZ 150 Piccadilly, W1. **Plano** 12 F3. £££££
📞 020 7493 8181. 📠 020 7493 2687. 🌐 www.theritzlondon.com
AE DC JCB MC V — 133
Decoradas con muebles Luis XVI y grandes flores, las zonas públicas del
Ritz están llenas de caras famosas y es el mejor escenario para el té de las
tardes. Vistas de Green Park. 🛏 📶 🏊 🔌 🍽

STAFFORD 16–18 St James's Place, SW1. **Plano** 12 F4. £££££
📞 020 7493 0111. 📠 020 7493 7121. 🌐 www.thestaffordhotel.co.uk
AE DC JCB MC V — 81
Este antiguo hotel está provisto de un entregado servicio y unas excelentes
instalaciones. Su bar americano es famoso por su decoración y por sus martinis.
🛏 📶 🚻 🔌 🍽

OXFORD STREET, SOHO

EDWARD LEAR 30 Seymour St, W1. **Plano** 11 C2. ££
📞 020 7402 5401. 📠 020 7706 3766. 🌐 www.edlear.com
MC V — 31
Esta antigua casa fue la residencia del famoso escritor victoriano
Edward Lear. Bajos precios y conexión a Internet en la pequeña
sala de huéspedes.

PARKWOOD 4 Stanhope Place, W2. **Plano** 11 B2. ££
📞 020 7402 2241. 📠 020 7402 1574. 🌐 www.parkwoodhotel.com
MC V — 14
Bed and breakfast familiar en una casa muy bien conservada cerca de Marble
Arch y Hyde Park. Las habitaciones están reformándose. 🛏 🏊

10 MANCHESTER STREET 10 Manchester St, W1. **Plano** 12 D1. £££
📞 020 7486 6669. 📠 020 7224 0348. 🌐 www.10manchesterstreet.com
AE MC V — 46
Este atractivo hotel situado en una retirada casa dispone de habitaciones
bien equipadas y decoradas con buen gusto. 🛏 📶 🏊 🔌

Para el significado de los símbolos ver solapa posterior

Precios por noche en una habitación doble normal, incluidos desayuno, servicios e impuestos adicionales:

£ menos de 80 libras
££ 80-120 libras
£££ 120-180 libras
££££ 180-220 libras
£££££ más de 220 libras

TARJETAS DE CRÉDITO
Se aceptan las tarjetas de crédito *AE* American Express, *DC* Dinners Club, *JCB* Japan Credit Bureau, *MC* MasterCard/Access, *V* Visa.

RESTAURANTE
El hotel dispone de restaurante o comedor. A veces no está abierto a los no residentes.

SERVICIOS PARA NIÑOS
El hotel puede ofrecer cunas, sillas altas, canguros, comida para niños, juegos, habitaciones familiares.

UBICACIÓN TRANQUILA
Situado en una zona sin mucho tráfico por la noche.

	Tarjetas de Crédito	Número de Habitaciones	Restaurante	Servicios para Niños	Ubicación Tranquila
DURRANTS George St, W1. **Plano** 12 D1. £££ — 020 7935 8131. FAX 020 7487 3510. W www.durrantshotel.co.uk — Hotel muy agradable con un amable servicio que conserva el ambiente de una posada de época. Habitaciones tradicionales.	AE MC V	92	■	●	
HAZLITT'S 6 Frith St, W1. **Plano** 13 A2. ££££ — 020 7434 1771. FAX 020 7439 1524. W www.hazlittshotel.com — Tres casas del siglo XVIII en el corazón del Soho proporcionan un silencioso retiro para temperamentos artísticos de toda clase. El interior está decorado con antigüedades victorianas y objetos modernos discretamente incorporados.	AE DC JCB MC V	23			
THE LEONARD 15 Seymour St, W1. **Plano** 11 C2. ££££ — 020 7925 2010. FAX 020 7935 6700. W www.theleonard.com — Este hotel, decorado acogedoramente, ofrece modernidad e interiores de diseño. Algunas *suites* poseen cocina.	AE DC JCB MC V	29	■	●	
RADISSON EDWARDIAN HAMPSHIRE 31–36 Leicester Sq WC2. ££££ **Plano** 11 C2. — 020 7839 9399. FAX 020 7930 8122. W www.radissonedwardian.com — Situado en el centro, la magnífica decoración y las excelentes instalaciones de este hotel justifican sus altos precios.	AE DC JCB MC V	124	■	●	
SANDERSON 50 Berners St, W1. **Plano** 12 F1. £££££ — 020 7300 1400. FAX 020 7300 1401. @ reservation@sanderson.schragerhotels.com — Uno de los mejores hoteles de Londres. La decoración es verdaderamente llamativa con sus fuentes en el patio y sus modernas habitaciones.	AE DC JCB MC V	150	●	■	●

REGENT'S PARK, MARYLEBONE

	Tarjetas de Crédito	Número de Habitaciones	Restaurante	Servicios para Niños	Ubicación Tranquila
22 22 York St, W1. **Plano** 3 C5. ££ — 020 7224 2990. FAX 020 7224 1990. W www.myrtle-cottage.co.uk — Encantador *bed and breakfast* en una casa familiar repleta de muebles de época. Las habitaciones están muy bien decoradas. Reserve con antelación.		10			■
BICKENHALL 119 Gloucester Place, W1. **Plano** 3 C5. ££ — 020 7935 2418. FAX 020 7935 4547. W www.bickenhallhotel.co.uk — Modesto pero cuidado *bed and breakfast* con muebles georgianos no lejos de Marylebone Road. Habitaciones bien amuebladas y ventiladas.	AE MC V	20		●	
FOUR SEASONS 173–183 Gloucester Place, NW1. **Plano** 3 C4. ££ — 020 7724 3461. FAX 020 7402 5594. W www.4seasonshotel.co.uk — Con precios más bajos que sus otros tocayos de la ciudad, está situado al sur de Regent's Park y dispone de acogedoras habitaciones.	AE DC JCB MC V	28			
LA PLACE 17 Nottingham Place, W1. **Plano** 4 D5. £££ — 020 7486 2323. FAX 020 7486 4335. W www.hotellaplace — Pequeño hotel cerca de Baker Street. Las habitaciones y las *suites* están muy bien equipadas para las personas de negocios y para las mujeres que viajan solas.	AE DC JCB MC V	20	■	●	■
DORSET SQUARE 39 Dorset Square, NW1. **Plano** 3 C5. ££££ — 020 7723 7874. FAX 020 7724 3328. W www.firmdale.com — Casa exquisitamente decorada en una plaza arbolada. Las habitaciones han sido diseñadas individualmente para obtener lujo y comodidad.	AE MC V	38	■	●	■
THE LANDMARK 222 Marylebone Road, NW1. **Plano** 3 B5. £££££ — 020 7631 8000. FAX 020 7631 8092. W www.landmarklondon.co.uk — Este hotel de Marylebone ha sido restaurado como un palacio y presume de su atrio con elevadas palmeras.	AE DC MC V	299	■	●	
LANGHAM HILTON 1c Portland Place, W1. **Plano** 12 E1. £££££ — 020 7636 1000. FAX 020 7323 2340. — Con un esplendor casi victoriano, este gran hotel presenta una mezcla de zonas públicas de estilo colonial y habitaciones finamente decoradas. Su excelente club de salud se añade a la lista de instalaciones.	AE DC JCB MC V	379	■	●	

BLOOMSBURY, FITZROVIA

GENERATOR Compton Place, 37 Tavistock Place, WC1. **Plano** 5 B4. (£)
020 7388 7666. **FAX** *020 7388 7644.* W www.the-generator.co.uk
Con un ambiente entre elegancia industrial y ciencia-ficción, este albergue
es una buena solución para viajeros con poco presupuesto.
MC V — 200

MABLEDON COURT 10–11 Mabledon Place, WC1. **Plano** 5 B3. (£)
020 7388 3866. **FAX** *020 7387 5686.* @ book@mabledoncourt.com
Bed and breakfast cerca de las principales estaciones del norte de
Londres. Las habitaciones son limpias y prácticas.
AE DC JCB MC V — 43

THANET 8 Bedford Place, WC1. **Plano** 5 C5. (£)(£)
020 7636 2869. **FAX** *020 7323 6676.* W www.freepages.co.uk/thanet_hotel/
Modesto y acogedor *bed and breakfast* situado en una casa cerca del British
Museum. Sus sencillas pero útiles habitaciones están revalorizándose.
AE MC V — 17

ACADEMY 21 Gower St, WC1. **Plano** 5 A5. (£)(£)(£)
020 7631 4115. **FAX** *020 7636 3442.* W www.etontownhouse.com
Cinco casas georgianas en la zona universitaria alojan un hotel muy bien
amueblado con jardines en el patio.
AE DC JCB MC V — 49

BONNINGTON IN BLOOMSBURY 92 Southampton Row, WC1. **Plano** 5 C5. (£)(£)(£)
020 7242 2828. **FAX** *020 7831 9170.* @ sales@bonnington.com
Este hospitalario y acogedor hotel presume de sus muebles
contemporáneos y de sus relucientes baños.
AE DC MC V — 215

BLOOMS 7 Montague St, WC1. **Plano** 5 B5. (£)(£)(£)(£)
020 7323 1717. **FAX** *020 7636 6498.* W www.bloomshotel.com
Elegante casa en cuyo sótano hay un bar que ofrece una amplia gama de
maltas y de vinos y ligeras comidas. Pintoresco jardín en el patio.
AE DC JCB MC V — 27

MONTAGUE ON THE GARDENS 15 Montague St, WC1. **Plano** 5 B5. (£)(£)(£)(£)
020 7637 1001. **FAX** *020 7637 2516.* W www.redcarnationhotels.com
Zonas públicas amuebladas con gusto conducen a un invernadero lleno de
plantas y a un bar en la terraza con unas bonitas vistas del jardín. Las habitaciones
son preciosas y están decoradas individualmente.
AE DC JCB MC V — 104

CHARLOTTE STREET 15 Charlotte St, W1. **Plano** 13 A1. (£)(£)(£)(£)(£)
020 7806 2000. **FAX** *020 7806 2002.* W www.charlottestreethotel.com
Este hotel está decorado con arte de época en sus zonas comunes,
mientras que las habitaciones incorporan la más alta tecnología y los baños
poseen una pantalla de televisión.
AE DC JCB MC V — 52

GRANGE HOLBORN 50–60 Southampton Row, WC1. **Plano** 5 C5. (£)(£)(£)(£)(£)
020 7611 5800. **FAX** *020 7242 0057.* W www.grangehotels.co.uk
Eficiente y confortable hotel de negocios con muebles de marquetería y
con lujos como un restaurante japonés, una piscina y un gimnasio.
AE DC JCB MC V — 160

MYHOTEL BLOOMSBURY 11–13 Bayley St, WC1. **Plano** 5 A5. (£)(£)(£)(£)(£)
020 7667 6000. **FAX** *020 7667 6001.* W www.myhotels.co.uk
Elegante hotel de Tottenham Court Road. En el interior, reina una calma
oriental, con su *sushi bar* y su centro holístico. Las habitaciones son
inmaculadas y poseen frescas colchas y grandes cojines.
AE DC MC V — 76

COVENT GARDEN, STRAND, HOLBORN

FIELDING 4 Broad Court, Bow St, WC2. **Plano** 12 C2. (£)(£)
020 7836 8305. **FAX** *020 7497 0064.* W www.the-fielding-hotel.co.uk
Hotel con buena relación calidad-precio cerca de Opera House, con limitadas pero
buenas instalaciones. No se sirven comidas y no se admiten menores de 12 años.
AE DC JCB MC V — 24

COVENT GARDEN 10 Monmouth St, WC2. **Plano** 13 B2. (£)(£)(£)(£)(£)
020 7806 1000. **FAX** *020 7806 1100.* W www.firmdale.com
Situado en una de las calles más interesantes de Covent Garden, este discreto
hotel de cinco estrellas es un lugar fascinantemente teatral para pasar una
estancia, con su esforzado diseño dramático.
AE MC V — 58

KINGSWAY HALL Great Queen St, WC2. **Plano** 13 C1. (£)(£)(£)(£)(£)
020 7309 0909. **FAX** *020 7309 9696.* W www.kingswayhall.co.uk
Este contemporáneo hotel de negocios está a mano de los teatros de
Londres y su sofisticado restaurante ofrece unos menús para antes del
teatro.
AE DC JCB MC V — 170

Para el significado de los símbolos ver solapa posterior

Precios por noche en una habitación doble normal, incluidos desayuno, servicios e impuestos adicionales:

£ menos de 80 libras
££ 80-120 libras
£££ 120-180 libras
££££ 180-220 libras
£££££ más de 220 libras

TARJETAS DE CRÉDITO
Se aceptan las tarjetas de crédito *AE* American Express, *DC* Dinners Club, *JCB* Japan Credit Bureau, *MC* MasterCard/Access, *V* Visa.
RESTAURANTE
El hotel dispone de restaurante o comedor. A veces no está abierto a los no residentes.
SERVICIOS PARA NIÑOS
El hotel puede ofrecer cunas, sillas altas, canguros, comida para niños, juegos, habitaciones familiares.
UBICACIÓN TRANQUILA
Situado en una zona sin mucho tráfico por la noche.

	TARJETAS DE CRÉDITO	NÚMERO DE HABITACIONES	RESTAURANTE	SERVICIOS PARA NIÑOS	UBICACIÓN TRANQUILA
LE MERIDIEN WALDORF Aldwych, WC2. **Plano** 14 D2. £££££ [0870 400 8484. FAX 020 7836 7244. Precioso hotel eduardiano bien situado entre Covent Garden y la City que ofrece cenas antes de las funciones de teatro.	AE DC JCB MC V	292	■	●	
ONE ALDWYCH Aldwych, WC2. **Plano** 13 C2. £££££ [020 7300 1000. FAX 020 7300 1001. W www.onealdwych.co.uk Repleto de obras de arte contemporáneas, cada rincón de este hotel es pura imaginación hasta en las habitaciones. Música clásica en la piscina.	AE DC JCB MC V	105	■	●	
RENAISSANCE LONDON CHANCERY COURT £££££ 252 High Holborn, WC1. **Plano** 13 C1. [020 7829 9888. FAX 020 7829 9889. W www.renaissancehotels.com/loncc Suntuosa reforma de la antigua e imponente sede de Pearl Assurance, que ha salido varias veces en películas y en series de televisión.	AE DC JCB MC V	357	■	●	
SAVOY Strand, WC2. **Plano** 13 C2. £££££ [020 7836 4343. FAX 020 7872 8901. W www.savoy-group.co.uk Llamativo hotel *art déco* con vistas preciosas del río que combina ambiente de época y modernas comodidades.	AE DC JCB MC V	207	■	●	■

SOUTHWARK, LAMBETH

	TARJETAS DE CRÉDITO	NÚMERO DE HABITACIONES	RESTAURANTE	SERVICIOS PARA NIÑOS	UBICACIÓN TRANQUILA
COUNTY HALL TRAVEL INN CAPITAL Belvedere Road, SE1. **Plano** 14 D4. £ [020 7902 1600. FAX 020 7902 1619. W www.travelinn.co.uk Apreciado lugar en el edificio GLC, muy cerca de London Eye. Este hotel posee amplias y prácticas habitaciones. Su bajo precio y su buena situación lo han hecho muy popular. Reserve con antelación.	AE DC MC V	313	■	●	
MAD HATTER 3–7 Stamford St, SE1. **Plano** 14 E3. ££ [020 7401 9222. FAX 020 7401 7111. @ madhatter@fullers.demon.co.uk Este hotel de estilo victoriano ofrece buena relación calidad-precio, habitaciones bien equipadas y un agradable restaurante-bar.	AE DC MC V	30	■		
NOVOTEL WATERLOO 113 Lambeth Road, SE1. **Plano** 22 D1. £££ [020 7793 1010. FAX 020 7793 0202. W www.novotel.com Hotel un tanto insípido pero eficiente, con espaciosas habitaciones, ideal para personas de negocios y familias. Aparcamiento.	AE DC JCB MC V	187	■	●	
LONDON BRIDGE 8–18 London Bridge St, SE1. **Plano** 15 B4. ££££ [020 7855 2200. FAX 020 7855 2233. W www.london-bridge-hotel.co.uk Acogedor hotel cerca de la City y South Bank con buenas instalaciones para negocios y deportes y el restaurante Simply Nico.	AE DC JCB MC V	138	■	●	
LONDON MARRIOTT COUNTY HALL County Hall, SE1. **Plano** 13 C5. £££££ [020 7982 5200. FAX 020 7928 5300. W www.marriott.com/marriott/lonch Hotel de negocios situado en la zona monumental. Magníficas vistas del río y de Westminster. Centro de salud y piscina.	AE DC JCB MC V	200	■	●	

CITY, CLERKENWELL

	TARJETAS DE CRÉDITO	NÚMERO DE HABITACIONES	RESTAURANTE	SERVICIOS PARA NIÑOS	UBICACIÓN TRANQUILA
NOVOTEL TOWER BRIDGE 10 Pepys St, EC3. **Plano** 16 D2. £££ [020 7265 6000. FAX 020 7265 6060. W www.novotel.com Este recién abierto hotel situado en una parte fascinante de Londres posee habitaciones agradables y bien equipadas. Ideal para familias.	AE DC JCB MC V	203	■	●	■
THE KING'S WARDROBE 6 Wardrobe Place, EC4. **Plano** 14 F2. ££££ [020 7248 0222. FAX 020 7248 0011. W www.bridgestreet.com Lujosos apartamentos en un tranquilo patio junto a la catedral de St Paul. De diseño sofisticado, posee una magnífica arquitectura y una fascinante historia.	AE DC JCB MC V	63	■	●	

GREAT EASTERN Liverpool St, EC2. **Plano** 15 C1. £££££
📞 020 7618 5010. **FAX** 020 7618 5011. 🌐 www.great-eastern-hotel.co.uk
Magnífica restauración de este hotel de Liverpool Street que ofrece un
acogedor restaurante y elegantes habitaciones. 🖥️🔲♿🏊🍴📶🔌📋

| AE DC MC V | 267 | | ● | |

ROOKERY Peter's Lane, Cowcross St, EC1. **Plano** 6 F5. £££££
📞 020 7336 0931. **FAX** 020 7336 0932. 🌐 www.hampsteadguesthouse.com
Bed and breakfast cuidadosamente restaurado ubicado en unas casas del siglo
XVIII cerca del mercado Smithfield. Aunque destaca la galería en el Rook's
Nest, todas las dependencias tienen preciosos muebles de época. 🖥️🏊🔌

| AE DC JCB MC V | 33 | | ● | ■ |

THISTLE TOWER St Katharine's Way, E1. **Plano** 16 E3. £££££
📞 020 7841 2575. **FAX** 020 7488 4106. 🌐 www.thistlehotels.com
Este enorme edificio no es muy bonito pero su situación junto al río es
espectacular y sus interiores muy confortables. 🖥️🔲♿🏊🍴🔌📋

| AE DC JCB MC V | 801 | | ● | |

CANARY WHARF, GREENWICH

IBIS GREENWICH 30 Stockwell St, Greenwich SE10. **Plano** 23 B2. £
📞 020 8305 1177. **FAX** 020 8858 7139. 🌐 www.ibishotel.com
Esta cadena de hoteles sencillos y económicos es un valor en alza.
Habitaciones limpias. Está cerca de medios de transporte y ofrece
aparcamiento gratuito. 🖥️🔲♿🏊

| AE DC MC V | 82 | | ● | |

MITRE 291 Greenwich High Road, SE10. **Plano** 23 B2. £
📞 020 8355 6760. **FAX** 020 293 0037.
Pub con habitaciones cerca de lugares de interés y de medios de transporte.
Originalmente fue una tienda de café en el siglo XVIII. Aparcamiento. 🖥️🔲♿🏊🔌

| DC MC V | 16 | | ● | |

FOUR SEASONS CANARY WHARF 46 Westferry Circus, E14. £££££
📞 020 7510 1999. **FAX** 020 7510 1998. 🌐 www.fourseasons.com
Impresionante complejo con magníficas vistas del muelle e instalaciones. El
centro de ocio Holmes Place está justo al lado. 🖥️🔲♿🏊🍴🏊📋

| AE DC JCB MC V | 139 | | ● | |

HAMPSTEAD

HAMPSTEAD VILLAGE GUESTHOUSE 2 Kemplay Road, NW3. **Plano** 1 B5. ££
📞 020 7435 8679. **FAX** 020 7794 0254. 🌐 www.hampsteadguesthouse.com
Casa familiar victoriana con habitaciones llenas de libros y de pasado
fascinante. 🖥️🏊🔌

| AE DC MC V | 9 | | ■ | |

LA GAFFE 107–111 Heath St, NW3. **Plano** 1 A4. ££
📞 020 7435 8965. **FAX** 020 7794 7592. 🌐 www.lagaffe.co.uk
Acogedor hotel restaurante regentado por una familia italiana en el corazón de
Hampstead. Habitaciones sencillas, pero preciosas. 🖥️🏊🔌

| AE MC V | 18 | | | |

LANGORF 20 Frognal, NW3. **Plano** 1 A5. ££
📞 020 7794 4483. **FAX** 020 7435 9055. 🌐 www.langorfhotel.com
Este hotel abarca tres casas. El servicio de habitaciones sirve comidas ligeras y
también disponen de cinco apartamentos. 🖥️🔲🔌📋

| AE DC JCB MC V | 36 | | ● | ■ |

LAS AFUERAS

PETERSHAM Nightingale Lane, Richmond, Surrey, TW10. ££
📞 020 8940 7471. **FAX** 020 8939 1098. 🌐 www.petershamhotel.co.uk
Impresionante edificio con una vista espectacular del Támesis. Hotel muy
popular por su romántico enclave y su excelente comida. 🖥️🔲🔌

| AE DC MC V | 60 | | ● | ■ |

COLONNADE 2 Warrington Crescent, W9. £££
📞 020 7286 1052. **FAX** 020 7286 1057. 🌐 www.etontownhouse.com
Lugar encantador en la Little Venice. Elegante casa victoriana que presume
de bonitas habitaciones y cómodas zonas públicas. 🖥️🔲🏊🔌📋

| AE DC MC V | 43 | | ● | ■ |

HOLIDAY INN NELSON DOCK 265 Rotherhithe St, SE16. ££££
📞 020 7231 1001. **FAX** 020 7231 0599. 🌐 www.holiday-inn.com/lon-nelsondock
Acogedor hotel de la orilla del río con buenas instalaciones y elegantes habitaciones. Servicio de transporte entre Canada Water y el aparcamiento. 🖥️🔲♿
🏊🍴🏊🔌📋

| AE DC JCB MC V | 386 | | ● | ■ |

CANNIZARO HOUSE West Side, Wimbledon Common, SW19. £££££
📞 020 8879 1464. **FAX** 020 8944 6515. 🌐 www.thistlehotels.com
Esta mansión georgiana cercana a Wimbledon Common es elegante y formal, los
parques de alrededor son amplios y tranquilos. Aparcamiento. 🖥️🔲♿🏊🔌📋

| AE DC JCB MC V | 45 | | ● | ■ |

Para el significado de los símbolos ver solapa posterior

RESTAURANTES Y 'PUBS'

CONOCIDA COMO LA CAPITAL del mundo por su gastronomía, Londres aumenta su extraordinaria diversidad culinaria. Además de los tradicionales restaurantes de comida india, china, francesa o italiana, comer fuera en Londres permite al paladar hacer una gira gastronómica alrededor del mundo, desde América a África, pasando por Europa, Oriente Próximo, Asia y el Pacífico.

Cartel de un menú para antes del teatro

una visita especial. En la sección *Elegir un restaurante,* en páginas 290–293, se resumen sus distintos atractivos y están organizados por áreas, de forma que se puedan localizar fácilmente. Una información más detallada se encuentra en las páginas 294 a 305, donde se hallan agrupados según el tipo de cocina. Recientemente, los cafés londinenses han adquirido una nueva vitola y están entre los lugares más animados de la ciudad. En cuanto a los *pubs,* de los que Gran Bretaña goza de buena fama, sirven desde comidas ligeras y sencillas a platos populares. La información sobre otros sitios más informales para comer y beber, incluidos los tradicionales *pubs,* se encuentra entre las páginas 306 y 311.

ELEGIR MESA

Los restaurantes reseñados en este libro ofrecen un alto nivel de cocina, buena relación calidad-precio, así como una extensa variedad de estilos y tarifas. Están distribuidos por las principales áreas turísticas; asimismo, se incluyen algunos que merecen

RESTAURANTES

COVENT GARDEN, Piccadilly, Mayfair, Soho y Leicester Square son las áreas donde se encuentra la mayor concentración de sitios para comer. Knightsbridge, Kensington y Chelsea también disponen de una buena serie de restaurantes.

El centro de Londres posee algunos restaurantes a la orilla del río. Hay un grupo de ellos a lo largo de Chelsea Harbour, en Chelsea, y en Butler's Wharf, en la orilla sur del Támesis.

Se puede degustar la tradicional comida británica,

Portero en el Hard Rock Café
(ver p.294)

pero la tendencia es un nuevo estilo de cocina. Algunos cocineros como Gary Rhodes están revitalizando los platos británicos. La moderna cocina británica es una combinación de variadas influencias y técnicas de todo el mundo. Cocineros locales como Sally Clarke, Alastair Little y Marco Pierre White han contribuido materialmente a elevar la comida de los restaurantes desde hace dos décadas. Junto al progreso en la cocina, el nivel del servicio ha aumentado y nunca ha habido tantos restaurantes de diseño como actualmente. Se ha añadido diversidad a los restaurantes de Londres, que ofrecen desde decoración clásica y romántica hasta minimalismo moderno y posmoderno. Londres es un paraíso para la comida india, china, francesa e italiana, con cada vez más restaurantes especializados en cocina regional. La comida asiática cada vez es más popular, sobre todo la tailandesa y la japonesa, y es el Soho el área que ofrece más elección. Muchos restaurantes ya tienen menú vegetariano y otros muchos se han especializado en este tipo de comida. El pescado y el marisco es otra de las opciones, tanto en restaurantes tradicionales como modernos.

Coast *(ver p. 303)*

OTROS SITIOS PARA COMER

MUCHOS HOTELES tienen excelentes restaurantes abiertos a los no residentes. Algunos pueden ser pretenciosos y caros, pero ofrecen platos de gran calidad y preparados por cocineros de prestigio.

Hay gran cantidad de cadenas de pizza y pasta, donde sirven comidas razonables, en toda la ciudad. Muchas tabernas están ahora rivalizando con los bares de vino y sirviendo variedad de comidas con precios que oscilan desde los de la taberna normal o la comida asada a la parrilla del Mediterráneo, con listas de vino excelentes. Otra opción son los rápidos tentempiés en un bar de sándwiches o una panadería nocturna.

Bibendum *(ver p. 298)*

Consejos para Comer Fuera

En la mayoría de los restaurantes de Londres se sirven almuerzos entre 12.30 y 14.30, y cenas entre 19.00 y 23.00. Se admiten los últimos pedidos generalmente a las 23.00. Los restaurantes étnicos suelen permanecer abiertos más tiempo, hasta medianoche o más tarde. Muchos establecimientos cierran el domingo o el lunes. Todos los *cafés-brasseries* están autorizados a vender bebidas alcohólicas sólo a ciertas horas (11.00-23.00) o con la comida. El tradicional desayuno británico del domingo *(ver p.289)* se sirve en casi todos los *pubs* y muchos restaurantes. Algunos restaurantes suspenden en domingo sus menús normales, por lo que hay que comprobarlo antes.

Sólo los establecimientos más caros exigen chaqueta y corbata; en los demás se puede vestir de modo más informal. Se deben hacer reservas para lugares recién inaugurados o con *chefs* célebres.

Precio y Servicio

Londres es una de las ciudades más caras del mundo y los precios de los restaurantes a veces resultan exorbitantes para los viajeros. Una comida de tres platos con un par de copas de vino de la casa tiene un precio medio en el centro de Londres de 25 a 35 libras por persona. Muchos restaurantes tienen un menú de precio fijo, que es más económico que pedir a la carta, e incluso a veces el café y el servicio están incluidos en el precio. Varios restaurantes del West End sirven unos menús pre-teatro (alrededor de las 17.30-18.00), que permiten comer en restaurantes de calidad a un precio competitivo. Los precios más bajos (10 a 15 libras por persona) los suelen tener los restaurantes étnicos y los vegetarianos, los bares y *pubs,* en los que la comida suele estar bien preparada y ser de calidad. Sin embargo, muchos de estos establecimientos sólo aceptan dinero en metálico o cheques y no tarjetas de crédito.

Antes de hacer su pedido, lea bien la letra pequeña que aparecerá en la parte de abajo del menú. Los precios incluyen el VAT (Impuesto sobre el Valor Añadido) y pueden cargarle algún impuesto opcional (entre 10% y 15%). Algunos restaurantes también pueden añadir un impuesto por cubierto (1 o 2 libras) o una tasa mínima en horas punta y otros no aceptan ciertas tarjetas de crédito. Tenga cuidado con el viejo truco en el que el servicio está incluido en la cuenta pero se deja el total en blanco en el justificante de la tarjeta, esperando que se añada otro 10%.

El servicio es muy diferente dependiendo del restaurante que se elige. En los de comidas rápidas, el servicio es alegre y activo, mientras en los de más clase es discreto y atento. A veces se tiene que esperar en las horas punta.

Comidas para Niños

En Londres, excepto en los restaurantes italianos, los establecimientos de comida rápida y algunos otros, como por ejemplo The Rainforest Café en Shaftesbury Avenue (un tropical dirigido a los más jóvenes), los niños son simplemente tolerados, en vez de bien acogidos.

De todos modos, como está creciendo el número de restaurantes informales, cada vez más se está aprendiendo a ser amistosos con los niños y ofrecen facilidades para éstos, tales como menús más pequeños o porciones y sillas altas *(ver pp. 290-293).* En algunos disponen de libros y actividades para divertirlos. En la página 341 hay una lista de los restaurantes en los que se cuida particularmente a los niños de diversas edades.

Restaurante Clarke *(ver p. 303)*

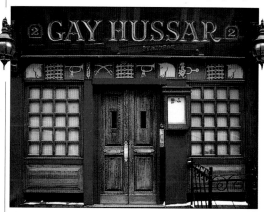

El mejor restaurante húngaro de Londres *(ver p. 304)*

Qué comer en Londres

Desayuno inglés completo
Toda una institución británica que consiste en beicon, huevo, tomate, pan frito y variedad de embutidos.

E L TRADICIONAL almuerzo del domingo muestra lo mejor de la comida británica: buenos ingredientes bien preparados y de una manera sencilla. Un buen pedazo de carne asada (cordero o vacuno) servida con una apropiada guarnición (salsa de menta o gelatina de grosella para el cordero, mostaza o salsa de rábano picante para el vacuno) es la base del almuerzo. Los pudines caseros y los excelentes quesos británicos, servidos con las galletas apropiadas, son la continuación obligada. El almuerzo del domingo es todavía una institución para los londinenses y se pueden encontrar versiones del mismo en muchos restaurantes y cafés, así como en hoteles y *pubs* por toda la capital. El legendario desayuno inglés es ahora menos ambicioso que los cinco platos que se tomaban en la época victoriana, pero todavía conserva su misión de ayudar a prepararse para un día de trabajo. El té de la tarde (que se toma alrededor de las 16.00) es otra ocasión para unir el gusto británico por las tartas y pastas, y su afición al té. El olor a pescado y patatas fritas se percibe frecuentemente, ya que esta clásica comida británica es muy popular y se toma frecuentemente al aire libre, directamente en cucuruchos de papel.

Fish and Chips
El pescado (róbalo o bacalao) y las patatas se fríen en aceite muy caliente.

Tostadas con mermelada
El desayuno se finaliza con rebanadas de pan untado con mermelada de naranja.

Ploughman's Lunch
Pan crujiente, queso y salsa dulce son la base de este sencillo almuerzo de pub.

Quesos
Los quesos son curados o semicurados, como el Cheshire, Leicester y el más famoso de todos, el Cheddar. El Stilton es queso azul fuerte.

Cheddar

Sage Derby

Cheshire

Stilton

Red Leicester

Pudin de pan y matequilla
Se sirve caliente. Las capas de pan y frutos secos se bañan con una natillas cremosas.

Fresas con nata
Las fresas con nata y azúcar son el postre favorito del verano.

Pudin de verano
La capa de pan del exterior está empapada en el jugo de las frutas de su interior.

Sándwiches de pepino
Diminutos sándwiches de pepino son tradicionales con el té inglés de la tarde.

'Scones' de mermelada y crema.
A medio camino entre un pastel y un bollo, se sirven con mermelada y crema.

Té
El té, con leche o limón, sigue siendo la bebida nacional británica.

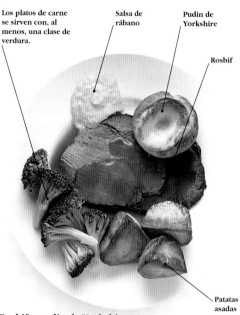

Los platos de carne se sirven con, al menos, una clase de verdura.

Salsa de rábano

Pudin de Yorkshire

Rosbif

Patatas asadas

Rosbif y pudin de Yorkshire
El pudin de Yorkshire, asado al horno con mantequilla, es el acompañamiento tradicional del rosbif, con salsa de rábano, patatas asadas y jugo de carne.

Steak and kidney pie
Trozos de carne de vaca y riñones de cerdo cocidos en un espeso caldo, dentro de un crujiente hojaldre.

Shepherd's pie
Carne picada guisada y legumbres, cubierta de puré de patata dorado al horno.

Qué beber
La bebida británica es la cerveza. Sus numerosas variedades (ver p.309) van de la ligera (lager) a las fuertes (stout) y la amarga (bitter). La ginebra tiene su origen en Londres. Pimms es la marca de un refresco que generalmente se mezcla con menta y limonada.

Stout (Guinness) Bitter Lager

Pimms Ginebra y tónica

Elegir un restaurante

L OS RESTAURANTES han sido seleccionados por su buena relación calidad-precio o por los méritos de la comida. El cuadro indica algunos factores que pueden influir en la elección. Para más detalles, ver las páginas 294-305; para comidas ligeras y aperitivos las páginas 306-308 y los *pubs* en las páginas 309-311.

	PÁGINA	MENÚ DE PRECIO FIJO	ABIERTO HASTA TARDE	SERVICIOS PARA NIÑOS	MÚSICA EN DIRECTO	MESAS EN EL EXTERIOR	ZONA DE NO FUMADORES	AIRE ACONDICIONADO
BAYSWATER, PADDINGTON								
40 Degrees At Veronica's *(británico)* ££	295	●		●	■	●		
KENSINGTON, HOLLAND PARK, NOTTING HILL								
L'Anis *(francés)* ££	297	●		●				●
Kensington Place *(moderno internacional)* ££	303	●		●				●
Mandola *(africano)* ££	294			●				
Sticky Fingers *(moderno internacional)* ££	303			●				
Wódka *(europeo)* ££	304	●						●
Bali Sugar *(moderno internacional)* £££	302	●				●	■	
Dakota *(americano)* £££	294	●				●	■	●
Clarke's *(moderno internacional)* ££££	303	●		●		●	■	●
SOUTH KENSINGTON, GLOUCESTER ROAD								
Bibendum *(francés)* £££	298	●					■	
Bombay Brasserie *(indio)* £££	300			●			■	●
KNIGHTSBRIDGE, BROMPTON, BELGRAVIA, PIMLICO, VICTORIA								
Emporio Armani Café *(italiano)* ££	301			●	■			
Osteria d'Isola *(italiano)* ££	301	●		●			■	●
Boisdale *(británico)* £££	296	●					■	●
Drones *(moderno internacional)* £££	303	●		●				●
The Fifth Floor *(británico)* £££	296	●					■	●
L'Incontro *(italiano)* £££	301						■	
Isola *(italiano)* £££	301			●				●
Restaurant One-O-One *(pescado y marisco)* £££	297	●		●	■			●
Rhodes in the Square *(británico)* £££	296	●						●
Salloos *(indio)* £££	300	●						●
Zafferano *(italiano)* £££	302	●						●
Roussillon *(francés)* ££££	299	●		●			■	●
La Tante Claire *(francés)* £££££	299	●						●
CHELSEA, FULHAM								
The New Culture Revolution *(chino)* £	296						■	●
Bluebird *(moderno internacional)* ££	303	●		●				●
Nikita's *(europeo)* ££	304	●						
Soviet Canteen *(europeo)* ££	304	●						●
Cactus Blue *(americano)* £££	294				■			●
Vama *(indio)* £££	300	●		●		●		
Zaika *(indio)* £££	300	●						●
PICCADILLY, MAYFAIR, BAKER STREET								
Sofra *(griego y de Oriente Próximo)* £	299	●	■	●		●	■	●
L'Artiste Musclé *(francés)* ££	297				■	●		
Carluccio's *(italiano)* ££	301			●	■	●		◉
Getti *(italiano)* ££	301			●			■	●
Giraffe *(moderno internacional)* ££	303	●		●			■	●
Spighetta *(italiano)* ££	301	●					■	
Hard Rock Café *(americano)* ££	294			●		●	■	

Precios por persona por una comida de tres platos, media botella de vino de la casa, incluidos impuestos y servicio (10%-15%):
£ menos de 15 libras
££ 15-35 libras
£££ 35-55 libras
££££ 55-75 libras
£££££ más de 75 libras

PÁGINA en la que se reseña el restaurante
MENÚ DE PRECIO FIJO para comer o cenar.
ABIERTO HASTA TARDE
Últimos pedidos hasta las 11.30.
SERVICIOS PARA NIÑOS
Menús especiales y/o sillas altas.
MÚSICA EN DIRECTO
Actúan músicos en el restaurante
MESAS EN EL EXTERIOR
Se puede comer al aire libre.
ZONA DE NO FUMADORES
Hay zonas para los no fumadores.
AIRE ACONDICIONADO
El restaurante posee aire acondicionado.

Restaurante	Precio	Página	Menú de Precio Fijo	Abierto Hasta Tarde	Servicios para Niños	Música en Directo	Mesas en el Exterior	Zona de No Fumadores	Aire Acondicionado
Al Duca (italiano)	££	300	●		●				●
L'Oranger (francés)	££	298	●				●	●	●
Mash Mayfair (británico)	££	295	●		●		●		●
Mulligan's of Mayfair (europeo)	££	304							
Al Hamra (griego y de Oriente Próximo)	££	299					●	●	
Teca (italiano)	££	301	●					●	●
Alloro (italiano)	££	301	●		●		●	●	
Veeraswamy (indio)	£££	300	●			●		●	
Just Oriental (sureste de Asia)	£££	305	●						
Chor Bizarre (indio)	£££	300			●			●	
The Avenue (británico)	£££	295	●	●	●	●		●	●
Che (moderno internacional)	£££	303	●		●			●	●
Criterion Brasserie (francés)	£££	298	●		●				●
F. Miyama (japonés)	£££	302	●		●				
Green's Restaurant & Oyster Bar (Fish & Seafood)	£££	297	●		●				
Just St James (británico)	£££	296	●		●				
Momo (griego y de Oriente Próximo)	£££	299	●				●		●
L'Odéon (moderno europeo)	£££	303	●		●			●	
Quaglino's (británico)	£££	296	●	●					
Royal China (chino)	£££	297	●						
Tamarind (indio)	£££	300	●						●
Coast (moderno internacional)	££££	303	●	●	●			●	
Mirabelle (francés)	££££	298	●				●		
Chez Nico (francés)	£££££	299	●		●				●
Le Gavroche (francés)	£££££	299	●						●
Nobu (japonés)	£££££	302	●	●	●	●		●	●
SOHO									
New World (chino)	£	297	●		●			●	
Yo! Sushi (japonés)	£	302	●		●			●	
Blue's Bistro and Bar (americano)	££	294	●		●			●	
Fung Shing (chino)	££	297	●						
The Gay Hussar (europeo)	££	304	●		●				●
Harbour City (chino)	££	297	●						
Mela (indio)	££	300	●		●			●	
Melati (sureste de Asia)	££	305	●		●				
Mezzonine (sureste de Asia)	££	305	●	●					
Mildred's (vegetariano)	££	305			●		●	●	
Spiga Soho (italiano)	££	301	●		●	●			●
Sri Siam (sureste de Asia)	££	305	●		●				●
Tokyo Diner (japonés)	££	302						●	
Alastair Little (moderno internacional)	£££	302	●		●				
Circus (moderno europeo)	£££	303	●		●				●
Mezzo (moderno europeo)	£££	304	●	●					
Richard Corrigan (europeo)	£££	305	●		●				●
Nobu (japonés)	£££££	302	●	●		●		●	●
The Sugar Club (moderno internacional)	£££££	303	●		●	●			●

Precios por persona por una comida de tres platos, media botella de vino de la casa, incluidos impuestos y servicio (10%-15%):
£ menos de 15 libras
££ 15-35 libras
£££ 35-55 libras
££££ 55-75 libras
£££££ más de 75 libras

PÁGINA en la que se reseña el restaurante
MENÚ DE PRECIO FIJO para comer o cenar
ABIERTO HASTA TARDE
Últimos pedidos hasta las 11.30.
SERVICIOS PARA NIÑOS
Menús especiales y/o sillas altas.
MÚSICA EN DIRECTO
Actúan músicos en el restaurante
MESAS EN EL EXTERIOR
Se puede comer al aire libre.
ZONA DE NO FUMADORES
Hay zonas para los no fumadores.
AIRE ACONDICIONADO
El restaurante posee aire acondicionado.

	Precio	PÁGINA	MENÚ DE PRECIO FIJO	ABIERTO HASTA TARDE	SERVICIOS PARA NIÑOS	MÚSICA EN DIRECTO	MESAS EN EL EXTERIOR	ZONA DE NO FUMADORES	AIRE ACONDICIONADO
COVENT GARDEN, STRAND									
Calabash (africano)	£	294			●	■			●
Food for Thought (vegetariano)	£	305					●	■	●
World Food Café (vegetariano)	£	305				■		■	●
Alfred (británico)	£££	295	●	■	●	■	●		●
Belgo Centraal (europeo)	££	304	●		●				
Café Pacífico (americano)	££	294							
Navajo Joe (americano)	££	294			●				●
Palms (europeo)	££	304							
La Perla (americano)	££	294			●				
Bank Aldwych (moderno internacional)	£££	302	●		●				
Chez Gerard (francés)	£££	298	●			■	●	■	●
Christopher's (americano)	£££	294			●				●
The Ivy (moderno europeo)	£££	303	●	■	●				
Mon Plaisir (francés)	£££	298	●					■	
Orso (italiano)	£££	301	●					■	
Le Palais du Jardin (francés)	£££	298	●				●		
River Restaurant (moderno europeo)	£££	304			●			■	
Rules (británico)	£££	296			●	■			
Simpson's-in-the-Strand (británico)	£££	296	●	●					
Tuscan Steak (italiano)	£££	301			●		●		●
BLOOMSBURY, FITZROVIA									
Wagawama (japonés)	£	302			●			■	
Bertorelli's (italiano)	££	301	●		●	■		■	●
Table Café (italiano)	££	301	●		●			■	
Hakkasan (chino)	£££	297							
Pied à Terre (francés)	£££	298	●						●
Spoon + (francés)	£££	298			●	■	●		●
CAMDEN TOWN, HAMPSTEAD									
Daphne (griego y de Oriente Próximo)	££	299	●		●		●		
Lemonia (griego y de Oriente Próximo)	££	299	●		●				
Sauce Bar Organic Diner (británico)	££	295	●		●				●
SPITALFIELDS, CLERKENWELL									
Nazrul (indio)	£	300	●		●				
Cicada (sureste de Asia)	££	305			●		●	■	●
Moro (moderno internacional)	££	303			●		●		
Quality Chop House (británico)	££	295			●			■	
Maison Novelli (francés)	££££	298			●		●	■	
LA CITY, SOUTH BANK									
The Place Below (vegetariano)	£	305	●			■	●	■	
Wine Wharf at Vinopolis (moderno europeo)	£	303							●
Baltic (europeo)	££	304	●		●			■	●
Café Seven (británico)	££	295	●		●		●	■	
Club Gascon (francés)	££	298			●				●
Livebait (pescado y marisco)	££	297						■	●

The People's Palace *(moderno europeo)*	££	303	●		●	▪			▪	●
Searcy's Restaurant *(británico)*	££	295	●		●	▪			▪	●
Café Spice Namaste *(indio)*	£££	300	●		●					
City Rhodes *(británico)*	£££	296			●					●
The Oxo Tower *(británico)*	£££	296	●			▪	●			●
Le Pont de la Tour *(francés)*	£££	298	●		●	▪	●			●
Prism *(británico)*	£££	296								●
Sweetings *(pescado y marisco)*	£££	297				▪				●
FURTHER AFIELD										
Madhu's Brilliant *(indio)*	£	299	●		●					
Chez Bruce *(británico)*	££	295	●		●					●
Istanbul Iskembecisi *(griego y de Oriente Próximo)*	££	299	●	▪	●					
Manna *(vegetariano)*	££	305	●		●			●	▪	●
Sonny's *(británico)*	££	295	●					●	▪	●
River Café *(italiano)*	££££	302			●	▪	●			

Elegir una cocina

LOS RESTAURANTES DE ESTA GUÍA han sido seleccionados de una amplia gama de precios por su buena relación calidad-precio, su comida y su ambiente. Están ordenados por tipo de cocina, empezando por la africana y la americana y cada categoría de cocina está ordenada por precios. Para las referencias a los planos, ver páginas 384-407.

Columnas: **Tarjetas de Crédito** · **Especialidades Vegetarianas** · **Muy Recomendable** · **Excelente Carta de Vinos**

AFRICANA

Dada la población multiétnica de Londres, hay menos restaurantes africanos que lo que cabría esperar. Los platos más comunes son plátano frito con salsa picante, estofados picantes y sopas.

CALABASH   (£)
Africa Centre, 38 King St, WC2. **Plano** 13 C2. ☎ 020 7836 1976. 𝐅𝐀𝐗 020 7836 7736.
Restaurante africano acogedor que ofrece *egusi* nigeriano (sopa de carne con semillas de palmera y melón). ● *Navidad y festivos.* ▮
— Tarjetas: MC V · Especialidades Vegetarianas: ●

MANDOLA   (£)(£)
139–143 Westbourne Grove, W11. **Plano** 9 C2. ☎ 020 7229 4734.
Cocina sudanesa servida tradicionalmente como en Jartum. Traiga su propio vino. ● *Navidad y Año Nuevo.*
— Tarjetas: MC V · Especialidades Vegetarianas: ●

AMERICANA

Aparte de las incontables hamburgueserías (ver pp. 306-307), la auténtica y creativa cocina americana es relativamente nueva en Londres. Junto a la mexicana y tex-mex, está aumentando la oferta de especialidades de la costa este y suroeste de los Estados Unidos.

BLUE'S BISTRO AND BAR   (£)(£)
42–43 Dean St, W1. **Plano** 13 A2. ☎ 020 7494 1966. 𝐅𝐀𝐗 020 7494 0717. ⓦ www.bluebistro.com
Cocina norteamericana que ofrece el clásico pollo de Maryland con maíz. Lugar moderno con arte interesante. ● *festivos.* ▮ ▤
— Tarjetas: MC V · Especialidades Vegetarianas: ● · Excelente Carta de Vinos: ●

CAFE PACIFICO   (£)(£)
5 Langley St, WC2. **Plano** 13 B2. ☎ 020 7379 7728. 𝐅𝐀𝐗 020 7836 5088.
Platos mexicanos modernos y tradicionales se sirven en esta cantina convertida en un almacén de bananas. Magníficos tequilas. ▮
— Tarjetas: AE MC V · Especialidades Vegetarianas: ●

HARD ROCK CAFE   (£)(£)
1 Old Park Lane, W1. **Plano** 12 E4. ☎ 020 7629 0382.
No tener reserva significa hacer cola, pero la recompensa es comida norteamericana con vídeos de música rock y multitud de recuerdos, tales como la guitarra de Jimmy Hendrix o los palillos de Ringo Starr. ● *25 dic.* ▮
— Tarjetas: AE DC MC V · Especialidades Vegetarianas: ● · Excelente Carta de Vinos: ●

LA PERLA   (£)(£)
28 Maiden Lane, WC2. **Plano** 13 C2. ☎ 020 7240 7400. 𝐅𝐀𝐗 020 7836 5088.
Modernas y tradicionales tapas mexicanas se ofrecen en este bar lleno de tequilas y cócteles. ▮ ♿
— Tarjetas: AE MC V · Especialidades Vegetarianas: ●

NAVAJO JOE   (£)(£)
34 King St, WC2. **Plano** 13 C2. ☎ 020 7240 4008. 𝐅𝐀𝐗 020 7240 4009.
Cocina del suroeste americano se sirve en este elegante lugar, entre obras de arte nativoamericanas. Buen tequila y mezcal. ▮
— Tarjetas: AE MC V · Especialidades Vegetarianas: ● · Muy Recomendable: ■ · Excelente Carta de Vinos: ●

CACTUS BLUE   (£)(£)(£)
86 Fulham Rd, SW3. **Plano** 19 A3. ☎ 020 7823 7858. 𝐅𝐀𝐗 020 7823 8577.
Innovador menú de cocina del suroeste americano que mezcla diferentes influencias. Su ambiente retro incluye obras de arte nativoamericanas. Amplia variedad de tequilas. ▮ ♿
— Tarjetas: AE DC JCB MC V

CHRISTOPHER'S   (£)(£)(£)
18 Wellington St, WC2. **Plano** 13 C2. ☎ 020 7240 4222. 𝐅𝐀𝐗 020 7836 3506.
ⓦ www.christophersgrill.com
Cocina tradicional de la costa este de Estados Unidos en un lugar teatralmente decorado con frescos. ● *festivos.* ▮
— Tarjetas: AE DC JCB MC · Muy Recomendable: ■ · Excelente Carta de Vinos: ●

DAKOTA   (£)(£)(£)
127 Ledbury Rd, W11. **Plano** 9 C2. ☎ 020 7792 9191. 𝐅𝐀𝐗 020 7792 9090.
Cocina del suroeste de los Estados Unidos que incluye chuletón de Iowa y salmón curado con tequila con maíz. Moderno local con exposiciones de arte. ● *25–26 dic.* ▮
— Tarjetas: AE MC V · Especialidades Vegetarianas: ● · Excelente Carta de Vinos: ●

<table>
<tr><td>

Precios por persona por una comida de tres platos, media botella de vino de la casa, incluidos impuestos y servicio:
£ menos de 15 libras
££ 15-35 libras
£££ 35-55 libras
££££ 55-75 libras
£££££ más de 75 libras

</td><td>

TARJETAS DE CRÉDITO
Se aceptan las tarjetas de crédito *AE* American Express, *DC* Dinners Club, *JCB* Japan Credit Bureau, *MC* MasterCard/Access, *V* Visa.
ESPECIALIDADES VEGETARIANAS
Se ofrecen imaginativos platos vegetarianos.
MENÚ PARA NIÑOS
El restaurante dispone de raciones más pequeñas o platos especiales para niños.
EXCELENTE CARTA DE VINOS
El restaurante posee una magnífica selección de vinos.

</td></tr>
</table>

	TARJETAS DE CRÉDITO	ESPECIALIDADES VEGETARIANAS	MENÚ PARA NIÑOS	EXCELENTE CARTA DE VINOS

THE GAUCHO GRILL   £££
89 Sloane Avenue, SW3. **Plano** 19 B2. (020 7584 9901.
Carne argentina cocinada al carbón o asada como la que comían los gauchos es la especialidad de este restaurante. 🍸

AE DC MC V ●   ●

BRITÁNICA/MODERNA BRITÁNICA

Los restaurantes de cocina británica clásica tradicional o moderna tienen una clientela muy fiel. La moderna cocina británica es un híbrido de influencias internacionales e ingredientes.

ALFRED   ££
245 Shaftesbury Avenue, WC2. **Plano** 13 B1. (020 7240 2566.
Decoración minimalista, que recuerda a un café de posguerra, es el ambiente de este restaurante que sirve comida moderna británica como lomo de cerdo crujiente y pudín de caramelo. ● *24 dic-2 ene, festivos.*

AE DC JCB MC V ● ■

CAFE SEVEN   ££
7ª planta, Tate Modern, Bankside, SE1. **Plano** 15 A3. (020 7401 5020.
Cocina moderna con platos como *fish and chips* y ensalada china de pato se sirven en este lugar minimalista y moderno que anualmente expone obras de reconocidos artistas. Vistas a la catedral de St Paul. ● *25-26 dic.* &

AE DC MC V ●

CHEZ BRUCE   ££
2 Bellevue Rd, SW17. (020 8767 6648.
Con vistas a Wandsworth Common, este local ofrece obras maestras de cocina moderna como lomo de ternera con tarta provenzal y salsa *bourride*. Buen vino francés, aunque se puede traer su propia botella. &

AE DC MC V ■ ●

40 DEGREES AT VERONICA'S   ££
3 Hereford Rd, W2. **Plano** 10 D2. (& FAX 020 7229 5079.
Veronica's ofrece cocina regional, histórica y moderna y posee varias salas decoradas con distintos temas. ● *25 dic-7 ene.* ▤

AE DC MC V ●

MASH MAYFAIR   ££
26b Albemarle St, W1. **Plano** 12 F3. (020 7495 5999. FAX 020 7495 2999.
Moderna cocina británica con influencias mediterráneas (pato asado y pizza con salsa de ciruelas). ● *festivos.* 🍸

AE DC MC V ● ■

QUALITY CHOP HOUSE   ££
94 Farringdon Rd, EC1. **Plano** 6 E4. (020 7837 5093. FAX 020 7833 8748.
Abastecedor de la clase trabajadora es el lema que está grabado en el cristal de las ventanas de este comedor victoriano. Ahora acuden ejecutivos de la City. ● *23 dic-2 ene.*

MC V ●

SAUCE BAR ORGANIC DINER   ££
214 Camden High St, NW1. **Plano** 4 F1. (020 7482 0777.
Cocina moderna que utiliza ingredientes orgánicos se sirve en este restaurante aireado y de moderna decoración.

AE DC MC V ● ■

SEARCY'S RESTAURANT   ££
Level 2, The Barbican, Silk St, EC2. **Plano** 7 B5. (020 7588 3008.
Las vistas del patio central de Barbican y su fuente realzan platos como escalopes asados con cerdo crujiente y zanahorias. 🍸 &

AE DC MC V ● ■

SONNY'S   ££
94 Church Rd, Barnes SW13. (020 8748 0393. FAX 020 8748 2698.
Este restaurante, en su local superior, sirve platos modernos como pescado a la plancha con beicon tostado y col roja. & 🍸

AE DC MC V ● ■

THE AVENUE   £££
7–9 St James's St, SW1. **Plano** 12 F4. (020 7321 2111. FAX 020 7321 2500.
Su interior minimalista dota de un ambiente dinámico a este restaurante de cocina moderna, con platos como palitos de pescado y pudín de caramelo con crema. Pianista lu-sa. ● *25 dic.* 🍸

AE DC MC V ● ■ ●

Precios por persona por una comida de tres platos, media botella de vino de la casa, incluidos impuestos y servicio: ⓔ menos de 15 libras ⓔⓔ 15-35 libras ⓔⓔⓔ 35-55 libras ⓔⓔⓔⓔ 55-75 libras ⓔⓔⓔⓔⓔ más de 75 libras	**TARJETAS DE CRÉDITO** Se aceptan las tarjetas de crédito *AE* American Express, *DC* Dinners Club, *JCB* Japan Credit Bureau, *MC* MasterCard/Access, *V* Visa. **ESPECIALIDADES VEGETARIANAS** Se ofrecen imaginativos platos vegetarianos. **MENÚ PARA NIÑOS** El restaurante dispone de raciones más pequeñas o platos especiales para niños. **EXCELENTE CARTA DE VINOS** El restaurante posee una magnífica selección de vinos.	TARJETAS DE CRÉDITO	ESPECIALIDADES VEGETARIANAS	MENÚ PARA NIÑOS	EXCELENTE CARTA DE VINOS
BOISDALE ⓔⓔⓔ 15 Eccleston St, SW1. **Plano** 20 E1. ☎ 020 7730 6922. 🗲 020 7730 0548. W www.boisdale.uk.com Cocina británica moderna y tradicional con especialidades escocesas y más de 200 vinos y whiskys. Jazz en directo lu-sa. ⍩		AE DC MC V	●		●
CITY RHODES ⓔⓔⓔⓔ 1 New St, EC4. **Plano** 14 E1. ☎ 020 7583 1313. 🗲 020 7553 1662. Fue el primer restaurante del gran cocinero Gary Rhodes. Sus especialidades son pescado con hierbas frescas y *tartar* de ostras. Más de 100 vinos. ♿		AE DC MC V	●	▪	●
THE FIFTH FLOOR ⓔⓔⓔ 5th Floor, Harvey Nichols, 109–125 Knightsbridge, SW1. **Plano** 11 C5. ☎ 020 7235 5250. 🗲 020 7823 2207. Cocina moderna imaginativa servida en un elegante lugar. Uno de los más modernos restaurantes de Londres. ● *25–26 dic.* ⍩ ♿		AE MC V	●	▪	●
JUST ST JAMES ⓔⓔⓔ 16 St James's St, SW1. **Plano** 12 F4. ☎ 020 7976 2222. 🗲 020 7976 2020. Cocina moderna británica con influencias europeas. El interior, barroco eduardiano, está decorado con cuadros y esculturas. ● *25 dic.* ⍩		AE MC V	●	▪	●
THE OXO TOWER ⓔⓔⓔ Oxo Tower Wharf, Barge House St, SE1. **Plano** 14 E3. ☎ 020 7803 3888. 🗲 020 7803 3888. En la octava planta de este edificio de la década de 1939, este restaurante ofrece muy buena cocina moderna además de una extensa carta de vinos. ♿		AE MC V	●	▪	●
PRISM ⓔⓔⓔ 147 Leadenhall St, EC3. **Plano** 15 C2. ☎ 020 7256 3888. 🗲 020 7256 3883. Situado en el antiguo Bank of New York, ofrece una impresionante lista de especialidades de cocina moderna y buena carta de vinos. ⍩ ♿		AE DC MC	●	▪	●
QUAGLINO'S ⓔⓔⓔ 16 Bury St, SW1. **Plano** 12 F3. ☎ 020 7930 6767. 🗲 020 7839 2866. W www.conran.com *Brasserie* moderna que refleja sus orígenes de los años treinta que ofrece platos clásicos como hígado de ternera y beicon.		AE DC MC	●	▪	●
RHODES IN THE SQUARE ⓔⓔⓔ Dolphin Square, Chichester St, SW1. **Plano** 21 A3. ☎ 020 7798 6767. 🗲 020 7798 5685. Inspirados platos de cocina moderna, como lasaña de ternera con vino tinto y crema de champiñones, se sirven en este precioso restaurante *art déco*. ⍩ ♿		AE DC MC V	●	▪	●
RULES ⓔⓔⓔ 35 Maiden Lane, WC2. **Plano** 13 C2. ☎ 020 7836 5314. 🗲 020 7497 1081. El restaurante más antiguo que sobrevive en Londres sirve comida tradicional desde 1798 en un decorado eduardiano. Traiga su propio vino. ● *23–26 dic.*		AE MC V	●	▪	●
SIMPSON'S-IN-THE-STRAND ⓔⓔⓔ 100 Strand, WC2. **Plano** 13 C2. ☎ 020 7836 9112. 🗲 020 7836 1381. Una experiencia auténticamente tradicional británica, con su decoración victoriana con reminiscencias de un acogedor club. ● *25–26 dic.* ⍩ 🍴		AE DC MC V	●		

CHINA

La cocina cantonesa es la más frecuente en los restaurantes chinos, basada en el arroz, aunque la cocina de Szechuan y Hunan, muy especiada, se está haciendo cada vez más popular. A la hora de la comida muchos restaurantes sirven el delicioso dim sum.

| **THE NEW CULTURE REVOLUTION**   ⓔ
305 Kings Rd, SW3. **Plano** 19 A4. ☎ 020 7352 9281.
Tradicional cocina cantonesa: sopas, varias clases de *noodless*, bolas de masa hervidas, todo ello servido en un lugar moderno. Amable servicio. ● *25–26 dic.* | | MC
V | ● | ▪ | |

NEW WORLD (£)	AE JCB MC V	●
1 Gerrard Place, W1. **Plano** 13 B2. **[** *020 7734 0396*. **FAX** *020 7287 3994*. Un amable personal sirve cocina cantonesa, Szechuan y especialidades de pescado, así como un magnífico *dim sum*. ● *25 dic*. **[**		

FUNG SHING (£)(£)	AE DC MC V	●
15 Lisle St, WC2. **Plano** 13 A2. **[** *020 7437 1539*. **FAX** *020 7734 0284*. Uno de los mejores restaurantes en Chinatown, que sirve comida china en un ambiente europeo. Puede traer su propio vino. ● *24–26 dic*. **[**		

HARBOUR CITY (£)(£)	AE DC MC V	●	●
46 Gerrard St, W1. **Plano** 13 B2. **[** *020 7439 7120*. **FAX** *020 7734 7745*. Cocina cantonesa y pequinesa especializada en guisos picantes. Vinos europeos, chinos y australianos. Puede traer su propia botella. ● *25 dic*. **[**			

HAKKASAN (£)(£)(£)	AE DC MC V	●
8 Hanway Place, W1. **Plano** 13 A1. **[** *020 7927 7000*. **FAX** *020 7907 1889*. Se sirve *dim sum* todos los días. La carta cambia para las cenas, aunque en el bar se sigue ofreciendo *dim sum*. **[**		

ROYAL CHINA (£)(£)(£)	AE JCB V	●	●
40 Baker St, W1. **Plano** 3 C5. **[** *020 7487 4688*. Restaurante especializado en platos cantoneses y pequineses, como *noodless* de langosta y *dim sum*. ● *25–27 dic*. **[** **[**			

PESCADO Y MARISCO

*Londres presume de sus prósperos restaurantes de pescado, que van desde los informales modernos
a los más tradicionales. Reciben los productos frescos cada mañana directamente de los mercados.*

LIVEBAIT (£)(£)	MC JCB V	●	▨
43 The Cut, SE1. **Plano** 14 E4. **[** *020 7928 7211*. **FAX** *020 7928 2299*. Conserva su original estilo victoriano y ofrece recetas tradicionales de pescado así como platos internacionales. **[**			

GREEN'S RESTAURANT AND OYSTER BAR (£)(£)(£)	AE DC JCB MC	●	▨	●
36 Duke St, St James's, SW1. **Plano** 12 F3. **[** *020 7930 4366*. Con una decoración de club de caballeros, su especialidad son las ostras del condado de Cork. ● *do, 1 may-31 ago*. **[**				

RESTAURANT ONE-O-ONE (£)(£)(£)	AE DC MC V	●	●
William St, SW1. **Plano** 11 C5. **[** *020 7290 7101*. **FAX** *020 7235 6196*. Pescado y marisco preparado al estilo francés se acompañan de una selección de más de 100 vinos. **[** **[**			

LE SUQUET (£)(£)(£)	AE DC MC V		●
104 Draycott Avenue, SW3. **Plano** 19 B2. **[** *020 7581 1785*. . Ofrece pescado y marisco en un ambiente marítimo con acuarelas de Cannes. Bar de ostras y patio. ● *una semana en Navidad*.			

SWEETINGS (£)(£)(£)	MC V	▨
30 Queen Victoria St, EC4. **Plano** 15 B2. **[** *020 7248 3062*. Esta institución entre los caballeros de la City es muy conocida por sus ostras y sus platos tradicionales británicos, como el lenguado de Dover a la plancha. No se aceptan reservas. ● *24 dic-2 ene*. **[**		

CAFE FISH (£)(£)(£)(£)	AE DC JCB MC	●	●
36–40 Rupert St, SW1. **Plano** 13 A2. **[** *020 7287 8989*. **FAX** *020 7287 8400*. El clásico estilo francés se aplica al pescado y al marisco. Los favoritos son el *fish and chip* y la fuente de mariscos. **[** **[**			

FRANCESA

*Los restaurantes de cocina francesa se encuentran por toda la ciudad, desde comida regional en
bistrots y las clásicas brasseries hasta alta cocina en restaurantes de lujo.*

L'ANIS (£)(£)	AE MC V	●	▨
1 Kensington High St, W8. **Plano** 10 E5. **[** *020 7795 6533*. **FAX** *020 7937 8854*. Menú franco-mediterráneo en lo que fue la antigua entrada de un banco.			

L'ARTISTE MUSCLÉ (£)(£)	AE DC MC V	●
1 Shepherd Mkt, W1. **Plano** 12 E4. **[** *020 7493 6150*. **FAX** *020 7495 5747*. *Bistrot* francés que sirve ternera *bourguignon* en un clásico local con vistas de Shepherd Market. ● *25 dic, Semana Santa*. **[**		

Para el significado de los símbolos ver solapa posterior

Precios por persona por una comida de tres platos, media botella de vino de la casa, incluidos impuestos y servicio: £ menos de 15 libras; ££ 15-35 libras; £££ 35-55 libras; ££££ 55-75 libras; £££££ más de 75 libras	**TARJETAS DE CRÉDITO** Se aceptan las tarjetas de crédito *AE* American Express, *DC* Dinners Club, *JCB* Japan Credit Bureau, *MC* MasterCard/Access, *V* Visa. **ESPECIALIDADES VEGETARIANAS** Se ofrecen imaginativos platos vegetarianos. **MENÚ PARA NIÑOS** El restaurante dispone de raciones más pequeñas o platos especiales para niños. **EXCELENTE CARTA DE VINOS** El restaurante posee una magnífica selección de vinos.		

Columnas: **TARJETAS DE CRÉDITO** · **ESPECIALIDADES VEGETARIANAS** · **MENÚ PARA NIÑOS** · **EXCELENTE CARTA DE VINOS**

CLUB GASCON ££
57 West Smithfield, EC1. **Plano** 14 F1. ☎ 020 7796 0600. FAX 020 7960 0601.
Cocina del suroeste de Francia, con especialidades en *foie-gras* y platos con trufas y marisco. La comida se sirve en un ambiente de bar de tapas. 🍷 ♿
Tarjetas: AE MC V

L'ORANGER ££
5 St James's St, SW1. **Plano** 12 F4. ☎ 020 7839 3774. FAX 020 7839 4330.
Comida elegante de estilo francés. Las especialidades incluyen salmón *boudin* asado. 🍷 ♿
Tarjetas: AE DC MC V

BIBENDUM £££
1ª planta, Michelin House, 81 Fulham Rd, SW3. **Plano** 19 B2. ☎ 020 7581 5187.
Un lugar de decoración retro para una cocina moderna francesa. La planta baja del edificio alberga una ostrería y un café. ♿
Tarjetas: AE MC V

CHEZ GERARD £££
Opera Terrace, The Market, Covent Garden Piazza, WC2. **Plano** 13 C2.
☎ 020 7379 0666. FAX 020 7497 9060.
Muy conocido por su clásico filete al estilo parisino, este precioso restaurante francés tiene una terraza con vistas a Covent Garden. 🍷
Tarjetas: AE JCB MC V

CRITERION BRASSERIE £££
Piccadilly Circus, W1. **Plano** 13 A3. ☎ 020 7930 0488.
Impresionante e histórico interior con un brillante mosaico neobizantino en el techo. Platos franceses con influencias mediterráneas. 🍷
Tarjetas: AE DC MC V

MON PLAISIR £££
21 Monmouth St, WC2. **Plano** 13 B1. ☎ 020 7836 7243. FAX 020 7240 4774.
Junto a Covent Garden, es muy conocido por sus sencillos platos de cocina regional francesa *(coq au vin, tarte tatin).* ⬤ festivos. ♿
Tarjetas: AE DC JCB MC V

LE PALAIS DU JARDIN £££
136 Long Acre, WC2. **Plano** 13 B2. ☎ 020 7379 5353. FAX 020 7379 1846.
Brasserie en la que hay una sección dedicada al marisco que sirve creativos platos franceses junto a una extensa carta de vinos internacionales. 🍷
Tarjetas: AE MC V

PIED À TERRE £££
34 Charlotte St, W1. **Plano** 5 A5. ☎ 020 7636 1178. W www.pied.a.terre.co.uk
Cocina moderna francesa, con platos como ceviche de almejas marinadas con lima con *tartar* de almejas, que se sirve en un íntimo ambiente. Buena carta de vinos. ♿
Tarjetas: AE MC V

LE PONT DE LA TOUR £££
Butlers Wharf, SE1. **Plano** 16 E4. ☎ 020 7403 8403. W www.conran.com
Una maravilla a la orilla del río con una parte dedicada sólo a crustáceos, piano por las noches y una carta de 900 vinos para acompañar a esta cocina francesa mediterránea. ⬤ festivos. 🍷 ♿
Tarjetas: AE DC JCB MC V

SPOON + £££
Sanderson Hotel, 50 Berners St, W1. **Plano** 12 F1. ☎ 020 7300 1444.
Perfecta combinación de estilo y gastronomía en sus mesas, además de en un elegante patio decorado con muy buen gusto. 🍷 ♿
Tarjetas: AE DC JCB MC V

MAISON NOVELLI ££££
29 Clerkenwell Green, EC1. **Plano** 6 E4. ☎ 020 7251 6606. FAX 020 7490 1083.
Jean-Christophe Novelli, con sus antecedentes en la alta cocina, muestra aquí los sabores de la moderna cocina rústica francesa. El postre de chocolate es legendario. 🍷
Tarjetas: AE DC MC V

MIRABELLE ££££
56 Curzon St, W1. **Plano** 12 E3. ☎ 020 7499 4636. FAX 020 7499 5449.
Magnífico restaurante que ofrece una elegancia *art déco*, un precioso patio para cenar al aire libre, excelente servicio y una creativa cocina francesa presentada y cocinada perfectamente. 🍷
Tarjetas: AE MC V

ROUSSILLON
€€€€ — AE MC V
16 St Barnabas St, SW1. **Plano** 20 D3. (020 7730 5550. FAX 020 7824 8617.
Una elegante decoración provenzal con tenues colores es el marco para esta soberbia cocina francesa moderna que utiliza productos orgánicos. 🍴

THE SQUARE
€€€€ — AE MC V
6–10 Bruton St, W1. **Plano** 12 E3. (020 7495 7100. FAX 020 7495 7150.
Lasaña de cangrejo con muselina de almejas y albahaca es el plato típico de la distinguida cocina francesa que aquí se ofrece. ♿ 🍴

CHEZ NICO
€€€€€ — AE DC MC V
90 Park Lane, W1. **Plano** 12 D3. (020 7409 1290.
Elegante lugar para el magnífico cocinero Nico Ladenis, con su artística gastronomía francesa. Buena carta de vinos. ● festivos.

LE GAVROCHE
€€€€€ — AE DC JCB MC V
43 Upper Brook St, W1. **Plano** 12 D2. (020 7408 0881. FAX 020 7491 4387.
Magnífica cocina tradicional y moderna francesa en este sofisticado lugar donde el *chic* francés se encuentra con el club inglés. ● 23 dic-3 ene. 🍷 🍴

LA TANTE CLAIRE
€€€€€ — AE DC JCB MC
The Berkeley Hotel, Wilton Place, SW1. **Plano** 12 D5.
(020 7823 2003. FAX 020 7235 6330.
Una mezcla de colores lilas y malvas es el tono de este elegante restaurante regentado por el maestro del arte culinario Pierre Koffman. ● festivos. ♿ 🍴

GRIEGA, TURCA Y DEL NORTE DE ÁFRICA

Características clásicas vinculan a estas tres cocinas, cuyos platos son especiados pero sin excesos, tales como carnes a la barbacoa, ensaladas y aperitivos como taramasalata (huevas de bacalao) y houmous (pasta de garbanzos).

SOFRA
€ — AE DCJ CB MC V
18 Shepherd St, W1. **Plano** 12 E4. (020 7493 3320. FAX 020 7499 8282.
Uno de los más conocidos de Londres, una cadena de restaurantes turcos con una buena relación calidad-precio. Selección de menús de bajo precio. ♿

AL HAMRA
€€ — AE DC MC V
31–35 Shepherd Market, W1. **Plano** 12 E4. (020 7493 1954.
Auténtica cocina libanesa (tradicional y moderna) en este restaurante famoso por sus *meze*, en los que se incluyen más de 60 platos. ● festivos. 🍷

DAPHNE
€€ — MC V
83 Bayham St, NW1. **Plano** 4 F1. (020 7267 7322. FAX 020 7482 3964.
Ofrece lo mejor de la cocina clásica y moderna: quisquillas con berenjenas y queso feta y aperitivos. ● 25-26 dic, 1 ene. 🍷 ♿

ISTANBUL ISKEMBECISI
€€
9 Stoke Newington Rd, N16. (020 7254 7291.
Clásica cocina turca en un local agradable con un maravilloso servicio. ♿

LEMONIA
€€ — MC V
89 Regent's Park Rd, NW1. **Plano** 3 C1. (020 7586 7454.
Platos griegos modernos y tradicionales se sirven en esta *brasserie* llena de plantas y con un invernadero. ● 25–26 dic. 🍷

MOMO
€€€ — AE JCB MC V
25 Heddon St, W1. **Plano** 12 F2. (020 7434 4040.
Este restaurante, en un maravilloso antiguo palacio marroquí, combina las cocinas de Marruecos, Túnez y Argelia, equilibrando tradición y modernidad. El bar es para una cita ideal en Casablanca. 🍷 ♿

INDIA

En Londres es un placer ir a comer a un restaurante indio, además de por su calidad, porque un gran número de ellos se está especializando en diferentes estilos de comida, como los balti, platos de cocina rápida servidos en un pequeño wok. Los platos pueden ser suavemente especiados (korma), medio picantes (bhuna, dansak, dopiaza) o puro fuego (madras, vindaloo).

MADHU'S BRILLIANT
€ — AE DC MC V
39 South Rd, Southall, Middlesex UB1. (020 8574 1897.
Auténtica cocina del este de África y de Punjabi, con muy buena relación calidad-precio, hace que merezca la pena desviarse hasta Southhall. ● ma. 🍷

Para el significado de los símbolos ver solapa posterior

		TARJETAS DE CRÉDITO	ESPECIALIDADES VEGETARIANAS	MENÚ PARA NIÑOS	EXCELENTE CARTA DE VINOS

Precios por persona por una comida de tres platos, media botella de vino de la casa, incluidos impuestos y servicio:
£ menos de 15 libras
££ 15-35 libras
£££ 35-55 libras
££££ 55-75 libras
£££££ más de 75 libras

TARJETAS DE CRÉDITO
Se aceptan las tarjetas de crédito *AE* American Express, *DC* Dinners Club, *JCB* Japan Credit Bureau, *MC* MasterCard/Access, *V* Visa.
ESPECIALIDADES VEGETARIANAS
Se ofrecen imaginativos platos vegetarianos.
MENÚ PARA NIÑOS
El restaurante dispone de raciones más pequeñas o platos especiales para niños.
EXCELENTE CARTA DE VINOS
El restaurante posee una magnífica selección de vinos.

Restaurante	Precio	Tarjetas	Veg.	Niños	Vinos
NAZRUL 130 Brick Lane, E1. **Plano** 8 E4. ☎ 020 7247 2505. Platos clásicos indios, regionales y *balti* se sirven en un local decorado con antigüedades indias. Traiga su propia botella de vino. ● 25 dic.	**£**		●	■	
MELA 152–156 Shaftesbury Avenue, WC2. **Plano** 13 B2. ☎ 020 7379 0527. Cocina india, al estilo del país, con similar decoración, suelos de madera y muebles que crean un ambiente cálido y relajado. ♿	**££**	AE DC MC V	●		
BOMBAY BRASSERIE Courtfield Close, Courtfield Rd, SW7. **Plano** 18 E2. ☎ 020 7370 4040. 📠 020 7835 1669. Ambiente colonial y siempre con un pianista. Cocina regional y de Bombay que incluye pollo Goan con especias y coco. ● 25–26 dic. 🍸 ♿	**£££**	AE DC MC V	●	■	
CAFE SPICE NAMASTE 16 Prescot St, E1. **Plano** 16 E2. ☎ 020 7488 9242. 📠 020 7481 0508. Fantástico menú especializado en platos de Parsee y Goan con buenos vinos. ● festivos. 🍸	**£££**	AE DC MC	●		●
CHOR BIZARRE 16 Albemarle St, W1. **Plano** 12 F3. ☎ 020 7629 9802. 📠 020 7493 7756. En medio de numerosas antigüedades indias (a la venta), el menú está especializado en comida de Cachemira, como la *gostaba,* cordero con cardamomo y yogur. ● 25–26 dic. 🍸	**£££**	AE MC V			●
SALLOOS 62–64 Kinnerton St, SW1. **Plano** 11 C5. ☎ 020 7235 4444. 📠 020 7259 5703. Menú del norte de India y de Pakistán especializado en pollo y cordero. Puede traer su propio vino. ● festivos. 🍸	**£££**	AE DC MC V	●		
TAMARIND 20 Queen St, W1. **Plano** 12 E3. ☎ 020 7629 3561. 📠 020 7499 5034. Suntuosa decoración. Cocina del norte de India delicadamente preparada por los mejores cocineros de la región. 🍸	**£££**	AE DCJ CB MC V			
VAMA 438 King's Rd, SW10. **Plano** 18 F4. ☎ 020 7351 4118. 📠 020 7565 8501. Cocina regional del norte de India y especialidades paquistaníes, afganas e iraníes. Jazz en directo los domingos a la hora de la comida. ● 25 dic. 🍸 ♿	**£££**	AE DC MC V			
VEERASWAMY Mezzanine Floor, Victory House, 99 Regent St, W1. **Plano** 12 F1. ☎ 020 7734 1401. 📠 020 7439 8434. El restaurante indio más antiguo de Londres (desde 1927) es también uno de los más modernos, con una elegante decoración e inspirados platos indios. ♿	**£££**	AE DC JCB MC	●	■	
ZAIKA 257–259 Fulham Rd, SW3. **Plano** 19 A3. ☎ 020 7351 7823. 📠 020 7376 4971. Magnífica cocina india moderna servida en un marco elegante y étnico. Excelente menú degustación y atento servicio.	**£££**	AE MC V	●	■	●

ITALIANA

Además de las habituales pizzas y pastas, los menús están incorporando platos de la cocina regional italiana, lo que ha cautivado los paladares de la capital.

Restaurante	Precio	Tarjetas	Veg.	Niños	Vinos
AL DUCA 4–5 Duke of York St, SW1. **Plano** 13 A3. ☎ 020 7839 3090. 📠 020 7839 4050. Excelentes platos italianos, con especialidades clásicas y regionales, con menús de buena calidad servidos en un ambiente italiano lleno de colorido. Amable servicio y buenos vinos.	**££**	AE MC V		■	●

....

ALLORO
19–20 Dover St, W1. **Plano** 12 F3. **(** *020 7495 4768.* **FAX** *020 7629 5348.*
En este elegante lugar se sirve cocina italiana imaginativa y tradicional, como *tagliolini* negros con salsa de cangrejos. 🍷 ⅃
££ — AE DC MC V

BERTORELLI'S
44a Floral St, WC2. **Plano** 13 C2. **(** *020 7836 3969.* **FAX** *020 7836 1868.*
Cocina moderna italiana con numerosos toques tradicionales se sirve en un cálido y acogedor ambiente. Perfecta ubicación, al lado de Covent Garden Opera House y de teatros. 🍷
££ — AE DC JCB MC V

CARLUCCIO'S
3–5 Barrett St, St Christopher's Place, W1. **Plano** 12 D1.
(*020 7935 5927.* **FAX** *020 7487 5436.*
Platos auténticamente italianos, incluyendo sopas y pastas, en un ambiente cálido que también alberga una tienda en la que se vende comida del restaurante. 🍷 ⅃
££ — AE MC V

EMPORIO ARMANI CAFE
191 Brompton Rd, SW3. **Plano** 19 B1. **(** *020 7823 8818.* **FAX** *020 7823 8854.*
Este café de diseño recuerda a una elegante estación italiana. Sirve cocina clásica con platos como *risotto* con quisquillas y limón. ● *25–26 dic.* 🍷 ⅃
££ — AE DC MC V

GETTI
16–17 Jermyn St, SW1. **Plano** 13 A3. **(** *020 7734 7334.*
Cocina regional italiana presentada de modo innovador, con el *risotto* como especialidad, acompañada de buenas bebidas italianas. 🍷 ⅃
££ — AE MC V

OSTERIA D'ISOLA
145 Knightsbridge, SW1. **Plano** 11 C5. **(** *020 7838 1055.* **FAX** *020 7838 1099.*
Comida rústica tradicional italiana se sirve en este sótano espacioso y moderno desde el que se ve la cocina. ● *25 dic, 1 ene.* 🍷
££ — AE DC MC V

SPIGA SOHO
84 Wardour St, W1. **Plano** 13 A2. **(** *020 7734 3444.* **FAX** *020 7734 3332.*
Moderno y divertido, con sitio para banquetes y cocina de leña. Repertorio clásico italiano, que incluye pastas y pizzas. 🍷 ⅃
££ — AE DC MC V

SPIGHETTA
43 Blandford St, W1. **Plano** 12 D1. **(** *020 7486 7340.*
Cocina moderna italiana –pizza con mozzarella fresca, tomatitos y salsa de albahaca– se sirve en un ambiente relajado y familiar. 🍷 ⅃
££ — AE DC MC V

TABLE CAFE
Habitat, 196 Tottenham Court Rd, W1. **Plano** 5 A5. **(** *020 7636 8330.*
Moderno café en el sótano de una tienda que sirve platos regionales y tradicionales. Alrededor del 70% del menú es vegetariano. ● *25–26 dic.* ⅃
££ — MC V

TECA
54 Brook Mews, W1. **Plano** 12 E2. **(** *020 7495 4774.* **FAX** *020 7491 3545.*
Magnífica comida italiana con ingredientes de temporada. Local elegante y con estilo. 🍷 ⅃
££ — AE DC MC V

L'INCONTRO
87 Pimlico Rd, SW1. **Plano** 20 D3. **(** *020 7730 6327.* **FAX** *020 7730 5062.*
Excelentes platos italianos inclinados hacia la cocina valenciana –productos de mar con vinagre balsámico y aceite de oliva– se sirven en este moderno y elegante restaurante. ● *24-26 dic, do de Pascua y comidas en festivos.*
£££ — AE DC MC V

ISOLA
145 Knightbridge, SW1. **Plano** 11 C5. **(** *020 7838 1044.* **FAX** *020 7838 1099.*
Cocina italiana de *gourmet* acompañada de más de 400 vinos se ofrece en este lugar decorado en rojo y blanco. ● *25 dic, 1 ene.* ⅃
£££ — AE DC MC V

ORSO
27 Wellington St, WC2. **Plano** 13 C2. **(** *020 7240 5269.* **FAX** *020 7497 2148.*
Cocina regional especializada en el norte de Italia, con platos como ensalada de jamón de Parma con queso parmesano, con una buena carta de vinos italianos. ● *25 dic.* 🍷
£££ — AE MC V

TUSCAN STEAK
St Martin's Lane Hotel, St Martin's Lane, WC2. **Plano** 13 B2.
(*020 7300 5544.* **FAX** *020 7300 5501.*
Menú italiano que incluye carne al estilo de Italia y múltiples bebidas italianas en el bar. Caprichoso ambiente toscano. 🍷
£££ — AE DC MC V

Para el significado de los símbolos ver solapa posterior

Precios por persona por una comida de tres platos, media botella de vino de la casa, incluidos impuestos y servicio:
- £ menos de 15 libras
- ££ 15-35 libras
- £££ 35-55 libras
- ££££ 55-75 libras
- £££££ más de 75 libras

TARJETAS DE CRÉDITO
Se aceptan las tarjetas de crédito *AE* American Express, *DC* Dinners Club, *JCB* Japan Credit Bureau, *MC* MasterCard/Access, *V* Visa.

ESPECIALIDADES VEGETARIANAS
Se ofrecen imaginativos platos vegetarianos.

MENÚ PARA NIÑOS
El restaurante dispone de raciones más pequeñas o platos especiales para niños.

EXCELENTE CARTA DE VINOS
El restaurante posee una magnífica selección de vinos.

Restaurante	Tarjetas de Crédito	Especialidades Vegetarianas	Menú para Niños	Excelente Carta de Vinos
ZAFFERANO £££ 15 Lowndes St, SW1. **Plano** 20 D1. ☎ *020 7235 5800.* Uno de los restaurantes más elegantes de Londres, con platos con trufas blancas entre sus especialidades. ● *Navidad, festivos.* ♿	MC V	●	■	●
RIVER CAFE ££££ Thames Wharf Studios, Rainville Rd, W6. ☎ *020 7381 8824.* Moderno diseño interior con vistas al río. Es muy elogiable la reinterpretación que hacen de la cocina tradicional italiana. ● *festivos.* 🍸	AE DC MC V	●		●
JAPONESA				
Espere lo inesperado: mesas teppan-yaki *(los comensales rodena la plancha donde trabaja el cocinero), una barra para picotear* sushi *o salones con tatami en los que se cena sentados sobre esteras.*				
TOKYO DINER ££ 2 Newport Place, WC1. **Plano** 13 B2. ☎ *020 7287 8777.* FAX *020 7434 1415.* Buen lugar con auténtica ambiente japonés. La carta incluye *sushi, sashimi y curry* japonés. ♿	DC MC V	●		
WAGAMAMA £ 4 Streatham St, WC1. **Plano** 13 B1. ☎ *020 7323 9223.* FAX *020 7323 9224.* Moderno lugar del estilo de un refectorio situado en un espacioso sótano. Varios tipos de *noodless* en diferentes formas. ● *25 dic.*	AE DC MC V	●		
YO! SUSHI £ 52–53 Poland St, W1. **Plano** 13 A2. ☎ *020 7287 0443.* *Sushi, sashimi,* ensaladas, sopas y *noodless* pasan por una cinta transportadora en este moderno y minimalista lugar. ● *25 dic.* 🍸	AE DC JCB MC V	●		
F. MIYAMA £££ 38 Clarges St, W1. **Plano** 12 E3. ☎ *020 7499 2443.* FAX *020 7493 1573.* Decoración elegante de estilo europeo. Mesas *teppan-yaki* de carne y marisco y platos meticulosamente preparados. ● *25 dic, 1 ene.* 🍸	AE DC MC V	●		
NOBU £££££ 19 Old Park Lane, W1. **Plano** 12 E4. ☎ *020 7447 4747.* El estiloso restaurante del primer piso sirve una fabulosa cocina de fusión japonesa y suramericana. Buena carta de vinos y *sake.* ● *festivos.* 🍸 ♿	AE DC MC V	●	■	●
MODERNA INTERNACIONAL				
Este ecléctico tipo de cocina surgió a finales de la década de 1990 y no ha dejado de evolucionar. Se utilizan ingredientes y técnicas de varias cocinas para crear un sugestivo estilo de fusión.				
ALASTAIR LITTLE £££ 49 Frith St, W1. **Plano** 13 A2. ☎ *020 7734 5183.* FAX *020 7734 5206.* Cocina internacional con énfasis en lo italiano. ● *festivos.*	AE JCB MC V	●		
BALI SUGAR £££ 33a All Saints Rd, W11. **Plano** 9 B1. ☎ *020 7221 4477.* FAX *020 7221 9955.* Este restaurante se emplaza en una casa con terraza. El *sashimi* es lo que todo el mundo espera. ● *23-27 dic, Semana Santa.* ♿	AE DC MC V	●		●
BANK ALDWYCH ££ 1 Kingsway, Aldwych, WC2. **Plano** 14 D2. ☎ *020 7379 9797.* Antiguo banco que ahora ofrece clásicos platos con cambios imprevistos. 🍸 ♿	AE DC MC V	●		
BLUEBIRD ££ 350 King's Rd, SW3. **Plano** 19 A4. ☎ *020 7559 1000.* FAX *020 7559 1111.* W www.conran.com Inspirada decoración con elementos clásicos, neogeorgianos y *art déco.* Buenos platos con caza y marisco como especialidad. 🍸 ♿	AE DC JCB MC V	●		

GIRAFFE £££
6–8 Blandford St, W1. **Plano** 12 D1. 📞 *020 7935 2333.*
Cocina internacional *(noodless,* pastel de pescado Louisiana) servida en un ambiente
amistoso y lleno de colorido con músicas de todo el mundo. ● *25–26 dic.*

	AE MC V

KENSINGTON PLACE ££
205 Kensington Church St, W8. **Plano** 9 C3. 📞 *020 7727 3184.* **FAX** *020 7229 2025.*
Mimimalista lugar que atrae a mucho público y que ofrece cocina internacional
reinterpretada. ● *Navidad.* 🍷 ♿

	AE DC MC V

MORO ££
34–36 Exmouth Market, EC1. **Plano** 6 E4. 📞 *020 7833 8336.*
Un menú que cambia quincenalmente con platos españoles y norteafricanos,
como codornices a la brasa con melaza de granadas, y con vinos italianos y
españoles. ● *festivos.* 🍷 ♿

	AE DC MC V

STICKY FINGERS ££
1a Phillimore Gardens, W8. **Plano** 9 C5. 📞 *020 7938 5338.* **FAX** *020 7938 5337.*
Recuerdos de los Rolling Stones es la base de un menú que ofrece desde
hamburguesas a pollo. 🍷 ♿

	AE MC V

CHE £££
23 St James's St, SW1. **Plano** 12 F3. 📞 *020 7747 9380.* **FAX** *020 7747 9382.*
Amplia gama de platos internacionales, desde ensalada César a langosta, todo
en un edificio de 1964 con un original ascensor. Muy conocido por su bar de la
planta baja. 🍷

	AE DC MC V

DRONES £££
1 Pont St, SW1. **Plano** 20 D1. 📞 *020 7235 9555.* **FAX** *020 7235 9566.*
Cocina clásica francesa con influencias mediterráneas, muy bien preparada y
presentada en un sofisticado y moderno decorado. 🍷

	AE DC MC V

THE SUGAR CLUB £££
21 Warwick St, W1. **Plano** 12 F2. 📞 *020 7437 7776.* **FAX** *020 7437 7773.*
Cocina de fusión en este restaurante dinámico y moderno –ensalada de canguro
con menta y salsa de chile, lima y cacahuetes– junto con buenos vinos,
particularmente de Australia y Nueva Zelanda. 🍷

	AE DC MC V

CLARKE'S ££££
124 Kensington Church St, W8. **Plano** 10 D4. 📞 *020 7221 9225.*
Una mezcla de cocina británica, californiana e italiana inspira la carta. La
comida es ligera pero sabrosa. 🍷 ♿

	AE MC V

COAST ££££
26B Albemarle St, W1. **Plano** 12 F3. 📞 *020 7495 5999.*
Posiblemente el restaurante más extraordinario de Londres, no sólo por su
pecera con peces de colores, sino también por su exquisita cocina. 🍷

	AE JCB MC V

MODERNA EUROPEA

*Mientras la cocina moderna británica y la moderna internacional desarrollan una fusión de ingredientes
y técnicas, la cocina moderna europea reinterpreta innovadoramente las clásicas recetas europeas.*

WINE WHARF AT VINOPOLIS £
Storey St, Borough Market, SE1. **Plano** 15 B3. 📞 *020 7940 8335.* **FAX** *020 7940 8336.*
Se pueden tomar tapas o picar de los menús en esta casa victoriana
modernizada. ● *25 dic, 1 ene.* 🍷

	AE MC V

THE PEOPLE'S PALACE ££
Level 3, Royal Festival Hall, South Bank Centre, SE1. **Plano** 14 D4.
📞 *020 7928 9999.* **FAX** *020 7928 2355.*
Puesto en marcha en la década de 1950, sus platos incluyen conejo, puerros,
jamón y crema de mostaza. Ideal para antes o después de la actuación. 🍷 ♿

	AE DC MC V

CIRCUS £££
1 Upper James St, W1. **Plano** 12 F2. 📞 *020 7534 4000.* **FAX** *020 7534 4010.*
Moderno bar para aperitivos con una decoración minimalista y un repertorio de
sabrosas comidas de cocina moderna europea. 🍷 ♿

	AE DC MC V

THE IVY £££
1 West St, WC2. **Plano** 13 B2. 📞 *020 7836 4751.* **FAX** *020 7240 9333.*
Toda una institución en el distrito de los teatros, esta celebridad muestra obras
de arte de los siglos XIX y XX y vidrieras de colores. Vinos franceses y del
Nuevo Mundo. 🍷 ♿

	AE DC JCB MC V

Para el significado de los símbolos ver solapa posterior

Precios por persona por una comida de tres platos, media botella de vino de la casa, incluidos impuestos y servicio:
- £ menos de 15 libras
- ££ 15-35 libras
- £££ 35-55 libras
- ££££ 55-75 libras
- £££££ más de 75 libras

TARJETAS DE CRÉDITO
Se aceptan las tarjetas de crédito *AE* American Express, *DC* Dinners Club, *JCB* Japan Credit Bureau, *MC* MasterCard/Access, *V* Visa.

ESPECIALIDADES VEGETARIANAS
Se ofrecen imaginativos platos vegetarianos.

MENÚ PARA NIÑOS
El restaurante dispone de raciones más pequeñas o platos especiales para niños.

EXCELENTE CARTA DE VINOS
El restaurante posee una magnífica selección de vinos.

	Tarjetas de Crédito	Especialidades Vegetarianas	Menú para Niños	Excelente Carta de Vinos
L'ODEON £££ 65 Regent St, W1. **Plano** 12 F3. 020 7287 1400. FAX 020 7287 1300. Su menú moderno europeo incluye platos franceses como almejas a la plancha y espinacas con trufa. ● 25 dic–1 ene.	AE DC MC V	●	■	
MEZZO £££ 100 Wardour St, W1. **Plano** 13 A2. 020 7314 4000. Situado en el Soho, sus platos, tales como brocheta de queso, higos y jamón, se sirven con música en vivo cada noche.	AE DC JCB MC V	●		●
RIVER RESTAURANT £££ The Savoy Hotel, Strand, WC2. **Plano** 13 C2. 020 7420 2698. FAX 020 7240 6040. Maravillosas vistas del Támesis y música en directo, además de una cena baile los viernes y sábados. Decoración estilo años treinta.	AE DC MC V			

OTRAS EUROPEAS

Los británicos generalmente prefieren la comida de países más exóticos que el suyo, pero se ha incrementado el número de restaurantes nórdicos y del este de Europa que merecen una visita.

	Tarjetas de Crédito	Especialidades Vegetarianas	Menú para Niños	Excelente Carta de Vinos
BALTIC ££ 74 Blackfriars Rd, SE1. **Plano** 14 F4. 020 7928 1111. FAX 020 7401 6917. Platos del este de Europa con influencias escandinavas, georgianas, polacas, rusas y húngaras.	AE DC MC V	●	■	
BELGO CENTRAAL ££ 50 Earlham St, WC2. **Plano** 13 B2. 020 7813 2233. FAX 020 7681 0811. Un ascensor industrial conduce a este sótano monástico en el que el servicio, con hábitos de monje, sirve platos belgas, con cerveza, especialmente mejillones. ● 25 dic.	AE DC MC V	●		
THE GAY HUSSAR ££ 2 Greek St, W1. **Plano** 13 B2. 020 7437 0973. FAX 020 7437 4631. Entre biblioteca y club, sirve a políticos, periodistas y escritores platos como sopa fría de cerezas salvajes y col de Transilvania. Sus menús de mediodía tienen buena relación calidad-precio. ● festivos.	AE DC JCB MC V	●	■	
MULLIGAN'S OF MAYFAIR ££ 13–14 Cork St, W1. **Plano** 12 F3. 020 7409 1370. Este restaurante ofrece platos irlandeses modernos y tradicionales: estofado con col y ostras como especialidad. Posee una ostrería. ● festivos.	AE DC JCB MC V			●
NIKITA'S ££ 65 Ifield Rd, SW10. **Plano** 18 E4. 020 7352 6326. W www.nikitasrestaurant.co.uk Bar pequeño, con un restaurante en el sótano fantásticamente decorado que ofrece platos clásicos rusos.	AE DC MC V	●		
PALMS ££ 39 King St, WC2. **Plano** 13 C2. 020 7240 2939. FAX 020 7378 5035. Cocina mediterránea, con influencia italiana, francesa y griega se ofrece en este relajado restaurante.	AE MC V			
SOVIET CANTEEN ££ 430 King's Rd, SW10. **Plano** 18 F4. 020 7795 1556. FAX 020 7795 1562. Sótano acogedor decorado con arte soviético, que ofrece platos clásicos rusos mezclados con modernos británicos. Extensa carta de vinos y buen servicio. ● 24 dic–2 ene.	AE DC MC V	●	■	
WÓDKA ££ 12 St Alban's Grove, W8. **Plano** 10 E5. 020 7937 6513. Mezcla de cocina polaca clásica y moderna (*blinis* con salmón ahumado, pato asado) se sirve en este lugar moderno, pero cálido y acogedor.	AE DC MC V	●	■	●

RICHARD CORRIGAN AT LINDSAY HOUSE   ££££
21 Romilly St, W1. **Plano** 13 A2. ☎ 020 7439 0450. ℻ 020 7437 7349.
Una elegante casa georgiana es el marco para servir platos modernos
irlandeses, tales como budín de cordero, cebada y romero.

AE	
DC	
JCB	
MC	
V	

SURESTE DE ASIA

*La comida tailandesa fue la pionera en la creciente popularidad de la comida del sureste de Asia y
existen variados restaurantes que en sus menús ofrecen platos de Tailandia, Singapur, Malasia e
Indonesia.*

CICADA   ££
132–136 St John St, EC1. **Plano** 6 F4. ☎ 020 7608 1550.
Reconocida cocina del sureste de Asia se sirve aquí, utilizando recetas e
ingredientes tradicionales. El menú está dividido en platos grandes y pequeños
e incluye creaciones como calamares con chile. ● *festivos.* 🍷

AE DC MC V

MELATI   ££
21 Gt Windmill St, W1. **Plano** 13 A2. ☎ 020 7437 2745. ℻ 020 7734 6964.
Bullicioso restaurante con atento servicio que ofrece auténtica cocina de
Indonesia, Malasia y el sureste de Asia, con especialidades como ternera
rendang, con especias y salsa de coco. ● *Navidad.*

AE MC V

MEZZONINE   ££
100 Wardour St, W1. **Plano** 13 A2. ☎ 020 7314 4000.
Especialidades tailandesas contemporáneas como ensalada de ternera, papaya
verde y *prik naam plaa*, se sirven al ritmo de un pinchadiscos seis noches a la
semana. 🍷 ♿

AE DC JCB MC V

SRI SIAM   ££
16 Old Compton St, W1. **Plano** 13 A2. ☎ 020 7434 3544.
Este restaurante es el perfecto sitio para probar por primera vez cocina
tailandesa –los sabores no son demasiado fuertes–. Extenso menú vegetariano.
● *24–26 dic, 1 ene.* 🍷

AE DC MC V

JUST ORIENTAL   £££
19 King St, SW1. **Plano** 12 F4. ☎ 020 7930 9292.
Especializado en comida rápida asiática como *noodless, dim sum* y pescado al
vapor, servida en un ambiente íntimo. 🍷 ♿

AE MC V

VEGETARIANA

*La cocina vegetariana ha pasado de ser una mera comparsa para convertirse en un género culinario
independiente, a menudo incluso acompañado de vinos vegetarianos y bebidas orgánicas.*

FOOD FOR THOUGHT   £
31 Neal St, WC2. **Plano** 13 B2. ☎ 020 7836 0239.
El menú se cambia diariamente y ofrece *quiches* y verduras, así como opciones
veganas. Las mesas de la primera planta tienen vistas de Covent Garden. Traiga
su propio vino.

THE PLACE BELOW   £
St Mary-le-Bow Church, Cheapside, EC2. **Plano** 15 A2.
☎ 020 7329 0789. ℻ 020 7248 2626.
Esta cripta de una iglesia del siglo XI es el emplazamiento de este restaurante.
En las mesas del patio ponen sombrillas en verano. Traiga su propio vino. No se
aceptan reservas. ● *festivos.*

JCB MC V

MANNA   ££
4 Erskine Rd, Primrose Hill, NW3. ☎ 020 7722 8028.
Cocina vegetariana orgánica de *gourmet* (chalotas orgánicas asadas y tarta *tatin*
con *risotto* de ajo). Lugar minimalista y moderno con cálidas paredes pintadas.
● *25 dic–1 ene.*

MC V

MILDRED'S   ££
58 Greek St, W1. **Plano** 13 A1. ☎ 020 7494 1634.
Cocina vegetariana que incluye *falafel* con salsa de chile y *tahina*,
acompañada de una carta de vinos orgánicos. Sólo aceptan dinero
en metálico o cheques.

WORLD FOOD CAFE   £
14 Neal's Yard, WC2. **Plano** 13 B1. ☎ 020 7379 0298.
Magnífico restaurante vegetariano en cuyas especialidades están incluidos
varios platos del oeste de África y de India. Traiga su propio vino.

MC V

Para el significado de los símbolos ver solapa posterior

Comidas ligeras y rápidas

Algunas veces no se tiene tiempo o dinero para sentarse y tomar una comida completa. Para esos casos, Londres dispone de una amplia gama de establecimientos que ofrecen una comida rápida, sencilla y, a veces, barata. La mayoría de los lugares reseñados aquí son ideales para visitantes con un programa apretado.

DESAYUNOS

Un buen desayuno es una preparación esencial para un duro día de turismo. En muchos hoteles *(ver pp.276-285)* se sirven desayunos a los no residentes, por lo que se puede disfrutar el lujo de desayunar en un majestuoso y viejo comedor, como **Simpson's-on-the-Strand.** Aquí, los maravillosos desayunos ingleses *(ver pp.286-287)* incluyen rarezas tales como nariz de cerdo con perejil o salsa de cebollas. Algunos *pubs* de los alrededores del mercado de Smithfield sirven a los trabajadores nocturnos; el más famoso es **Cock Tavern,** abierto desde las 5.30. Para tomar desayunos continentales como capuchino con pastas hay muchos cafés para elegir. Uno de los más relajados es **Villandry.** Este moderno restaurante tiene reputación de servir muy buenos desayunos con toques contemporáneos. Se sirve desde las 8.00 hasta las 10.30 cada día, excepto los domingos, que el *brunch* se alarga hasta las 15.00. Se está incrementando el número de restaurantes que ofrecen un *brunch* los fines de semana.

CAFÉ Y TÉ

Muchos grandes almacenes tienen sus propias cafeterías; las más elegantes son las de la firma italiana **Emporio Armani Express.** Tanto en Nicole Fahri como en DKNY *(ver p.317)*, en Bond Street, hay bares donde se puede tomar algo y, más importante, ver cómo compran las modelos. En pastelerías como **Pastisserie Valerie** y **Maison Bertaux** la tentación comienza ya en los escaparates, llenos de

pasteles franceses. El té de la tarde es una costumbre inglesa que no debe perderse. Hoteles de lujo como el Ritz y el Brown's *(ver p.281)* ofrecen té, *scones* con mermelada y crema, deliciosos sándwiches de pepino y una gran variedad de tartas. En **The Orangery,** un relajante establecimiento en los jardines de Kensington, se sirve una amplia selección de tés ingleses y tartas. También es digna de mención la oferta de tés y tartas de **Coffee Gallery,** cerca del British Museum. **Fortnum & Mason** *(ver p.313)* sirve también *high teas* (más abundantes). En Kew, el salón de té **Maids of Honour** ofrece pastas de las que, según se dice, degustaba el rey Enrique VIII.

CAFÉS DE MUSEOS Y TEATROS

La mayoría de los mejores museos y galerías tienen cafetería, como la Royal Academy, la Tate Modern (con unas maravillosas vistas del Támesis), la National Portrait Gallery y el British Museum, que ofrece platos vegetarianos. Aquellos que visiten el Young Vic Theatre pueden probar los pasteles de **Konditor & Cook;** mientras que en la Royal Opera House en Covent Garden hay diferentes opciones de comida.

BARES DE SÁNDWICHES

La mejor cadena de Londres es **Pret à Manger.** Sus bares sirven *brunches* a base de deliciosos sándwiches empaquetados y refrescos. Otra cadena popular de sándwiches es **Eat,** que ofrece un menú que cambia todos los días con innovadoras sopas y ensaladas realizadas con productos de temporada,

así como sándwiches hechos con pan casero. Si busca calidad italiana, pruebe en **Carlton Coffee House** sus exquisitos sándwiches en pan *focaccia* y *ciabatta.*

COMIDAS

Londres está repleto de restaurantes americanos de comida rápida que sirven hamburguesas, patatas fritas, pollo frito, tarta de manzana, batidos y colas, sobre todo en los alrededores del Soho y en Leicester Square, Shaftesbury Avenue y Covent Garden. De todos ellos, destacan **Maxwell's,** toda una institución en Covent Garden, que ofrece riquísimas hamburguesas, y **Hard Rock Café,** el lugar favorito de las familias.

PIZZA Y PASTA

La comida italiana nunca ha sido tan popular como ahora en Londres y los londinenses han adoptado como plato la pasta y la pizza. Hay muchos puestos por la calle, pero no siempre ofrecen buena calidad, y sucursales de cadenas por todo el centro, como Ask. **Pizza Express** es otra buena elección, que ofrece pizza con la tradicional masa fina y crujiente y la variedad de ingredientes se sale de lo habitual. Uno de sus restaurantes ocupa una elegante casa georgiana en Chelsea King's Road y en el del Soho se puede escuchar música jazz en directo. **Condotti** en Mayfair y **Kettner's** en el Soho son dos de los favoritos. Este último sirve una rica comida en un histórico emplazamiento. Hay conciertos de jazz y cabaré en **Pizza on the Park.** Buenos lugares para degustar pasta son **Spaghetti House** y **Café Pasta,** así como **Pollo** en el Soho, económicos y muy animados.

'PUBS'

La comida de los *pubs* ha experimentado una revolución en los últimos años. La mayoría de ellos todavía sirve platos tradicionales, como el *ploughman's lunch* (queso, ensalada, encurtidos y pan), *shepherd's pie* (plato a base de carne picada y puré de patatas) o rosbif los domingos, pero algunos establecimientos se han aventurado a variar la oferta. **The Chapel, The Cow, The Eagle, The Engineer, The Crown and Goose, The Fire Station, The Lansdowne** y **The Prince Bonaparte** son algunos *pubs* de la *nueva ola* (ver *p.311*) que ofrecen comida interesante a precios razonables. Es importante reservar por adelantado.

'FISH AND CHIPS'

EL PESCADO con patatas fritas es una experiencia británica que no debe perderse. Hay muchos *chippies* o tiendas donde se vende el pescado frito con mantequilla y gruesas patatas fritas salpicadas de sal y *vinagre*. Los acompañamientos tradicionales son los bollos de pan (para hacer *chip butties*, es decir, sándwiches), los guisantes, los huevos escabechados y las cebollas. Tres de los mejores sitios son **Seashell, Rock & Sole Plaice** y **Faulkner's**. El *fish and chips* actualmente se está *aburguesando* y cada vez más se ofrece en los menús de buenos restaurantes y cadenas, como por ejemplo **Fish.**

BARES DE SOPA

LA ÚLTIMA MODA son los locales donde se sirve sopa, como alternativa a los bares de sándwiches. Sucursales de **Soup Opera** y **Soup Works** se pueden encontrar por todo el centro de Londres. Los ingredientes van desde las espinacas al pollo, pasando por el chile.

BARES

EL NÚMERO Y LA calidad de los bares de Londres ha aumentado mucho desde hace cinco años. Existen numerosos bares en el centro, como el **Café des Amis du Vin** en Covent Garden, y el

legendario **El Vino** en Fleet Street, y cadenas como **Corney & Barrow** y **Balls Bros,** que tienen buena reputación por su comida. Una muy buena relación calidad-precio es parte del éxito de las cadenas de bares, como **All Bar One,** donde se ve el equipo utilizado para elaborar la cerveza y ofrece buenos menús. Pruebe uno de los dos locales de **Freedom Brewing Company** (Wardour Street y Covent Garden). Está aumentando el número de bares con estilo que, bajo sugerentes nombres, ofrecen diseño y sirven buena comida. En los alrededores de Piccadilly, los más famosos bares de este tipo son **Che** y **The Met Bar,** así como **Alphabet** en el Soho y **Lab Bar.** Más alejados del centro, en el este de Londres, se encuentra el muy moderno **The Shoreditch Electricity Showrooms,** que posee un bar y un restaurante.

'BRASSERIES'

MUCHOS LOCALES tienen el inconfundible sello francés, con sus fuentes de marisco, su decoración cromada y su servicio en mesa. **Palais du Jardin** ofrece un menú de estilo parisino tradicional, con marisco, deliciosa langosta y una buena carta de vinos. También **Dôme,** con su decoración en metal y madera oscura, ofrece un exquisito pedazo de Francia en Londres. El parecido **Café Rouge** también es una buena elección. El **Café Flo,** perteneciente al grupo Flo francés, ofrece la mejor comida en un marco decorativo dominado por los blancos y los pasteles brillantes, que contrasta con el estilo más tradicional de los establecimientos mencionados; su salmón ahumado con hinojo es delicioso. **Randall & Aubin** es un bar ubicado en una antigua *delicatessen* que ha retenido su carácter; sirve ostras, langosta y champaña, y sus ventanales dan a las vigorosas calles del Soho.

BARES DE ZUMOS

COMO CONSIDERAR de manera sana la comida y la bebida está actualmente muy a la moda, el número de bares de zumos se ha disparado y sirven deliciosos y refrescantes zumos naturales de todos los sabores, como el zumo de trigo. **Planet Organic** tiene dos locales, como **Crussh** y **Fluid Juice Bar. Ranoush Juice,** libanés, está en Edgware Road y es uno de los favoritos. **Zeta** (en Park Lane Hilton) es un bar muy popular con una amplia gama de saludables bebidas.

COMER POR LA CALLE

LAS CASTAÑAS asadas son un placer otoñal, y pueden encontrarse puestos callejeros en los alrededores de Oxford Circus y en todo el centro de Londres cuando comienzan a caer las temperaturas. Los puestos de pescado, donde se venden gambas, cangrejos, caracoles de mar y anguila en gelatina, son característicos de todos los mercados callejeros. En Camden Lock y Spitalfields se puede ir de puesto en puesto picando pollo frito, *falafel*, hamburguesas vegetarianas, tallarines chinos o bollos de miel. En el East End, los hornos judíos como **Brick Lane Beigel Bake** está abierto durante las 24 horas. Los bollitos *bagels* son muy baratos, y se pueden pedir rellenos, por ejemplo, de ternera salada con mostaza. Si el verano es caluroso, haga una visita a **Marine Ices,** donde se preparan los helados más deliciosos de la ciudad. Si se siente tentado a probar la quintaesencia de la comida *cockney,* todavía puede encontrar establecimientos de *pie & mash* (empanada y puré). Puede probar jalea de anguilas con patatas o empanada de carne picada con puré rociada con salsa de perejil por menos de cinco libras. Pero la verdadera experiencia consiste en empapar la comida con vinagre y comerla acompañada de té. **S&R Kelly** y **G Kelly** son dos de los locales más conocidos y se encuentran en el corazón de la comunidad del *pie & mash:* Bethnal Green, en el East End.

INFORMACIÓN GENERAL

DESAYUNOS

Cock Tavern
East Poultry Avenue,
Smithfield Market EC1.
Plano 6 F5.

Simpson's-on-the-Strand
100 Strand WC2.
Plano 13 C2.

Villandry
170 Great Portland
Street, W1.
Plano 4 F5.

CAFÉ Y TÉ

Coffee Gallery
23 Museum St WC1.
Plano 13 B1.

**Emporio Armani
Express**
191 Brompton Rd SW3.
Plano 19 B1.

Maids of Honour
288 Kew Rd, Richmond,
Surrey.

Maison Bertaux
28 Greek St W1.
Plano 13 A1.

The Orangery
Kensington Palace,
Kensington
Gardens W8.
Plano 10 D3.

Patisserie Valerie
215 Brompton Rd SW3.
Plano 19 B1.
Una de las sucursales.

CAFÉS DE MUSEOS Y TEATROS

Konditor & Cook
Young Vic Theatre,
66 The Cut SE1.
Plano 14 E4.

BARES DE SÁNDWICHES

**Carlton Coffee
House**
41 Broadwick St W1.
Plano 13 A2.

Eat
12 Oxo Tower Warf, Barge
House St SE1 . **Plano** 14 E3.

Prêt à Manger
421 Strand WC2.
Plano 13 C3.
Una de las sucursales.

COMIDAS

Hard Rock Café
150 Old Park Lane W1.
Plano 121 E4.

Maxwell's
89 James St WC2.
Plano 13 C2.

PIZZA Y PASTA

Ask
103 St John St EC1.
Plano 16 E2.

Café Pasta
15 Greek Street W1.
Plano 13 B2.

Condor
4 Mill Street W1.
Plano 12 F2.

Kettner's
(Pizza Express)
29 Romilly St W1.
Plano 13 A2.

Pizza Express
30 Coptic St WC1.
Plano 13 B1.
Una de las sucursales.

Pizza on the Park
11 Knightsbridge SW1.
Plano 12 D5.

Pollo
20 Old Compton St W1.
Plano 13 A2.

Spaghetti House
15 Goodge Street W1.
Plano 5 A5.

'FISH AND CHIPS'

Faulkner's
424–426 Kingsland Rd E8.

Fish
3B Belvedere Road SE1.
Plano 14 D4.

Rock & Sole Plaice
49 Great Windmill St W1.
Plano 13 A2.

Seashell
49–51 Lisson Grove NW1.
Plano 3 B5.

BARES DE SOPA

Soup Opera
17 Kingsway WC2.
Plano 13 C1.
Una de las sucursales.

Soup Works
9 D'Arblay St W1.
Plano 13 A2.
Una de las dos sucursales.

BARES

All Bar One
103 Cannon St EC4.
Plano 15 A2.

Alphabet Bar
61 Beak Street W1.
Plano 12 F2.

Balls Bros
Hays Galleria
Tooley Street SE1.
Plano 15 B3.

Café des Amis du Vin
11-14 Hanover Place WC2.
Plano 13 C2.

Che
23 St James's St WC1.
Plano 12 F3.

Corney & Barrow
19 Broadgate Circle EC2.
Plano 7 C5.

El Vino
47 Fleet Street EC4.
Plano 14 E1.

**Freedom Brewing
Company**
60-66 Wardour St W1.
Plano 13 A2.
Una de las dos sucursales.

Lab Bar
20 Old Compton St St W1.
Plano 13 A2.

The Met Bar
19 Old Park Lane W1.
Plano 12 E4.

**Shoreditch
Electricity
Showrooms**
39a Hoxton Sq N1.
Plano 7 C3.

'BRASSERIES'

Café Flo
51 St Martin's Lane WC2.
Plano 13 B2.
Una de las sucursales.

Café Rouge
27 Basil St SW3.
Plano 11 C5.
Una de las sucursales.

Dôme
32–33 Long Acre WC2.
Plano 13 B2.
Una de las sucursales.

Palais du Jardin
136 Long Acre WC2.
Plano 13 B2.

Randall & Aubin
16 Brewer St W1
Plano 13 A2.

BARES DE ZUMOS

Crussh
Unit 1
1 Curzon Street W1.
Plano 12 E3.

Fluid Juice Bar
Fulham Rd SW3.
Plano 19 A2.

Planet Organic
22 Torrington Place WC1.
Plano 5 A5.

Ranoush Juice
43 Edgware Rd W2.
Plano 11 C2.

Zeta
Park Lane Hilton W1.
Plano 12 E4.

COMER POR LA CALLE

**Brick Lane
Beigel Bake**
159 Brick La E1.
Plano 8 E5.

Marine Ices
8 Haverstock Hill NW3.

G Kelly S&R Kelly
Bethnal Green Road E1
Plano 8 D4.

'Pubs' de Londres

LAS *PUBLIC HOUSES* o *pubs* eran originalmente casas o fondas donde el público podía comer, beber y pasar la noche. Las *inns* con patios, como George Inn, eran posadas de postas donde se cambiaban los caballos de las diligencias. Algunos *pubs* se alzan sobre los emplazamientos de antiguas cervecerías, como el Ship, el Lamb and Flag y el City Barge. Pero muchos de los mejores datan de la época de los *palacios de la ginebra,* a finales del siglo XIX, cuando los londinenses escapaban de la miseria de sus barriadas hacia lugares lujosos, a menudo con imponentes espejos (como el Salisbury) y elaborada decoración (el Tottenham). En Maida Vale está el Crockers, probablemente el mejor de los *palacios de la ginebra* que todavía perduran.

REGLAS Y COSTUMBRES

EN TEORÍA, los *pubs* abren de 11.00 a 23.00 de lunes a sábado y de 19.00 a 22.30 los domingos, pero algunos cierran por las tardes y los fines de semana. Es obligatorio ser mayor de 18 años para adquirir bebidas alcohólicas, y tener por lo menos 14 años para entrar en un *pub* sin ir acompañado de un adulto. Los niños pueden entrar en los *pubs* donde se sirve comida. En la barra se paga al ser servido y las propinas no son usuales, a menos que se consuman comida y bebida en una mesa. La señal de últimas peticiones *(last orders)* se da 10 minutos antes del cierre; después se anuncia tiempo *(time)* y se permiten 20 minutos más para terminar las consumiciones.

CERVEZA BRITÁNICA

LAS CERVEZAS británicas más tradicionales tienen diferentes sabores y grados de fuerza, no son gaseosas y se sirven sólo ligeramente frías. El abanico de cervezas embotelladas va desde la *light* (ligera) hasta la *old* (vieja), pasando por la *pale* (pálida) y la *brown* (negra). Una alternativa dulce y con menos alcohol es la *shandy*, mezcla de cerveza seca *(lager)* con limonada. Se han mantenido muchos métodos tradicionales de fermentar y servir la cerveza a través de los años, por lo que hay una gran variedad de *real ale*

(auténtica cerveza) en los *pubs* londinenses. Los bebedores formales de cerveza deben buscar las *free houses,* tabernas que no están sujetas a ninguna marca de cerveza. Los principales fabricantes de Londres son Young's (pruebe la cerveza fuerte *winter warmer*) y Fuller's. **Orange Brewery** ofrece buenas pintas y comida, además de recorridos por la fábrica.

OTRAS BEBIDAS

OTRA BEBIDA tradicional de los *pubs* es la sidra. Hecha con manzanas, puede tener diversos grados de acidez y sequedad. Una bebida alcohólica típica de Londres es la ginebra, que se toma normalmente con agua tónica. En invierno se sirve ponche (vino con azúcar y especias) caliente o *hot toddies* (coñá o whisky con agua caliente y azúcar). Siempre hay posibilidad de consumir bebidas no alcohólicas, como agua mineral y refrescos.

'PUBS' HISTÓRICOS

CASI TODOS los *pubs* de Londres tienen una historia fascinante. La construcción puede tener vigas medievales, extravagantes fantasías victorianas o interiores asombrosos, como el del **Black Friar.** En el **Bunch of Grapes** el bar está dividido por celosías, un sistema que utilizaban muchos *pubs* para permitir a

la clase alta beber sin mezclarse con sus criados. El **King's Head and Eight Bells,** del siglo XVI, tiene una exposición de antigüedades. Muchos cuentan con una honda tradición literaria, como la **Fitzroy Tavern**, punto de reunión de escritores y artistas, **Ye Olde Chesire Cheese,** asociado con el Dr. Johnson, y la **Trafalgar Tavern**, de donde Charles Dickens era cliente asiduo. Oscar Wilde frecuentaba la **Salisbury.** Menos relacionado con la literatura, el **Bull and Bush,** en el norte de Londres, dio título a una canción de *music-hall.* Otros *pubs* tienen una historia más violenta. Las víctimas de Jack el Destripador fueron encontradas cerca del **Ten Bells.** Dick Turpin, el salteador del siglo XVIII, bebía en **Spaniards Inn,** al norte de la ciudad. El pub **French House,** en el Soho, fue lugar de encuentro de la resistencia francesa en la II Guerra Mundial.

LOS NOMBRES DE LOS 'PUBS'

LOS CARTELES se cuelgan en las puertas de los *pubs* desde 1393, cuando el rey Ricardo II decidió que debían reemplazarse los arbustos que los anunciaban en el exterior. Los parroquianos solían ser analfabetos, así que se eligieron motivos fáciles de pintar: escudos de armas (Freemasons' Arms), figuras históricas (Princess Louise) o animales heráldicos (White Lion).

'PUBS' CON ESPECTÁCULO

EN MUCHOS *pubs* se ofrecen espectáculos. Hay representaciones teatrales *(ver p.330)* en el **King's Head,** el **Latchmere** y el **Prince Albert.** Otros tienen música en directo, jazz moderno en el **Bulls Head** y varios estilos musicales en el **Mean Fiddler** *(ver pp..335-337).*

TERRAZAS

HAY POCOS *pubs* con terraza en el centro de Londres; para encontrarlos hay que salir a las afueras. El **Freemasons' Arms**, en Hampstead, tiene un bonito jardín. Algunos están situados junto al río y ofrecen buenas vistas; dos ejemplos son el **Grapes**, en Limehouse, y el **White Cross**, en Richmond.

PEQUEÑAS CERVECERAS

SE PUEDE degustar deliciosa cerveza de fabricación casera en **Mash**. El ambiente hace olvidar el tópico de que la *real ale* es sólo para antiguos bebedores: el local está lleno de gente joven. Unas enormes cubas de color naranja muestran dónde se elabora la cerveza. **Freedom Brewing Company** hace cerveza de estilo alemán, que se puede beber con calma en su agradable interior. Quizá la mejor cerveza de elaboración casera sea la de **O'Halton**, en Clerkenwell.

'PUBS' Y BARES TEMÁTICOS

LOS BARES temáticos son un fenómeno reciente. Los *pubs* de estilo irlandés, como **Filthy McNasty's** y **Waxy O'Connors**, no atraen mucho público de la bella Eire, pero gozan de cierta credibilidad entre los londinenses. Del mismo estilo son los bares australianos, como **Sheila's**. Los locales deportivos también han logrado atraer a muchos clientes; como el **Shoeless Joe's** o el más popular **Sports Café**, cerca de Piccadilly, con tres barras, pista de baile y 120 monitores de televisión que muestran imágenes deportivas de todo el mundo recibidas por satélite.

BARES

EL ESCENARIO DE LOS bares de Londres ha cambiado rápidamente desde mediados de la década de 1990, cuando la elección estaba esencialmente limitada a los bares de los hoteles, las tabernas o los *pubs*.

Impulsados por un resurgimiento de los cócteles, así como por el hecho de que comer y beber fuera es ahora un nuevo estilo de vida para los londinenses, nuevos bares abren cada vez más y los bares de diseño moderno causan furor. Como resultado, los bares se han llenado de gente guapa y los elegantes camareros se han convertido en estrellas. **Che** es conocido por su magnífica selección de delicados licores traídos de todo el mundo, así como por su destreza haciendo cócteles. Entre los bares con especialidades destacan el mexicano bar restaurante **La Perla** en Covent Garden con un amplio repertorio de tequilas, y **Babushka**, con sus vodkas. **10 Room, 10 Tokyo Bar** y **Lab Bar** (*ver p. 308*) sirven excelentes cócteles y con limas, hielo y licores elaboran bebidas de Centroamérica como mojitos y *caipirinhas*. **Fridge Bar**, en Brixton, tiene un pinchadiscos de *hip-hop*. Entre los más modernos está la cadena **Match** con locales en Oxford Circus y Clerkenwell. Pruebe sus cócteles de coña.

CADENAS DE BARES

AUNQUE NO SON los lugares más interesantes del mundo, los bares pertenecientes a cadenas son, al menos, fiables. Suelen tener grandes ventanas y paredes blancas; seguramente, algunos clientes se sentirán mejor en estos locales que en los oscuros *pubs* tradicionales. **All Bar One** es un ejemplo, con grandes muebles de madera. **Pitcher & Piano** está lleno de sofás y revestido de madera clara. La cadena **Slug & Lettuce** intenta destacarse de la competencia con cuadros en las paredes y tranquilas salas para conversar. En los demás bares domina una ruidosa multitud de veinteañeros.

BARES DE HOTEL

LONDRES DISPONE de muchos bares en elegantes hoteles; son lugares perfectos para disfrutar de un cóctel o varios. **The Blue Bar** en el hotel Berkeley y **Long Bar** en el Sanderson son dos muy buenos ejemplos. El **American Bar** del

hotel Savoy está decorado en estilo *art déco*, tiene un pianista, un excelente ambiente y una amplia variedad de whiskys de malta. El **Claridge's Bar** del hotel Claridge ofrece un ambiente sofisticado, así como magníficos cócteles de cava. **Tsar's Bar** en el Langham Hilton posee una impresionante selección de vodkas, mientras que **Trader Vic's**, en el Park Lane Hilton, ofrece exóticos combinados tropicales y buenísimos cócteles de ron. En **Zeta**, también en el Park Lane Hilton, se da prioridad a las bebidas saludables y naturales, mientras que los martinis de sabores de frutas es el fuerte de **The Met Bar** (abierto hasta las 18.00 a los no residentes), en el Metropolitan Hotel.

BARES 'GAY'

OLD COMPTON STREET, en el Soho, ofrece ambiente homosexual en vías de expansión. Las mesas se sacan a la calle y se respira una atmósfera de tolerancia sexual. El **Manto**, un conocido bar de la escena *gay* de Manchester, ha abierto una sucursal en Londres. Se encuentra cerca del bar-restaurante **Balans** y del *pub* **The Admiral Duncan**. **The Edge** es un club de cuatro plantas situado en una esquina de Soho Square. Las lesbianas prefieren el **Candy Bar**. También conocido es el **Freedom**, en Wardour Street.

PARA FUMADORES

JUNTO AL RESTAURANTE, **Che** dispone de una sala para fumadores; el jefe, Nick Strangeway, le ayudará a elegir entre una excelente gama de cigarros cubanos. En **Boisdale** y **The Churchill Bar & Cigar Divan**, en el hotel Churchill Intercontinental, los clientes pueden combinar el whisky de malta con estupendos cigarros. El bar **Havana**, en Leicester Square no parece un lugar ideal para fumar tranquilamente, pero los cigarros cubanos sintonizan con su selección de cócteles preparados con ron.

INFORMACIÓN GENERAL

SOHO, PICCADILLY

10 Room
10 Air St W1.
Plano 13 A2.

10 Tokyo Joe
85 Piccadilly W1.
Plano 12 F3.

Admiral Duncan
Old Compton St W1.
Plano 13 A2.

Admiral Duncan
Old Compton St W1.
Plano 13 A2.

Balans
60 Old Compton St W1.
Plano 13 A2.

Candy Bar
4 Carlisle St W1.
Plano 13 A2.

Che
23 St James's St W1.
Plano 12 F3.

Churchill Bar & Cigar Divan
30 Portman Sq W1.
Plano 12 D1.

Claridge's
Brook St W1.
Plano 12 E2.

Coach and Horses
29 Greek St WC2.
Plano 14 F2.

Edge
11 Soho Sq W1.
Plano 13 A1.

Freedom Breewing Company
60–66 Wardour St W1.
Plano 13 A2.

Long Bar
50 Berners Street.
Plano 12 F1.

Manto
Old Compton St W1.
Plano 13 A2.

Mash
19–21 Great Portland St W1. **Plano** 12 F1.

Met Bar
19 Old Park Lane W1.
Plano 12 E4.

Pitcher & Piano
70 Dean St W1.
Plano 13 A1.
Una de las sucursales.

Sports Café
80 Haymarket SW1.
Plano 13 A3.

Trader Vic's
22 Park Lane.
Plano 12 D3.

Tsar's Bar
1 Portland Pl W1.
Plano 4 E5.

Waxy O'Connor's
14-16 Rupert St W1.
Plano 13 A2.

Zeta
Park Lane Hilton W1.
Plano 12 E4..

COVENT GARDEN, STRAND

American Bar
The Savoy, Strand WC2.
Plano 13 C2.

Havana
Leicester Place WC2.
Plano 13 B2.

Lamb and Flag
33 Rose St WC2.
Plano 13 B2.

La Perla
28 Maiden Lane WC2.
Plano 13 C2.

The Salisbury
90 St Martin's Lane WC2.
Plano 13 B2.

Sheila's
14 King St WC2.
Plano 13 B2.

Slug and Lettuce
14 Upper St Martin's Lane WC2.
Plano 14 F2.

BLOOMSBURY, FITZROVIA

Fitzroy Tavern
16 Charlotte St W1.
Plano 13 A1.

HOLBORN

Ye Olde Cheshire Cheese
145 Fleet St EC4.
Plano 14 E1.

LA CITY, CLERKENWELL

All Bar One
103 Cannon St EC4 .
Plano 15 A2.
Una de las sucursales.

Babushka
The City Yachet, Addle St EC2.
Plano 15 A1.

Balls Brothers
11 Blomfield St EC2.
Plano 15 C1.

Black Friar
174 Queen Victoria St EC4.
Plano 14 F2.

Corney & Barrow
19 Broadgate Circle EC2.
Plano 7 C5.

Eagle
159 Farringdon Rd EC1.
Plano 6 E4.

Filthy McNasty's
68 Amwell St EC1.
Plano 6 E3.

Match
45–47 Clerkenwell Rd EC1.
Plano 6 E5.

O'Hanlon's
8 Tysoe St EC1. **Plano** 6 E5.

Ship
23 Lime St EC3. **Plano** 15 C2.

Ten Bells
84 Commercial St E1.
Plano 16 E1.

SOUTHWARK Y SOUTH BANK

Bunch of Grapes
St Thomas St SE1.
Plano 15 C4.

Fire Station
150 Waterloo Rd SE1.
Plano 14 E4.

George Inn
77 Borough High St SE1.
Plano 15 B4.

CHELSEA, SOUTH KENSINGTON

Blue Bar
Willton Pl SW1.
Plano 12 D5.

Boisdale
15 Ecclestone St SW1.
Plano 20 E1.

King's Head and Eight Bells
50 Cheyne Walk SW3.
Plano 19 A5.

Orange Brewery
37 Pimlico Rd SW1.
Plano 20 D2.

Shoeless Joe's
1 Abbey Orchard St SW1.
Plano 13 B5.

CAMDEN TOWN, HAMPSTEAD

Bull and Bush
North End Way NW3.
Plano 1 A3.

Chapel
48 Chapel St NW1.
Plano 3 B5.

Crown and Goose
100 Arlington Rd NW1.
Plano 4 F1.

The Engineer
65 Gloucester Ave NW1.
Plano 4 D1.

Freemasons Arms
32 Downshire Hill NW3.
Plano 1 C5.

The Landsdowne
90 Gloucester Ave NW1.
Plano 4 D1.

Spaniards Inn
Spaniards Rd NW3.
Plano 1 A3.

NOTTING HILL, MAIDA VALE

The Cow
89 Westbourne Park Rd W11. **Plano** 23 C1.

Crockers Folly
24 Aberdeen Pl NW8.
Prince Albert
11 Pembridge Rd W11.
Plano 9 C3.

Prince Bonaparte
80 Chepstow Rd W2.
Plano 9 C1.

LAS AFUERAS

Bull's Head
373 Lonsdale Rd SW13.

City Barge
27 Strand-on-the-Green W4.

Fridge Bar
1 Town Hill Parade SW2.

Grapes
76 Narrow St E14.

King's Head
115 Upper St N1.
Plano 6 F1.

Latchmere
503 Battersea Pk Rd SW11.

Mean Fiddler
28a High St NW10.

Trafalgar Tavern
Park Row SE10.
Plano 23 C1.

White Cross
Cholmondeley Walk, Richmond, Surrey.

DE COMPRAS

ONDRES ES AÚN una de las mejores ciudades del mundo para hacer compras. En un pequeño radio se pueden encontrar grandes almacenes con rutilantes escaparates y pequeños establecimientos donde el cliente puede elegir cómodamente. Muchas de las tiendas más famosas se encuentran en Knightsbridge o Regent Street, donde los precios pueden ser altos, pero Oxford Street, repleta de tiendas con productos de calidad, tiene

Bolsas de dos de los más famosos almacenes del West End

una escala de precios más variable, y su visita merece la pena. Por todo Londres hay tiendas en calles laterales a las principales y no deben olvidarse los mercados para antigüedades, artesanía, utensilios domésticos, ropa y comida. Se puede comprar prácticamente de todo: desde un impermeable Burberry a tradicionales trajes de lana o moda de vanguardia, perfumes florales o jabones, antigüedades y arte, artesanía, joyas, porcelanas y piel.

CUÁNDO COMPRAR

EN EL CENTRO DE LONDRES, la mayoría de las tiendas abre alrededor de las 10.00 y cierra entre 17.30 y 18.00 durante la sema-na (algunas más temprano los sábados). Hay un "late night" (cierre más tarde, a las 19.00 o 20.00) los jueves en Oxford Street y el resto del West End, y los miércoles en Knightsbridge y Chelsea. Algunas tiendas en áreas turísticas, como Covent Garden *(ver pp.110–119)* y el Trocadero están abiertas diariamente hasta las 19.00 o más tarde, incluidos los domingos. Unos cuantos mercados callejeros *(ver pp.324–325)* y muchas tiendas abren los domingos.

CÓMO PAGAR

EN LA MAYORÍA de las tiendas aceptan tarjetas de crédito como: Access (Mastercard), American Express, Diners Club, Japanese Credit Bureau y Visa. Sin embargo, en algunos almacenes como John Lewis y Peter Jones no las aceptan, así como en los mercados callejeros y algunas pequeñas tiendas. Existen almacenes que admiten cheques de viaje, especialmente si son en libras esterlinas, pero para otras divisas el tipo de cambio es menos favorable que en los bancos. Es necesario llevar el pasaporte. Pocas tiendas aceptan cheques de bancos extranjeros, salvo que sean eurocheques.

DERECHOS Y SERVICIOS

SI LA PIEZA COMPRADA es defectuosa, el cliente tiene derecho a la devolución del dinero, si presenta la prenda y el tique de compra. No se admiten devoluciones en rebajas, por lo que hay que examinar las prendas cuidadosamente.

La mayoría de los grandes almacenes y algunos menores, embalan las compras para su envío a cualquier parte del mundo.

DEVOLUCIÓN DE IVA (VAT)

EL VAT (impuesto del valor añadido) grava las ventas en un 17.5%, que se carga en casi todo lo que se vende en Gran Bretaña, con excepción de libros, comida y ropa de niños. Casi siempre se incluye en el precio anunciado, aunque frecuentemente en las tiendas de aparatos eléctricos y papelerías lo cargan separadamente.

Los turistas que no pertenecen a la Unión Europea y están menos de tres meses en Gran Bretaña pueden reclamar el importe del VAT. Para ello ha de presentarse el pasaporte en el comercio, llenar un cuestionario y dar una copia del mismo en la aduana al partir. Se recomienda tener en lugar accesible la mercancía porque hay que mostrarla en la aduana. El importe de la devolución será enviado por cheque o ingresado en la cuenta de la tarjeta de crédito. Se descuenta un tanto de servicio y muchos almacenes exigen un

El departamento de alimentación de Harrod's, de estilo eduardiano

mínimo de compra (50 o 75 libras) para acceder a la devolución.

Si se ha acordado el envío de la mercancía al domicilio en el extranjero, el VAT debe ser deducido antes de pagar.

REBAJAS DOS VECES AL AÑO

L A TEMPORADA de rebajas es de enero a febrero y de junio a julio, meses en los que las tiendas bajan los precios y liquidan sus existencias imperfectas o desechadas. En los grandes almacenes se ofrecen mejores rebajas. Son famosas las de **Harrod's** *(ver p.211)*; se forman colas en su puerta mucho antes de su apertura.

LOS MEJORES GRANDES ALMACENES

E L REY DE los grandes almacenes es **Harrod's**, con sus 300 departamentos y 4.000 dependientes. Los precios no son tan altos como se cree. El departamento de alimentación, con sus mosaicos eduardianos, ofrece una excelente variedad de pescados, quesos, frutas y verduras. Otras secciones se dedican a moda para todas las edades, porcelana y cristal, electrónica y cocina. A pesar de que Harrod's es muy popular entre los turistas, especialmente los que disponen de dinero, los londinenses casi prefieren el cercano **Harvey Nichols**, que trata de ofrecer lo mejor de cada cosa con precios equivalentes. La ropa es buena, con modelos de alta costura de muchas firmas británicas, europeas y estadounidenses. También tiene una impresionante sección para caballeros. El departamento de alimentación, abierto en 1992, es uno de los más cuidados.

El enorme edificio de **Selfridge's** en Oxford Street ofrece de todo, desde bolsos de Gucci y bufandas de Hermès, a utensilios de cocina y ropa blanca. **Miss Selfridge,**

la popular cadena de tiendas de moda, tiene una sucursal en los almacenes.

El nombre le viene a **John Lewis** de su fundador, un comerciante de paños. Sus almacenes todavía tienen una espléndida colección de ropa para caballeros, así como lencería. Su porcelana, cristal y objetos domésticos hacen que John Lewis, como su bien conocido socio de Sloane Square, Peter Jones, sea muy popular.

En **Liberty** *(ver p.109)*, el último de los almacenes de Londres de un solo dueño, todavía se venden sedas y otros artículos orientales que le hicieron famoso cuando abrió en 1875. Atención a su famosa sección de bufandas y pañuelos.

El departamento de alimentación de **Fortnum and Mason** en la planta baja está tan concurrido que las plantas altas de modas parecen un remanso de paz. Se ofrece de todo, desde judías enlatadas a las bien preparadas cestas.

Algunos de los más conocidos diseñadores británicos de ropa

GRANDES ALMACENES

Fortnum and Mason
181 Piccadilly W1. **Mapa** 12 F3.
📞 020-7734 8040.

Harrod's
87–135 Brompton Rd SW1.
Mapa 11 C5.
📞 020-7730 1234.

Harvey Nichols
109–125 Knightsbridge SW1.
Mapa 11 C5.
📞 020-7235 5000.

John Lewis
278–306 Oxford St W1. **Mapa** 12 E1.
📞 020-7629 7711.

Liberty
210–220 Regent St W1. **Mapa** 12 F2.
📞 020-7734 1234.

Selfridge's
400 Oxford St W1. **Mapa** 12 D2.
📞 020-7629 1234.

Portero en Fortnum and Mason

MARKS AND SPENCER

M ARKS AND SPENCER ha progresado mucho desde que en 1882 el emigrante ruso Michael Marks instaló un puesto en Leeds con un cartel: "No pregunte el precio: todo a un penique". Ahora tiene más de 680 almacenes en todo el mundo (incluida España) con su propia marca. Ofrece versiones de las ropas más caras –su ropa interior en particular es la más popular del país–. Su sección de alimentación se concentra en la calidad de los alimentos ya preparados. Las principales sucursales de Oxford St, en el Pantheon (cerca de Oxford Circus) y Marble Arch son las más interesantes y con mejor surtido.

Penhaligon's *(ver p.318)*

Lo mejor de Londres: calles de tiendas y mercados

L AS MEJORES áreas comerciales de Londres
incluyen desde la elegancia de
Knightsbridge, donde las porcelanas, joyería
y ropa de alta costura alcanzan los mayores
precios, al colorido de los mercados, como
los de Brick Lane y Portobello Road. Mecas
para todos los que buscan gangas, los
mercados londinenses reflejan también la
vibrante vida callejera que engendra esta
comunidad multirracial. La ciudad es un
paraíso para coleccionistas, ya que tiene
calles repletas de anticuarios, librerías y
galerías de arte. De las páginas 316 a 325 se
ofrecen más detalles sobre las tiendas, que
están agrupadas según su categoría.

Kensington Church Street
*Pequeñas librerías y tiendas de
muebles con cierto aire antiguo*
(ver p.323)

**Mercado de Portobello
Road**
*En sus más de 2.000 puestos
se venden objetos de arte, joyería, medallas, cuadros y
platería, además de frutas
y verduras* (ver p.325)

Regent's Park y
Marylebone

Ver detalle

Kensington y
Holland Park

South Kensington y
Knightsbridge

Piccadilly
James

Chelsea

Knightsbridge
*Aquí se venden modelos
exclusivos, tanto en
Harrod's como en tiendas
más pequeñas* (ver p.211)

King's Road
*Centro de la moda de
vanguardia en los 60 y 70,
es todavía popular entre
los compradores del West
End. Hay también un
buen mercado de
antigüedades* (ver p.196)

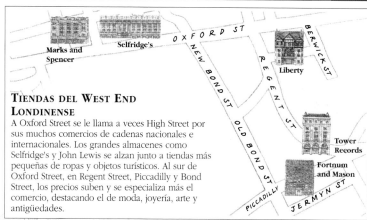

Tiendas del West End Londinense

A Oxford Street se le llama a veces High Street por sus muchos comercios de cadenas nacionales e internacionales. Los grandes almacenes como Selfridge's y John Lewis se alzan junto a tiendas más pequeñas de ropas y objetos turísticos. Al sur de Oxford Street, en Regent Street, Piccadilly y Bond Street, los precios suben y se especializa más el comercio, destacando el de moda, joyería, arte y antigüedades.

Brick Lane Market
En esta calle del East End se puede comprar absolutamente de todo (ver p.324)

Gabriel's Wharf
Los almacenes del muelle se han convertido en tiendas de joyería y artesanía (ver p.191)

Petticoat Lane
El más famoso mercado de Londres para piel, ropas, relojes, joyería y juguetes (ver p.325)

Charing Cross Road
En esta calle se pueden encontrar libros nuevos y de viejo (ver p.318)

Covent Garden y Neal Street
Artistas callejeros actúan en este histórico mercado. Las tiendas especializadas están en la cercana Neal Street (ver p.115)

Ropa

Londres ofrece una interminable escala de estilos, precios, calidades y áreas de compra para la ropa. Los mejores diseñadores del mundo están presentes en Knightsbridge, Bond Street y Chelsea, donde son frecuentes cadenas como Benetton y The Gap. Pero es la riqueza del estilo propio lo que hace de Londres un atractivo lugar de compras. Los diseñadores británicos cuidan los dos extremos: la moda tradicional y la más actual.

ROPA TRADICIONAL

El estilo campero se encuentra sobre todo en el área Regent Street/Piccadilly. Las chaquetas Barbour se encuentran en Farlow's (ver *Royal Opera Arcade p.92*) de Pall Mall y la ropa de equitación en **Swaine Adeney. Kent and Curwen** es el sitio para jerséis de críquet, y **Captain Watts** para suéters y chubasqueros. En la sucursal de Knightsbridge de **Scotch House** se ofrece ropa escocesa, cachemires, jerséis de Aran y lanas de Shetland.

La ropa clásica y de vestir es otra especialidad del área. En **Burberry** se venden sus famosas trincheras, ropa a cuadros y elegantes maletas en su tienda de Hymarket. En **Hachett** tienen trajes de caballero cortados tradicionalmente. Para camisas, visitar Jermyn Street, donde se pueden encargar a la medida o elegir las confeccionadas a precio muy razonable. Muchos fabricantes hacen también blusas clásicas.

Liberty *(ver p.109)* usa sus famosos estampados para bufandas y corbatas, blusas, vestidos y algunas originales chaquetas de dril. **Laura Ashley** es famosa por sus vestidos con estampados florales y blusas de volantes.

Para la última moda, visitar Saville Row, sede de los más famosos sastres, como **Gieves and Hawkes.**

MODA DE VANGUARDIA

Londres es una de las capitales de la moda de vanguardia en las calles. **Jean-Paul Gaultier** la prefiere a París porque allí "la moda no conoce las limitaciones del buen gusto". En Gran Bretaña, **Vivienne Westwood** ganó el premio de

Diseñador de Modas del Año (1991). Otros modistos británicos pueden encontrarse en **Browns;** para estilos más llevables prueben las tiendas alrededor de Newburgh St, West Soho. La mayoría son para mujeres, pero **The Duffer of St. George** es una de las más destacadas tiendas de ropa masculina. Los nuevos diseñadores suelen empezar con pequeñas tiendas en Portobello Road o **Kensington Market,** lugares perfectos para ropas originales o insólitas. Las tiendas de Oxford St, como **Top Shop** y **Mash,** tienen modelos a muy buenos precios. Para alta

moda inglesa masculina, **Paul Smith** es uno de los mejores. Para mujeres, **Browns, Whistles, Jasper Conran, Katherine Hamnett** y **Caroline Charles.**

PRENDAS DE LANA

Desde los jerséis de Fair Isle a los de Aran, es famosa la tradicional ropa de punto británica. Los mejores lugares son **N Peal**– , Regent Street y Knightsbridge. Diseñadores como **Patricia Roberts** y **Joseph** y pequeñas tiendas como **Jane and Dada** disponen de una gran colección de ropas de punto hechas a mano y a máquina.

ROPA PARA NIÑOS

Se pueden comprar vestidos tradicionales y ropa de batalla en Liberty, **Young England** y **Anthea Moore Ede,** que almacenan ropas de

---

TALLAS

Ropa de niños

Británica	2–3	4–5	6–7	8–9	10–11	12	14	14+ (años)
Española	2–3	4–5	6–7	8–9	10–11	12	14	14+ (años)

Zapatos de niños

Británica	7½	8	9	10	11	12	13	1	2
Española	24	25½	27	28	29	30	32	33	34

Vestidos de mujer, abrigos y faldas

Británica	6	8	10	12	14	16	18	20
Española	38	40	42	44	46	48	50	52

Blusas y jerséis de mujer

Británica	30	32	34	36	38	40	42
Española	40	42	44	46	48	50	52

Zapatos de mujer

Británica	3	4	5	6	7	8
Española	36	37	38	39	40	41

Trajes de hombre

Británica	34	36	38	40	42	44	46	48
Española	44	46	48	50	52	54	56	58

Camisas de hombre

Británica	14	15	15½	16	16½	17	17½	18
Española	36	38	39	41	42	43	44	45

Zapatos de hombre

Británica	7	7½	8	9	10	11	12
Española	40	41	42	43	44	45	46

estilos nostálgicos, mientras que **Daisy and Tom** es un gran almacén que vende tanto ropa como juguetes. En **Trotters,** justo detrás de Sloane Sq, se ofrece de todo, desde zapatos a cortes de pelo.

ZAPATOS

Con los zapatos, ocurre una vez más que los diseñadores y fabricantes británicos se esmeran en lo tradicional y en lo nuevo. Los característicos *buggies* y sandalias se encuentran en **Church's Shoes.** Para calzado clásico hecho a mano, uno de los mejores es el proveedor de la familia real, **John Lobb.** En el otro extremo de la escala, en **Shelly's** se venden los modelos del Dr. Martens, diseñados en principio para botas y aplicados ahora a zapatos. **Jimmy Choo Shoes** es una compañía inglesa que vende diseños por todo el mundo. **Johnny Moke** de King's Road, o **Emma Hope** en el este de Londres ofrecen diseños elegantes. Si se busca algo más exquisito en calzado femenino, visitar **Manolo Blahnik.** Más barato, pero de menos clase, aunque con diseños originales, son **Hobbs** y **Pied à Terre.**

INFORMACIÓN GENERAL

TRADICIONAL

Burberry
18–22 Haymarket SW1.
Plano 13 A3.
(020-7930 3343.
Una de las dos sucursales.

Captain Watts
7 Dover St W1.
Plano 12 E3.
(020-7493 4633.

Gieves & Hawkes
1 Savile Row W1. **Plano**
12 E3. (020-7434 2001.

Hackett
20 Piccadilly W1. **Plano** 13
A3. (020-7930 1300.
Una de las sucursales.

Kent and Curwen
39 St James's St SW1.
Plano 12 F3.
(020-7409 1955.

Laura Ashley
256–258 Regent St W1.
Plano 12 F1.
(020-7437 9760.
Una de las sucursales.

The Scotch House
2 Brompton Rd SW1.
Plano 11 C5.
(020-7581 2151.
Una de las sucursales.

Swaine Adeney
54 St James's St W1.
Plano 12 F3.
(020-7409 7277.

DE VANGUARDIA

Browns
23–27 South Molton St
W1. **Plano** 12 E2.
(020-7514 0000.
Una de las sucursales.

Caroline Charles
56–57 Beauchamp Pl SW3.
Plano 19 B1.
(020-7589 5850.

The Duffer of St George
9 Shorts gardens, WC2.
Plano 13 B20.
(020-7379 4660.

Jaspar Conran
6 Burnsall St SW3
Plano 19 B3.
(020-7352 3572.

Jean-Paul Gaultier
171-175 Draycott Ave.
SW3. **Plano** 19 B2.
(020-7584 4648.

Katharine Hamnett at Harvey Nichols
2109-125 Knightsbridge
SW1.
Plano 11 C5.
(020-7584 0011.

Koh Samui
50 Monmouth St WC2
Plano 13 B2.
(020-7240 4280

Mash
73 Oxford St W1.
Plano 13 A1.
(020-7434 9609.

Nicole Farhi
158 New Bond St W1
Plano 12 E2
(020-7499 8368

Paul Smith
40– 44 Floral St WC2.
Plano 13 B2.
(020-7379 7133.

Top Shop
Oxford Circus W1.
Plano 12 F1.
(020-7636 7700.
Una de las sucursales.

Urban Outfitters
36-38 Kensington High St. W8.
Plano 10 D5.
(020-7761 1001.

Vivienne Westwood
6 Davies St W1. **Plano** 12 E2.
(020-7629 3757.

Whistles
12–14 St Christopher's Pl
W1. **Plano** 12 D1
(020-7487 4484.

PRENDAS DE LANA

Jane and Dada
20–21 St Christopher's Pl
W1. **Plano** 12 D1.
(020-7486 0977.

Joseph
28 Brook St W1.
Plano 12 E2.
(020-7629 6077.

N Peal
Burlington Arcade,
Piccadilly, W1. **Plano** 12 F3.
(020-7493 9220.
Una de las sucursales.

Patricia Roberts
60 Kinnerton St SW1.
Plano 11 C5.
(020-7235 4742.

ROPA PARA NIÑOS

Anthea Moore Ede
16 Victoria Grove W8.
(020-7584 8826.

Daisy and Tom
181-183 King's Road SW3.
Plano 19 A4.
(020-7325 5000.

Trotters
34 King's Rd SW3.
Plano 19 C2.
(020-7259 9620.

Young England
47 Elizabeth St SW1.
Plano 20 E2.
(020-7259 9003.

ZAPATOS

Church's Shoes
163 New Bond St W1.
Plano 12 E2.
(020-7499 9449.
Una de las sucursales.

Emma Hope
53 Sloane Sq SW1.
Plano 6 E3.
(020-7259 9566.

Hobbs
47 South Molton St W1.
Plano 12 E2.
(020-7629 0750.

Jimmy Choo Shoes
20 Motcomb St SW1
Plano 12 D5.
(020-7235 0242.

John Lobb
9 St James's St SW1.
Plano 12 F4.
(020-7930 3664.

Johnny Moke
396 King's Rd SW10.
Plano 18 F4.
(020-7351 2232.

Manolo Blahnik
49–51 Old Church St,
Kings Road SW3.
Plano 19 A4.
(020-7352 3863.

Pied à Terre
19 South Molton St W1
Plano 12 E2.
(020-7493 3637. *Una de las sucursales.*

Shelly's
19–21 Foubert's Pl,
Carnaby Street, W1.
Plano 12 F2.
(020-7287 0593.

Tiendas especializadas

LONDRES ES FAMOSO por sus grandes almacenes, como Harrod's, pero hay muchas tiendas especializadas que deben figurar en el itinerario del visitante. Algunas tienen una experiencia de más de un siglo, mientras otras se inclinan por las novedades de la última moda.

ALIMENTOS

LA COMIDA británica puede ser criticada, pero tiene muchas especialidades que merece la pena probar, como los tés, chocolates, quesos, galletas y conservas *(ver pp.286–287)*. Las secciones alimenticias de Fortnum and Mason, Harrod's y Selfridge's son buenas para estos artículos. También lo es **Paxton and Whitfield,** una deliciosa tienda que data de 1830 y ofrece más de 300 clases de queso, incluidos los "baby Stilton" y Cheshires, junto a empanadas de cerdo, galletas, aceites y conservas.

En chocolates, el último grito es **Charbonnel et Walker**. A pesar del nombre, es un fabricante inglés y sus chocolates están hechos a mano. Las cajas de regalo son especialmente bonitas y la empresa realiza envíos por correo. **Maxwells**, en Aldwych, también vende chocolate hecho de manera artesanal en Tunbridge Wells.

TÉS

LA MÁS FAMOSA bebida británica se presenta en todos los sabores. Una interesante selección se ofrece en **Tea House**, en Covent Garden, que tiene también graciosas tazas de té. En los **Algerian Coffee Stores** se vende más té que café, pero la selección de cafés también es excelente.

Vinopolis *(ver p. 182)*, la ciudad del vino de Bankside, posee una amplia gama de vinos para elegir; ofrece una visita interactiva por el mundo del vino y puede disfrutar hasta de cinco sabores. Puede continuar probando en el restaurante o en el bar.

SINGULARES

HAY CIENTOS de tiendas que se especializan en un solo artículo. En **The Covent Garden Candle** hay a la venta velas de todas las formas y tamaños, así como palmatorios y candelabros de todo tipo, además del equipo necesario para la elaboración artesanal de velas. En **Halcyon Days** se especializan en cajas de cobre esmaltado, una artesanía inglesa del siglo XVIII.

En **Astleys** se venden pipas, pero no tabaco, y su variedad es extraordinaria, desde las de artesanía refinada a las cachimbas de espuma al estilo de Sherlock Holmes. Para los coleccionistas de instrumentos científicos antiguos, en **Arthur Middleton** tienen una fascinante variedad de globos y microscopios antiguos. Y para interesados en casas de muñecas está **Singing Tree,** con lo último, y con muchos bellos objetos para poner dentro de ellas, todos copias fieles a escala de los periodos correspondientes.

Finalmente, en **Anything Left–Handed** en Soho, todo está diseñado para hacer la vida fácil a los zurdos. Tijeras, sacacorchos, cubertería, plumas y herramientas de cocina y jardín se encuentran en un gran surtido.

LIBROS Y REVISTAS

LAS LIBRERÍAS ocupan un lugar privilegiado en el comercio londinense. Charing Cross Road *(ver p.108)* es el centro para todos los que buscan libros antiguos, de segunda mano o nuevos, y es donde se encuentra **Foyle's,** con una amplia selección. Grandes sucursales de cadenas como **Borders** y **Waterstone's** se hallan también aquí, así como muchas especializadas, tales como **Murder One** para libros de crímenes; **Silver Moon**, para mujeres y literatura feminista; y **Zwemmer** para libros de arte.

Stanford's *(ver p.112)*, con guías y mapas que cubren el globo, está en Long Acre; otros libros de viaje se pueden encontrar en **Travel Bookshop.** Cerca está **Books for Cooks**, de libros de cocina, donde el personal ofrece también consejo. Cómics para adultos en la especialidad de **Comic Showcase**, donde disponen también libros de caricaturistas bien conocidos. En **Forbidden Plantet** abundan las novelas de fantasía y ciencia ficción. Para literatura *gay* visite **Gay's The Word,** cerca de Russell Square, para homosexuales. La mejor colección de libros de cine la tienen en **Cinema Bookshop.** PC Bookshop vende una amplia gama de libros sobre informática y material multimedia.

Dos de las mejores librerías generales son **Hatchard's,** que se encuentra en Piccadilly, y el buque insignia **Dillons**, en Gower Street; en ambas se ofrece una extensa y bien organizada selección. **Grant and Cutler** es el mejor establecimiento de Londres para libros extranjeros y vídeos, mientras que **The Banana Bookshop** en Covent Garden es la tienda más simpática del mundo, decorada con jungla en sus paredes y con una catarata junto a las escaleras

El área de Charing Cross Road es la mejor para la búsqueda de libros antiguos. Muchas librerías se ofrecen a buscar títulos que ya están descatalogados.

Si se quieren revistas y diarios extranjeros, en el sótano de **Tower Records** ofrecen la mejor selección de diarios de EE UU, mientras que en **Capital Newsagents** disponen, entre otras, de publicaciones españolas, italianas, francesas y de Oriente Próximo. También cuentan con grandes existencias de este tipo en **Gray's Inn News** *(ver p.318-319)*.

MÚSICA Y DISCOS

AL SER UNO DE los mayores centros mundiales de

grabación de discos, Londres tiene una excelente variedad de tiendas de discos y de toda clase de música. Los grandes almacenes **HMV, Virgin** y **Tower Records,** son los mejores para la música rock y orquestas e intérpretes de

música bailable y de audición fácil. Las pequeñas tiendas tienden a especializarse en gustos más particulares. Para jazz, **Ray's Jazz,** y **Honest John's,** mientras los seguidores del *reggae* deben ir a **Daddy Kool.** En **HMV** se

encuentra un muy completo surtido de música internacional y en **Stern's** no tienen competencia en música africana. Para discos *singles,* **Trax** y **Black Market** son dos de los lugares más idóneos.

INFORMACIÓN GENERAL

ALIMENTOS

Charbonnel et Walker
1 Royal Arcade, 28 Old Bond St W1. **Plano** 12 F3.
020-7491 0939.

Maxwells
7 Aldwych WC2. **Plano** 13 C2. 020-7836 1846.

Paxton and Whitfield
93 Jermyn St SW1.
Plano 12 F3.
020-7930 0259.

TÉS

Algerian Coffee Stores
52 Old Compton St W1.
Plano 13 A2.
020-7437 2480.

The Tea House
15 Neal St WC2. **Plano** 13 B2. 020-7240 7539.

Vinopolis
1 Bank End SE1. **Plano** 15 B1.
020-7940 8300.

SINGULARES

Anything Left-Handed
57 Brewer St W1.
Plano 13 A2.
020-7437 3910.

Arthur Middleton
12 New Row, Covent Garden WC2.
Plano 13 B2.
020-7836 7042.

Astleys
16 Picadilly Arcade SW1.
Plano 13 A3.
020-7937 0317.

The Bead Shop
43 Neal Street WC2.
Plano 13 B1.
020-7240 0931.

The Candle Shop
30 The Market, Covent Garden Piazza WC2.
Plano 13 C2.
020-7836 9815.

Halcyon Days
14 Brook St W1.
Plano 12 E2.
020-7629 8811.

The Singing Tree
69 New King's Rd SW6.
020-7736 4527.

LIBROS Y REVISTAS

The Banana Bookshop
10 The Market, Covent Garden Piazza WC2.
Plano 13 C2.
020-7379 7475.

Books for Cooks
4 Blenheim Crescent W11.
Plano 9 B2.
020-7221 1992.

Borders
130 Charing Cross Rd WC2. **Plano** 13 B1.
020-7379 6838.

Capital Newsagents
48 Old Compton St W1.
Plano 13 A2.
020-7437 2479.

Cinema Store
Unit 4B, Upper St Martin's Lane WC1. **Plano** 13 B2.
020-7379 7838.

Comic Showcase
63 Charing Cross Rd WC1.
Plano 13 B1.
020-7334 4349.

Forbidden Planet
71 New Oxford St WC1
Plano 13 B1.
020-7836 4179.

Foyle's
113–119 Charing Cross Rd WC2. **Plano** 13 B1.
020-7437 5660.

Gay's The Word
66 Marchmont St WC1.
Plano 5 B4.
020-7278 7654.

Gray's Inn News
50 Theobalds Rd WC1.
Plano 6 D5.
020-7405 5241.

Hatchard's
187 Piccadilly W1.
Plano 12 F3.
020-7439 9921.

Murder One
71-73 Charing Cross Rd WC2. **Plano** 13 B2.
020-7734 3485.

PC Bookshop
21 Sicilian Ave. WC1
Plano 13 1C.
020-7831 0022.

Puffin Penguin Bookshop
10 The Market, Covent Garden Piazza WC2.**Plano** 13 C2.
020-7379 7650.

Silver Moon
64–68 Charing Cross Rd WC2. **Plano** 13 B2.
020-7836 7906.

Stanford's
12–14 Long Acre WC2.
Plano 13 B2.
020-7836 1321.

Tower Records
(ver Música y discos)

Travel Bookshop
13 Blenheim Crescent W11. **Plano** 9 B2.
020-7229 5260.

Waterstone's
121–125 Charing Cross Rd WC2. **Plano** 13 B1.
020-7434 4291.

The Women's Book Club
34 Great Sutton St EC1.
Plano 6 74
020-7251 3007.

Zwemmer
24 Litchfield St WC24.
Plano 13 B2
020-7379 7886.

MÚSICA Y DISCOS

Black Market
25 D'Arblay St W1.
Plano 13 A2.
020-7437 0478.

Daddy Kool Music
12 Berwick St W1.**Plano** 13 A2.020-7437 3535.

HMV
150 Oxford St W1. **Plano** 13 A1.
020-7631 3423.

Honest Jon's Records
278 Portobello Rd W10.
Plano 9 A1.
020-8969 9822.

Ray's Jazz
180 Shaftesbury Ave WC2. **Plano** 13 B1.
020-7240 3969.

Rough Trade
130 Talbot Rd. W11.
Plano 9 C1 020-7229 8541

Stern's
293 Euston Rd. NW1.
Plano 5 A4.
020-7387 5550.

Tower Records
1 Piccadilly Circus W1.
Plano 13 A3.
020-7439 2500.

Trax
55 Greek St W1. **Plano** 13 A2. 020-7734 0795.

Virgin Megastore
14–30 Oxford St W1.
Plano 13 A1.
020-7631 1234.

Regalos y recuerdos

L ONDRES ES UN magnífico lugar para comprar regalos. Su impresionante oferta comercial abarca desde cerámicas originales, joyería, perfumes y cristal a objetos exóticos de todo el mundo, como joyas de la India y África, papelería europea y utensilios de cocina de Francia e Italia. La elegante Burlington Arcade, de estilo regencia, *(ver p.91)* es un popular centro comercial donde se venden regalos, ropas, artesanía y objetos de arte, muchos ellos realizados en el Reino Unido.

En las tiendas de museos como el Victoria and Albert *(ver pp. 202–205)*, el Natural History *(ver pp. 208–209)* y el Science Museum *(ver pp. 212–213)* disponen de objetos originales para comprar como recuerdo de la visita, mientras que en **Contemporary Applied Arts, Thomas Neal's** y en el mercado de Covent Garden Piazza *(ver p.114)* tienen una selección de cerámica británica, joyería, ropa de punto y otras artesanías. Si se quieren comprar todos los regalos bajo un solo techo, habrá que ir a Liberty *(ver p.313)*, cuyas bellas existencias procedentes de todo el mundo llenan cada sección.

JOYERÍA

L AS JOYERÍAS londinenses van desde las extremadamente tradicionales a las minúsculas tiendas y puestos en zonas como Covent Garden *(ver pp.110–119)*, Gabriel's Wharf *(ver p.191)* y Camden Lock *(ver p.324)*, especializadas en piezas insólitas. En **Butler and Wilson** se encuentran joyas atractivas, mientras que en **Electrum** disponen de piezas más sencillas pero igualmente innovadoras.

En **Past Times** se ofrecen reproducciones modernas de antiguos diseños británicos, como celtas, romanos y tudor, así como las tiendas del museo Británico *(ver pp.126–129)* y del V&A. En **Lesley Craze Gallery** se venden diseños nuevos y en **Contemporary Applied Arts** hay joyería de estilo. El sitio idóneo para joyería gótica es **The Great Fog** en Carnaby St. En Liberty cuentan con una espectacular colección de joyería étnica, de vestir y a la moda. También merece una visita **Manquette**, por sus elegantes piezas en lapislázuli, ámbar, coral, oro y plata.

SOMBREROS Y COMPLEMENTOS

L OS SOMBREROS de hombre, desde los de copa baja a los flexibles, se pueden encontrar en **Edward Bates** y **Herbert Johnson**. Para señoras,

las creaciones recomendables son las de **Herald and Heart Hatters** mientras en **Stephen Jones** se ofrece una larga colección de diseños desde los de diario a los extravagantes y se confeccionan sombreros a juego si se suministra la tela.

Para una selección de los mejores complementos, probar las tiendas de Jermyn Street y los arcadas de Piccadilly. En **James Smith & Sons** fabri-can magníficos paraguas, idea-les para el húmedo Londres. Para bastones, cañas y fustas de equitación, es obligada una visita a Swaine Adeney *(ver p.317)*.

En **Mulberry Company** tienen maletas clásicas inglesas y complementos y en **Janet Finch** se ofrece, entre otras cosas, una amplia colección de bolsos, cinturones, joyería y sombreros. Una tienda de la cadena **Accessorize** vende todo tipo de cuentas de collar y abalorios.

PERFUMES Y COSMÉTICOS

M UCHAS PERFUMERÍAS británicas siguen recetas que tienen cientos de años. En **Floris** y **Penhaligon's**, por ejemplo, todavía se fabrican los perfumes basados en flores y los artículos de tocador que se vendían para hombres y mujeres en el siglo XIX. Lo mismo ocurre con **Czech and Speake** y, para hombres,

Trueffit and Hill y **George F. Trumper,** donde también se pueden comprar magníficas reproducciones de artículos de afeitar antiguos.

En **Culpeper** y **Neal's Yard Remedies** emplean remedios tradicionales de flores y hierbas como base de su cosmética de terapéutica natural.

Otros fabricantes tienen una línea más contemporánea: en **The Body Shop**, por ejemplo, usan envolturas de plástico reciclable para sus cosméticos naturales y sus artículos de droguería; animan a su personal y clientes a interesarse por el medio ambiente. En **Molton Brown** venden una serie de cosméticos naturales para el cuerpo y el cabello en sus tiendas de South Molton Street y Hampstead, así como en otras que no pertenecen a su cadena.

PAPELERÍA

U NO DE LOS MÁS interesantes diseños de papel de envolver se debe a **Tessa Fantoni**, cuyas cajas empapeladas, marcos de fotos y álbumes se venden en papelerías especializadas y tiendas de regalos, así como en Conran Shop y en su propia tienda en Clapham. **Falkiner Fine Papers** dispone de una enorme selección de papeles decorativos y objetos de regalo muy originales. Para encontrar papel de escribir lujoso, bolígrafos, lápices y accesorios de despacho, visitar **Smython of Bond Street**. En Fortnum and Mason *(ver p.313)* hallará preciosos diarios de piel, secantes y plumas, mientras que en Liberty embellecen sus artículos de escritorio con grabados. Para agendas personales, confeccionadas en variados materiales, desde vinilo a piel de iguana, está **The Filofax Centre**. La minúscula tienda **Pencraft** es el lugar para plumas Mont Blanc, Watermans, Parker o Sheaffer. Finalmente, para tarjetas, bolígrafos, papelería y objetos de escritorio ir a cualquier sucursal de **Paperchase**.

INTERIORES

En WEDGWOOD todavía se fabrica la famosa porcelana azul pálido Jasper que Jossiah Wedgwood diseñó en el siglo XVIII. Se puede comprar, así como la cristalería Irish Waterford y la porcelana de Coalport, en **Waterford Wedgwood,** en Piccadilly.

En **Craftsmen Potters Association of Great Britain** tienen una fina colección de cerámicas inglesas, así como en **Contemporary Applied Arts.** Todo lo que se vende en **The Holding Company** se guarda en cajas más originales que en cualquier otro lugar. **Heal's, Conran Shop** y **Freud's,** ofrecen una

excelente selección de artículos para la casa, de muy variados estilos y utilidad. Para utensilios de cocina sencillos y de calidad, y aparatos domésticos, están las tiendas especializadas **David Mellor** y **Divertimenti** que merecen una detenida visita para sorprenderse con la variedad de sus ofertas.

Arte y antigüedades

L AS TIENDAS de arte y antigüedades de Londres se extienden por toda la capital. Mientras que los más reconocidos (y más caros) comerciantes se concentran en áreas relativamente pequeñas como Mayfair y St James's, otras tiendas y galerías con precios más bajos están esparcidas por el resto de la ciudad. Los aficionados tanto a los viejos maestros como a los modernos, encontrarán siempre algo apropiado para su presupuesto.

MAYFAIR

C ORK STREET es el centro del mundo británico del arte contemporáneo. Caminando por Piccadilly, se pasa a la izquierda por **Piccadilly Gallery,** donde venden pinturas británicas modernas. Más adelante hay varias galerías, como **Boukamel Contemporary Art,** con arte contemporáneo de vanguardia. La mayor galería es **Waddington,** que, por su colección, merece una visita, aunque las compras están reservadas a los clientes ricos. **Chat Noir,** en la cercana Albemarle St, vende arte contemporáneo a precios más asequibles. En Clifford Street se encuentra **Maas Gallery,** que tiene excelentes maestros victoria-nos. En **Tryon and Swann** ofrecen pinturas de temas deportivos, mientras que **Mayor's** y **Redfern** se especializan en surrealismo.

La cercana Old Bond Street es el centro del mercado de antigüedades, donde se encuentran desde acuarelas de Turner hasta muebles Luis XV. Un paseo desde Piccadilly supone pasar por los lujosos portales de Richard Green y de la **Fine Art Society** junto a otras extremadamente elegantes galerías. Muebles y artes decorativas se pueden encontrar en **Bond Street Antiques Centre** y **Asprey;** plata en **S. J. Phillips** y arte victoriano en la galería de **Christopher Wood's.** Aunque no se quiera o pueda comprar nada, una visita a esas galerías es fascinante, porque se aprende más en una hora de recorrido por sus variadas y pintorescas vitrinas que dedicándose a estudiar libros de arte durante meses.

También se encuentran en Old Bond Street dos de las cuatro famosas casas de subastas de Londres: **Phillips** y **Sotheby's,** conocidos en el mundo entero por los niveles de precios que han alcanzado las obras maestras del arte.

En la calle Bury, los adinerados pueden visitar la galería Malcom Innes, donde hay espectáculos deportivos.

ST JAMES'S

A L SUR DE Piccadilly se extiende un laberinto de calles del siglo XVIII. Entre ellas está la de los clubes de caballeros *(ver Pall Mall p.92)* y las galerías reflejan la tradición de la zona. El centro es Duke Street, donde se hallan los marchantes de viejos maestros **Johnny van Haeften** y **Harari and Johns.** En la minúscula Mason's Yard, **Belgrave** mantiene un aislado baluarte del arte abstracto. Al final, en King Street, está el gigante de los anticuarios, **Spink.** Unos portales más abajo, se encuentra la principal exposición de **Christie's,** la conocida casa de subastas donde se venden *van goghs* y *picassos* por millones de libras.

En Bury Street hay varias interesantes galerías y en Ryder Street está la galería de **Chris Beetle's** que trabaja en ilustraciones y caricaturas.

BELGRAVIA

E STE ÁREA tiene fama por sus pinturas inglesas. La actividad artística se centra en Motcomb Street, donde hay material para todos los gustos. Los que buscan obras inglesas buenas y caras deben visitar la galería de **Michael Parkin's,** mientras los entusiastas del arte oriental pueden ir a **Mathaf Gallery,** con cuadros británicos y europeos del ambiente árabe en el siglo XIX.

PIMLICO ROAD

L OS ANTICUARIOS de esta calle trabajan preferentemente en la decoración de gran clase, por lo que disponen de una gran variedad de piezas artísticas. Westenholz es de particular interés. Cerca, **Henry Sotheran** tiene magníficos grabados.

WALTON STREET

C ERCA DEL caro Knightsbridge, las galerías de arte y anticuarios en esta pequeña y elegante calle tienen precios a tono con su situación. Un poco más allá, en Montpelier Street, están los subastadores **Bonham's,** el cuarto de los cuatro grandes de Londres, cuya sala ha sido reformada recientemente. Es difícil encontrar una ganga en esta área.

ARTE ASEQUIBLE

E L MERCADO de la inmensamente popular Contemporary Art Society se celebra cada otoño en **The Royal Festival Hall,** con obras a la venta desde 100 libras. El East End londinense es un área en expansión del arte contemporáneo y tiene una serie de pequeñas galerías, así como la magnífica **Flowers East,** especializada en trabajos de artistas jóvenes. **East-West Gallery,** en Portobello, dispone de brillantes obras contemporáneas a precios bastante razonables **Purdey Hicks** es un excelente lugar para comprar pintura británica a buen precio.

FOTOGRAFÍA

E N Photographers' Gallery se ofrece una gran colección de fotografías originales a la venta. **Special Photographers' Company** es bien conocida por vender trabajos de primera calidad de artistas desconocidos, así como de firmas famosas. Vale la pena visitar **Hamilton's** cuando organiza grandes exposiciones.

CURIOSIDADES Y COLECCIONABLES

PARA PIEZAS PEQUEÑAS y más asequibles lo mejor es acudir a mercados como el de Camden Lock *(ver p.324)*, Camden Passage *(ver p.324)* o Bermondsey *(ver p.324)*, que es el mayor con comercios de antigüedades. Muchas calles del centro tienen mercadillos con puestos especializados. Finalmente, un paseo a lo largo de Kensington Church Street muestra desde mobiliario de arte y artesanía a perros de Stafforshire, en una gran concentración de objetos diversos.

SUBASTAS

SI SE TIENE la suficiente tranquilidad, las subastas son el medio más sencillo de adquirir arte o antigüedades baratas, pero ha de leerse detenidamente la letra pequeña del catálogo (que cuesta unas 15 libras). La puja es sencilla: dan un número al inscribirse, y se alza la mano cuando interesa un lote. El subastador verá el gesto. Es fácil y puede ser divertido. Las principales casas de subastas son Christie's, Sotheby's, Phillips y Bonham's. En la sala de ventas de Christie's en South Kensington se ofrece arte y antigüedades para presupuestos modestos.

INFORMACIÓN GENERAL

MAYFAIR

Asprey
165–169 New Bond St W1. **Plano** 12 E2.
[020-7493 6767.

Bond Street Antiques Centre
124 New Bond St W1. **Plano** 12 F3.
[020-7351 5353.

Boukamel Contemporary Art
9 Cork St W1. **Plano** 12 F3.
[020-7734 6444.

Chat Noir
35 Albemarle St W1 **Plano** 12 E2.
[020-7495 6710.

Christopher Wood Gallery
20 Georgian House, 10 Bury St SW1. **Plano** 12 E2. [020-7499 7411.

Fine Art Society
148 New Bond St W1. **Plano** 12 E2.
[020-7629 5116.

Maas Gallery
15a Clifford St W1. **Plano** 12 F3. [020-7734 2302.

Malcom Innes Gallery
7 Bury St SW1. **Plano** 12 F3. [020-7839 8083.

Mayor Gallery
22a Cork St W1. **Plano** 12 F3. [020-7734 3558.

Piccadilly Gallery
16 Cork St W1. **Plano** 12 F3. [020-7629 2875.

Redfern Art Gallery
20 Cork St W1. **Plano** 12 F3
[020-7734 1732.

Richard Green
4 New Bond St W1. **Plano** 12 E2.
[020-7491 3277.

S J Phillips
139 New Bond St W1. **Plano** 12 E2.
[020-7629 6261.

Tryon and Swann
23–24 Cork St W1. **Plano** 12 F3. [020-7734 6961.

Waddington Galleries
11, 12, 34 Cork St W1. **Plano** 12 F3.
[020-7437 8611.

ST JAMES'S

Chris Beetle
8 y 10 Ryder St SW1. **Plano** 12 F3.
[020-7839 7429.

Harari and Johns
12 Duke St SW1. **Plano** 12 F3.
[020-7839 7671.

Johnny van Haeften
13 Duke St SW1. **Plano** 12 F3. [020-7930 3062.

Spink & Son
5 King St SW1. **Plano** 12 F4. [020-7930 7888.

BELGRAVIA

Mathaf Gallery
24 Motcomb St SW1.
Plano 12 D5.
[020-7235 0010.

Michael Parkin Gallery
11 Motcomb St SW1.
Plano 12 D5.
[020-7235 8144.

PIMLICO ROAD

Henry Sotheran Ltd
80 Pimlico Rd SW1.
Plano 20 D3.
[020-7730 8756.

Westenholz
76 Pimlico Rd SW1. **Plano** 20 D2. [020-7824 8090.

ARTE ASEQUIBLE

East West Gallery
8 Blenheim Cres W11
Plano 9 A2.
[020-7229 7881.

Flowers East
199–205 Richmond Rd E8.
[020-8985 3333.

Purdey Hicks
65 Hopton St. SE1.
[020-7401 9229.

Royal Festival Hall
South Bark Center SE1.
Plano 14 D4.
[020-7928 3191.

FOTOGRAFÍA

Hamilton's Gallery
13 Carlos Place
London W1.
Plano 12 E3
[020-7499 9493.

Photographers' Gallery
5 y 8 Great Newport St WC2. **Plano** 13 B2.
[020-7831 1772.

Special Photographers Company
21 Kensington Park Rd W11.
Plano 9 B2.
[020-7221 3489.

SUBASTAS

Bonhams, W & F C, Auctioneers
Montpelier Galleries, Montpelier St SW7.
Plano 11 B5.
[020-7393 3900.
También: Chelsea Galleries, 65–69 Lots Rd SW10. **Plano** 18 F5.
[020-7351 7111.

Christie's Fine Art Auctioneers
8 King St SW1.
Plano 12 F4.
[020-7839 9060.
También: Christie's (South Kensington) Ltd, 85 Old Brompton Rd SW7. **Plano** 18 F2.
[020-7581 7611.

Phillips Auctioneers & Valuers
101 New Bond St W1.
Plano 12 E2.
[020-7629 6602.

Sotheby's Auctioneers
34-35 New Bond St W1.
Plano 12 E2.
[020-7293 5000.

Mercados

L OS MERCADOS callejeros de Londres tienen un aire de "deliciosa informalidad" que justifica por sí solo una visita. En muchos, además, se encuentran los mejores precios de la ciudad. Hay que mantener la vista alerta y la mano en la cartera para disfrutar de ese momento.

Bermondsey Market (New Caledonian Market)

Long Lane y Bermondsey St SE1. **Plano** 15 C5. ⊖ *London Bridge, Borough.* ***Abierto*** *5.00–14.00 vi.* ***Empieza a cerrar*** *mediodía. Ver p.183.*

Cada viernes, Bermondsey es un punto de encuentro para los anticuarios londinenses. Los coleccionistas suelen ir temprano para empezar a husmear las existencias. Los ojeadores pueden descubrir algunas curiosidades, pero la mayoría de los tratos se cierra antes de las 9 de la mañana.

Berwick Street Market

Berwick St W1. **Plano** 13 A1. ⊖ *Piccadilly Circus, Leicester Sq.* ***Abierto*** *9.00–18.00 lu–sa. Ver p.108.*

Los vendedores ambulantes de Berwick Street, en Soho, ofrecen la fruta y verdura más baratas del West End. Rábanos españoles y tomates italianos son algunos de los productos que se encuentran en los puestos. En el de Dennis se vende una gran variedad de hongos comestibles, impecablemente presentados. El mercado es bueno en telas y artículos domésticos, así como en bolsos de piel y pastelería. Separada de Berwick Street por un estrecho pasadizo está Rupert Street, cuyo mercado es algo más caro y también más tranquilo.

Brick Lane Market

Brick Lane E1. **Plano** 8 E5. ⊖ *Shoreditch, Liverpool St, Aldgate East.* ***Abierto*** *amanecer a 13.00 do. Ver pp.170–171.*

Este popular batiburrillo del East End alcanza su mayor esplendor en sus destartaladas cercanías. En el de Cheshire Street se encuentra mobiliario en estado precario y libros viejos, y en el de Bethnal Green Road multitud de objetos de todo tipo. Los chamarileros del East End venden relojes y anillos de oro en la esquina con Bacon Street, mientras que a la altura de Sclater Street se venden alimentos para animales. Frente a Cygnet Street se encuentran bicicletas, carne frescas y alimentos congelados entre la miríada de cosas que abarrotan los puestos. El propiamente dicho Brick Lane es más prosaico; tiene mercancías nuevas, como bolsos, zapatillas deportivas y pantalones vaqueros. Debe prestarse atención a las tiendas de especias y restaurantes en este centro de la comunidad londinense de Bangladesh.

Brixton Market

Electric Ave SW9. ⊖ *Brixton.* ***Abierto*** *8.30–17.30 lu, ma, ju–sa; 8.30–13.00 mi.*

El mercado ofrece una amplia gama de alimentos afro-caribeños, desde carne de cabra, rabo de cerdo y pescado salado hasta plátanos, yemas y pan de frutas. La mejor comida se encuentra en las arcadas de la antigua Granville y Market Row, donde sobresalen los pescados exóticos. Sacerdotes rastafarianos venden pelucas de estilo afro, hierbas y pócimas extrañas, y tratados religiosos. Cerca de la estación de Brixton se puede encontrar ropa de segunda mano. Los puestos de discos emiten música *reggae* que se extiende por todo el mercado.

Camden Lock Market

Chalk Farm Road NW1. ⊖ *Camden Town.* ***Abierto*** *9.30–17.30 lu–vi, 10.00–18.00 sa y do.*

El mercado de Camden Lock ha crecido rápidamente desde su apertura en 1974. Artesanía, ropa nueva y de segunda mano, libros, discos y antigüedades forman el grueso de los artículos que se venden, aunque miles de jóvenes acuden simplemente por su ambiente, especialmente los fines de semana.

Camden Passage Market

Camden Passage N1. **Plano** 6 F1. ⊖ *Angel.* ***Abierto*** *10.00–14.00 mi, 10.00–17.00 sa*

Camden Passage es una tranquila calle donde los restaurantes y las librerías se mezclan con tiendas de bisutería y anticuarios. Grabados, platería, revistas del siglo XIX, joyería y juguetes se encuentran entre los muchos objetos que se muestran. No hay muchas gangas, ya que los vendedores suelen ser expertos coleccionistas. Pero es el mercado ideal para ir a echar un vistazo.

Chapel Market

Chapel Market N1. **Plano** 6 E2. ⊖ *Angel.* ***Abierto*** *9.00–15.30 ma, mi, vi, sa; 9.00–13.00 ju, do.*

Es una de las más exuberantes y tradicionales calles de mercados de Londres. Lo mejor es ir en fin de semana. Tiene una gran variedad de frutas y verduras baratas, mientras que la carne y los pescados son de los mejores del área. Se encuentran gangas en artículos domésticos y en ropa.

Church Street y Bell Street Markets

Church St NW8 y Bell St NW1. **Plano** 3 A5. ⊖ *Edgware Rd.* ***Abierto*** *8.30–16.00 lu–ju, 8.30–17.00 vi, sa.*

Igual que muchos de los mercados londinenses, el de Church Street alcanza su punto culminante los fines de semana. Los viernes, sus puestos exhiben material eléctrico, ropas baratas, artículos del hogar, pescado, quesos y antigüedades, uniéndose a los que venden frutas y verduras durante toda la semana. Alfie's Antique Market, en los números 13 al 25, tiene más de 300 pequeños puestos con un surtido desde joyería a gramófonos y radios antiguas. La paralela Bell Street tiene un mercado de ropa de segunda mano, discos y aparatos eléctricos antiguos los sábados.

Columbia Road Market

Columbia Rd E2. **Plano** 8 D3. ⊖ *Shoreditch, Old St.* ***Abierto*** *8.00–12.30 do. Ver p.171.*

Buen lugar para comprar plantas y semillas o, simplemente, para disfrutar de las fragancias y los colores. Ramos de flores, plantas, semillas, arbustos y macetas se venden a casi la mitad del precio normal en las mañanas de domingo en esta calle victoriana.

East Street Market

East St SE17. ⊖ *Elephant and Castle.* ***Abierto*** *8.00–17.00 ma, mi, vi, sa; 8.00–14.00 ju, do.*

El día grande de este mercado es el domingo, cuando unos 250 puestos llenan la estrecha calle y otro pequeño mercado de flores y plantas se monta en Blackwood Street. Las frutas y verduras están en minoría, ya que los comerciantes se dedican más a la ropa (sobre todo nueva) y a los artículos domésticos. Vendedores ambulantes ofrecen cordones de zapatos y cuchillas. La mayoría de la gente local va a este mercado más por diversión que a comprar, como hacía Chaplin (*ver p.37*) a principios del siglo XX.

Gabriel's Wharf y Riverside Walk Markets

56 Upper Ground y Riverside Walk SE1. **Plano** 14 E3. ☻ *Waterloo.* ***Gabriel's Wharf abierto*** *9.30–18.00 vi–do;* ***Riverside Walk abierto*** *10.00–17.00 sa, do y días irregulares. Ver p.193.*

Pequeñas tiendas repletas de cerámica, joyería y cuadros, rodean el quiosco de música en Gabriel's Wharf, donde grupos de jazz actúan algunas veces en verano. En otros pequeños puestos venden ropas étnicas, cerámica y joyería hechas a mano. El cercano mercado de libros bajo el puente de Waterloo ofrece una buena selección de libros de bolsillo de Penguin antiguos y modernos, así como otros de piel y de segunda mano.

Greenwich Market

College Approach SE10. **Plano** 23 B2. ⚏ *Greenwich.* ☻ *Cutty Sark DLR.* ***Abierto*** *9.00–17.00 sa, do.*

En los fines de semana, el área oeste del hotel Ibis acoge a docenas de mesas llenas de monedas, medallas y billetes de banco, así como libros de segunda mano, muebles y curiosidades. El mercado cubierto de artesanía se especializa en juguetes de madera, ropas de diseñadores jóvenes, joyería hecha a mano y complementos.

Jubilee y Apple Markets

Covent Gdn Piazza WC2. **Plano** 13 C2. ☻ *Covent Gdn.* ***Abierto*** *9.00–17.00 todos los días.*

Covent Garden se ha convertido en el centro de la vida callejera de Londres por la gran variedad de su oferta. En ambos mercados venden interesantes objetos de artesanía y diseño. En el Apple Market, en el lugar cubierto que ocupaba el famoso mercado de frutas y verduras (*ver p.114*), tiene géneros de punto, pieles, joyería y novedades; en la cercana sección al aire libre se puede encontrar ropa militar barata, grabados antiguos y más joyería. En Jubilee Hall se venden antigüedades los lunes, artesanía los fines de semana y una gran variedad de ropa, bolsos, cosméticos y curiosidades.

Leadenhall Market

Whittington Ave EC3. **Plano** 15 C2. ☻ *Bank, Monument.* ***Abierto*** *7.00–16.00 lu–vi. Ver p.159.*

El mercado de Leadenhall es un oasis culinario en la City y alberga varias de las mejores tiendas de comestibles de la ciudad. Su tradición son la pollería y la caza: los mejores ánades, cercetas, perdices y pavos reales se encuentran aquí cuando es la temporada. Ofrece también un fabuloso surtido de pescados y mariscos, especialmente ostras, en Ashdown. Otras tiendas disponen de pastelería fina, quesos y chocolate en un caro pero atractivo muestrario.

Leather Lane Market

Leather Lane EC1. **Plano** 6 E5. ☻ *Chancery Lane, Farringdon.* ***Abierto*** *10.30–14.00 lu–vi.*

Esta antigua calle ha albergado un mercado desde hace más de 300 años. Su historia no tiene nada que ver con la piel, como dice su nombre (se llamaba antes Le Vrune Lane), aunque es lo mejor que se vende en su mercado, junto con material eléctrico, discos y compactos baratos, ropas y cosméticos.

Petticoat Lane Market

Middlesex St E1. **Plano** 16 D1. ☻ *Liverpool St, Aldgate, Aldgate East.* ***Abierto*** *9.00–14.00 do (Wentworth St 10.00–14.30 lu–vi). Ver p.169.*

Probablemente, el más famoso de todos los mercados londinenses. Petticoat Lane continúa atrayendo muchos miles de visitantes cada domingo. Los precios pueden no ser tan baratos como en otros mercados, pero el volumen de artículos de piel, ropa (su principal oferta), relojes, joyería y juguetes lo compensa. Una legión de vendedores ambulantes de comidas rápidas surten a los visitantes hambrientos.

Piccadilly Crafts Market

St James's Church, Piccadilly W1. **Plano** 13 A3. ☻ *Piccadilly Circus, Green Park.* ***Abierto*** *10.00–17.00 mi–sa.*

Muchos de los mercados de la Edad Media se celebraban en los patios de las iglesias y éste resucita la vieja tradición. Está orientado a los turistas, más que a los residentes locales, y sus mercancías van desde las camisetas modernas a los grabados del siglo XIX. Calientes jerséis de Aran, postales hechas a mano y antigüedades en algunos puestos se reparten la oferta, al cobijo de la bella iglesia del arquitecto Wren (*ver p.90*).

Portobello Road Market

Portobello Rd W10. **Plano** 9 C3. ☻ *Notting Hill Gate, Ladbroke Grove.* ***Abierto*** *antigüedades y miscelánea: 7.00–17.30 sa. Mercado general: 9.00–17.00 lu–mi, vi, sa; 9.00–13.00 ju. Ver p.219.*

Portobello Road es realmente tres o cuatro mercados en uno. El extremo de Notting Hill tiene más de 200 puestos que muestran un compendio de objetos de arte. joyería, viejas medallas, cuadros y platería. La mayoría de estos puestos pertenece a expertos, por lo que las gangas son escasas. Cuesta abajo, las antigüedades ceden paso a la ropa, verduras y la fruta. La siguiente transformación se produce bajo el paso elevado de Westway, donde la ropa, curiosidades y bisutería moderna llaman la atención. A partir de aquí, el mercado toma un aspecto desaliñado.

Ridley Road Market

Ridley Rd E8. ⚏ *Dalston.* ***Abierto*** *9.00–15.00 lu–mi. 9.00–12.00 ju. 9.00–17.00 vi, sa.*

A principios de este siglo, Ridley Road era el centro de la comunidad judía de Londres. Después, se establecieron en la zona los asiáticos, griegos, turcos y caribeños, por lo que el mercado es una animada mezcla de esas culturas. Un horno judío está abierto las 24 horas, los caribeños venden plátanos verdes y discos de *reggae*, y en los coloridos puestos de griegos y turcos se venden bordados, frutas y verduras muy baratos.

St Martin-in-the-Fields Market

St Martin-in-the-Fields Churchyard WC2. **Plano** 13 B3. ☻ *Charing Cross.* ***Abierto*** *11.00–17.00 lu–sa; 12.00–17.00 do. Ver p.102.*

Este mercado de artesanía se abrió a finales de la década de los ochenta. Camisetas y bufandas de equipos de fútbol se encuentran entre los recuerdos que se venden. Más interesantes son las muñecas rusas, la artesanía suramericana y la ropa de punto.

Shepherd's Bush Market

Goldhawk Rd W12. ☻ *Goldhawk Road, Shepherd's Bush.* ***Abierto*** *9.30–17.00 lu–mi, vi, sa. 9.30–14.30 ju.*

Como Ridley Road y Brixton, el mercado de Shepherd's Bush constituye el reflejo de las distintas comunidades locales. Comida caribeña, pelucas afro, especias asiáticas y utensilios baratos de hogar y eléctricos son sus atracciones.

DISTRACCIONES EN LONDRES

LONDRES CUENTA CON LA enorme variedad de espectáculos que sólo las grandes capitales mundiales pueden ofrecer y, como siempre, su pasado histórico da mayor lustre a su presente. Pocas cosas pueden ser más actuales que pasar la noche bailando en famosas discotecas, como Stringfellows o Heaven, pero también se puede disfrutar de una excelente velada teatral resucitando los fantasmas de Hamlet en las leyendas vivas que son hoy los teatros del West End. Existe asimismo una palpitante e innovadora puesta en escena en los teatros alternativos, así como ballet de categoría mundial y ópera en escenarios como el de Sadler's Well, la Royal Opera House y el Coliseum. En Londres se

Este cartel de café anuncia música de jazz

puede escuchar la mejor música, desde la clásica, el jazz y el rock hasta los *rhythm and blues,* mientras que en cine es posible elegir entre cientos de películas diferentes cada noche, en multicines o en pequeñas y excelentes salas independientes. Los aficionados al deporte pueden presenciar un partido de críquet en Lords, animar a los remeros en el Támesis o comer fresas con nata en Wimbledon. Si se quiere practicar un deporte , puede darse un paseo a caballo por Rotten Row en Hyde Park. Hay festivales, celebraciones y espectáculos deportivos, tanto para adultos como para niños. El visitante puede estar seguro de encontrar en Londres lo que desee; es cuestión de saber dónde se ofrece.

Clásicos culturales: un concierto en Kenwood House *(arriba);* teatro al aire libre en Regent's Park *(izquierda); The Mikado* en el Coliseum *(derecha)*

FUENTES DE INFORMACIÓN

CONSULTAR las 150 páginas semanales, con las listas y carteleras, del semanario *Time Out* (se publica los miércoles), vendido en la mayoría de los quioscos y librerías. El semanario *What's On & Where*

to Go in London (miércoles) es también útil y el vespertino londinense *Evening Standard* publica diariamente una breve cartelera, con un suplemento detallado, "Hot Tickets", cada jueves. *The Independent* ofrece también carteleras diarias y críticas de arte, además de la sección diaria "The

Information"; el *Guardian* tiene críticas de arte y espectáculos en su sección G2 diariamente y cartelera los sábados; *The Independent, The Guardian* y *The Times* informan también sobre la disponibilidad de entradas los sábados.

Hojas de información especializada, folletos y avance de programas se facilitan gratis en los teatros, salas de concierto, cines y centros como el de South Bank y el Barbican. En las oficinas de información turística y los hoteles se ofrecen las mismas publicaciones. Los próximos espectáculos, además, se anuncian en los carteles callejeros distribuidos por la ciudad.

La Society of London Theatre (SOLT) publica cada dos semanas un folleto gratis con información de programas. Tiende a concentrarse en los teatros principales, y proporciona una útil información general. El Teatro Nacional y la Royal Shakespeare Company también ofrecen folletos de sus representaciones distribuidos en los teatros. La página *web* de la SOLT (www. officiallondontheatre.co.uk) proporciona detalles e información sobre las producciones del momento. También ofrece noticias y estrenos, pero no disponibilidad de asientos. Para esto, hay un servicio de fax (09069-111 311). Muchos teatros también poseen un servicio de fax que permite mostrar un cuadro de los asientos en los que se indican aquellos que todavía no están vendidos para la representación.

El Royal Ballet en el escenario del Covent Garden

RESERVA DE ENTRADAS

Algunos de los más famosos espectáculos teatrales del West End –como el último musical de Lloyd Webber, por ejemplo– pueden estar llenos con semanas e, incluso, meses de antelación, por lo que es imposible adquirir ninguna entrada en taquilla. Sin embargo, ésa no es la norma, ya que hay localidades disponibles para la misma noche en que se soliciten si se está preparado a guardar largas colas ante las taquillas a la espera de devoluciones. Para los turistas sin prisa es una manera de lograrlas. Se pueden reservar entradas en taquilla, por teléfono o por correo. En algunos hoteles los porteros se encargan de ello.

Las taquillas están normalmente abiertas desde las 10.00 a las 20.00 y aceptan el pago en metálico y con tarjetas de crédito, cheques de

viaje o personales del Reino Unido con tarjeta de garantía. En muchos teatros se venden las localidades devueltas justo antes de la representación. Para reservar entradas por teléfono, se llama a la taquilla y se paga al recogerlas. Éstas se reservan habitualmente durante tres días. Algunos teatros tienen líneas separadas para reservas con tarjetas de crédito, por lo que ha de comprobarse y llevar la tarjeta consigo al retirar las entradas. Ciertos teatros pequeños no aceptan estas tarjetas.

Placa del Palace Theatre

VISITANTES DISCAPACITADOS

Muchos de los teatros son edificios antiguos que al construirlos no tuvieron en cuenta a los minusválidos, pero ahora se

han efectuado adaptaciones, especialmente en accesos para sillas de ruedas o en dispositivos para dificultades de audición.

Debe telefonearse antes de la visita para reservar asiento especial o equipo adecuado que, con frecuencia, es limitado. Es también útil preguntar sobre descuento. Para más información llame a Artsline (020-7388 2227).

TRANSPORTE

Los autobuses nocturnos *(ver p. 367)* son un buen modo de transporte. Se puede también telefonear a un taxi desde el local. Si se encuentra lejos del centro durante la noche, no debe confiar en encontrar un taxi rápidamente. El metro suele funcionar hasta medianoche, pero el horario de los últimos trenes es variable, por lo que hay que consultarlo en las estaciones *(ver pp. 364–365)*.

AGENCIAS DE RESERVAS

Se pueden conseguir localidades en las agencias de reserva. Debe probarse primero en taquilla y, si no hay localidades disponibles, enterarse de los precios normales antes de acudir a la agencia. La mayoría, pero no todas, es de confianza. Si las agencias anuncian que tienen localidades "para esta noche" puede ser así y a precios razonables. Si se reservan por teléfono, las entradas deben ser enviadas al comprador por correo o al teatro para ser recogidas allí. La comisión suele ser del 22%. Algunos locales prescinden de las agencias, cargando ellos la comisión; esto lo anuncian generalmente y las agencias, entonces, cobran los precios normales de taquilla. Han de compararse siempre los precios y tratar de evitar las agencias en las casas de cambio de moneda o los revendedores callejeros.

emanarios e arteleras

Agencia de reservas en Shaftesbury

Teatros de Londres

L ONDRES ES UNO de los grandes centros mundiales de la escena y ofrece una extraordinaria variedad de espectáculos teatrales; los de más alto nivel tienen una extraordinaria calidad. A pesar de su legendaria fama de reservados, los británicos se apasionan por su teatro y la cartelera así lo refleja. Una vuelta por las calles del West End permite encontrarse con las sombrías obras de Samuel Beckett, Brecht o Chekov y, al lado, con el absurdo de farsas como *No Sex Please, We're British!* En medio de estos extremos, siempre hay algo atractivo para todos.

TEATROS DEL WEST END

L OS TEATROS del West End tienen un encanto que los distingue. Quizá sea el derroche luminoso de sus vestíbulos o la impresionante decoración de sus interiores o, posiblemente, la fuerza de su historia, pero sea lo que sea, los viejos teatros retienen la magia que los hizo famosos.

Las carteleras del West End ofrecen siempre brillantes nombres de artistas de fama mundial como Judi Dench, Vanessa Redgrave, John Malkovich, Kevin Spacey y Peter O'Toole.

Los principales teatros comerciales se suceden a lo largo de Shaftesbury Avenue y Haymarket, y alrededor de Covent Garden y Charing Cross Road. Al contrario de los teatros nacionales, los locales del West End se mantienen sólo con los beneficios que producen, ya que no reciben ninguna subvención o ayuda estatal. Confían en el ejército de "ángeles" (patrocinadores) y productores para mantener viva su tradición.

Muchos teatros son hitos históricos, como el clásico **Theatre Royal Dreury Lane**, establecido en 1663 *(ver p.115),* y el elegante **Theatre Royal Haymarket,** soberbios ejemplos ambos de edificios de principios del siglo XIX. Otro notable es el **Palace** *(ver p.108),* con su fachada de terracota y su inmejorable situación en Cambridge Circus.

TEATROS NACIONALES

E L **Royal National Theatre** está en el South Bank Centre *(ver p.332).* En él, el gran escenario abierto de Olivier, el proscenio de Lyttelton, y el más pequeño y flexible Cottesloe, permiten una gran variedad de tamaños y estilos que hace posible cualquier espectáculo, desde las grandes y extravagantes producciones a pequeñas obras maestras. El complejo tiene también un animado centro social, donde se puede saborear una bebida con los amigos antes de asistir a una producción, contemplar la multitud o el río, deambular por las numerosas galerías de arte, disfrutar de los conciertos gratis de primera hora de la tarde o perderse en la librería del teatro.

La **Royal Shakespeare Company,** la compañía británica de teatro, está en el Barbican Centre. Aunque centra su trabajo principalmente en las obras de Shakespeare, también tiene en su repertorio tragedias clásicas griegas, joyas del teatro de la Restauración y numerosas obras modernas. En el magnífico Barbican Theatre se ponen en escena muchas producciones espectaculares; obras más escogidas pueden verse en el íntimo escenario de The Pit, que está en el mismo complejo. Su organización un tanto confusa aconseja ir un poco temprano para no perderse el comienzo de la función. Se puede emplear el tiempo sobrante en contemplar las exposiciones de arte y artesanía en el vestíbulo, así como las actuaciones musicales gratuitas que van desde ópera a música de cámara, sambas o música de bandas.

En el Barbican se suministra también información acerca de los teatros de la compañía en Stratford-upon-Avon.

DIRECCIONES PARA RESERVAS DE TEATROS NACIONALES

Royal National Theatre
(Lyttelton, Cottesloe, Olivier) South
Bank SE1. **Plano** 14 D3.
(020-7452 3000.

Royal Shakespeare Company
Barbican Centre, Silk St EC2.
Plano 7 A5.
(020-7638 8891.

PANTOMIMAS

S I LA VISITA a Londres se produce entre diciembre y febrero, una experiencia que no debe perderse una familia es la asistencia a una pantomima. Prácticamente todos los niños británicos se han criado viéndolas; en ellas los papeles principales de mujeres son interpretados por hombres y viceversa, y la audiencia corea las frases que le dirigen desde el escenario. Para los adultos puede ser una experiencia extraña, aunque divertida, pero los niños adoran esas representaciones.

TEATRO AL AIRE LIBRE

L A REPRESENTACIÓN de obras de Shakespeare como *A vuestro gusto, La comedia de las equivocaciones* o *El sueño de una noche de verano* adquieren un ambiente de encanto y magia entre las verdes frondas de Regent's Park *(ver p.224)* o Holland Park *(ver p.218).* Es aconsejable proveerse de una manta y un paraguas.

Se pueden adquirir refrescos o llevarse el propio *picnic.*

DIRECCIONES PARA RESERVAS EN TEATROS AL AIRE LIBRE

Holland Park Theatre
Holland Park. **Plano** 9 B4.
(020-7602 7856.
Abierto jun–ago.

Open-Air Theatre
Inner Circle, Regent's Park NW1.
Plano 4 D3.
(020-7935 5756.
⊠ 020-7486 1933.
Abierto may–sep.

TEATROS DEL WEST END

Adelphi ⓭
Strand WC2.
☎ 020-7344 0055.

Albery ❶
St Martin's Lane WC2.
☎ 020-7369 1730.

Aldwych ⓱
Aldwych WC2.
☎ 020-7379 3367.

Apollo ㉚
Shaftesbury Ave W1.
☎ 020-7494 5070.

Cambridge ㉒
Earlham St WC2.
☎ 020-7494 5040.

Comedy ❽
Panton St SW1. ☎ 020-7369 1731.

Criterion ❼
Piccadilly Circus W1.
☎ 020-7413 1437.

Duchess ⓯
Catherine St WC2.
☎ 020-7494 5075.

Duke of York's ❹
St Martin's Lane WC2.
☎ 020-7836 5122.

Fortune ⓳
Russell St WC2.
☎ 020-7836 2238.

Garrick ❺
Charing Cross Rd WC2.
☎ 020-7494 5085.

Gielgud ㉙
Shaftesbury Ave W1.
☎ 020-7494 5065.

Her Majesty's ❿
Haymarket SW1.
☎ 020-7494 5400.

Lyric ㉛
Shaftesbury Ave W1.
☎ 020-7494 5045.

New Ambassadors ㉔
West St WC2.
☎ 020-7369 1761.

New London ㉒
Drury Lane WC2.
☎ 020-7405 0072.

Palace ㉖
Shaftesbury Ave W1.
☎ 020-7434 0909.

Phoenix ㉕
Charing Cross Rd WC2.
☎ 020-7369 1733.

Piccadilly ㉜
Denman St W1.
☎ 020-7369 1734.

Playhouse ⓬
Northumberland Ave WC2.
☎ 020-7839 4401.

Prince Edward ㉗
Old Compton St W1.
☎ 020-7447 5400.

Prince of Wales ❻
Coventry St W1.
☎ 020-7839 5987.

Queen's ㉘
Shaftesbury Ave W1.
☎ 020-7494 5040.

Shaftesbury ㉑
Shaftesbury Ave WC2.
☎ 020-7379 5399.

Strand ⓰
Aldwych WC2.
☎ 020-7930 8800.

St Martin's ㉓
West St WC2.
☎ 020-7836 1443.

Theatre Royal:
–Drury Lane ⓲
Catherine St WC2.
☎ 020-7494 5062.
–Haymarket ❾
Haymarket SW1.
☎ 020-7930 8800.

Vaudeville ⓮
Strand WC2.
☎ 020-7836 9987.

Whitehall ⓫
Whitehall SW1.
☎ 020-7369 1735.

Wyndham's ❸
Charing Cross Rd WC2.
☎ 020-7369 1736.

TEATROS DEL WEST END

Puesto de localidades a mitad de precio en Leicester Sq *(ver p.330)*

Teatros Alternativos

Los teatros alternativos sirven de vehículo para obras experimentales de otras culturas y modos de vida, como las de autores irlandeses, caribeños o latinoamericanos y escritores feministas o *gays*.

Las obras se representan generalmente en minúsculos escenarios de *pubs*, como el **Gate Theatre,** sobre el *pub* Prince Albert, en Notting Hill, el **King's Head** en Islington, y el Grace en el *pub* Latchmere en Battersea; o en almacenes y espacios libres de grandes teatros, como **Donmar Warehouse** y el Studio en el Lyric.

Lugares como **Bush, Almeida** y el **Theatre Upstairs** en el Royal Court gozan de forma por haber descubierto obras notables nuevas que después han sido puestas en escena en el West End.

A veces se representan obras en lenguas extranjeras en los institutos nacionales de cultura. Se pueden ver obras de Molière en el **Institut Français** o de Brecht en el **Goethe Institute;** consultar las carteleras.

Para comedias y variedades, donde se muestra el lado agudo de la sátira en un estilo nuevo e insolente, acudir a **Comedy Store**, cuna de la llamada "comedia alternativa", o a **Hackney Empire,** una antigua sala de fiestas victoriana con un magnífico interior, ahora marchito y deslucido.

Localidades Baratas

Existe una larga lista de precios de localidades en los teatros. Las más baratas en el West End pueden costar menos de 10 libras, mientras que las mejores de espectáculos musicales, alrededor de 30 libras. Sin embargo, es posible encontrarlas más baratas.

En el puesto de localidades a mitad de precio de Leicester Square *(ver p.329)* se venden localidades de los principales teatros para el mismo día. Está abierto de lunes a sábado, (10.00-19.00) y domingos (12.00-15.30) sólo para sesiones matinales. Se paga en metálico y no se pueden adquirir más de cuatro entradas por persona. Cargan una pequeña cantidad por el servicio.

Algunas veces se pueden obtener localidades a precio reducido para primeras representaciones, de prensa o de invitación, para lo que es necesario informarse en taquilla.

Elección de Localidades

Si se va al teatro personalmente, se puede elegir un buen asiento a un precio razonable. Para reservar por teléfono debe tenerse en cuenta que las butacas delanteras frente al escenario son caras; las posteriores, ligeramente más baratas; las filas *dress, grand* y *royal* del patio de butacas, son de menor precio; los asientos altos o *balcony* son los más baratos, pero hay que subir muchas escaleras; los *slips* ocupan los extremos de las filas; los palcos son la opción más cara.

Desde algunas de las localidades más baratas se tiene una visión parcial del escenario.

Actividades Relacionadas con el Teatro

Si se siente curiosidad por ver cómo funcionan los mecanismos teatrales, puede realizarse una gira entre bastidores. Las organizan el Teatro Nacional y la RSC (para detalles contactar en la taquilla; *ver p.327*). En London Theatre Walks (071–839 74 38) se organizan visitas a los teatros. El museo del Teatro *(ver p.115)* merece una visita.

Fantasmas Airados

Muchos teatros de Londres son conocidos por sus fantasmas. Los más famosos son los del Garrick y el Duke of York *(ver p.327)*. El Garrick tiene un aire antiguo y se asegura que el fantasma de Arthur Bourchier, que fue su administrador a principios de siglo, realiza apariciones regulares. Odia a los críticos y se dice que se esfuerza por mantenerlos alejados. El fantasma que campa por el teatro Duke of York es el de Violet Melnotte, una actriz y directora de la década de 1890, famosa por su temperamento extremadamente fuerte.

Cines

E L VISITANTE que no pueda encontrar en Londres una película que le guste, es que no es amante del cine. La gran lista de películas europeas, estadounidenses, en versión original, clásicas, nuevas, comerciales y experimentales, hacen de Londres un centro internacional de cine, con más de 250 películas en exhibición simultánea. Solamente en el centro de la ciudad hay unas 50 salas, muchas de ellas modernos multicines. Las grandes cadenas comerciales proyectan los éxitos internacionales y un número de pequeñas salas independientes ofrecen clásicos de la historia del cine. En las revistas de espectáculos se informa de los programas.

CINES DEL WEST END

W EST END es un término genérico para los principales cines del centro de Londres, como el **Odeon Leicester Square** o el **ABC** de Shaftesbury Avenue, pero también incluye a los situados en Chelsea, Fulham y Notting Hill. Los programas comienzan normalmente a mediodía y se repiten cada dos o tres horas, con el último pase hacia las 20.30. Hay sesiones hasta más tarde los viernes y los sábados en casi todos los cines de las calles céntricas de Londres.

Estos cines son muy caros y una localidad para presenciar una película en ellos cuesta el doble que ver el mismo filme en uno de barrio. Las localidades son generalmente más baratas en las primeras sesiones y los lunes. Debe reservarse con antelación suficiente para los viernes y sábados.

IMAX

L A MAYOR pantalla IMAX del Reino Unido ofrece películas creadas específicamente para este sistema con sonido *surround*. Los contenidos suelen centrarse en el espacio o el mundo submarino, aunque también son fecuentes los filmes de animación.

CINES DE REPERTORIO

E STOS CINES ofrecen películas en idiomas extranjeros y de estilo ligeramente inconformista; cambian sus programas diariamente e, incluso, varias veces al día. Algunos cines ofrecen dos y tres películas, a veces sobre el mismo tema, por una sola localidad.

Entre ellos se encuentran el **Prince Charles,** que tiene una céntrica situación, cercano a Leicester Square; el **Everyman,** en el norte de Londres; el ICA, en el Mall; el recientemente remodelado **Ritzy,** en el sur de Londres, y el National Film Theatre.

NATIONAL FILM THEATRE

E L NATIONAL FILM Theatre (NFT) está situado en el South Bank Arts Complex, cerca de la estación de Waterloo. El NFT tiene dos cines propios donde se ofrece una gran selección de películas. También lleva a cabo proyecciones de filmes raros y restaurados, y programas de televisión de los Archivos Nacionales del Cine.

PELÍCULAS EN VERSIÓN ORIGINAL

S E PROYECTAN en los denominados cines independientes de repertorio, como el **Renoir, Prince Charles,** el **Curzon** en Shaftesbury Avenue y en las cadenas **Screen.** Las películas se muestran en versión original con subtítulos en inglés.

CLASIFICACIÓN DE PELÍCULAS

L OS NIÑOS son admitidos, acompañados de un adulto, en películas catalogadas como U (universal) o PG (guía paterna). En otras, los números 12, 15 y 18, significan la edad mínima de admisión. Estas clasificaciones están ampliamente exhibidas en la publicidad de las películas.

FESTIVAL DE CINE DE LONDRES

E L MÁS IMPORTANTE acontecimiento cinematográfico de Londres se celebra en noviembre, cuando se proyectan más de 100 películas –algunas de las cuales han ganado premios en el extranjero– de diversos países. Las salas del NFT, algunas de repertorio y otras de las grandes del West End ofrecen proyecciones especiales. Los detalles se encuentran en las revistas especializadas. Es difícil obtener entradas, pero algunas de última hora están generalmente disponibles para el público 30 minutos antes de la proyección.

DIRECCIONES DE CINES

ABC
135 Shaftesbury Ave WC2. **Plano** 13 B2.
☎ 020-7836 8606.

BFI London IMAX
Waterloo Rd SE1.
Plano 14 D4.
☎ 020-7902 1234.

Everyman
Hollybush Vale NW3.
Plano 1 A5.
☎ 020 741 1777.

Minema
45 Knightsbridge SW1.
Plano 12 D5.
☎ 020-7369 1723.

National Film Theatre
South Bank Centre, SE1.

Plano 14 D3.
☎ 020-7928 3232.

Odeon Leicester Sq
Leicester Sq WC2.
Plano 13 B2.
☎ 020-8315 4215.

Prince Charles
Leicester Pl WC2.
Plano 13 B2.
☎ 020-7437 8181.

Renoir
Brunswick Sq WC1.
Plano 5 C4.
☎ 020-7837 8402.

Ritzy
Brixton Rd SW2.
☎ 020-7733 2229.

Screen Cinemas
96 Baker St NW1
Plano 3 C5.
☎ 020-7935 2772.

Ópera, música clásica y contemporánea

Hasta hace poco la ópera tenía fama de elitista. Sin embargo, las representaciones televisadas y los conciertos al aire libre en Hyde Park y la Piazza de Covent Garden han extendido su popularidad. Londres es la sede de cinco orquestas de renombre mundial y anfitrión de compañías y agrupaciones musicales más pequeñas. También es sede permanente de tres compañías de ópera y numerosos grupos menores del género lírico y se sitúa en unos de los primeros lugares de la música con sus orquestas de temporada. Es un importante centro de grabación de discos clásicos que contribuye al mantenimiento de un gran colectivo de músicos y cantantes. Hay numerosos conciertos de música clásica, de cámara, tradicional o innovadora. En la revista *Time Out* (ver p.326) se ofrece una completa lista de dónde se puede escuchar música clásica.

Royal Opera House

Floral Street WC2. **Plano** 13 C2.
█ 020-7304 4000. Ver p.115.

El edificio, con un soberbio interior rojo, blanco y dorado, es muy atractivo. Es la sede de la Compañía Real de Ópera, pero en su escenario actúan también muchas veces otras compañías de ópera y ballet. Muchas de sus producciones son compartidas con otras compañías extranjeras, por lo que sus programas pueden coincidir con los de diversas capitales. Las obras se representan siempre en sus idiomas originales, pero su traducción al inglés se muestra en la parte alta del escenario.

Las localidades se reservan con mucha antelación, particularmente en caso de actuaciones de divos como Plácido Domingo, Luciano Pavarotti o Kiri Te Kanawa. El precio de las localidades oscila entre 5 y 200 libras, o más para las estrellas de fama mundial. Las más baratas son las que se venden antes, pero se reservan unas cuantas para el mismo día de la representación. Algunos de los asientos más baratos de la Royal Opera House tienen muy mala visión del escenario. En el momento del comienzo de la función se pueden obtener plazas de pie. La información sobre las listas de espera se obtiene en el teléfono 0171–836 69 03 y frecuentemente quedan localidades. Da buen resultado guardar cola para devoluciones de última hora.

London Coliseum

St Martin's Lane WC2. **Plano** 13 B3.
█ 020-7836 0111.
✉ 020-7632 8300. Ver p.119.

El Coliseum, sede de la English National Opera (ENO), tiene una decoración decadente, pero su nivel musical es extremadamente alto. La compañía forma a sus propios cantantes para sus producciones y ensayan en el mismo escenario donde actúan. Las representaciones clásicas de la ENO se cantan casi todas en inglés y frecuentemente son adaptaciones, por lo que los críticos se han quejado a veces de que no siguen el libreto original. La audiencia tiende a ser más joven que en la Royal Opera House y las localidades son mucho más baratas. Las de las últimas filas son famosas por los "reventadores" que suelen ocuparlas.

Sadler's Wells

Rosebery Ave EC1. **Plano** 6 E3.
█ 020-7314 8800.

Menos pretencioso, caro y céntrico que los otros teatros de ópera, Sadler's Well no tiene su propia compañía, pero es escenario para muchas otras. Entre ellas, hay tres que tienen temporadas regulares aquí, presentando cada una dos programas: la compañía D'Oyly, formada en 1875 para representar obras de Gilbert y Sullivan, tiene su temporada en abril y mayo; la Opera 80, con 22 cantantes y 27 profesores, ofrece ópera en inglés a precios razonables en las dos últimas semanas de mayo; y la British Youth Opera actúa aquí cada año a principios de septiembre.

South Bank Centre

Belvedere Rd, South Bank Centre SE1.
Plano 14 D4. █ 020-7921 0600.
Ver pp. 186-187.

El South Bank Centre alberga el Royal Festival Hall (RFH), el Queen Elizabeth Hall y la Purcell Room. Hay representaciones todas las noches, la mayoría de música clásica, intercalada con temporadas de ópera, ballet y danzas modernas. También ofrece jazz y festivales de música contemporánea y étnica. La mayor sala de música del centro es RFH, ideal

para orquestas y coros. La Purcell Room es comparativamente pequeña y se suele utilizar para cuartetos de cuerda y música contemporánea, además de recitales de jóvenes artistas. El Queen Elizabeth Hall es un término medio entre ambas y acoge representaciones cuyas audiencias resultan demasiado grandes para la Purcell Room y pequeñas para el RFH. Se celebran conciertos de jazz y música étnica, y la muy innovadora y a veces controvertida Opera Factory ofrece varias representaciones durante el año. Con esta compañía se pueden ver una serie de interpretaciones modernas de los clásicos; encarga y produce nuevas obras. La acústica es excelente en todo el complejo.

La London Philharmonic Orchestra tiene aquí su sede. La Royal Philharmonic, Philarmonia y la BBC Symphony Orchestra son visitantes frecuentes, junto con otras extranjeras y solistas como Shura Cherkassky, Stephen Kovanicevich y Anne-Sophie von Otter.

Academy de St Martin-in-the-Fields, London Festival Orchestra, Opera Factory, London Classical Players y London Mozart Players tienen también temporadas regulares. Hay frecuentemente conciertos gratuitos en los *foyer* y durante el verano tienen lugar actuaciones en las terrazas, cuando el tiempo lo permite.

Barbican Concert Hall

Silk Street EC2. **Plano** 7 A5.
📞 020-7638 8891. Ver p.165.

Este gigantesco edificio de hormigón es la sede permanente de la London Symphony Orchestra (LSO), que se concentra en la obra de un compositor cada temporada. En verano, la LSO Summer Pops presenta un impresionante cartel de estrellas de la escena, televisión, filmes y música que en el pasado ha incluido a artistas famosos como Victor Borge y la cantante de jazz Barbara Cook.

La English National Opera ofrece representaciones regularmente y la Royal Philarmonic Orchestra tiene su temporada en primavera.

El Barbican es también famoso por sus conciertos de música contemporánea: la BBC Symphony Orchestra lleva a cabo un festival anual de compositores del siglo XX y la London Sinfonietta, especializada en música del siglo XX, realiza la mayoría de sus conciertos en esta sala. También hay conciertos de entrada libre.

Royal Albert Hall

Kensington Gore SW7.
Plano 10 F5.
📞 020-7589 3203. Ver p.207.

El bello Royal Albert Hall es el escenario de una amplia variedad de espectáculos, desde desfiles de modelos y festivales de pop a veladas de boxeo y lucha libre. Sin embargo, desde mediados de julio a mitad de septiembre está dedicado solamente a Henry Wood Promenade Concerts, conocidos como los "Proms". Organizada por la BBC, la temporada presenta a la BBC Philharmonic Orchestra, que interpreta música sinfónica clásica y moderna. Orquestas británicas e internacionales, como la City of Birmingham Orchestra y las Orquestas Sinfónicas de Boston y Chicago intervienen también con varios programas. Las localidades para los "Proms" se pueden comprar el mismo día de las actuaciones, pero se forman largas colas y los ya expertos madrugan y se llevan cojines para sentarse. Las entradas se agotan semanas antes para la última noche de los "Proms", que se ha convertido en una institución nacional, en la que el público ondea banderas y canta. Muchos consideran esa noche de fervor nacional y se entona el tradicional *Land of Hope and Glory*.

Londres ofrece muchas actuaciones musicales al aire libre en verano. En Kenwood House, en Hampstead Heath *(ver p.234)*, un prado en cuesta lleva a un lago, tras el cual hay un escenario para conciertos. Hay que llegar temprano, porque son muy populares, especialmente si hay fuegos artificiales. Hay sillas que se reservan de antemano, por lo que la mayoría de los asistentes se sienta en la hierba. Debe llevarse jersey y merienda. Los puristas tienen que ser advertidos de que la gente anda, come y habla durante el concierto y la música está amplificada, por lo que puede haber distorsiones. No se devuelve el dinero si llueve, pero nadie ha abandonado todavía una actuación.

Otros lugares son Marble Hill House, en Twickenham *(ver p.252)*, –similar a Kenwood–, Crystal Palace Park y Holland Park.

Wigmore Hall

36 Wigmore St W1. **Plano** 12 E1.
📞 020-7935 2141. Ver p.226.

Por su excelente acústica, esta sala es la favorita de artistas internacionales como Jessye Norman y Julian Bream. Presenta siete noches a la semana conciertos y uno en la mañana del domingo desde septiembre hasta julio.

St Martin-in-the-Fields

Trafalgar Sq WC2.
Plano 13 B3.
📞 020-7930 1862. Ver p.102.

Esta elegante iglesia de Gibbs es la sede de la Academy of St Martin-in-the-Fields y de los famosos coros del mismo nombre. Éstos y orquestas tan dispares como la Henry Wood Chamber Orchestra, Penguin Café Orchestra o St Martin-in-the-Fields Sinfonia ofrecen conciertos vespertinos. La elección de programas está dictada, hasta cierto punto, por el calendario religioso: por ejemplo, la *Pasión según San Juan* de Bach, se interpreta en los días de la Ascensión, y el *Mesías* de Handel en Navidades.

Los lunes se celebran conciertos gratuitos a mediodía. Los martes y jueves actúan artistas jóvenes.

St John's, Smith Square

Smith Sq SW1. **Plano** 21 B1.
📞 020-7222 1061. Ver p.81.

Esta iglesia barroca reformada tiene una buena acústica y dispone de confortables asientos, por lo que es lugar ideal para conciertos y recitales de grupos como la Wren Orchestra, el Vanbrugh String Quartet y London Sonata Group. Una serie diaria de conciertos y recitales de canto de la radio BBC se celebra a la hora del almuerzo.

Broadgate Arena

3 Broadgate EC2.
Plano 7 C5.
📞 020-7505 4068. Ver p.169.

Es la nueva sala en la City para conciertos de mediodía durante el verano; ofrece un programa variado, a menudo con músicos nuevos.

SEDES MUSICALES

Orquesta
Barbican Concert Hall
Broadgate Arena
Queen Elizabeth Hall
Royal Albert Hall
Royal Festival Hall
St Martin-in-the-Fields
St John's, Smith Square

Cámara y coros
Barbican Concert Hall
Broadgate Arena
Purcell Room
Royal Festival Hall (vestíbulo)
St Martin-in-the-Fields
St John's, Smith Square
Wigmore Hall

Solistas y recitales
Barbican Concert Hall
Purcell Room
Royal Albert Hall
St Martin-in-the-Fields
St John's, Smith Square
Wigmore Hall

Niños
Barbican Concert Hall
Royal Festival Hall

Gratis
Barbican Concert Hall
National Theatre (vestíbulo) (p.328)
Royal Festival Hall (vestíbulo)
St Martin-in-the-Fields (almuerzo)

Música antigua
Purcell Room
Wigmore Hall

Música contemporánea
Barbican Concert Hall
South Bank Complex

Danza

Las compañías de danza con sede en Londres presentan una variedad de estilos que van del ballet clásico al mimo, jazz, danzas étnicas y experimentales. Vienen también a la capital compañías extranjeras tan diversas como el Ballet Bolshoi y la innovadora Jaleo Flamenco. La mayoría de ellas (con la excepción de las compañías titulares) hace temporadas cortas, casi nunca más de dos semanas y a veces menos de una, por lo que hay que consultar las carteleras para informarse *(ver p.326)*. Los teatros que ofrecen danza regularmente son: **Royal Opera House, London Coliseum, Sadler's Wells** y **Place Theatre.** Hay también representaciones en el **South Bank Centre** y otros centros de la ciudad.

experimental en abril, en los **Riverside Studios.** Otros lugares son utilizados a veces por el **Institute of Contemporary Arts** (ICA) *(ver p.92)* y el **Shaw Theatre,** así como el nuevo **Chisenhale Dance Space,** un centro para compañías pequeñas e independientes, que basa su interés en la experimentación más vanguardista de la danza contemporánea.

BALLET

La **Royal Opera House** *(ver p.115)* y el **London Coliseum** en St Martin's Lane son, con mucho, los mejores nombres para ballet clásico y acogen en su escenario a compañías extranjeras. La Opera House es la sede de la compañía del Royal Ballet que, generalmente, invita a los mejores artistas internacionales a su residencia. Debe reservarse con antelación para clásicos como *El lago de los cisnes* o *Giselle*. La compañía ofrece también ballet moderno; los programas triples tienen un repertorio variado y hay, por lo general, localidades.

El English National Ballet desarrolla su temporada de verano en el **London Coliseum.** Tiene un repertorio similar al Royal Ballet y representa obras muy populares.

Las compañías extranjeras actúan en el **Sadler's Wells** *(ver p.332)*, donde el London City Ballet tiene su temporada en diciembre y enero. Esta compañía tiene repertorio clásico.

CONTEMPORÁNEO

Gran cantidad de compañías nuevas y jóvenes florecen en Londres, cada una con su estilo propio. Sadler's Wells es una de las sedes principales. Anejo al **Sadler's Wells,** el Lilian Baylis Studio acoge a compañías más pequeñas con producciones experimentales.

The Place es donde actúan las de danza contemporánea y étnica que programan durante un programa que dura todo el año. La London Contemporary Dance Theatre, la mayor compañía de baile contemporáneo de Gran Bretaña, tiene su sede aquí.

Jackson Lane abrió hace 25 años como centro de arte y su apertura fue muy aclamada por sus representaciones de danza contemporánea, a menudo grupos de danza internacional de Asia, África, Grecia, Oriente Próximo y España. Rambert tiene otra temporada más corta y una semana de coreografía

ÉTNICO

Hay un constante flujo de compañías extranjeras que interpretan danzas tradicionales de todo el mundo. Tanto el **Sadler's Wells** como los **Riverside Studios** son los lugares preferidos, mientras que las compañías de India y de Extremo Oriente tienen temporadas en el **Queen Elizabeth Hall.** Consultar carteleras para más información.

FESTIVALES DE DANZA

Son dos los principales festivales de danza contemporánea en Londres: Spring Loaded se celebra de febrero a abril y Dance Umbrella de principios de octubre a noviembre. Las carteleras ofrecen programas detallados.

Otros festivales menores son Almeida Dance, desde final de abril a la primera semana de mayo en el **Almeida Theatre,** y The Turning World, que pone en escena sus representaciones de danzas internacionales durante los meses de abril y mayo.

LUGARES DE DANZA

Almeida Theatre
Almeida St N1.
📞 020-7226 7432.

Chisenhale Dance Space
64 Chisenhale Rd E3.
📞 020-8981 6617.

ICA
Nash House,
Carlton House Terrace,
The Mall SW1. **Plano** 13 A4.
📞 020-7930 0493.

Jacksons Lane
269a Archway Rd N6.
📞 020-8340 5226.

London Coliseum
St Martin's Lane WC2.
Plano 13 B3.
📞 020-7836 0111.
✉ 020-7632 8300.

The Place
17 Duke's Rd WC1.
Plano 5 B3.
📞 020-7380 1268.

Queen Elizabeth Hall
South Bank
Centre SE1.
Plano 14 D4.
📞 020-7960 4242.

Riverside Studios
Crisp Rd W6.
📞 020-8237 1111.

Royal Opera House
Floral St WC2. **Plano** 13 C2. 📞 020-7304 4000.

Sadler's Wells
Rosebery Ave EC1.
Plano 6 E3.
📞 020-7863 8000.

Shaw Theatre
100 Euston Rd NW1.
Plano 5 B3.
📞 020-7388 1394

Rock, pop, jazz, 'reggae' y música internacional

LONDRES OFRECE un gran muestrario de música popular, hasta el punto que se pueden contar en un fin de semana normal hasta 80 conciertos, desde rock, *reggae,* espirituales, folclor, *country,* hasta jazz y música latina y oriental. Además, en verano se celebran festivales de este tipo de música en los parques, *pubs,* toda clase de salas y estadios deportivos *(ver p.337).* Consultar las carteleras y los carteles anunciadores *(ver p.326).*

LUGARES PRINCIPALES

LOS MAYORES locales de Londres albergan una gran variedad de acontecimientos musicales. Las estrellas que garantizan miles de espectadores actúan en el estadio de **Wembley** en el verano, cuando termina la temporada futbolística. En invierno, los ídolos pop prefieren la seguridad cubierta del **Wembley Arena,** el **Hammersmith Apollo** o el **Royal Albert Hall.**

La **Brixton Academy** y el **Town and Country Club** les siguen en importancia y aforo. En cada uno caben más de 1.000 personas y para muchos londinenses esos antiguos cines son los mejores lugares de la ciudad, con sus asientos en las plantas altas, grandes salas para bailar y bares accesibles.

ROCK Y POP

LA MÚSICA *indie* es hoy casi permanente en la vida musical de Londres. Tras los líderes, Manchester y Bristol, la capital ofrece una saludable y fértil escena musical: por toda la ciudad hay locales que ponen *britpop, bratpop, hip-hop, trip-hop* y todo el resto de variaciones del pop que parece necesario etiquetar para que acceda al mercado. **Bull and Gate** en Kentish Town y **Powerhaus,** en Islington, son buenos para siniestros, mientras que las reglas del rock se siguen en el **Astoria,** West End y en el **The Stephen's Bush Empire.**

El **Mean Fiddler,** en Charing Cross, es uno de los mejores locales y además muy famoso por ser el lugar donde los músicos tocan siempre dos veces (una vez en el camino de ida y otra vez a la vuelta). Londres es el hogar del *pub-rock,* en el que se da una vibrante mezcla del blues, rock y punk que se desarrolló en la ciudad desde los 60. Diversos grupos, como The Clash, Dr Feelgood o Dire Straits, comenzaron sus carreras con músicos de rock en los *pubs.*

Los grupos nuevos actúan en el popular **Rock Garden** en Covent Garden casi todas las noches, así como en el Borderline, que se encuentra cerca de Leicester Square, donde los cazadores de talentos de las empresas discográficas van en busca de futuras nuevas estrellas. En **Subterania,** Ladbroke Grove, se ofrecen noches de cantautores. El **Camden Palace** cuenta con una muy buena relación calidad-precio. Las veladas los martes se amenizan con música hindú. Otro buen lugar es **The Garage** en Highbury Corner.

JAZZ

EL NÚMERO de lugares de jazz ha aumentado considerablemente en Londres, ya que tanto la música como el estilo de vida se han vuelto a poner de moda gracias a una visión romántica. **Ronnie Scott's,** en el West End, es todavía el predilecto, donde los mejores artistas del género vienen actuando desde los años cincuenta. El **100 Club** de Oxford Street es otro lugar muy popular para los amantes del jazz.

El **Tenor Clef,** ofrece jazz latino y africano en un ambiente más íntimo. El jazz y la comida forman una hermandad en muchos sitios, como **Palooka-ville** en Covent Garden, **Dover Street Wine Bar** y el vegetariano **Jazz Café,** que están entre los mejores. Otros son el **Pizza Express** de Dean Street y el **Pizza on the Park** en Hyde Park Corner.

El **South Bank Centre** *(ver pp. 186-187)* y también el **Barbican** *(ver p.165)* organizan conciertos formales de jazz, y jazz gratuito en los vestíbulos.

'REGGAE'

LA NUMEROSA comunidad caribeña ha hecho de Londres la capital europea del *reggae.* En el **Carnaval de Notting Hill** *(ver p.57),* a finales de agosto, muchos grupos actúan gratuitamente.

El *reggae* se ha integrado en la escena de la música rock y sus grupos aparecen en los más importantes lugares londinenses.

MÚSICA INTERNACIONAL

MÚSICOS DE todas las partes del globo viven en Londres. El término "música internacional" se refiere a la africana, latina, suramericana y cualquier otra exótica; su popularidad ha ayudado a la revitalización del folclor británico e irlandés.

Cecil Sharp House tiene actuaciones regulares para los puristas folclóricos, mientras que en el **ICA** *(ver p.92)* se ofrecen estilos más innovadores. En muchos *pubs* de Kilburn y Willesden se dedican noches a la música folclórica británica e irlandesa, así como en la Acoustic Room en **Mean Fiddler.**

The Weavers Arms, cerca de Newington Green, tiene fama de ofrecer música cajun, africana y latinoamericana. Esta última puede escucharse también en **Down Mexico Way,** cerca de Piccadilly, y en **Cuba Libre** en Islington. Para sones antillanos y africanos se debe ir a **Le Café de Piaf,** dentro de la estación de Waterloo; el **Africa Centre** en Covent Garden tiene la mayor selección de canciones y comida africanas.

Clubes

EL TÓPICO de que Londres muere cuando se cierran los *pubs* ya no existe. El resto de los europeos ha criticado a los londinenses por irse a la cama a las 11, justo cuando la noche comienza en Madrid, París o Roma; pero ahora en Londres existe una animada vida nocturna. Los mejores clubes no se encuentran ya solamente en el centro de la ciudad, con lo que han desaparecido las molestias del turista alojado a media hora de metro de Leicester Square, ya que puede descubrir un atractivo club nocturno justo en los bajos del hotel.

ETIQUETA

LA MODA y los clubes cambian rápidamente, por lo que se producen continuos cierres y nuevas aperturas. Es aconsejable consultar las revistas especializadas *(ver p.326),* como **The Face,** para evitar el apuro de que a los porteros no les guste la presencia del visitante. En algunos clubes se modifican las reglas sobre vestimenta casi cada noche, así que ha de comprobarse también de antemano.

En unos cuantos se requiere el registro como socio con 48 horas de anticipación y, a veces, ser presentado por un miembro. Los grupos de hombres suelen no ser bien recibidos, de modo que, en este caso, conviene separarse y, si es posible, ir en compañía femenina. Casi seguro deberá hacer cola para entrar. El precio de las entradas suele ser razonable, pero las consumiciones son caras.

El horario es generalmente de 22.00 a 3.00 de lunes a sábado, aunque algunos permanecen abiertos hasta las 6.00 en fin de semana y otros abren a las 20.00 hasta medianoche los sábados.

DISCOTECAS

LONDRES TIENE una de las discotecas más conocidas internacionalmente, **Stringfellows,** tan importante en un recorrido turístico como puede ser Madame Tussaud. Es elegante y cara, por lo que los tejanos están fuera de lugar. La cercana **Hippodrome** es similar. Ésta, una de las discotecas mayores del mundo, tiene una asombrosa iluminación, varios bares y también se sirven comidas.

Los más refinados *nightclubs,* como por ejemplo **Annabel's,** tienen una estricta regla de admisión exclusiva para socios. Han de ser propuestos por miembros y existe una larga lista de espera, por lo que, al menos que uno se mueva en altos círculos, es imposible entrar. Los clubes tradicionales del West End tienen un acceso más fácil, como el **Limelight, Legends** y el **Café de París,** donde se puede bailar toda la noche.

Más al norte, el **Forum** acoge sesiones de *soul* y *rhythm and blues,* similares a **Equinox** en Leicester Square, **Central Park** en Kensington y **Tattershall Castle,** en un barco anclado en el Támesis.

SITIOS DE MODA Y CLUBES NOCTURNOS

EN LOS ÚLTIMOS AÑOS, Londres se ha convertido en la capital con los clubes más innovadores que marcan estilos y tendencias. La *house music* es muy popular y **Heaven** fue el primer lugar nocturno de este tipo. Con su gran pista de baile, excelente luminotecnia y equipo de sonido, cuenta con el favor del público. El nuevo **Ministry of Sound** tiene un estilo neoyorquino que está siendo muy imitado. No posee licencia para bebidas alcohólicas y es muy difícil entrar. Otros clubes de moda son: **Gardening Club, Woody's, Wag Club.**

Como en muchos clubes, **Bar Rhumba** tiene diferente temática cada noche, pero si lo que te gusta es bailar con un poco de picardía y mucha marcha, acude a su noche de salsa. Otro lugar muy divertido es **Blue Note.**

El club nocturno "Talkin' Loud" en el **Fridge** ofrece algunos de los más singulares sonidos de jazz. **Turnmills** es el primer club de Londres abierto las 24 horas; es barato, se escucha jazz y tiene un restaurante decente.

Para los nostálgicos de los setenta, **Le Scandale** tiene la discoteca Carwash, que nunca fue novedosa ni divertida. Ofrece una admisión más barata para los que vayan vestidos a la moda de los setenta. Así lo que pierde en puntos de la moda, lo puede recobrar en su presupuesto para el bar. Otro nostálgico es **79 Club,** en Oxford Street, con música de los 70.

HOMOSEXUALES

EN LONDRES hay un cierto número de clubes *gay.* El más popular y conocido es **Heaven,** con una gran pista, bar y sala de vídeo en la planta alta. El **Fridge** y el **Gardening Club** ofrecen veladas para *gays* y lesbianas, y el primero tiene noches reservadas a lesbianas.

TRAVESTIDOS

LAS CARTELERAS anuncian la noche "Kinky Gerlinky", un espectáculo variado y demasiado atrevido. En Soho, se encuentra **Madame Jojo,** una revista colorista y de alto nivel.

CASINOS

PARA PODER JUGAR hay que ser miembro o invitado de un miembro de un casino con licencia. La mayoría admite nuevos socios, pero tienen que inscribirse con 48 horas de antelación. Muchos autorizan el paso para utilizar sus instalaciones, excepto el juego, hasta las 4.00, hora de cierre. Normalmente tienen excelentes restaurantes y bares, sujetos a las leyes vigentes *(ver p.310).* Muchos ofrecen compañía femenina, pero ha de tenerse en cuenta el dinero que ello supone.

INFORMACIÓN GENERAL

SALAS DE MÚSICA

Brixton Academy
211 Stockwell Rd SW9.
📞 020-7921 9999.

Forum
9–17 Highgate Rd NW5.
📞 020-7284 1001.
📠 020-7284 2300.

Hammersmith Apollo
Queen Caroline St W6.
📞 0870-505 0007.

London Arena
Limeharbour, Isle of Dogs, E14.
📞 020-7538 1212.

Royal Albert Hall
Ver p.203.

Wembley Arena
Empire Way, Wembley, Middlesex HA9.
📞 0870-840 1111.

ROCK Y POP

Astoria
157 Charing Cross Rd WC2. **Plano** 13 B1.
📞 020-7434 9592.

Borderline
Orange Yard, Manette St WC2. **Plano** 13 B1.
📞 020-7734 2095.

Bull and Gate
389 Kentish Town Rd NW5.
📞 020-7485 5358.

Camden Palace
1a Camden High St NW1. **Plano** 4 F2.
📞 020-7387 0428.

The Garage
20-22 Highbury Corner N5.
📞 020-7607 1818.

Limelight
136 Shaftesbury Ave. WC2. **Plano** 13 B2.
📞 020-7434 0572.

Mean Fiddler
24–28a High St NW10.
📞 020-8961 5490.
📠 020-8963 0940.

Powerhaus
240 Seven Sister Rd. N4.
📞 020-7561 9656.
📠 020-7284 2200.

Rock Garden
6–7 The Piazza, Covent Garden WC2. **Plano** 13 C2.
📞 020-7836 4052.

Shepard's Bush Empire
Shepard's Bush Green W12.
📞 020-8740 7474.

Subterania
12 Acklam Rd W10.
📞 020-8960 4590.
📠 020-8284 2200.

Woody's
41-43 Woodfield Rd. W9.
📞 020-7286 5574.

JAZZ

100 Club
100 Oxford St W1.
Plano 13 A1.
📞 020-7636 0933.

Barbican Hall
Ver p.165.

Dover Street Wine Bar
8 Dover St W1. **Plano** 12 F3.
📞 020-7629 9813.

Jazz Café
5 Parkway NW1. **Plano** 4 E1.
📞 020-7916 6060.

Pizza Express
10 Dean St W1. **Plano** 13 A1.
📞 020-7437 9595.

Pizza on the Park
11 Knightsbridge SW1.
Plano 12 D5.
📞 020-7235 5550.

Ronnie Scott's
47 Frith St W1. **Plano** 13 A2.
📞 020-7439 0747

Royal Festival Hall
Ver p.184.

Vortex Jazz Bar
Stoke Newington Church St N16. 📞 020-7254 6516.

MÚSICA INTERNACIONAL

Africa Centre
38 King St WC2.
Plano 13 C2.
📞 020-7836 1973.

Barbican Centre
Ver p. 165.

Cecil Sharp House
2 Regent's Park Rd NW1.
Plano 4 D1.
📞 020-7485 2206.

Cuba Libre
72 Upper St N1.
Plano 6 F1.
📞 020-7354 9998.

Down Mexico Way
25 Swallow St W1.
Plano 12 F3.
📞 020-7437 9895.

ICA
Ver p.92.

Mean Fiddler
22-28A High St NW10.
📞 020-8961 5490.

Queen Elizabeth Hall
South Bank Centre SE1.
Plano 14 D4.
📞 020-7960 4242.

Royal Festival Hall
📞 Ver pp. 184-185.

CLUBES

Annabel's
44 Berkeley Sq W1.
Plano 12 E3.
📞 020-7629 1096.

Bar Rhumba
36 Shaftesbury Ave WC20.
Plano 13 B1.
📞 020-7287 2715.

Café de Paris
3 Coventry St W1.
Plano 13 A3.
📞 020-7734 7700.

Equinox
Leicester Sq WC2. **Plano** 13 B2. 📞 020-7437 1446.

Fridge
Town Hall Parade, Brixton Hill SW2.
📞 020-7326 5100.

Gardening Club
4 The Piazza, Covent Garden WC2.
Plano 13 C2.
📞 020-7497 3154.

Gossips
69 Dean St W1.
Plano 13 A2.
📞 020-7434 4480.

Heaven
Bajo los arcos, Villiers St WC2. **Plano** 13 C3.
📞 020-7930 2020.

Hippodrome
Cranbourn St WC2.
Plano 13 B2.
📞 020-7437 4311.

Legends
29 Old Burlington St W1.
Plano 12 F3.
📞 020-7437 9933.

Madame Jojo
8–10 Brewer St W1.
Plano 13 A2.
📞 020-7734 2473.

Ministry of Sound
103 Gaunt St SE1.
📞 020-7378 6528.

Le Scandale
53–54 Berwick St W1.
Plano 13 A1.
📞 020-7437 6830.

Stringfellows
16 Upper St Martin's Lane WC2. **Plano** 13 B2.
📞 020-7240 5534.

Tattershall Castle
Victoria Embankment, SW1. **Plano** 13 C3.
📞 020-7839 6548.

Turnmills
63 Clerkenwell Road EC1
Plano 6 E5.
📞 020-7250 3409.

Wag Club
35 Wardour St W1.
Plano 13 A2.
📞 020-7437 5534.

Deportes

L A OFERTA deportiva es extraordinaria. Si se quiere presenciar un partido de tenis medieval o se quiere hacer submarinismo en el centro de la ciudad, Londres es el lugar adecuado. Lo más probable es que se quiera ver un partido de fútbol o de rugby, o jugar al tenis en un parque. Con más instalaciones públicas que la mayoría de las capitales europeas, Londres permite disfrutar de los deportes sin que cueste mucho dinero. De lo que la ciudad carece es de estadio nacional. El viejo Wembley Stadium ha sido demolido y será reemplazado –posiblemente para 2004–, pero se tiene que considerar el proyecto política y económicamente.

ATLETISMO

L OS ATLETAS disponen de una buena elección de pistas que suelen ser gratuitas. El **Linford Christie Stadium** tiene buenas instalaciones; **Regent's Park** y **Parliament Hill Fields** son gratuitos. Para un *jogging* "colectivo", únase a los *Bow Street Runners* en el **Jubilee Hall,** los martes a las 18.00.

CARRERAS DE CABALLOS

S e celebran en verano y las carreras de obstáculos en invierno, en **Ascot, Kempton Park** y **Sandown Park,** todos situados a menos de una hora desde el centro de Londres en tren. La más famosa de Gran Bretaña, el Derby, se corre en **Epson** en junio.

CARRERAS DE COCHES USADOS

S e celebran en el **Wimbledon Stadium.** Suelen ser muy ruidosas, pero es posible presenciarlas desde el restaurante, lejos del ruido, de los golpes y del humo.

CARRERAS DE GALGOS

E N UNA NOCHE de *down the dogs* se pueden seguir las carreras desde la pantalla del televisor del bar, presenciarlas en la pista desde el restaurante si se ha reservado. **Walthamstow Stadium** y **Wimbledon Stadium** son buenos lugares.

CRÍQUET

L AS PRUEBAS de cinco días y los torneos internacionales de un día se celebran en verano en Lord's *(ver p. 244)* y en el Oval, cerca de Vauxhall. Las entradas para los cuatro primeros días de pruebas y para los juegos de un día son difíciles de conseguir, pero se pueden obtener el último día y ver una final emocionante. Cuando en Middlesex y Surrey se juegan partidos es más fácil conseguir localidades en estos campos.

CULTURISMO

L A MAYORÍA de los polideportivos tiene gimnasios, estudios de culturismo y clubes de salud. Si se es miembro del YMCA se pueden usar las excelentes instalaciones de **Central YMCA, Jubilee Hall** y **Swiss Cottage Sports Centre,** donde se ofrecen clases de aerobic. El **Chelsea Sports Centre** cuenta con una clínica para tratar lesiones.

DEPORTES ACUÁTICOS

E L EQUIPO NECESARIO para la práctica de estos deportes se puede encontrar en **Docklands Sailing and Water Sports Centre.** Podrá elegir entre deportes como windsurf, vela, esquí acuático, navegación en canoas fueraborda y piragüismo. Se alquilan embarcaciones en la **Serpentine** en Hyde Park y en **Regent's Park Lake.**

DEPORTES TRADICIONALES

U NA VIEJA tradición es la regata universitaria entre Oxford y Cambridge en marzo o abril, en el Támesis, desde Putney a Mortlake *(ver p.56).* Se ha hecho ya tradicional el maratón desde Greenwich al The Mall de Westminster *(ver p.56)* un domingo de abril. Se puede presenciar croquet en el **Hurlington Club** y tenis medieval en el **Queen's Club.**

EQUITACIÓN

D ESDE HACE SIGLOS, los jinetes han ejercitado sus caballos en Hyde Park. **Ross Nye** proporciona caballos para poder seguir la tradición.

FÚTBOL

E s el espectáculo deportivo más popular en Gran Bretaña, y su temporada se extiende de agosto a mayo. Es el tema más común de conversación en los *pubs,* donde se pueden ver los partidos retransmitidos en directo por la televisión. Las entradas para los encuentros de la Premier League y la FA Cup pueden venderse con antelación, pero habitualmente encontrará entradas para los partidos de la selección en Wembley. Los principales clubes londinenses son **Arsenal, Chelsea, West Ham** y **Tottenham Hotspur.**

GOLF

N O HAY campos de golf en el centro de Londres, pero sí en sus alrededores. Los más accesibles son **Hounslow Heath, Chessington** (nueve hoyos, tren desde Waterloo) y **Richmond Park** (dos campos y espacio de entrenamiento cubierto e informatizado). Se puede alquilar un juego de palos a precio razonable.

NATACIÓN

L AS MEJORES piscinas cubiertas están en **Chelsea Sports Centre** y **Porchester Baths.** Al aire libre, **Highgate** (hombres), **Kenwood** (mujeres) y **Hampstead** (mixta).

PATINAJE SOBRE HIELO

L OS AFICIONADOS pueden practicar en la mejor pista de Londres, **Queens,** donde también se alquilan patines. La más atractiva, abierta sólo en invierno, se halla en el centro de **Broadgate,** en el corazón de la City.

RUGBY

LA RUGBY UNION es para los equipos aficionados y los partidos internacionales se juegan en **Twickenham Rugby Football Ground.** La temporada se prolonga de septiembre a abril. Los mejores equipos londinenses son: **Sarracens** y **Rosslyn Park.**

SQUASH

LAS PISTAS de squash están muy solicitadas, por lo que han de reservarse con al menos

dos días de antelación. Muchos polideportivos tienen pistas y alquilan el equipo, entre ellos **Swiss Cottage Sports Centre** y el **Sadlers Sport Centre.**

TENIS

HAY CIENTOS de pistas de tenis en los parques públicos, la mayoría baratas y fáciles de reservar. Suelen estar muy solicitadas en verano, por lo que deben apalabrarse dos o tres días antes y llevar las propias raquetas y bolas. Las

mejores pistas están en **Holland Park, Parliament Hill** y **Swiss Cottage.**

Las localidades para la pista central de **All England Lawn Tennis Club** en Wimbledon, son tan difíciles de obtener que se dice que es más sencillo entrar como jugador en el famoso torneo. Suele haber colas durante toda la noche y después del almuerzo para comprar las posibles devoluciones. Si hay suerte, se puede disfrutar de cuatro horas de tenis a un buen precio *(ver p.249).*

(ver p.249).

INFORMACIÓN GENERAL

Información deportiva general
☎ 020-7222 8000.

Greater London Sports Council
☎ 020-7273 1500.

All England Lawn Tennis and Croquet Club
Church Rd, Wimbledon SW19. ☎ 020-8946 2244.

Arsenal Stadium
Avenell Rd, Highbury N5.
☎ 020-7704 4000.

Ascot Racecourse
Ascot, Berkshire.
☎ 01344 622211.

Broadgate Ice Rink
Broadgate Circle EC2.
Plano 7 C5.
☎ 020-7505 4068.

Central YMCA
112 Great Russell St WC1. **Plano** 13 B1.
☎ 020-7637 8131.

Chelsea Football Club
Stamford Bridje SW6.
☎ 020-7385 5545.

Chelsea Sports Centre
Chelsea Manor St SW3.
Plano 19 B5.
☎ 020-7352 6985.

Chessington Golf Course
Garrison Lane, Surrey.
☎ 020-8391 0948.

Docklands Sailing and Watersports Centre
235a Westferry Rd, E14.
☎ 020-7537 2626.

Epsom Racecourse
Epsom Downs, Surrey.
☎ 01372 726311.

Holland Park Lawn Tennis Courts
Kensington High St W8.
Plano 9 B5.
☎ 020-7602 2226.

Hounslow Heath Golf Course
Staines Rd, Hounslow, Middlesex.
☎ 020-8570 5271.

Hurlingham Club
Ranelagh Gdns SW6.
☎ 020-7736 8411.

Jubilee Hall Sports Centre
30 The Piazza, Covent Garden WC2. **Plano** 13 C2.
☎ 020-7836 4007.

Kempton Park Racecourse
Sunbury on Thames, Middx.
☎ 01932 782292.

Kenwood and Highgate Ponds
Millfield Lane N6.
Plano 2 E3.
☎ 020-7485 3873.

Lindford Christie Stadium
Du Cane Rd W12.
☎ 020-8743 3401.

Lord's Cricket Ground
St John's Wood NW8.

Plano 3 A3.
☎ 020-7289 1611.

Oasis Swiming Pool & Sports Centre
32 Endell St WC2.
Plano 13 B1.
☎ 020-7831 1804.

Oval Cricket Ground
Kennington Oval SE11.
Plano 22 D4.
☎ 020-7582 6660.

Parliament Hill
Highgate Rd NW5.
Plano 2 E5.
☎ 020-7435 8998 *(atletismo).*
☎ 020-7284 3779 (tenis).

Porchester Centre
Queensway W2.
Plano 10 D1.
☎ 020-7792 2919.

Queen's Club (Real Tennis)
Palliser Rd W14.
Plano 17 A3.
☎ 020-7385 3421.

Queens Ice Skating Club
17 Queensway W2.
Plano 10 E2.
☎ 020-7229 0172.

Regent's Park Lake
Regent's Park NW1.
Plano 3 C3.
☎ 020-7486 7905.

Richmond Park Golf
Roehampton Gate, Priory Lane SW15.
☎ 020-8876 3205.

Rosslyn Park Rugby
Priory Lane, Upper Richmond Rd SW15.
☎ 020-8876 1879.

Ross Nye Stables
8 Bathurst Mews W2.
Plano 11 A2.
☎ 020-7262 3791.

Sandown Park Racecourse
Esher, Surrey.
☎ 01372 463072.

Saracens Rugby Football Club
5 Vicarage Rd, Westford Herdforshire WD1.
☎ 0192-496 200.

Serpentine
Hyde Park W2.
Plano 11 B4.
☎ 020-7706 3422.

Swiss Cottage Sports Centre
Winchester Rd NW3.
☎ 020-7413 6490.

Tottenham Hotspur FC
White Hart Lane, 748 High Rd N17.
☎ 020-8365 5050.

Twickenham Rugby Ground
Whitton Rd, Twickenham, Middlesex.
☎ 020-8892 2000.

Walthamstow Stadium
Chingford Rd E4.
☎ 020-8498 3300.

West Ham United
Boleyn Ground, Green St, Upton Park E13.
☎ 020-8548 2700.

LONDRES PARA NIÑOS

ONDRES OFRECE a los niños una extraordinaria variedad de diversiones y aventuras. Cada año se inauguran nuevas atracciones y las viejas se renuevan y modernizan. Quienes lo visitan por primera vez preferirán ver las ceremonias tradicionales *(ver pp.52–55)* o visitar los edificios famosos *(ver p.35),* pero eso es solamente la punta del iceberg. Mientras que en los parques,

Muñeco Humpty Dumpty

zoológicos y zonas de recreo se ofrecen actividades al aire libre, hay también gran cantidad de talleres, centros de actividades y museos que cuentan con los más dispares entretenimientos. Un día de diversión no tiene por qué ser caro; los niños disfrutan de tarifas reducidas en el London Transport y en los museos, y la mayoría de las atracciones, como zoos y ceremonias, son gratuitas.

CONSEJOS PRÁCTICOS

ABRÁ QUE planear antes las actividades del día. Para saber las horas de apertura de los sitios que se desea visitar, conviene llamar antes por teléfono y trazar el trayecto a realizar, usando el plano del metro que se halla al final de este libro. Si se viaja con niños muy pequeños, hay que tener en cuenta que suele haber colas en las estaciones de metro o autobuses cerca de los sitios más populares en las horas punta, por lo que deben obtenerse los billetes o una Travelcard con antelación *(ver p.362).*

Los menores de 5 años viajan gratis en el metro y autobuses; las reducciones se aplican entre los 5 y 15 años. (Los de 14 o 15 que parezcan mayores deben ir provistos del carné de identidad). A los niños les gusta el transporte público, especialmente

Títeres en la Piazza, Covent Garden

cuando es una novedad, por lo que se debe planear una forma de transporte a la ida y otra a la vuelta. Se puede viajar fácilmente por Londres en autobús, metro, taxi y barco *(ver pp.362–369).*

La visita a exposiciones y museos con toda la familia no resulta tan cara como parece. Se

Payasos de Covent Garden

puede adquirir una tarjeta de temporada para dos adultos y hasta cuatro niños en muchos museos y cuesta sólo un poco más que la entrada normal. También hay tarjetas que sirven para unos museos determinados, como el Science, Natural History y Victoria and Albert Museum en South Kensington *(ver pp.198–213).*

El realizar más de una visita puede significar el agotamiento de los niños, haciéndoles odiar los museos por querer verlo todo en un día. Si necesitan un descanso entre visitas, en la mayoría de los municipios se facilita información sobre actividades infantiles en las zonas de recreo, como teatros, ferias y áreas de juego. También hay folletos disponibles en bibliotecas y centros de recreo. En las largas vacaciones escolares del verano (julio a principios de septiembre) se organizan programas de actividades.

LOS NIÑOS Y LA LEY

OS NIÑOS MENORES de 14 años no pueden entrar en *pubs* y bares (a menos que tengan una sala familiar o un jardín), y sólo los mayores de 18 años pueden beber o comprar bebidas alcohólicas. En los restaurantes, únicamente los de 16 años o más pueden beber vino con la comida. Algunas películas están clasificadas como no aptas para niños *(ver p.331)* y los

Restaurantes para Comer con Niños

En la sección *Elegir un restaurante (ver pp.290–293)* figuran establecimientos en los que se recibe bien a los niños. Pero si se portan razonablemente, no tienen problemas en la mayoría de los restaurantes informales de Londres. Algunos hasta proporcionan sillas altas o cojines y coloridos salvamanteles para que se entretengan durante la espera de la comida. Muchos ofrecen también menús especiales para niños, lo que reduce la factura final.

En los fines de semana, en varios restaurantes, como **Smollensky's on The Strand y Sticky Fingers,** se presentan diversas atracciones infantiles, como pueden ser payasos, narradores de cuentos y magos. Varios de los establecimientos aceptan reservas para celebrar fiestas de niños. Siempre resulta conveniente reservar con antelación, especialmente en el almuerzo de los domingos, así no tendrá que dar vueltas por la ciudad con los niños cansados y hambrientos.

Juegos en Smollensky's Balloon on The Strand

Londres tiene varios restaurantes ideales para niños algo mayores. Entre ellos están el **Rainforest Cafe** y el **Hard Rock Café** en Old Park Lane.

El **Café in the Crypt,** en St Martin-in-the-Fields *(ver p.102),* sirve comidas económicas.

Elefantes en el Rainforest Cafe

Direcciones Útiles

Hard Rock Café
150 Old Park Lane W1. **Plano** 12 E4.
📞 020-7629 0382.

Rainforest Café
20 Shaftsbury Ave W1. **Plano** 13 A2.
📞 020-7434 3111.

Smollensky's on The Strand
105 The Strand WC2. **Plano** 14 D2.
📞 020-7497 2101.

Sticky Fingers
1a Phillimore Gdns W8. **Plano** 9 C5.
📞 020-7938 5338.

---

pequeños no son demasiado bien recibidos por las travesuras que puedan hacer.

Si se les quiere llevar en coche, deben usarse los cinturones de seguridad y asientos especiales para los más pequeños. Si hay dudas, consúltese en cualquier comisaría de policía.

Guarderías

MUCHOS DE LOS grandes museos londinenses *(ver pp.40–43)* y teatros *(ver pp. 328–330)* disponen, durante los fines de semana y en vacaciones, de guarderías en las que se puede dejar a los niños durante unas horas o todo el día; los teatros infantiles son una buena forma de pasar una tarde lluviosa. Un día en una feria es siempre un éxito; se puede visitar la de Hampstead en los días festivos del verano.

Londres tiene muchos grandes polideportivos *(ver pp.338–339)* que suelen abrir todo el día y disponen de clubes y actividades especiales para niños de todas las edades.

Si se quiere un descanso total, llamar a **Childminders, Annies Nannies, Kensington Nannies** o **Pippa Pop–Ins,** un hotel para niños entre 2 y 12 años.

Cuidado de Niños

Annies Nannies
1 Hughes Mews, 143 Chatham Rd, SW1. 📞 020-7924 6464.

Childminders
9 Nottingham Street W1.
Plano 4 D5.
📞 020-7487 5040.

Kensington Nannies
82 Kensington High st SW6.
Plano 10 D5.
📞 020-7385 2458.

Pippa Pop-Ins
430 Fulham Road SW6.
Plano 18 D5.
📞 020-7385 2458.

En la feria de Hampstead

Baño divertido en Pippa Pop-Ins

COMPRAS

Todos los niños adoran una visita al almacén de juguetes **Hamleys** o a la sección de juguetería de Harrod's *(ver p.313)*. **Davenport's Magic Shop** y **The Doll's House** son más pequeños y más especializados.

Tanto **Early Learning Centre**, con sus diversas sucursales, como **Children's Book Centre** tienen buenas selecciones de libros. En algunas librerías se organizan lecturas y sesiones de firma de autores, especialmente durante la Semana del Libro Infantil en octubre.

Teléfonos útiles

Children's Book Centre [020-7937 7497; Davenport's Magic Shop [020-7581 5764; The Doll's House [020-7736 4527; Early Learning Centre [020-7581 5764; Hamleys [020-7494 2000.

Osos en la juguetería Hamleys

MUSEOS Y GALERÍAS

L ONDRES POSEE una gran riqueza en museos, galerías y exposiciones; más información al respecto se puede encontrar en las páginas 40–43. La mayoría han sido modernizados en los últimos años para dotarlos de las más modernas técnicas de exhibición. No es probable, por tanto, que uno tenga que empujar a sus remisos hijos entre una aburrida y triste variedad de objetos.

El Bethnal Green Museum of Childhood (la rama infantil del Victoria and Albert) y el Pollock's Toy Museum están especialmente indicados para niños pequeños.

Para algo más mayores, visitar uno de los Brass Rubbing Centres en la cripta de St Martin-in-the-Fields *(ver p.102)*, abadía de Westminster *(ver pp.76–79)* o St James's Church, Piccadilly *(ver p.90)*. Las exposiciones del Guinness World of Records *(ver p.100)* en el Trocadero (cerca de Leicester Square), Madame Tussauds *(ver p.224)* o la Torre de Londres *(ver p.153)* son lugares para ir con niños.

Muñeca Shirley Temple, museo de Bethnal Green

El museo Británico alberga fabulosos tesoros de todo el mundo; Commonwealth Experience y el museo Horniman y muestran espectaculares exhibiciones de culturas muy diferentes. El Science Museum, con más de 600 piezas en funcionamiento, es una de las mayores atracciones para niños; su galería Launch Pad los mantiene divertidos durante horas. Si todavía le quedan fuerzas, el Natural History Museum, en la siguiente puerta, contiene cientos de asombrosos objetos y animales de la naturaleza, incluida una nueva exposición

de dinosaurios con efectos sonoros. Las armaduras y arreos de los caballeros y monarcas se pueden ver en la Torre de Londres, y elementos bélicos más modernos, como blindajes, armas y aviones hasta nuestros días, pueden contemplarse en el National Army Museum y en el Imperial War Museum. También es grata una visita al Guard's Museum, situado en Birdcage Walk. El pasado y el presente de Londres pueden contemplarse en el Museum of London. El magnífico **Acuario de Londres** *(p. 189)*, en la orilla del Támesis, permite un acercamiento a la vida marina, desde las estrellas de mar a los tiburones.

VIDA AL AIRE LIBRE

L ONDRES ES afortunado por disponer de muchos parques y espacios abiertos *(ver pp.48– 51)*. La mayoría de los parques de barrio posee zonas de recreo infantil con equipo moderno y seguro. En algunos existen también los One O'Clock Clubs (áreas cerradas para menores de 5 años

Títeres en el Little Angel Marionette Theatre, Highbury

Zona de recreo, Gunnersbury Park

con supervisores) y lugares de juego, sendas, estanques para remar y pistas de atletismo para niños mayores, jóvenes y adultos. Volar cometas en Blackheath (ver p.243), Hampstead Heath o Parliament Hill puede ser una gran diversión, lo mismo que remar en Regent's Park. Un viaje a Primrose Hill (ver pp.266–267) se puede combinar con una visita al zoo de Londres y al Regent's Canal (ver p.227).

Los grandes parques son una de las ventajas de Londres para padres con hijos muy activos. Hay profusión de parques, ideales para una buena caminata o un paseo en bicicleta. Por ejemplo, Hyde Park en el centro de la ciudad; Hampstead Heath al norte; Wimbledon Common en el suroeste y Gunnersbury Park en el oeste. Los ciclistas deben observar las reglas de tráfico y recordar que algunos caminos les están vedados.

En Battersea Park hay un zoo para niños y en Crystal Palace Park (Penge SE20) una granja infantil. Los parques de Greenwich y Richmond tienen ciervos y el estanque de St James's Park multitud de patos.

Esqueleto de tiranosaurio en el Natural History Museum

TEATRO PARA NIÑOS

LLEVAR A LOS NIÑOS al teatro puede ser también una gran diversión para los adultos. Ejemplos de ello son el **Little Angel Theatre** o la fantasía flotante del **Puppet Theatre Barge** en Little Venice. El **Unicorn Theatre** ofrece la mejor variedad de teatro infantil y el **Polka Children's Theatre** tiene buenas representaciones. **Teléfonos útiles** Little Angel Theatre 0836 202745; Polka Children's Theatre 020-8543 3741; Puppet Theatre Barge Marionette Performers 020-7249 6876; The Unicorn Theatre 020-7379 3280.

Corzo en Richmond Park

TURISMO

PARA VER bien Londres, nada mejor que el piso alto de un autobús del servicio público (ver pp.364–365). Es una forma barata y sencilla de entretener a los niños, y si éstos se muestran inquietos, siempre se puede dejar el autobús. Las ceremonias de Londres están detalladas en las páginas 52 a 55.

Los niños también disfrutarán con las ferias de verano de los parques, los fuegos artificiales en la noche

Barcas en el lago cerca de Winfield House en Regent's Park

de Guy Fawkes, el 5 de noviembre, y las decoraciones de Navidad en Regent Street y Trafalgar Square.

ENTRE BASTIDORES

A LOS NIÑOS más mayores les entusiasmará ver entre bastidores cómo funcionan los acontecimientos famosos y las instituciones.

Si les gusta el deporte, una visita a los estadios de Wembley, de Twickenham para el rugby (ver p.339), de Lord's para críquet (ver p.246) o al museo de Tenis de Wimbledon (p. 251), les encantará.

Los aficionados al teatro disfrutarán con las visitas que se ofrecen en el Royal National Theatre (ver p.188), la Royal Opera House (ver p.115) y Salder's Wells (ver p.332).

Otros edificios interesantes son la Torre de Londres (ver pp.154–157), los juzgados de Old Bailey (ver p.147) y las Casas del Parlamento (ver pp.72–73).

La Brigada de Bomberos de Londres (020-7587 4063) y el Centro de Diamantes de Londres (020-7629 5511) ofrecen curiosas visitas con guías.

MANUAL DE
SUPERVIVENCIA

INFORMACIÓN PRÁCTICA

Londres responde bien a las demandas del turismo. Los servicios ofrecidos a los viajeros, desde cajeros automáticos para retirar dinero y oficinas de cambio de divisas, hasta los cuidados médicos y transportes nocturnos, se han desarrollado notablemente en los últimos años. Los precios –altos o baratos– dependerán del tipo de cambio entre la libra esterlina y la divisa propia.

Se dice habitualmente que los hoteles son caros, pero hay opciones más baratas *(ver pp.272–275)*. No se necesita gastar mucho en comer si se elige cuidadosamente: por el precio de una comida en un restaurante de Mayfair, una persona puede alimentarse, aunque modestamente, varios días *(ver pp.306–308)*. Los siguientes consejos le ayudarán a sacar mayor provecho de su visita.

Una visita peatonal en la City

EVITAR MULTITUDES

Museos y galerías pueden estar repletos con grupos de colegios, sobre todo hacia final de curso, y por tanto lo mejor es planear la visita antes de las 14.30. En todo caso, realizarla temprano y evitando los fines de semana.

Los grupos en autobús son otro motivo de congestión. Sin embargo, siguen siempre una misma ruta. Para evitarlos, es mejor apartarse de la abadía de Westminster por las mañanas y de St Paul a primeras horas de la tarde. La Torre de Londres tiene gente a cualquier hora.

Gran parte de Londres puede verse a pie. En las señales de color marrón se muestran los lugares y la información de interés para el turista. Las placas azules en los edificios *(ver p.39)* indican personajes famosos que vivieron en ellos.

VISITAS CON GUÍA

Una buena forma de ver Londres, si el tiempo lo permite, es desde el piso de arriba descubierto de un autobús. El **London Transport Sightseeing Tour** dura unos 90 minutos y sale cada media hora (10.00 a 18.00) de varios puntos en el centro. Firmas comerciales como **Back Roads Touring** y **Harrod's** ofrecen visitas de una hora o día completo. Se compran los billetes al subir o reservar por anticipado en centros de información de turismo. También se pueden organizar recorridos privados con empresas como **Tour Guides Ltd** o **British Tours.** La mejor empresa de visitas con guía recibe el premio de una Banda Azul de la Dirección de Turismo de Londres.

Existen también recorridos a pie *(ver p.263)*, cuyos objetivos van desde un recorrido por los *pubs* a una excursión siguiendo los pasos de Dickens. Hay anuncios de estas visitas en oficinas de turismo y revistas *(ver p.326)*.

Una excelente forma de viajar por Londres son los barcos de cruceros que operan en el río Támesis *(ver pp.60–65)*.

Teléfonos útiles British Tours ☎ 020-7734 8734; Back Roads Touring ☎ 020-8566 5312; Harrod's ☎ 020-7581 3603; London Transport Sightseeing Tour ☎ 020-7828 7395; Tour Guides Ltd ☎ 020-7839 2498; información para minusválidos: ☎ 020-7495 5504.

HORARIOS

Los horarios de los lugares están detallados en la sección *Itinerarios* de este libro. Las horas de apertura, generalmente, son de 10.00 a 18.00, aunque en verano muchos están abiertos hasta más tarde. Otros, como el museo Británico, prolongan su apertura en ciertos días. El horario varía los fines de semana y fiestas. La hora de apertura es más restringida los domingos; unos cuantos museos cierran los lunes.

Un autobús turístico de dos pisos con jardinera

Cola para el autobús

Precios de Admisión

Muchos lugares turísticos importantes, incluidas las catedrales de Londres y algunas iglesias, han comenzado a cobrar la admisión o pedir un donativo a la entrada. Los precios varían bastante. En la sección *Itinerarios* se indican los precios de los museos. Algunos lugares tienen horas de visita a precios reducidos y ofrecen descuentos. Lo mejor es telefonear para informarse.

La GoSe Card es una tarjeta que permite visitar 17 museos y galerías de Londres de modo más económico. Válida para tres o siete días, está disponible en muchos centros de turistas y de viajes.

Señales con información para turistas

Costumbres

Fumar está prohibido en la mayor parte de los lugares públicos de Londres. Éstos son, entre otros, el metro y los autobuses, taxis y algunas estaciones de ferrocarril, además de todos los teatros y cines. Muchos restaurantes tienen áreas de no fumadores. La gran excepción de la tendencia anti–tabaco son los *pubs*. ASH (Acción Sobre Tabaco y Salud) ofrece detalles sobre lugares de no fumadores (0171–935 3519) y para el mismo fin consultar la lista de hoteles y restaurantes (*ver pp.278–285 y 295–305*).

A los anglosajones les gusta mantener las distancias. Modales tan latinos, como reconfortar el codo, acercarse más de lo normal o descansar la mano en un hombro deben evitarse. Dos interlocutores nunca se tocan y reservan estrecharse la mano en el momento de las presentaciones, eso sí, mirándose fijamente a los ojos.

Las palabras "please", "thank you" y "sorry" se usan constantemente; hay gente que pide perdón al que le pisa. Puede ser innecesario dar las gracias al camarero, pero mejora las posibilidades de un servicio decente.

Como toda gran ciudad, Londres puede parecer huraña a los forasteros, pero los londinenses son muy solícitos y responden con cortesía a las preguntas sobre direcciones. El *bobby* (policía de calle) siempre está dispuesto para ayudar a los turistas (*ver p.348*).

Viajeros Discapacitados

Muchos lugares disponen de accesos para sillas de ruedas. La informa-ción se detalla en la sección *Itinerarios* de este libro, pero se debe llamar para comprobar según las necesidades de cada cual. Guías útiles son *Access in London*, publicada por Nicholson; *London for All*, publicada por la London Tourist Board; y un folleto del London Transport titulado *Access to the Underground*, disponible en estaciones de metro. En **Artsline** se informa gratis sobre servicios en actos culturales y edificios afines. En **Holiday Care Service** se ofrecen detalles sobre hoteles, y en **Tripscope** se proporciona información gratis sobre transporte para minusválidos y personas mayores.

Teléfonos útiles Artsline 020-7388 2227; Holiday Care Service 01293 771500; Tripscope 0202-8580 7021.

Urna para donativos cuando no hay que pagar entrada

Centros de Información Turística

En España
Turismo Británico (BTA)
Apdo. Correos 42078.
28080 Madrid.

Símbolo de información turística

902 171 181 (castellano y catalán).
FAX 913 86 10 88.
@ turismo.britanico@bta.org.uk (castellano).
@ turisme.britanic@bta.org.uk (catalán).
W www.visitbritain.com/es

En Londres
Heathrow Airport
Situación Estación de metro.
Heathrow, 1, 2, 3. **Abierto** 8.00–18.00 todos los días.

Liverpool Street Station
EC2. **Plano** 7 C5.
Situación Estación de metro.
Liverpool Street. **Abierto** 8.15–19.00 lu, 8.15–18.00 ma–sa, 8.15–16.45 do.

Selfridge's
400 Oxford St W1. **Plano** 12 D2.
Situación el sótano. Bond Street. **Abierto** 9.30–19.00 vi–mi, 9.30–20.00 ju.

Victoria Station
SW1. **Plano** 20 F1. **Situación** Vestíbulo. Victoria. **Abierto** 8.00–19.00 todos los días.

Se puede telefonear también a la Dirección de Turismo de Londres:
020-7932 2000.
W www.londontown.com

Existe otro servicio para información del área de la City de Londres (ver pp.143–159):

City of London Information Centre
St Paul's Churchyard EC4.
Plano 15 A1. 020-7332 1456.
St Paul's. **Abierto** abr–oct: 9.30–17.00 todos los días; nov–mar: 9.30–12.30 sa sólo.

Seguridad personal y salud

L ONDRES ES una ciudad grande que, como cualquier otra, tiene sus problemas urbanos. Nunca se debe dudar en acudir en demanda de ayuda a alguno de los muchos policías que patrullan las calles, ya que están preparados para resolver los problemas del público. En los consulados existentes en Londres también se ofrece ayuda de primera mano en cuanto a documentación o gastos de repatriación.

PRECAUCIONES ACONSEJABLES

H AY POCAS probabilidades de que la estancia en Londres se vea trastornada por el espectro de la violencia. Incluso en las zonas más conflictivas de la ciudad, el riesgo de ser atracado no es muy grande. Es más probable que le quiten la cartera o el bolso en las aglomeraciones de los centros comerciales o grandes tiendas en zonas como Oxford Street o Camden Lock, o, quizá, en un concurrido andén del metro.

Los asaltantes y violadores prefieren las zonas aisladas y mal iluminadas, como calles secundarias, parques y estaciones automáticas de ferrocarril. Si se evitan, en especial de noche, o se va en grupo, disminuye el peligro.

Los carteristas y ladrones representan un problema más inmediato. Se deben guardar o esconder los objetos de valor, y si se lleva un bolso de mano, nunca hay que perderlo de vista, principalmente en restaurantes, teatros y cines, donde no es extraño que desaparezcan de entre los pies de sus dueños.

Aunque Londres tiene algunos vagabundos, éstos no representan un riesgo. Lo más que pueden hacer es pedir unos peniques.

MUJERES QUE VIAJAN SOLAS

A L IGUAL QUE en España, en Londres se considera normal que una mujer coma sola en un restaurante o vaya con un grupo a un *pub* o bar. Sin embargo, el riesgo existe y las precauciones son esenciales, como circular por calles bien iluminadas y con mucho

Agente de policía montado

tráfico, evitar viajar en el metro por la noche y sola en los trenes. Si no se tiene compañía, deben buscarse los compartimientos ocupados. Y lo mejor de todo es tomar un taxi *(ver p.369).*

Muchas formas de defensa personal están restringidas en el Reino Unido y es ilegal portar en lugares públicos varios tipos de armas ofensivas como cuchillos, porras, pistolas y cartuchos de gas. Se permiten los sistemas de alarma personal.

EFECTOS PERSONALES

D EBEN TOMARSE sensatas precauciones con los efectos personales en todo momento y asegurarlos antes de entrar en el Reino Unido, donde es difícil hacerlo para los visitantes.

No conviene llevarlos a todas partes, sino tomar el dinero que vaya a hacer falta y dejar el resto en la caja fuerte del hotel. El modo más seguro de llevar grandes sumas de dinero son los cheques de viaje *(ver p.351).* No abandonar nunca bolsas o equipaje en estaciones de metro o tren, porque pueden ser sustraídos o considerados sospechosos de contener explosivos, originando la consiguiente alarma.

Denunciar los objetos perdidos en la comisaría de policía más cercana y solicitar comprobantes si se ha de reclamar a una compañía de seguros. Cada estación principal de ferrocarril tiene una oficina de objetos perdidos. Si se ha dejado algo en el metro o el autobús, lo mejor es llamar a los teléfonos siguientes.

Lost Property

Oficinas de Objetos Perdidos
London Transport Lost Property Office, 200 Baker Street W1. *Abierta entre semana 9.00-14.00.* 020-7486 24 96; *las consultas deben hacerse en persona;* Black Cab Lost Property Office *(taxis).* 020-7833 0996.

Mujer policía

Policía de tráfico

Policía de patrulla

Coche de la policía londinense

Ambulancia de Londres

Coche de bomberos londinense

URGENCIAS

LA POLICÍA, los bomberos y las ambulancias tienen servicios las 24 horas del día, así como los servicios de urgencias de los hospitales.

También se dispone de ayuda en emergencias, como en casos de violaciones. Si no encuentra un teléfono apropiado en la columna de *En caso de emergencia* (ver a la derecha), se puede obtener en información telefónica (marcar 142 o 192). Las comisarías de policía y las salas de urgencias de hospitales se muestran en el *Callejero* (ver pp.368–369).

TRATAMIENTO MÉDICO

LOS VIAJEROS procedentes de países fuera de la Unión Europea (UE) deben suscribir un seguro que les cubra gastos médicos, quirúrgicos, farmacéuticos, de hospitalización, y otras contingencias como la repatriación o el desplazamiento de algún familiar hasta el lugar donde haya enfermado el cliente.

Entre el Insalud español y el National Health Service (NHS)

británico se ha suscrito un convenio de asistencia sanitaria. El viajero español sólo tiene que solicitar en cualquier agencia de la Seguridad Social el formulario E-111 y cumplimentarlo debidamente. Este documento certifica que su titular está registrado en el sistema de Seguridad Social español, en cuyo caso tiene derecho a asistencia de urgencias y hospitalización gratuitas, además de otras prestaciones cuya devolución puede solicitar en el Insalud a su regreso. Para más información, contacte con el **Instituto Nacional de la Seguridad Social** en el teléfono 900 16 65 65.

Las visitas a médicos especialistas no se contemplan en el convenio entre España y el Reino Unido, y esto incluye a los dentistas. Sin embargo, el NHS dispone de urgencias dentales (ver direcciones a la derecha) a las que tienen derecho los viajeros españoles. Si desea visitar a un dentista privado no tiene más que buscar en las Páginas Amarillas (*ver p.352*).

MEDICINAS

SE PUEDE COMPRAR la mayoría de los medicamentos en farmacias y supermercados en todo Londres. Sin embargo, muchas se venden sólo con receta médica. Si se va a necesitar medicinas, lo mejor es llevarlas consigo o pedir al médico de cabecera que las prescriba con el nombre genérico junto al comercial. Si no se tiene derecho al NHS (Seguridad Social Británica), hay que pagar el precio total de las medicinas y pedir un recibo por si se ha de reclamar luego a un seguro médico privado.

Boots, cadena de farmacias droguerías

EN CASO DE EMERGENCIA

Policía, bomberos y ambulancias
C *Marcar 999 o 112. Llamadas gratuitas.*

Emergencias dentales
C 020-7837 3646.

London Rape Crisis Centre (violaciones)
C 020-7837 1600 (24 h servicio).

Samaritans
C 08457-909090 (24 h servicio).
Para problemas emocionales.

Chelsea and Westminster Hospital
369 Fulham Rd SW10.
Plano 18 F4. C 020-8746 9899.

St Thomas's Hospital
Lambeth Palace Rd SE1. **Plano** 13 C5. C 020-7928 9292.

University College Hospital
Gower St WC1. **Plano** 5 A4.
C 020-7387 9300.

Medical Express (clínica privada de urgencias)
117A Harley St W1.
Plano 4 E5. C 020-7486 0516.
La asistencia está garantizada en 30 minutos, pero debe pagarse la consulta y el tratamiento.

Eastman Dental School
256 Gray's Inn Rd WC1.
Plano 6 D4. C 020-7915 1000.
Cuidados dentales privados y por el NHS.

Guy's Hospital Dental School
St Thomas's St SE1. **Plano** 15 B4.
C 020-7955 4317.

Farmacias abiertas de noche
Las comisarías de policía facilitan la lista.

Bliss Chemist
5 Marble Arch W1. **Plano** 11 C2.
C 020-7723 6116. *Abierta hasta medianoche todos los días.*

Boots the Chemist
Piccadilly Circus W1. **Plano** 13 A3.
C 020-7734 6126. *Abierta 8.30–20.00 lu–vi, 9.00–20.00 sa, 12.00–18.00 do.*

Bancos y moneda británica

L os VISITANTES de Londres se encontrarán con que, generalmente, los bancos ofrecen los mejores tipos de cambio de divisas. Las oficinas de cambio privadas tienen tipos variables y se debe prestar atención a la comisión y cantidad que se carga antes de cerrar una transacción. Tienen, no obstante, la ventaja de permanecer abiertas más tiempo que los bancos.

Cajero automático

BANCOS

L os HORARIOS de los bancos varían en Londres. Las horas mínimas de apertura son, sin excepción, 9.30–15.30 lunes a viernes, pero muchos permanecen abiertos más tiempo, especialmente en el centro de la ciudad. La apertura los sábados por la mañana es ahora más habitual. Todos los bancos cierran en días festivos (conocidos en el Reino Unido como *bank holidays*, ver p.59) y algunos cierran más temprano la víspera de una fiesta.

El **BSCH** tiene representación en Londres (15 Austin Friars, EC2N 2DJ, 020-7588 0181; Santander House 100 Ludgate Hill Londres EC4M 7RM, 020-7332 7766), lo mismo que el **BBVA** (108 Cannon Street, EC4N 6EU, 020-7623 3060).

Las tarjetas de American Express pueden usarse las 24 horas en los cajeros automáticos de Lloyds Bank y Royal Bank of Scotland, pero se debe poseer el PIN.

Además de los bancos, son buenos establecimientos de cambio las oficinas de **Thomas Cook** y **American Express** o las operadas por bancos que se encuentran en aeropuertos y principales estaciones de ferrocarril. Es necesario el pasaporte para realizar las transacciones.

OFICINAS DE CAMBIO

American Express
30 Haymarket SW1. **Plano** 13 A3.
020-7484 9600.

Chequepoint
548 Oxford St W1 13 A1. **Plano** 10 D2. 020-7723 1005.

Exchange International
Victoria Station SW1. **Plano** 20 E1. 020-7630 1107.

Thomas Cook
30 St James St SW1. **Plano** 12 F3. 020-7853 6440.

Indicadores de aceptación de pagos en oficinas de cambio

Hay también servicios de cambio en todo el centro de la ciudad, en las oficinas de turismo y en los principales almacenes. **Chequepoint** es una de las mayores casas de cambio en Gran Bretaña; **Exchange International** tiene sucursales abiertas hasta tarde. Como en Londres no hay ninguna organización de consumidores que regule las actividades de estos negocios privados, los tipos de cambio deben ser examinados cuidadosamente.

TARJETAS DE CRÉDITO

E s CONVENIENTE proveerse de una tarjeta de crédito para abonar las facturas de hoteles y restaurantes, compras, alquiler de coches y reserva de localidades por teléfono. Visa es la tarjeta más aceptada en Londres, seguida por Mastercard (su nombre local es Access), American Express y Diners Club.

Es posible obtener anticipos en metálico, hasta el límite de crédito, con cualquier tarjeta reconocida internacionalmente en bancos que muestren el anagrama correspondiente; cargan en la cuenta de la tarjeta el importe, con el interés que figura en el recibo.

PRINCIPALES BANCOS EN LONDRES

Los principales bancos de Inglaterra son Barclays, Lloyds, HSBC (antes Midland) y National Westminster (NatWest). Cada uno es fácilmente identificable por su logotipo. También hay sucursales de distintas entidades bancarias españolas. Para conocer su emplazamiento exacto, antes de emprender el viaje consulte con su sucursal en España.

Los logotipos de los principales bancos pueden verse por las calles más comerciales de Londres.

METÁLICO Y CHEQUES DE VIAJE

La DIVISA BRITÁNICA es la libra esterlina, que está dividida en 100 peniques. Al no haber control de cambios en el Reino Unido, no hay límite para el dinero que el viajero puede importar o exportar.

Los cheques de viaje son la forma más segura de evitar llevar grandes sumas en metálico. Es aconsejable guardar los recibos de los cheques de viaje y tomar nota de las oficinas donde es posible obtener la devolución si son robados o se extravían. Algunos bancos facilitan cheques de viaje sin comisión, pero el tipo normal suele ser del 1%. Conviene obtener libras esterlinas antes de llegar a Gran Bretaña, porque las colas en las oficinas de cambio de los aeropuertos suelen ser largas. Es conveniente pedir cambio: algunas tiendas rehúsan cambiar los de 20 libras para compras pequeñas.

Los billetes de banco de todas las clases siempre llevan la efigie de la reina en el anverso

Billetes de banco

Los billetes ingleses usados en el Reino Unido son de 5, 10, 20 y 50 libras esterlinas. Escocia tiene sus propios billetes que, a pesar de ser legales, no siempre son aceptados.

Billete de 50 libras

Billete de 20 libras

Billete de 10 libras

Billete de 5 libras

Monedas

Las monedas en circulación son de 2 libras, 1 libra, 50, 20, 10, 5, 2 y 1 peniques (mostradas aquí a un tamaño menor que el real). Todas tienen la efigie de la reina en el anverso.

2 libras (£2)

1 libra (£1)

50 peniques (50p)

20 peniques (20p)

10 peniques (10p)

5 peniques (5p)

2 peniques (2p)

1 penique (1p)

Uso de los teléfonos en Londres

Hay una cabina de teléfono en las esquinas de muchas calles del centro de Londres y en todas las estaciones de ferrocarril. Las llamadas nacionales son más caras entre las 9.00 y las 13.00 en días laborables. Las tarifas son más baratas antes de las 8.00 o después de las 18.00 de lunes a viernes, y todo el día los fines de semana. Las tarifas más baratas para el extranjero varían pero suelen ser durante el fin de semana y por la tarde. Pueden usarse monedas, tarjetas telefónicas o tarjetas de crédito. Las tarjetas telefónicas de British Telecom (BT) son de 2, 4, 10 y 20 libras y pueden comprarse en quioscos y oficinas de correo.

CABINAS TELEFÓNICAS

Hay dos tipos diferentes de cabinas telefónicas de BT en Londres: las antiguas rojas y las nuevas de diseño más moderno. Los teléfonos públicos aceptan tanto monedas como tarjetas. Otras cabinas de teléfonos de compañías distintas están empezando a aparecer en las calles de Londres. Algunas sólo aceptan monedas.

En los teléfonos de la BT que aceptan tarjetas utilice tarjetas BT, aunque BT ya acepta casi todas las tarjetas de crédito. En las cabinas más nuevas aceptan tarjetas y monedas.

Cabina antigua de BT

Cabina nueva de BT

USO DE TELÉFONOS DE TARJETA

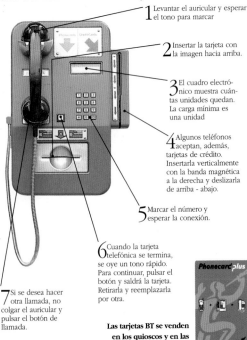

1 Levantar el auricular y esperar el tono para marcar

2 Insertar la tarjeta con la imagen hacia arriba.

3 El cuadro electrónico muestra cuántas unidades quedan. La carga mínima es una unidad

4 Algunos teléfonos aceptan, además, tarjetas de crédito. Insertarla verticalmente con la banda magnética a la derecha y deslizarla de arriba - abajo.

5 Marcar el número y esperar la conexión.

6 Cuando la tarjeta telefónica se termina, se oye un tono rápido. Para continuar, pulsar el botón y saldrá la tarjeta. Retirarla y reemplazarla por otra.

7 Si se desea hacer otra llamada, no colgar el auricular y pulsar el botón de llamada.

Las tarjetas BT se venden en los quioscos y en las oficinas de correos.

GUÍAS TELEFÓNICAS

Si usted necesita algún servicio que no está listado en esta guía, puede consultar alguna de las guías telefónicas de Londres. Las *Yellow Pages* (Páginas Amarillas) contienen listados de direcciones de todo Londres, mientras que *The Thomson Local* solamente de áreas específicas. Ambas están en las oficinas de correos, librerías y también en los hoteles. Las *Talking Pages* (0800-600 900) es un servicio telefónico operado por British Telecom. Le proporcionará el número de teléfono que usted necesite de cualquier parte de Londres y de Gran Bretaña.

Las llamadas a Información (192) son gratuitas si se efectúan desde los teléfonos públicos e informa sobre cualquier número. Necesitará conocer el nombre y la dirección de la persona o negocio que desee contactar.

Páginas amarillas

MARCAR EL NÚMERO CORRECTO

• Todos los prefijos de Londres cambiaron en abril de 2000.

• El prefijo de Londres es 020.

• Los números en el centro de Londres empiezan por 7, y en otras áreas por 8. El prefijo 020 se debe utilizar sólo cuando se llama entre áreas.

• Información nacional es el número 192.

• Para hacer una llamada internacional, marcar el 00, seguido del código del país (para España, el 34) y el número deseado.

• Los teléfonos del servicio **España Directo:** 080 089 0034 (BT) y 050 089 0034 (C&W).

• La operadora internacional es el 155.

• Información internacional es el número 153.

• **Para emergencias llamar al 999 o al 112.**

Servicios postales e Internet

Símbolo del Post Office

ADEMÁS DE LAS oficinas de Correos, Londres tiene muchas sucursales en tiendas de periódicos. Abren de 9.00 a 17.30 en días laborales y de 9.00 a 12.30 en sábados. Los sellos de primera y segunda clase están disponibles individualmente o en paquetes de seis o doce. Los sellos de primera clase se pueden usar en cartas y postales para la Unión Europea. Los buzones –los hay de diferentes tamaños, pero todos son siempre rojos– se pueden encontrar sin problemas por toda la ciudad.

Antiguo buzón de correos

SERVICIO POSTAL

LOS SELLOS se pueden comprar donde se anuncie "Stamps sold here". Los hoteles suelen tener buzones en la recepción. Cuando se escriba al Reino Unido, asegúrese siempre de incluir el código postal, que puede obtenerlo en **Royal Mail** en su línea o página *web*.

Puede enviarse cualquier carta en primera o segunda clase. En primera clase el servicio es más caro pero más rápido, casi todas

El correo aéreo en primera clase

Segunda clase

Primera clase

Paquetes de 12 sellos de primera y segunda clase

las cartas llegan a su destino un día después; mientras que en segunda tienen un día o dos más de retraso.

Royal Mail
☎ *0845 7740740.*
W *www.royalmail.com*

POSTE RESTANTE

PUEDE RECIBIRSE correo en Londres por *poste restante*. Para utilizar este servicio hay que escribir claramente el apellido y dirigirlas a *poste restante* seguido por la dirección de la oficina de correos.
Para recoger el correo (que se guarda durante dos meses) es necesario presentar el pasaporte u otro documento acreditativo. La oficina de correos principal de Londres está en William IV Street, WC2. La oficina de American Express en Haymarket 30, Londres SW1, ofrece un servicio de *poste restante* para sus clientes.

BUZONES

LOS BUZONES son de color rojo brillante y tienen varias ranuras, una para el extranjero y el correo de primera clase, y la otra para el correo de segunda clase. Las iniciales que aparecen en los buzones más antiguos indican quién era el monarca cuando se fabricó el buzón. El correo se recoge varias veces al día de lunes a viernes (con menos frecuencia los sábados y nunca los domingos); los horarios de recogida vienen indicados en el buzón.

ACCESO A INTERNET

LONDRES POSEE muchos lugares de acceso público a Internet. El acceso gratuito a Internet está a menudo disponible en las bibliotecas públicas, pero debe reservar con antelación. Los *cibercafés* normalmente cobran por cada minuto que utilice el ordenador, pero el coste aumenta rápidamente, sobre todo si necesita imprimir. EasyEverything, una cadena de *cibercafés*, tiene cuatro locales en el centro de Londres: 9-16 Tottenham Court Road, 358 Oxford Street, 7 Strand (Trafalgar Square) y 9-13 Wilton Road (Victoria).

Acceso a Internet las 24 horas en EasyEverything

CORREO AL EXTERIOR

EL CORREO aéreo es un método rápido y efectivo de comunicación. Las cartas van en primera clase a cualquier lugar del mundo con el mismo coste. Tarda cuatro días a las ciudades europeas y entre cuatro y siete a cualquier otro lugar. El correo normal es más económico pero puede tardar varias semanas en llegar a su destino.

Las oficinas de correos ofrecen un servicio denominado **Parcelforce Worldwide**, parecido al de otras compañías privadas como **DHL**, **Crossflight** o **Expressair**.

Crossflight
☎ *01753 776000.*

DHL
☎ *0845 710 0300.*

Expressair
☎ *020-8897 6568.*

Parcelforce Worldwide
☎ *0800 224466.*

Swiftair
☎ *0845 774 0740.*

ADUANAS E INMIGRACIÓN

PARA ENTRAR en el Reino Unido un español sólo necesita su carné de identidad.

Cuando se llega a un aeropuerto o puerto británicos se encuentran colas separadas en los controles de inmigración, una para los ciudadanos de la Unión Europea y otras para el resto. La UE ha originado cambios en la política de inmigración y aduanas del Reino Unido. Los viajeros que no pertenezcan a la UE tienen todavía que pasar por la aduana: símbolo rojo para los que tengan algo que declarar y verde para los que no tengan nada. Los viajeros procedentes de la Unión Europea pasan por una puerta con símbolo azul, porque los ciudadanos comunitarios no tienen obligación de declarar nada.

Los residentes de la Unión Europea no tienen derecho a la devolución del VAT (impuesto del valor añadido) en sus compras en el Reino Unido. El resto puede obtener esa devolución si deja el país en un plazo máximo de tres meses desde la fecha de la compra.

ESTUDIANTES

EL CARNÉ INTARNACIONAL de estudiante (International Student Identity Card) permite a los estudiantes obtener descuentos en viajes y acontecimientos deportivos. Para conseguir esta carné se requiere tener entre 14 y 29 años y estar matriculado en algún centro reconocido internacionalmente. Ser miembro de la **International Youth Hostel Federation** tiene también la ventaja de conseguir alojamiento barato. El carné de alberguista que expide la organización tiene cuatro modalidades: juvenil (menores de 26 años), adulto, familiar y para grupos de 10 personas.

International Student Identity Card (ISIC)

DIRECCIONES Y TELÉFONOS ÚTILES

International Youth Hostel Federation
[01707-324 170.

STA Travel
Old Brompton Rd SW7.
Plano 18 F2.
[020-7581 1022.

University of London Students' Union
Malet St WC1. **Plano** 5 A5.
[020-7664 2000.

CURSOS DE INGLÉS

LA LENGUA de Shakespeare es la asignatura pendiente de miles de españoles. Ante todo es preciso seleccionar una empresa de prestigio que ponga por escrito todas las obligaciones a las que se comprometa con el cliente.

Frente a la residencia, el hostal o el hotel, el alojamiento más aconsejable es el familiar, por ser la forma más directa de entrar en contacto con el idioma y la cultura del Reino Unido. El verano es la peor época para ir, debido a la gran cantidad de españoles que se dan cita en Gran Bretaña.

Con el fin de satisfacer la creciente demanda, han proliferado infinidad de agencias especializadas en gestionar cursos de inglés. Las que generalmente reúnen más garantías se engloban en la **Asociación Española de Promotores de Cursos en el Extranjero (Aseproce).** Dos firmas de referencia son **Eurocentres,** fundación internacional sin ánimo de lucro, y **The English Centre.** La Oficina Nacional de Turismo Británico (BTA), por su parte, publica todos los años un interesante folleto titulado *Cursos de inglés en Gran Bretaña.*

PERIÓDICOS, TELEVISIÓN Y RADIO

EL PRINCIPAL diario de Londres es el vespertino *Evening Standard,* a la venta desde mediodía, de lunes a viernes. En la edición del viernes se publica una cartelera del fin de semana y críticas. Los diarios internacionales (entre ellos *El País*) se venden en muchos quioscos. *El País.es* se puede consultar en www.elpais.es

El *International Herald Tribune* se puede adquirir el mismo día de publicación; otros tardan un día o dos en

ASEOS PÚBLICOS

Aunque todavía existen muchos aseos públicos atendidos a la antigua usanza, la mayoría han sido reemplazados por unos nuevos que operan con monedas. Los niños nunca deben usarlos solos por peligro de quedar encerrados.

1 Si está iluminada la palabra *vacant* en verde, introducir la tarifa requerida. Se abrirá la puerta corredera de la izquierda.

Luz de libre   **Inserción de monedas**

2 Una vez dentro, la puerta se cierra automáticamente.

3 Para salir, accionar el picaporte por el interior de la puerta.

Puesto de periódicos en Londres

llegar a Londres. Se pueden ver cinco canales de televisión con equipo receptor convencional: dos de la BBC, llamados BBC1 y BBC2, y tres independientes, ITV y Channel 4 y 5. Las redes de satélite y cable están ya disponibles, y muchos hoteles las tienen instaladas.

Las emisoras de radio local y nacional de la BBC compiten con muchas compañías independientes, como London Capital Radio (194m/158kHz MW; 95.8mHz FM), una emisora de música pop. Radio Exterior de España se escucha a través de onda corta, Internet (www.rne.es) y vía satélite.

EMBAJADAS Y CONSULADOS

España
Embajada. 39 Chesham Place, SW1. **Plano** 20 D1.
☎ 020-7235 5555.
Consulado. 20 Draycott Pl, SW3. **Plano** 19 C2.
☎ 020-7589 8989.
Ⓦ www.cec-spain.org.uk

Colombia
Embajada. Flat 3a, 3 Hans Crescent, SW1. **Plano** 11 C5.
☎ 020-7589 9177.

Chile
12 Devonshire St. W1. **Plano** 4 E5.
☎ 020-7580 63 92 (embajada), 020-7 580 1023 consulado.

México
Embajada y consulado. 8 Halkin St SW1. **Plano** 12 D5.
☎ 020-7235 6393.

QUIOSCOS INTERNACIONALES

Gray's Inn News
50 Theobald's Rd WC1.
Plano 5 C5.
☎ 0171-405 5241.

A Moroni and Son
68 Old Compton Street W1.
Plano 13 A2.
☎ 0171-437 2847.

D S Radford
61 Fleet St EC4.
Plano 14 E1.
☎ 0171-583 7166.

ELECTRICIDAD

L A ENERGÍA eléctrica en Londres es de 240 v. Los enchufes tienen tres clavijas cuadradas por lo que los visitantes necesitan un adaptador. La mayoría de los hoteles tiene enchufes estilo europeo sólo para máquinas de afeitar.

Enchufe británico

HUSOS HORARIOS

A L MARCAR EL 123, **Speaking Clock,** se obtiene la hora de Londres. Londres y las islas Canarias comparten el mismo desfase horario con respecto a la península Ibérica: una hora menos.

EQUIVALENCIAS

E L SISTEMA métrico decimal es el oficial, pero el británico es todavía muy común.

De británico a métrico
1 pulgada = 2,5 centímetros
1 pie = 30 centímetros
1 milla = 1,6 kilómetros
1 onza = 28 gramos
1 libra = 454 gramos
1 pinta = 0,6 litros
1 galón = 4,6 litros

De métrico a británico
1 milímetro = 0,04 pulgadas
1 centímetro = 0,4 pulgadas
1 metro = 3 pies 3 pulgadas
1 kilómetro = 0,6 millas
1 gramo = 0,04 onzas
1 kilogramo = 2,2 libras

CURSOS DE INGLÉS

Asociación Española de Promotores de Cursos en el Extranjero (Aseproce)
Castellana 220, 28046 Madrid.
☎ 902 10 18 71.

Eurocentres
Paseo de la Castellana, 194, 28046 Madrid.
☎ 91 345 35 12.

Rambla de Catalunya, 16, 08007 Barcelona.
☎ 93 301 25 39.

The English Centre
Velázquez, 18, 1ª, 28001 Madrid.
☎ 91 578 18 24.

SERVICIOS RELIGIOSOS

Católicos
Catedral de Westminster, Victoria St SW1. **Plano** 20 F1.
☎ 020-7798 9055.

Judíos
Sinagoga Judía Liberal, 28 St John's Wood Rd NW8.
Plano 3 A3. ☎ 020-7286 5181.
Sinagoga Unida (Ortodoxa) 735 High Rd. N12.
☎ 020-8343 8989.

Musulmanes
Centro Cultural Islámico, 146 Park Rd NW8. **Plano** 3 B3.
☎ 020-7724 3363.

Budistas
Sociedad Budista, 58 Eccleston Sq SW1. **Plano** 20 F2. ☎ 020-7834 5858.

St Martin-in-the-Fields, Trafalgar Square (*ver p.102*)

LLEGADAS Y DESPLAZAMIENTOS

LONDRES ES uno de los nudos más importantes de comunicaciones de Europa, tanto por aire como por mar. Dispone de una amplia selección de vuelos a distintas ciudades españolas. La fuerte competencia en diversas rutas hace que los precios bajen ocasionalmente para atraer viajeros. La puesta en funcionamiento del Eurotúnel dio un vuelco a las comunicaciones con las islas británicas. Los automovilistas españoles pueden optar entre utilizar los servicios de la lanzadera Le Shuttle o bien seguir

British Airways 737

cruzando el canal de la Mancha a bordo de una amplia flota de transbordadores. De hecho, unas 20 rutas para pasajeros y vehículos, servidas por transbordadores, aerodeslizadores y catamaranes, cruzan el mar del Norte y el canal de la Mancha. El tren de alta velocidad Eurostar, gracias a la infraestructura del Eurotúnel, proporciona actualmente una eficiente conexión férrea entre los centros urbanos de París y Londres en apenas tres horas de viaje. La reserva de plaza es obligatoria.

VIAJAR EN AVIÓN

LAS COMPAÑÍAS AÉREAS **Iberia, British Airways** o **GO** cuentan con vuelos a Londres desde Madrid, Barcelona, Alicante, Asturias, Bilbao, Málaga, Palma de Mallorca, Santiago de Compostela, Sevilla, Tenerife o Valencia. **British Midland** programa vuelos diarios a Londres desde Madrid y Barcelona, y **Air Europa,** conexiones semanales desde Madrid. **EasyJet** tiene vuelos a Londres desde varias ciudades españolas.

TARIFAS ECONÓMICAS

LAS TARIFAS REDUCIDAS deben adquirirse con bastante antelación, exigen pasar la noche del sábado en Londres dentro de un periodo máximo de 14 días, y no admiten cambios ni reembolsos de ningún tipo. Las aerolíneas **EasyJet** y **GO,** la compañía aérea de tarifa reducida de British Airways, aplican en los vuelos a Gran Bretaña el sistema *basiq-air,* el cual

garantiza los precios más bajos del mercado, dependiendo siempre de la disponibilidad de plazas, a costa de suprimir tanto la reserva de asiento como el servicio a bordo.

Las oportunidades baratas pueden obtenerse en las buenas agencias de viajes con sus *paquetes* oferta, además de encontrarse en periódicos y revistas de viajes.

Los niños menores de dos años, que no ocupan asiento, pagan el 10% de la tarifa de adultos; hasta los 12 años también viajan con tarifas reducidas.

EL EUROTÚNEL

LAS LANZADERAS de Le Shuttle, que desplazan unos cinco vehículos por vagón, conectan Coquelles (Calais) y Folkestone durante las 24 horas del día. El viaje dura 35 minutos y se paga únicamente por el automóvil, con independencia del número de ocupantes.

El horario nocturno es más económico, y el diurno en fin de semana, más caro. Si reserva el pasaje desde España no sólo se consigue asegurar el pasaje –en temporada alta hay días en los que todos los convoyes están completos– sino que se puede dirigir directamente a la sección de peajes evitándose las colas frente a las taquillas.

LÍNEAS AÉREAS

Iberia
☎ 902 400 500 *(España).*
☎ 902 400 515 *(ayuda a usuarios de Internet).*
W www.iberia.com

British Airways y GB Airways
☎ 902 111 333 *(España).*
W www.britishairways.com

Air Europa
☎ 902 401 501.
W www.air-europa.com

British Midland
☎ 902 22 01 01.
W www.flybmi.com

EasyJet
☎ 902 29 99 92.
W www.easyjet.com/es

GO
☎ 901 33 35 00.
W www.go-fly.com

LE SHUTTLE Y EUROSTAR

Eurotúnel (Le Shuttle)
☎ 91 630 73 15 *(Madrid).*
W www.eurotunnel.com

Renfe
☎ 93 490 11 22 *(internacional).*
☎ 902 24 02 02 *(central de reservas).*
W www.renfe.es

Ferrocarriles Franceses
☎ 91 547 84 42 *(Madrid).*
W www.eurostar.com

Avión de pasajeros en Heathrow

VIAJAR EN TREN

EL TREN DE ALTA VELOCIDAD Eurostar sale de la Gare du Nord parisiense y rinde viaje en la estación de Waterloo 3 horas más tarde. Cerca de 15 convoyes diarios cubren la línea en cada sentido. La reserva es obligatoria. No olvide consultar las tarifas con Renfe, toda vez que algunos billetes de ida y vuelta son más económicos que los sencillos.

Londres tiene ocho estaciones principales de ferrocarril a las que llegan los trenes expresos InterCity (para información, llamar a: 0171–928 5100). Están repartidas en un círculo alrededor del centro de la ciudad (ver pp. 358–359). Desde Paddington, en el oeste de Londres, salen para West Country, Gales y South Midlands; Liverpool St, en la City, cubre East Anglia y Essex. En el norte de Londres, Euston, St Pancras y King's Cross conectan con el norte y centro de Gran

Explanada de la estación en Liverpool Street

Bretaña. En el sur, Charing Cross, Victoria y Waterloo cubren todo el sureste de Inglaterra.

La información acerca de los trenes es fácil de encontrar: la mayoría de las estaciones tiene un punto de información donde se detallan los horarios, precios y destinos.

Si el precio de un billete de transbordador no incluye el de tren al centro de Londres, éste se adquiere en las oficinas señaladas o en máquinas automáticas *(ver p.366)*. Se puede también comprar una Travelcard (abono de viaje) *(ver p.360)*.

SERVICIO DE AUTOCAR

VIAJES EUROLINES Y **Saia-Alsa** ponen en circulación autocares directos a Londres desde Madrid, Barcelona, Valencia y Málaga.

La principal estación de autocares de Londres está en

Información sobre trenes

Buckingham Palace Road (unos 10 minutos andando desde la estación Victoria). National Express tiene unos 1.000 destinos; otras compañías también parten de esta estación. El viaje en este medio de transporte es más barato que en tren, pero es más largo y los horarios de llegada irregulares, dependiendo de los problemas del tráfico. Los autocares de National Express Rapide son muy confortables y normalmente cuentan con buenos servicios. Los de la Green Line operan dentro de un radio de 64 kilómetros de Londres.

LÍNEAS DE AUTOCARES

Viajes Eurolines
📞 902 40 50 40 *(central de reservas).*

Saia-Alsa
📞 902 44 22 44.

EN TRANSBORDADOR

Hay conexiones marítimas entre la costa cantábrica y el suroeste de Gran Bretaña. El transbordador *Val de Loire,* de **Brittany Ferries,** navega entre Santander y Plymouth dos veces por semana e invierte alrededor de 24 horas en completar la travesía. La nave tiene capacidad para 2.100 pasajeros (1.700 en camarotes) y 600 automóviles. Para eludir el mareo, las tripulaciones recomiendan utilizar los servicios que ofrece el transbordador (bares, cines, discotecas...), aunque también se suministran pastillas contra el mareo.

El transbordador *Pride of Bilbao* (Orgullo de Bilbao), de **P&O European Ferries,** zarpa de Santurtzi dos veces por semana rumbo a Portsmouth, invirtiendo 28 horas en la singladura (30 en invierno). Además de

Transbordador surcando el canal de la Mancha

P&O, **Seafrance** ofrece la travesía entre Calais y Dover (1 hora y 30 minutos de navegación).

Teléfonos útiles
Brittany Ferries 📞 942 36 06 11; **P&O European Ferries y P&O Stena Line** 📞 94 423 44 77. **Seafrance** 📞 91 542 57 00 *(Madrid).*

Aeropuertos de Londres

L OS DOS PRINCIPALES aeropuertos de Londres, Heathrow y Gatwick, cuentan con el apoyo de los de Luton, Stansted y London City *(ver p. 361)*. Heathrow está conectado con el centro de la ciudad por metro y el resto de aeropuertos tiene buenas conexiones de tren y autobús. Cada aeropuerto posee desde bancos y oficinas de cambio a hoteles, tiendas y restaurantes. Es conveniente conocer el aeropuerto al que se llega para poder planificar el viaje.

Acceso al metro en la terminal de llegadas de Heathrow

Avión de British Airways en el aeropuerto de Heathrow

HEATHROW (LHR)

H EATHROW, al oeste de Londres (información del aeropuerto 0870-0000123) es uno de los aeródromos internacionales más activos del mundo. La mayoría de los vuelos de larga distancia ate-

rriza aquí; de hecho, está en proyecto una quinta terminal para dar cabida al creciente tráfico aéreo del Reino Unido. Las cuatro terminales disponen de oficinas de cambio de moneda, consignas para equipaje, servicios de canguro, tiendas y restaurantes. Todas

están conectadas con el metro por un sistema de escaleras, pasillos mecánicos y ascensores; no hay más que seguir las direcciones marcadas. El metro tiene un servicio regular con el aeropuerto en la línea Piccadilly; el viaje al centro de la ciudad suele durar unos 40 minutos (10 minutos más desde la terminal 4).

La carretera del aeropuerto suele estar muy congestionada, y no es recomendable para viajeros con el tiempo justo. La mejor manera de llegar a Londres desde el aeropuerto es el tren Heathrow Express, que llega a la estación de Paddington. Tiene salidas cada 15 minutos desde las 5.10 hasta

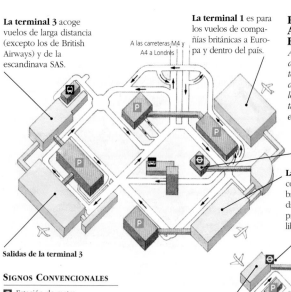

La terminal 3 acoge vuelos de larga distancia (excepto los de British Airways) y de la escandinava SAS.

A las carreteras M4 y A4 a Londres

La terminal 1 es para los vuelos de compañías británicas a Europa y dentro del país.

Salidas de la terminal 3

PLANO DEL AEROPUERTO DE HEATHROW
Al abandonar Londres debe informarse de la terminal del aeropuerto de su vuelo. La 4 está lejos de las demás y, por tanto, tiene su propia estación de metro.

Terminales de Heathrow 1, 2 y 3 y estación de metro

La terminal 2 acoge compañías europeas no británicas. Iberia dispone de un vestíbulo propio, con una tienda libre de impuestos.

Estación de la terminal 4 de Heathrow

Carretera A30

La terminal 4 es para los vuelos intercontinentales de British Airways y algunos otros a París, Atenas y Amsterdam.

Hotel Sterling

SIGNOS CONVENCIONALES

🚇	Estación de metro
🚌	Estación de autobuses (locales)
🚍	Estación de autocares
P	Estacionamiento limitado
⇥	Sentido del tráfico

las 23.40. Para los vuelos de regreso, en la estación de Paddington hay un servicio de facturación compatible con la mayoría de las compañías aéreas; es necesario llegar al menos dos horas antes de la salida del vuelo (una hora si sólo se lleva equipaje de mano). Dicho servicio funciona de 5.00 a 21.00 todos los días.

GATWICK (LGW)

E L AEROPUERTO de Gatwick (información 01293-535353) está situado al sur de Londres, en la linde de Surrey y Sussex. Al contrario que Heathrow,

opera con vuelos regulares y chárter.

El aeropuerto de Gatwick recibe gran volumen de tráfico aéreo, lo que suele causar largas colas en los controles de inmigración y seguridad. Por tanto, si su vuelo de retorno sale de Gatwick, asegúrese de llegar con suficiente antelación.

Gatwick dispone de menos instalaciones que Heathrow, pero cuenta en cada terminal

con restaurantes abiertos las 24 horas, bancos, oficinas de cambio de divisas y tiendas.

El aeropuerto tiene conexiones en tren con la ciudad, incluido el Thameslink. El tren Gatwick Express ofrece un servicio rápido y regular que llega a la estación Victoria. El viaje dura unos 30 minutos y los trenes salen cada 15 minutos de 6.05 a 24.50 y cada hora durante toda la noche

El viaje desde el aeropuerto Gatwick al centro de Londres por carretera puede suponer unas dos horas. En taxi cuesta aproximadamente de 50 a 60 libras.

Distintivo del servicio ferroviario Gatwick Express

Monorraíl que conecta las dos terminales de Gatwick

SIGNOS CONVENCIONALES

🚉	Estación de ferrocarril
🚌	Estación de autobuses
P	Estacionamiento limitado
🚓	Comisaría de policía
⇉	Sentido del tráfico

PLANO DEL AEROPUERTO DE GATWICK

Hay dos terminales en Gatwick: la norte y la sur. Están conectadas por un servicio de monorraíl y el viaje entre ellas lleva sólo un par de minutos. Cerca de la entrada de la estación de ferrocarril (que está claramente señalizada) hay indicadores de las terminales correspondientes a cada compañía aérea.

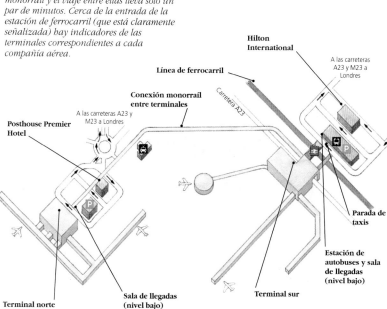

Hilton International

A las carreteras A23 y M23 a Londres

Línea de ferrocarril

Carretera A23

Conexión monorraíl entre terminales

A las carreteras A23 y M23 a Londres

Posthouse Premier Hotel

Parada de taxis

Estación de autobuses y sala de llegadas (nivel bajo)

Terminal norte

Sala de llegadas (nivel bajo)

Terminal sur

Entrada a la moderna terminal de pasajeros de Stansted

Stansted (STN)

EL AEROPUERTO de Stansted está en Essex (información 0870-0000303), al noreste de Londres. Se trata del cuarto aeropuerto más grande del Reino Unido y el que más rápido está creciendo: se han invertido 500 millones de libras para ampliar su capacidad a 15 millones de pasajeros por año. Ha tenido mucho éxito como base para las cada vez más frecuentes compañías aéreas de bajo precio. Su terminal de pasajeros, abierta en 1991, fue diseñada por Norman Foster. Dispone de los servicios habituales: restaurantes, oficinas de cambio, alquiler de coches, etcétera. Dos instalaciones auxiliares ayudan a gestionar el creciente tráfico de pasajeros. Trenes rápidos sin conductor comunican las tres unidades.
El tren Stansted Skytrain conecta el aeropuerto con la estación londinense de Liverpool Street. Sale cada 30 minutos y el viaje dura alrededor de 40; se detiene en Tottenham Hale para enlazar directamente con la línea Victoria del metro.

También se puede ir a la ciudad en autobús (junto a la terminal hay una estación) y en coche (por la autopista M11).

Luton (LTN)

EL AEROPUERTO de Luton (información 01582-405100) se encuentra al norte de Londres, junto al nudo 10 de la autopista M1, la principal arteria vial del Reino Unido. Su nueva terminal de pasajeros se inauguró en 1999, a la vez que la estación de Luton Parkway, de donde salen frecuentes trenes hacia la estación londinense de King's Cross (el viaje dura menos de 40 minutos); un autobús comunica la terminal con la estación. Varios servicios de autocares conectan el aeropuerto con el centro de Londres.
Después de una remodelación con un presupuesto de cinco millones de libras, la antigua terminal será convertida en un área de salidas y llegadas, lo cual ayudará a descongestionar el tráfico anual de cinco millones de pasajeros. Luton es la base de la compañía easyJet.

London City (LCY)

ABIERTO EN 1987, el aeropuerto de London City (información 020-7646 0088) es el más nuevo de la capital. Gestiona un tráfico aéreo de un millón de pasajeros cada año.
Dada su situación, a escasos 10 kilómetros de Londres, es el más utilizado por los viajeros de negocios, hecho que se refleja en el tipo de instalaciones y servicios que ofrece: salas de reuniones, servicios de secretariado, comedores privados, etcétera. Otra ventaja es el tiempo de facturación y embarque: 10 minutos. Aunque el 70% de los pasajeros se desplaza al aeropuerto en coche o taxi, un servicio de autobuses conecta la terminal con la línea Jubilee (30 minutos al West End) y el sistema ferroviario de Docklands.

Aeropuerto de London City, con el área de Docklands al fondo

Aeropuerto	Distancia del Centro	Duración del Viaje	Coste del Taxi
London City	10 km	Metro: 20 minutos DLR: 20 minutos	8–12 libras
Heathrow	23 km	Metro: 45 minutos Tren: 15 minutos	25–30 libras
Gatwick	45 km	Autobús : 70 minutos Tren: 30 minutos	40–50 libras
Luton	51 km	Autobús: 70 minutos Tren: 35 minutos	45–55 libras
Stansted	55 km	Autobús : 75 minutos Tren : 41 minutos	45–55 libras

HOTELES

HEATHROW

Hilton London Heathrow
📞 *020-8759 7755.*

Posthouse Premier
📞 *0870-400 8595.*

Crowne Plaza
📞 *01895-445555.*

Posthouse Heathrow
📞 *020-8759 2535.*

GATWICK

Gatwick Thistle
📞 *01293-786992.*

Hilton International
📞 *01293-518080.*

Le Meridien Gatwick Airport
📞 *0870-4008494.*

Posthouse Gatwick
📞 *0870-4009030.*

STANSTED

Hilton London Standsted
📞 *01279-680800.*

Harlow Stansted Moat House
📞 *01279-829988.*

Swallow Churchgate
📞 *01279-420246.*

LUTON

Ibis Luton Airport
📞 *01582-428488.*

Luton Travelodge
📞 *01582-575955.*

Hertfordshire Moat House
📞 *01582-449988.*

LONDON CITY

Four Seasons Canary Wharf
📞 *020-7510 1999.*

Ibis Greenwich
📞 *020-8305 1177.*

El relajante bar del hotel Post House, en Heathrow

SIGNOS CONVENCIONALES

🚉	Estación de tren
Ⓔ	Estación de metro
✈	Aeropuerto
▭	Autopista
▬	Carretera principal

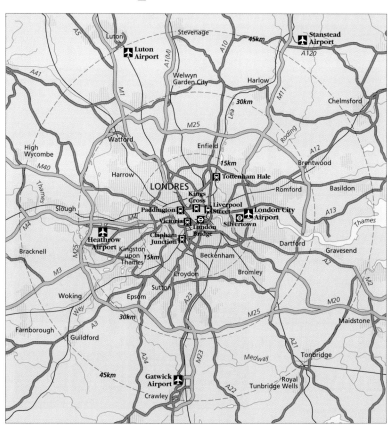

MOVERSE POR LONDRES

LA RED DE TRANSPORTE público de Londres es una de las mayores y más activas del mundo, y siempre presenta problemas de aglomeración. El peor momento para usarlo es el de las horas punta, entre las 8.00 y 9.30 y, por la tarde, entre las 16.30 y las 18.30. Dentro de Londres y sus alrededores, el transporte público depende del London Regional Transport (LRT). Comprende varios tipos de autobuses, la red del metro y

Autobús del servicio público

el Connex South Central (una red de trenes de superficie operado por British Rail). Para cualquier información que se requiera acerca de horarios, rutas y precios de los distintos servicios, llamar al 0171–222 12 34 *(ver p. 347)* o visitar cualquiera de los centros de información de LRT Travel, en las estaciones de Euston, King's Cross y Victoria, así como Oxford Circus, Piccadilly Circus y aeropuerto de Heathrow.

LA RED DE TRANSPORTE

EL METRO *(the tube)* es, con mucho, el medio más rápido de viajar por Londres. Los servicios, no obstante, sufren retrasos y los trenes van frecuentemente abarrotados. El cambio de líneas puede suponer caminatas en algunas estaciones.

Londres es tan grande que algunos lugares de interés están lejos de alguna estación de metro e, incluso, se necesita tomar un autobús desde ésta. En el sur hay áreas sin metro. El viaje en autobús puede ser lento y, a veces, es más rápido andar.

Photocard y Travelcard semanal

ABONOS DE TRANSPORTE

EL TRANSPORTE público en Londres es caro comparado con muchas ciudades europeas, debido a que las subvenciones del Gobierno son escasas y las distancias grandes. Los viajes cortos son proporcionalmente más caros que los largos, por lo que no es rentable utilizar el metro para una sola parada.

Los billetes más económicos son los Travelcards –pases diarios, semanales o mensuales que permiten un número ilimitado de viajes en cualquier

transporte en las zonas que se requieran–. En España se pueden conseguir de 2, 3, 4 y 7 días en **Ticket World** (Torre de Madrid, 3º, 28008 Madrid, Tel. 91 542 81 52) W www.nicketword. es). Hay seis zonas de viaje que se extienden del centro a las afueras; la mayoría de los lugares turísticos está en la zona uno.

Los Travelcards se compran en las estaciones de tren y

metro *(ver p.364)* y en las tiendas de periódicos que muestran el signo rojo "pass agent". Para los abonos semanales y mensuales se necesita una foto de pasaporte. Los de un día (no requieren foto) no se pueden usar antes de las 9.30 de lunes a viernes. No hay restricciones con los pases semanales o mensuales.

LONDRES A PIE

Una vez que se ha habituado uno al tráfico por la izquierda, Londres puede ser explorado a pie, pero teniendo siempre cuidado al cruzar las calles. Hay dos tipos de cruces de peatones: los pasos de cebra marcados por luces intermitentes y los que disponen de botones para pulsar en los semáforos. Hay que tener un cuidado especial a la hora de cruzar, ya que el tráfico lleva dirección contraria a la de España. En la calzada hay instrucciones sobre hacia dónde hay que mirar antes de cruzar.

Las luces marcan los clásicos pasos de cebra

Para poder cruzar por los pasos de peatones pulse el botón.

Paso de cebra

Botón de control

No cruzar   **Cruzar la calle**

Conducir en Londres

Señal de aparcamiento

S E RECOMIENDA A los visitantes que eviten conducir en el centro de Londres. El promedio de velocidad del tráfico es de 18 km/h en las horas punta y el aparcamiento es muy difícil. Muchos londinenses sólo sacan el coche los fines de semana y después de las 18.30 en días laborables, cuando se puede aparcar en las líneas amarillas y no hay que utilizar los parquímetros. Recuerde que se conduce por la izquierda.

Doble línea amarilla: prohibición de aparcar a cualquier hora

REGLAS DE APARCAMIENTO

E L APARCAMIENTO en Londres es escaso y deben tenerse en cuenta sus restricciones, que normalmente figuran en las farolas. Las tarifas de aparcamiento del área central son elevadas durante las horas laborables, generalmente desde 8.00 a 18.30 de lunes a sábado. El máximo de estancia permitida en un parquímetro son dos horas. Se necesitan muchas monedas (ver p.349). Los National Car Parks (marcados con el logotipo NCP) están en el centro de Londres y son fáciles de encontrar. NCP edita una guía de aparcamientos de Londres gratuita. Para obtenerla escribir a 21, Bryanston Street,W1A 4NH o llamar al 0171–499 70 50.

Parquímetro

No está permitido aparcar en vías señalizadas en rojo o en líneas amarillas dobles. El aparcamiento se autoriza en líneas amarillas sencillas después de horas de trabajo y en domingos, siempre que no se cause obstrucción. Los permisos de residentes en zonas no son válidos durante las horas de oficina, por lo que debe retirarse el coche antes de las 8.00, así como evitar las zonas señaladas con "cardholders only". Aparcar en pasos de peatones está prohibido. En las áreas de aparcamiento controlado se debe comprar un tique por el tiempo deseado y mostrarlo en el parabrisas.

CEPOS Y GRÚAS

S I UN COCHE está aparcado ilegalmente o el parquímetro indica tiempo extra, el conductor puede encontrarlo con un cepo en las ruedas. Un gran aviso en el parabrisas informa del lugar donde se puede ir para poder retirarlo y pagar una fuerte multa. Si no se encuentra, probablemente no haya sido robado, sino que se lo ha llevado alguno de los temidos equipos de policías de tráfico que operan en Londres. Su falta de contemplaciones y su rapidez son notables, y los inconvenientes y el coste de la multa para los dueños enormes. Los principales parques policiales están en Hyde Park, Kensington y Camden Town. Telefonear al 0171–747 7474 para saber a cuál de ellos han llevado su coche.

Señales de Tráfico
Todos los conductores deben leer el Código de Circulación británico, disponible en librerías, y familiarizarse con las señales de tráfico de Londres.

Coche aparcado ilegalmente, inmovilizado por un cepo

AGENCIAS DE ALQUILER DE COCHES

Avis (0870 606 0100.
W www.avis.com
Europcar (0870 607 5005.
W www.europcar.co.uk
Hertz Rent a Car
(0870 840 0084.
W www.herz.com
Thrifty Car Rental
(01494-751600.
W www.thrifty.co.uk

No detenerse | **30 mph (48 km/h) límite de velocidad**

Dirección prohibida | **Ceder el paso a cualquier vehículo**

Dirección única | **Prohibido girar a la derecha**

CICLISMO EN LONDRES

Las calles de Londres pueden ser peligrosas para los ciclistas, pero los parques y los distritos más tranquilos resultan lugares excelentes para la práctica de este deporte. Es conveniente utilizar una cadena para evitar robos y también llevar ropa reflectante e impermeable. Las bicicletas se pueden alquilar en **On Your Bike**.

Teléfonos y direcciones de casas de alquiler On Your Bike, 52-54 Tooley Street SE1. (020-7378 6669.

En metro

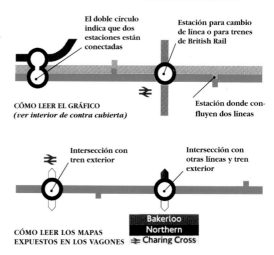

EL SISTEMA de metro, conocido por los londinenses como "tube", tiene 273 estaciones, cada una marcada con el logotipo del subterráneo. Los trenes circulan diariamente, excepto el día de Navidad, desde las 5.30 hasta después de medianoche, pero algunas líneas o sectores tienen un servicio irregular. Es conveniente preguntar la hora del último tren si se piensa tomar después de las 23.30. El Docklands Light Railway conecta con el metro la mayoría de estaciones del sureste de Londres.

Señal de metro fuera de cada estación

Tren del metro londinense

Leer el mapa del metro

Las 11 líneas del metro tienen colores diferentes y el plano (ver interior contra cubierta) está visible en cada estación. El correspondiente a la sección central se muestra en los vagones. En ellos se ven los recorridos y cómo cambiar de línea desde el punto en que se encuentre el viajero. Algunas líneas, como Victoria y Jubilee, son rutas sencillas, mientras que otras, como la Northern, tienen más de una ramificación. La Circular es una curva continua alrededor del centro de Londres. Las distancias que muestran los mapas no son a escala y las rutas que toman las líneas no indican exactamente las direcciones.

El doble círculo indica que dos estaciones están conectadas

Estación para cambio de línea o para trenes de British Rail

CÓMO LEER EL GRÁFICO
(ver interior de contra cubierta)

Estación donde confluyen dos líneas

Intersección con tren exterior

Intersección con otras líneas y tren exterior

CÓMO LEER LOS MAPAS EXPUESTOS EN LOS VAGONES

Bakerloo
Northern
Charing Cross

COMPRAR UN BILLETE

Si se van a realizar más de dos viajes diarios en el metro, lo mejor es comprar una Travelcard *(ver p.362)*. Se pueden adquirir también billetes sencillos o de ida y vuelta, bien en la taquilla de la estación o en uno de los dos tipos de máquinas automáticas que se encuentran en la mayoría de las estaciones. Las máquinas grandes *(ver abajo)* aceptan monedas y billetes de 5 y 10 libras y, normalmente, devuelven el cambio.

Se selecciona el billete, luego la estación a la que se va y el coste del trayecto aparece automáticamente. Las máquinas pequeñas sólo tienen una selección de precios, de la que se elige el que corresponde al viaje. No aceptan billetes y pocas veces dan el cambio, porque están orientadas a viajeros regulares que conocen el precio de su recorrido. Londres se divide en seis zonas específicas de transporte *(ver p. 362)*.

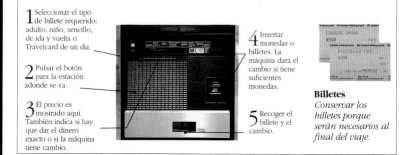

1 Seleccionar el tipo de billete requerido: adulto, niño, sencillo, de ida y vuelta o Travelcard de un día.

2 Pulsar el botón para la estación adonde se va.

3 El precio es mostrado aquí. También indica si hay que dar el dinero exacto o si la máquina tiene cambio.

4 Insertar monedas o billetes. La máquina dará el cambio si tiene suficientes monedas.

5 Recoger el billete y el cambio.

Billetes
Conservar los billetes porque serán necesarios al final del viaje.

UN VIAJE EN METRO

1 Cuando se entra en una estación comprobar qué línea o líneas se van a utilizar. Si se tiene alguna dificultad en planear la ruta, preguntar en taquilla.

Journey planner

2 Comprar la Travelcard o el billete en una de las máquinas automáticas *(ver página anterior)* o en la taquilla. Si se desea un billete de ida y vuelta, debe ser conservado hasta completar ambos viajes.

TRAVELCARD
OFF PEAK Z123456

TRAVELCARD
OFF PEAK Z123456

La taquilla está cerca de los validadores de billetes en muchas estaciones.

3 Los andenes están al otro lado de los validadores de billetes. Son fáciles de usar si se siguen las normas correctamente.

Central line →

4 Seguir las direcciones de la línea que se desea. En algunos casos se puede tratar de una ruta complicada, por lo que ha de prestarse atención.

Central line
Westbound platform 5 →

5 Finalmente se encontrará con una serie de andenes para la línea que se quiere seguir. Consultar la lista de estaciones si no se está seguro de la dirección a tomar.

6 La mayoría de los andenes ahora tiene indicadores electrónicos que muestran los destinos de los próximos dos o tres trenes y el tiempo que habrá que esperar su llegada.

1 HAINAULT via Newbury Park
2 EPPING   5 mins

7 Una vez dentro del tren y comenzado el viaje, se puede comprobar la marcha del trayecto consultando el gráfico exhibido en el vagón. Cada estación tiene su nombre indicado en las paredes.

Way out →
⇌ British Rail

Hammersmith & City →
Metropolitan and Circle lines

Introducir el billete o Travelcard en la ranura de delante de la máquina.

Tan pronto como el billete es devuelto, la barrera se abre.

En algunos trenes, se tiene que pulsar un botón para abrir las puertas.

8 Después de salir del tren, buscar los indicadores de salida o de andenes en el caso de cambio de línea.

En autobús

Símbolo del London Regional Transport

UNO DE LOS símbolos más reconocibles de Londres es el viejo autobús rojo de dos pisos Routemaster, pero ahora es menos frecuente verlo que antes. Hoy, la necesidad de modernizar los autobuses ha tenido como consecuencia la producción de muchos nuevos vehículos que ofrecen accesos para sillas de ruedas y asientos más confortables, pero que no tienen el tradicional color rojo. Si se puede conseguir un asiento, el viaje en autobús constituye un agradable y descansado modo de ver Londres. Por el contrario, si se tiene prisa, es irritante por la lentitud del tráfico londinense que hace que los viajes en autobús lleven mucho tiempo, especialmente en las horas punta (8.00–10.00 y 16.00–19.00).

ENCONTRAR EL AUTOBÚS ADECUADO

CADA PARADA de autobús en el centro de Londres tiene una lista de los principales destinos y de las rutas. También puede haber mapas callejeros con las paradas más cercanas. Hay que asegurarse de tomar el autobús en la dirección deseada. En caso de duda, consultar al conductor. Si desea más información contacte con **London Travel Information.**

USO DE LOS AUTOBUSES

LOS AUTOBUSES paran, aunque nadie suba o baje, en las paradas marcadas con el símbolo de London Buses *(ver arriba izquierda)*, a menos que en la parada esté escrito "Request" *(ver arriba derecha)*. El número de la ruta y el destino se muestra claramente en la parte frontal y trasera de los vehículos. Los nuevos autobuses llevan solamente un conductor que también cobra a los viajeros a la subida. Los Routemaster llevan un conductor y un cobrador que cobra los billetes durante el viaje. Tanto uno como otro le informan del precio del trayecto y dan el cambio, pero no de billetes grandes. Hay

sólo dos tarifas de autobuses en la capital. El centro de Londres o zona 1 *(ver p. 362)*, cuesta 1 libra, mientras que los viajes por el resto de las zonas (zonas 2-6) cuestan 70 peniques. Viajar desde cualquier zona al centro de Londres cuesta 1 libra. Comprar una Travelcard *(ver p. 362)* es más conveniente, especialmente si se van a hacer varios viajes.

Cuando desee bajar del autobús pulse el timbre cuando se aproxime a su parada.

Paradas de autobús
Los autobuses se detienen en las paradas marcadas con el símbolo LRT (izquierda). En las paradas donde figura "Request" (abajo), se avisa al conductor levantando el brazo. En la práctica, es mejor hacerlo en todas.

Billetes en los Routemasters
El cobrador le extenderá el tique correcto del trayecto. Tratar de no pagar con un billete grande.

Cobradora de autobús
Vende los billetes en los autobuses Routemaster.

LÍNEAS PRÁCTICAS DE AUTOBUSES

Varias de las rutas de autobuses son ideales para visitar lugares turísticos y tiendas de la capital. Si se cuenta con un Travelcard y no se tiene prisa, hacer turismo e ir de compras en autobús puede ser divertido. El coste de un viaje en transporte público es mucho menor que cualquiera de las tarifas de las agencias de viajes, pero, en cambio, no se reciben las explicaciones de los guías cuando se pasa por los lugares interesantes *(ver p.346)*.

Hay también algunas áreas turísticas de Londres que son inaccesibles en metro. Los autobuses salen regularmente desde el centro a, por ejemplo, Chelsea *(ver pp.192–197)*, Albert Hall *(ver p.201)* y Clerkenwell *(ver p.247)*.

Marble Arch

Harrod's

Knightsbridge

Hyde Park Corner

Natural History Museum
South Kensington

Sloane Square

Victoria and Albert Museum

Para detener el autobús pulse el botón colocado en las puertas o cerca de la escalera.

El destino se muestra en el frente y en la parte trasera de los vehículos.

Para comprar el billete hay que tener el dinero preparado antes de subir. autobús.

Autobús Routemaster
En estos autobuses se sube por atrás. El cobrador le pedirá el importe del billete una vez que haya encontrado un asiento.

Autobuses nocturnos
Estos servicios circulan toda la noche desde paradas con este logotipo. Las Travelcards son válidas hasta las 4.30.

Autobuses de nuevo estilo
Carecen de cobrador y es el propio conductor el que cobra a los pasajeros.

AUTOBUSES NOCTURNOS

LOS SERVICIOS nocturnos de autobuses circulan por distintos recorridos desde las 23.00 hasta las 6.00. Estas rutas tienen como prefijo la letra N antes de los números azules o ámbar. Todos los servicios pasan por Trafalgar Square, por lo que conviene dirigirse allí con la seguridad de que se encontrará un autobús que, al menos, le hará parte del recorrido de vuelta a casa. Hay que asegurarse cuidadosamente ya que Londres es tan grande que, aunque se tome el autobús adecuado en la dirección correcta, se puede uno perder al final o tener que hacer un largo camino a pie. También deben tomarse precauciones. Sentarse solo en la planta superior no es una buena idea, porque los autobuses nocturnos nunca llevan cobrador. En los centros de información se indican detalles sobre rutas y horarios, que también figuran en las paradas.

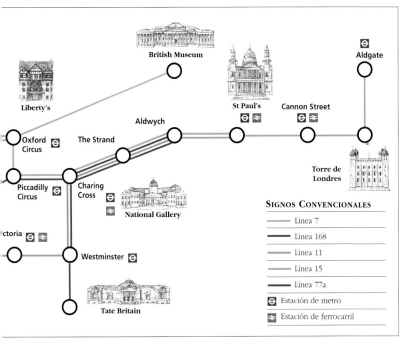

SIGNOS CONVENCIONALES

Línea 7
Línea 168
Línea 11
Línea 15
Línea 77a
Estación de metro
Estación de ferrocarril

Ver Londres en tren

**Signo de la estación
de ferrocarril**

EL SERVICIO de trenes es utilizado por muchos cientos de miles de usuarios cada día. En cuanto a los visitantes, estos servicios son útiles para viajes a las afueras de la capital, especialmente al sur del río donde el metro llega a pocos sitios. También ofrece, obviamente, excursiones más largas a otros puntos de Gran Bretaña.

RUTAS ÚTILES

QUIZÁ LA línea de tren más útil para los visitantes es la que empieza en las estaciones de Charing Cross o Cannon Street (los servicios desde ésta sólo circulan en días laborales) y va vía London Bridge a Greenwich (ver pp.236–243).

El servicio Thameslink conecta también el aeropuerto de Luton con el sur de Londres, aeropuerto de Gatwick y Brighton, vía West Hampstead y Blackfriars.

CÓMO USAR LOS TRENES

LONDRES TIENE ocho estaciones principales que cubren todo el sureste (ver pp.358–359). Los trenes circulan por la superficie y existen tanto los lentos con bastantes paradas como expresos a las grandes ciudades o Intercity que viajan por todo el Reino Unido. Asegurarse por los indicadores de los andenes de que se toma el tren más directo para cualquier destino que se desee.

Algunas puertas de trenes se abren automáticamente, otras mediante un botón o accionando las manillas. Para abrir los trenes antiguos, ha de bajarse la ventanilla y abrirlos por fuera. Mantenerse alejados de las puertas cuando el tren se encuentra en marcha y si se está cerca, es conveniente agarrarse fuertemente a la correa o al pasamanos.

BILLETES DE TREN

Todos los billetes deben ser comprados personalmente, bien en una agencia de viajes o en las estaciones de ferrocarril. Las colas en las taquillas suelen ser largas, por lo que conviene usar las máquinas automáticas que operan de forma similar a las del metro (ver p.364).

Existe una gran variedad de billetes, pero deben tenerse en cuenta dos opciones: para trayectos dentro del Gran Londres las Travelcards (ver p.362) ofrecen la mayor flexibilidad, y para recorridos más largos es adecuado el Cheap Day Return (billete barato de ida y vuelta en el día). Sin embargo, ambos sólo se obtienen y se pueden usar después de las 9.30.

Billetes 'Cheap Day Return'

EXCURSIONES DE UN DÍA

El sureste inglés tiene mucho que ofrecer a los turistas. Salir de Londres es rápido y muy fácil con el tren. Para información de lugares turísticos llamar al English Tourist Board (020-8846 9000). En información de pasajeros (0845-7484950) se dan detalles de todos los servicios.

**Remeros en el río Támesis
frente al castillo de Windsor**

Audley End
Pueblo con una extraordinaria mansión jacobina cerca.
🚉 de Liverpool Street. 64 km; 1 h.

Bath
Bella ciudad georgiana; conserva también restos romanos.
🚉 de Paddington. 172 km; 1 h 25 min.

Brighton
Atractiva ciudad marítima de veraneo. Ver el Royal Pavilion.
🚉 de Victoria. 85 km; 1 h.

Cambridge
Ciudad universitaria con bellas galerías de arte y colegios antiguos.
🚉 de Liverpool Street o King's Cross. 86 km; 1 h.

Canterbury
Su catedral es una de las más grandiosas y antiguas de Inglaterra.
🚉 de Victoria. 98 km; 1 h 25 min.

Hatfield House
Palacio isabelino con notable contenido.
🚉 de King's Cross o Moorgate. 33 km; 20 min.

Oxford
Como Cambridge, famosa por su antigua Universidad.
🚉 de Paddington. 86 km; 1 h.

Salisbury
Conocida por su catedral y a poca distancia de Stonehenge.
🚉 de Waterloo. 135 km; 1 h 40 min.

St Albans
Fue una gran ciudad romana.
🚉 de King's Cross or Moorgate. 40km; 30 min.

Windsor
Ciudad junto al río; el castillo real sufrió un incendio en 1992.
🚉 de Paddington, cambio en Slough. 32 km; 30 min.

Coger un taxi

L OS BIEN CONOCIDOS *black cabs* –taxis negros de Londres– son una institución al igual que los autobuses rojos. Pero también se están modernizando y ahora pueden verse azules, verdes, rojos y hasta blancos, algunos de ellos luciendo publicidad. Para obtener la licencia, los conductores de taxi han de pasar un exhaustivo examen de su conocimiento de las calles de Londres y de las rutas más rápidas. Contrariamente a la opinión popular, son conductores muy seguros, aunque sólo sea porque tienen prohibido trabajar con el vehículo luciendo abolladuras.

Los modernos colores de los tradicionales *cabs* de Londres

Parada de taxis

ENCONTRAR UN TAXI

L OS TAXIS deben mostrar la señal "For hire" que se enciende cuando están libres. Se les puede llamar por teléfono, buscarlos en la calle o en las paradas, especialmente cerca de las grandes estaciones y de los hoteles. El taxista debe llevar al viajero al lugar deseado, siempre que esté situado en un radio de 9.6 km, que es el distrito de la Policía Metropolitana y abarca la mayor parte del Gran Londres, incluido el aeropuerto de Heathrow.

Una alternativa a los "black cabs" son los "mini-cabs" y las limusinas; se contratan llamando a alguna compañía o yendo a sus oficinas que suelen estar abiertas 24 horas. No es aconsejable tomar un "mini-cab" en la calle porque frecuentemente trabajan ilegalmente, sin seguro y puede ser peligroso. Las compañias de estos taxis están en las Páginas Amarillas (*ver p.352*).

TARIFAS DE TAXI

T ODOS LOS vehículos con licencia llevan taxímetros que comienzan a contar desde 1,40 libras; funcionan en el momento que el taxista acepta el trayecto. La tarifa se incrementa por cada minuto o 311 metros de recorrido. También se pagan sobretasas por cada bulto de equipaje, por viajero extra y fuera del horario normal, como en la madrugada. Las tarifas deben de estar a la vista.

TELÉFONOS ÚTILES

**Computer Cabs
(con licencia)**
☎ 020-7286 0286.

**Radio Taxis
(con licencia)**
☎ 020-7272 0272.

**Ladycabs (sólo mujeres
conductoras)**
☎ 020-7254 3501.

Objetos perdidos
☎ 020-7833 0996.
Abierto 9.00–16.00 lu–vi.

Quejas
☎ 020-7230 1631.
Necesario saber el nº de licencia del taxi.

la luz encendida indica que el taxi está libre y si tiene acceso a sillas de ruedas.

El taxímetro muestra el importe del viaje y los extras por equipaje, número de viajeros y horarios especiales. Las tarifas son iguales para todos los taxis con licencia.

Tarifa   Suplementos

Taxis con licencia
Los taxis de Londres son una segura forma de viajar por la capital. Tienen dos asientos supletorios y admiten un máximo de cinco pasajeros, con amplio espacio para el equipaje.

CALLEJERO

LOS MONUMENTOS, hoteles, restaurantes, tiendas y espectáculos descritos cuentan con una indicación númerica que remite al plano correspondiente, tal como se muestra en esta sección (ver *Cómo manejar las referencias de los planos en la página siguiente*). El índice de las calles y de todos los lugares de interés señalados en los mapas se encuentra en las páginas siguientes. Las leyendas de los mapas muestran el área de Londres cubierta por el *Callejero,* con los códigos postales de los distintos distritos. En los mapas se incluyen las áreas turísticas (con código de colores) así como el centro de Londres con todos los distritos importantes de hoteles, restaurantes, *pubs* y espectáculos.

Los distritos postales están señalados y delimitados en color naranja.

0 kilómetros
2

- - - Límite del distrito postal

Cómo Manejar las Referencias de los Mapas

El primer número indica qué mapa del *Callejero* debe consultarse.

Wesley's House y Capilla ⑫

49 City Rd EC1. **Mapa** 7 B4.
📞 *020-7253 2262*. ⊝ *Old St.*
Casa abierta *10.00–16.00 lu–sa.*
Previo pago. 📷 ⚹ ✝ *11.00 do.*
▶ 🖼 *Películas, exposiciones.*

La letra y el número indican la situación en la página. Las letras van arriba y abajo, y las cifras a los lados.

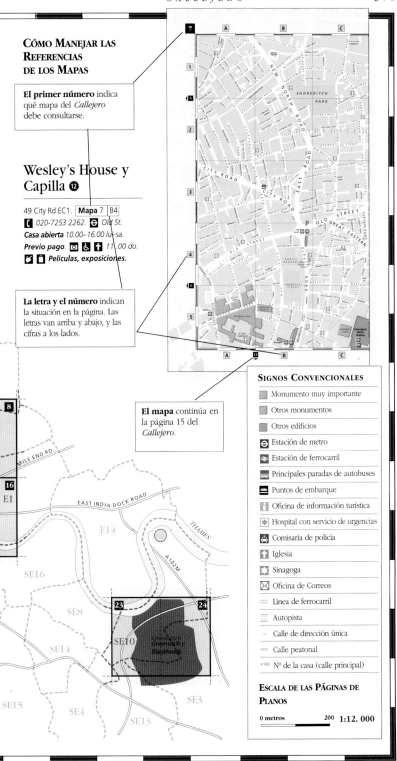

El mapa continúa en la página 15 del *Callejero*.

Signos Convencionales

▢ Monumento muy importante

▢ Otros monumentos

▢ Otros edificios

⊝ Estación de metro

⊳ Estación de ferrocarril

▭ Principales paradas de autobuses

▬ Puntos de embarque

ℹ Oficina de información turística

✚ Hospital con servicio de urgencias

▦ Comisaría de policía

✝ Iglesia

✡ Sinagoga

⊠ Oficina de Correos

⚊⚊ Línea de ferrocarril

▥ Autopista

→ Calle de dirección única

▪▪▪ Calle peatonal

ᴿ¹³⁰ Nº de la casa (calle principal)

Escala de las Páginas de Planos

0 metros   200   1:12. 000

Callejero

Cada nombre va seguido de su distrito postal y del número de referencia del plano del Callejero

L

Laburnum St E2 — 8 D1
Lackington St EC2 — 7 B5
Ladbroke Cres W11 — 9 A1
Ladbroke Gdns W11 — 9 B2
Ladbroke Gro W11 — 9 A1
Ladbroke Rd W11 — 9 B3
Ladbroke Sq W1 — 19 B3
Ladbroke Terr W11 — 9 B3
Ladbroke Wlk W11 — 9 B3
Lafone St SE1 — 16 D4
Lamb St E1 — 8 D5
Lamb Wlk SE1 — 15 C5
Lamb's Conduit St WC1 — 5 C4
Lamb's Pas EC1 — 7 B5
Lambeth Bridge SE1 — 21 C1
Lambeth High St SE1 — 21 C2
Lambeth Palace Rd SE1 — 14 D5, 21 C1
Lambeth Palace SE1 — 21 C1
Lambeth Rd SE1 — 22 D1
Lambeth Wlk SE11 — 22 D1
Lamble St NW5 — 2 F5
Lamlash St SE11 — 22 F1
Lamont Rd SW10 — 18 F4
Lancaster Ct SW6 — 17 C5
Lancaster Gate W2 — 10 F2
Lancaster House SW1 — 12 F4
Lancaster Ms W2 — 10 F2
Lancaster Pl WC2 — 13 C2
Lancaster Rd W11 — 9 A1
Lancaster St SE1 — 14 F5
Lancaster Terr W2 — 10 F2
Lancaster Wlk W2 — 10 F3
Lancelot Pl SW7 — 11 B5
Langbourne Ave N6 — 2 F3
Langdale Rd SE10 — 23 A3
Langham Hilton Hotel W1 — 12 E1
Langham Pl W1 — 12 E1
Langham St W1 — 12 F1
Langley La SW8 — 21 C4
Langley St WC2 — 13 B2
Langton Rd SW9 — 22 F5
Langton St SW10 — 18 F4
Langton Way SE3 — 24 F4
Lansdowne Cres W11 — 9 A3
Lansdowne Rd W11 — 9 A2
Lansdowne Rise W11 — 9 A3
Lansdowne Terr WC1 — 5 C4
Lansdowne Wlk W11 — 9 B3
Lant St SE1 — 15 A5
Lassell St SE10 — 23 C1, 24 D1
Launceston Pl W8 — 18 E1
Laundry Rd W6 — 17 A4
Laurence Poutney La EC4 — 15 B2
Laverton Pl SW5 — 18 D2
Lavington St SE1 — 14 F4
Law Society WC2 — 14 E1
Lawn La SW8 — 21 C4
Lawrence St SW3 — 19 A4
Laystall St EC1 — 6 D4
Leadenhall Mkt EC3 — 15 C2
Leadenhall St EC3 — 15 C2, 16 D2
Leake St SE1 — 14 D4
Leamington Rd Vlls W11 — 9 B1
Leather La EC1 — 6 E5
Leathermarket St SE1 — 15 C5
Leathwell Rd SE13 — 23 A5
Ledbury Rd W11 — 9 C2
Leeke St WC1 — 5 C3
Lees Pl W1 — 12 D2
Leicester Pl WC2 — 13 B2
Leicester Sq WC2 — 13 B3
Leicester St WC2 — 13 A2
Leigh St WC1 — 5 B4
Leighton House W14 — 17 B1
Leinster Gdns W2 — 10 E2
Leinster Pl W2 — 10 E2
Leinster Sq W2 — 10 D2
Leinster Terr W2 — 10 E2
Leman St E1 — 16 E1
Lennox Gdns Ms SW1 — 19 B1
Lennox Gdns SW1 — 19 C1
Leonard St EC2 — 7 C4
Lethbridge Clo SE13 — 23 B5
Letterstone Rd SW6 — 17 B5
Lever St EC1 — 7 A3
Lewisham Hill SE13 — 23 B5
Lewisham Rd SE13 — 23 A4
Lexham Gdns W8 — 18 D1
Lexington St W1 — 13 A2
Leyden St E1 — 16 D1
Library St SE1 — 14 F5
Lidlington Pl NW1 — 4 F2
Lilestone St NW8 — 3 B4
Lillie Rd SW6 — 17 A5
Lime St EC3 — 15 C2
Limerston St SW10 — 18 F4
Lincoln's Inn Fields WC2 — 14 D1
Lincoln's Inn WC2 — 14 D1
Linden Gdns W2 — 9 C3
Linhope St NW1 — 3 B4
Linley Sambourne House W8 — 9 C5
Linton St N1 — 7 A1
Lisburne Rd NW3 — 2 E5
Lisgar Terr W14 — 17 B2
Lisle St WC2 — 13 A2
Lissenden Gdns NW5 — 2 F5
Lisson Gro NW1 — 3 B5
Lisson Gro NW8 — 3 A4
Lisson St NW1 — 3 A5
Little Boltons, The SW10 — 18 E3
Little Britain EC1 — 14 F1
Little Chester St SW1 — 12 E5
Little College St SW1 — 21 B1
Little Dorrit Ct SE1 — 15 A4
Little Portland St W1 — 12 F1
Liverpool Rd N1 — 6 E1
Liverpool St EC2 — 15 C1
Lizard St EC1 — 7 A3
Lloyd Baker St WC1 — 6 D3
Lloyd St WC1 — 6 D3
Lloyd's of London EC3 — 15 C2
Lloyd's Ave EC3 — 16 D2
Lloyd's Row EC1 — 6 E3
Lodge Rd NW8 — 3 A3
Logan Ms W8 — 17 C2
Logan Pl W8 — 17 C2
Lollard St SE11 — 22 D2
Loman St SE1 — 14 F4
Lombard St EC3 — 15 B2
London Aquarium SE1 — 13 C4
London Bridge SE1 — 15 B3
London Bridge City Pier SE1 — 15 C3
London Bridge St SE1 — 15 B4
London Central Mosque NW1 — 3 B3
London Coliseum WC2 — 13 B3
London Dungeon SE1 — 15 C3
London Rd SE1 — 14 F5, 22 F1
London St W2 — 10 F1, 11 A1
London Transport Museum WC2 — 13 C2
London Wall EC2 — 15 A1
London Zoo NW1 — 4 D2
London, Museum of EC2 — 15 A1
Long Acre WC1 — 13 B2
Long La EC1 — 6 F5, 7 A5
Long La SE1 — 15 B5
Long Pond Rd SE3 — 24 D4
Longford St NW1 — 4 E4
Longridge Rd SW5 — 17 C2
Longville Rd SE11 — 22 F2
Lonsdale Rd W11 — 9 B2
Lord Hill Bridge W2 — 10 D1
Lord's Cricket Ground NW8 — 3 A3
Lorrimore Rd SE17 — 22 F4
Lorrimore Sq SE17 — 22 F4
Lot's Rd SW10 — 18 E5
Lothbury EC2 — 15 B1
Loughborough St SE11 — 22 D3
Lovat La EC3 — 15 C2
Love La EC2 — 15 A1
Lower Addison Gdns W14 — 9 A5
Lower Belgrave St SW1 — 20 E1
Lower Grosvenor Pl SW1 — 20 E1
Lower Marsh SE1 — 14 D5
Lower Sloane St SW1 — 20 D3
Lower Terr NW3 — 1 A4
Lower Thames St EC3 — 15 C3, 16 D3
Lowndes Pl SW1 — 20 D1
Lowndes Sq SW1 — 11 C5
Lowndes St SW1 — 20 D1
Lucan Pl SW3 — 19 B2
Ludgate Circus EC4 — 14 F1
Ludgate Hill EC4 — 14 F1
Luke St EC2 — 7 C4
Lupus St SW1 — 20 F3, 21 A3
Luscombe Way SW8 — 21 B5
Luton Pl SE10 — 23 B3
Luton St NW8 — 3 A4
Luxborough St W1 — 4 D5
Lyall St SW1 — 20 D1
Lyndale Clo SE3 — 24 E2

M

Mabledon Pl WC1 — 5 B3
Mablethorpe Rd SW6 — 17 A5
Macclesfield Rd EC1 — 7 A3
McGregor Rd W11 — 9 B1
Mackennal St NW8 — 3 B2
Mackeson Rd NW3 — 2 D5
Macklin St WC2 — 13 C1
Mackworth St NW1 — 4 F3
McLeod's Ms SW7 — 18 E1
Maclise Rd W14 — 17 A1
Madame Tussauds' NW1 — 4 D5
Maddox St W1 — 12 F2
Maiden La SE1 — 15 B4
Maiden La WC2 — 13 C2
Maidenstone Hill SE10 — 23 B4
Makepeace Ave N6 — 2 F3
Malet St WC1 — 5 A5
Mall, The SW1 — 12 F4, 13 A4
Mallord St SW3 — 19 A4
Mallow St EC1 — 7 B4
Malta St EC1 — 6 F4
Maltby St SE1 — 16 D5
Malton Rd W10 — 9 A1
Manchester Rd E14 — 23 B1
Manchester Sq W1 — 12 D1
Manchester St W1 — 12 D1
Manciple St SE1 — 15 B5
Mandela St NW1 — 4 F1
Mandela St SW9 — 22 E5
Mandeville Clo SE3 — 24 F3
Mandeville Pl W1 — 12 D1
Manette St W1 — 13 B1
Manor Pl SE17 — 22 F3
Manresa Rd SW3 — 19 A3
Mansell St E1 — 16 E2
Mansfield Rd NW3 — 2 E5
Mansford St E2 — 8 F2
Mansion House EC4 — 15 B2
Manson Pl SW7 — 18 F2
Maple St E2 — 8 F4
Maple St W1 — 4 F5
Marble Arch W1 — 11 C2
Marchbank Rd W14 — 17 B4
Marchmont St WC1 — 5 B4
Margaret St W1 — 12 F1
Margaretta Terr SW3 — 19 B4
Margery St WC1 — 6 D3
Marigold St SE16 — 16 F5
Marine St SE16 — 16 E5
Mark St EC2 — 7 C4
Market Entrance SW8 — 21 A5
Market Ms W1 — 12 E4
Markham Sq SW3 — 19 B3
Markham St SW3 — 19 B3
Marlborough Bldgs SW3 — 19 B2
Marlborough House SW1 — 13 A4
Marlborough Rd SW1 — 13 A4
Marlborough St SW3 — 19 B2
Marloes Rd W8 — 18 D1
Marshall St W1 — 12 F2
Marshalsea Rd SE1 — 15 A4
Marsham St SW1 — 21 B1
Mary Pl W11 — 9 A3
Mary St N1 — 7 A1
Marylebone High St W1 — 4 D5
Marylebone La W1 — 12 E1
Marylebone Rd NW1 — 3 B5, 4 D5
Marylee Way SE11 — 22 D2
Maryon Ms NW3 — 1 C5
Mason's Pl EC1 — 7 A3
Matheson Rd W14 — 17 B2
Matilda St N1 — 6 D1
Maunsel St SW1 — 21 A1
Mawbey St SW8 — 21 B5
Maxwell Rd SW6 — 18 D5
Maygood St N1 — 6 D2
Maze Hill SE10 — 24 D2
Meadow Rd SW8 — 21 C5, 22 D4
Mecklenburgh Gardens WC1 — 5 C4
Medway St SW1 — 21 A1
Melbury Rd W14 — 17 B1
Mendora Rd SW6 — 17 A5
Mercer St WC2 — 13 B2
Meredith St EC1 — 6 F3
Mermaid Ct SE1 — 15 B4
Merryfield SE3 — 24 F5
Merton La N6 — 2 E2
Methley St SE11 — 22 E3
Mews St E1 — 16 E3
Meymott St SE1 — 14 E4
Micawber St N1 — 7 A3
Middle St EC1 — 7 A5
Middle Temple La EC4 — 14 E2
Middlesex St E1 — 16 D1
Midland Pl E14 — 23 B1
Midland Rd NW1 — 5 B2
Milborne Gro SW10 — 18 F3
Miles St SW8 — 21 B4
Milford La WC2 — 14 D2
Milk St EC2 — 15 A1
Mill Row N1 — 8 D1
Mill St SE1 — 16 E5
Millbank SW1 — 21 B1
Millfield La N6 — 1 C1
Millfield La N6 — 2 D1
Millfield Pl N6 — 2 E3
Millman St WC1 — 5 C4
Milmans St SW10 — 19 A4
Milner St SW3 — 19 C1
Milson Rd W14 — 17 A1
Milton St EC2 — 7 B5
Milverton St SE11 — 22 E3
Mincing La EC3 — 15 C2
Minera Ms SW1 — 20 D2
Ministry of Defence SW1 — 13 C4
Minories EC3 — 16 D2
Minories Hill EC3 — 16 D2
Mint St SE1 — 15 A4
Mintern St N1 — 7 C2
Mirabel Rd SW6 — 17 B5
Mitchell St EC1 — 7 A4
Mitre Rd SE1 — 14 E4
Mitre St EC3 — 16 D2

Cada nombre va seguido de su distrito postal y del número de referencia del plano del Callejero

Upcerne Rd SW10	18 E5
Upper St N1	6 F1
Upper Terr NW3	1 A4
Upper Belgrave Street SW1	20 E1
Upper Berkeley St W1	11 C1
Upper Brook St W1	12 D2
Upper Cheyne Row SW3	19 B4
Upper Grosvenor St W1	12 D3
Upper Ground SE1	14 E3
Upper Marsh SE1	14 D5
Upper Montagu St W1	3 C5
Upper Phillimore Gdns W8	9 C5
Upper St Martin's La WC2	13 B2
Upper Thames St EC4	15 A2
Upper Wimpole St W1	4 D5
Upper Woburn Pl WC1	5 B4
US Embassy W1	12 D2
Uxbridge St W8	9 C3

V

Vale,The SW3	19 A4
Vale of Health NW3	1 B3
Valentine Pl SE1	14 F5
Vallance Rd E1,E2	8 F4
Vanbrugh Fields SE3	24 E3
Vanbrugh Hill SE3	24 E2
Vanbrugh Hill SE10	24 E1
Vanbrugh Pk SE3	24 E3
Vanbrugh Pk Rd SE3	24 F3
Vanbrugh Pk Rd West SE3	24 E3
Vanbrugh Terr SE3	24 F4
Vane Clo NW3	1 B5
Vanston Pl SW6	17 C5
Varndell St NW1	4 F3
Vassall Rd SW9	22 E5
Vaughan Way E1	16 F3
Vauxhall Bridge SW1	21 B3
Vauxhall Bridge Rd SW1, SE1	20 F1 / 21 A2
Vauxhall Gro SW8	21 C4
Vauxhall Park SW8	21 C4
Vauxhall St SE11	22 D3
Vauxhall Wlk SE11	21 C3
Vere St W1	12 E1
Vereker Rd W14	17 A3
Vernon Rise WC1	6 D3
Vernon St W14	17 A2
Vestry St N1	7 B3
Vicarage Gate W8	10 D4
Victoria & Albert Museum SW7	19 A1
Victoria Embankment EC4	14 E2
Victoria Embankment SW1	13 C4
Victoria Embankment WC2	13 C3
Victoria Embankment Gdns WC2	13 C3
Victoria Gro W8	18 E1
Victoria Rd W8	10 E5 / 18 E1
Victoria St SW1	13 B5 / 20 F1 / 21 A1
Victoria Tower Gardens SW1	21 C1
Villiers St WC2	13 C3
Vince St EC1	7 C3
Vincent Sq SW1	21 A2
Vincent St SW1	21 A2
Vincent Terr N1	6 F2
Vine La SE1	16 D4
Vine St EC3	16 D2
Vintner's Pl EC4	15 A2
Virginia Rd E2	8 D3
Virginia St E2	8 F3

W

Wakefield St WC1	5 C4
Wakley St EC1	6 F3
Walbrook EC4	15 B2
Walcot Sq SE11	22 E1
Waldorf Hotel WC2	13 C2
Walham Gro SW6	17 C5
Wallace Collection W1	12 D1
Walmer Rd W11	9 A3
Walnut Tree Rd SE10	24 E1
Walnut Tree Wlk SE11	22 D1
Walpole St SW3	19 C2
Walton Pl SW3	19 C1
Walton St SW3	19 B2
Wandon Rd SW6	18 E5
Wandsworth Rd SW8	21 B5
Wansdown Pl SW6	18 D5
Wapping High St E1	16 F4
Wardour St W1	13 A2
Warham St SE5	22 F5
Warner Pl E2	8 F2
Warner St EC1	6 E4
Warren St W1	4 F4
Warwick Gdns W14	17 B1
Warwick La EC4	14 F1
Warwick Rd SW5	18 D3
Warwick Rd W14	17 B1
Warwick Sq SW1	20 F2
Warwick St W1	12 F2
Warwick Way SW1	20 F2
Wat Tyler Rd SE10	23 B5
Waterford Rd SW6	18 D5
Waterloo Bridge SE1,WC2	14 D3
Waterloo Pl SW1	13 A3
Waterloo Rd SE1	14 E4
Waterson St E2	8 D3
Watling St EC4	15 A2
Weaver St E1	8 E4
Weavers La SE1	16 D4
Webb Rd SE3	24 E2
Webber Row SE1	14 E5
Webber St SE1	14 E4 / 15 A5
Weighouse St W1	12 D2
Welbeck St W1	12 D1
Well Rd NW3	1 B4
Well Wlk NW3	1 B4
Welland St SE10	23 B2
Weller St SE1	15 A5
Wellesley Terr N1	7 A3
Wellington Arch W1	12 D4
Wellington Bldgs SW1	20 E3
Wellington Pl NW8	3 A3
Wellington Rd NW8	3 A2
Wellington Row E2	8 E3
Wellington Sq SW3	19 C3
Wellington St WC2	13 C2
Wells Rise NW8	3 C1
Wells St W1	12 F1
Wenlock Basin N1	7 A2
Wenlock Rd N1	7 A2
Wenlock St N1	7 B2
Wentworth St E1	16 D1
Werrington St NW1	5 A2
Wesley's House & Chapel EC1	7 B4
West Sq SE11	22 F1
West St WC2	13 B2
West Cromwell Rd SW5,W14	17 B3
West Eaton Pl SW1	20 D1
West Ferry Rd E14	23 A1
West Gro SE10	23 B4
West Harding St EC4	14 E1
West Heath NW3	1 A3
West Heath Rd NW3	1 A4
West Hill Ct N6	2 E3
West Hill Pk N6	2 E3
West Pier E1	16 F4
West Smithfield EC1	14 F1
West Tenter St E1	16 E2
Westbourne Cres W2	10 F2
Westbourne Gdns W2	10 D1
Westbourne Gro W2	10 D2
Westbourne Gro W11	9 B2
Westbourne Pk Rd W2	10 D1
Westbourne Pk Rd W11	9 B1
Westbourne Pk Vlls W2	10 D1
Westbourne St W2	11 A2
Westbourne Terr W2	10 E1
Westcombe Hill SE10	24 F1
Westcombe Pk Rd SE3	24 E2
Westcott Rd SE17	22 F4
Westerdale Rd SE10	24 F1
Westgate Terr SW10	18 D3
Westgrove La SE10	23 B4
Westland Pl N1	7 B3
Westminster Abbey SW1	13 B5
Westminster Bridge SE1, SW1	13 C5
Westminster Bridge Rd SE1	14 D5
Westminster Cathedral SW1	20 F1
Westminster Hospital SW1	21 B1
Westminster School Playing Fields SW1	21 A2
Westmoreland Pl SW1	20 E3
Westmoreland St W1	4 D5
Westmoreland Terr SW1	20 E3
Weston Rise WC1	6 D3
Weston St SE1	15 C4
Westway A40(M) W10	9 A1
Wetherby Gdns SW5	18 E2
Wetherby Pl SW7	18 E2
Weymouth Ms W1	4 E5
Weymouth St W1	4 E5
Weymouth Terr E2	8 E2
Wharf Pl E2	8 F1
Wharf Rd N1	7 A2
Wharfdale Rd N1	5 C2
Wharton St WC1	6 D3
Wheatsheaf La SW8	21 C5
Wheler St E1	8 D4
Whetstone Pk WC2	14 D1
Whiston Rd E2	8 D1
Whitbread Brewery EC2	7 B5
Whitcomb St WC2	13 A3
White Lion St N1	6 E2
White's Row E1	8 D5
Whitechapel Art Gallery E1	16 E1
Whitechapel High St E1	16 E1
Whitechapel Rd E1	8 F5 / 16 E1
Whitechurch La E1	16 E1
Whitecross St EC1,EC2	7 A4
Whitefriars St EC4	14 E2
Whitehall SW1	13 B3
Whitehall Ct SW1	13 C4
Whitehall Pl SW1	13 B4
Whitehall Theatre SW1	13 B3
Whitehead's Gro SW3	19 B2
White's Grounds SE1	16 D4
Whitfield Rd SE3	23 C5
Whitfield St W1	5 A5
Whitgift St SE11	21 C2
Whitmore Rd N1	7 C1
Whitworth St SE10	24 D1
Wicker St E1	16 F2
Wickham St SE11	22 D3
Wicklow St WC1	5 C3
Wigmore Hall W1	12 E1
Wigmore St W1	12 D1
Wilcox Rd SW8	21 B5
Wild Ct WC2	13 C1
Wild St WC2	13 C1
Wild's Rents SE1	15 C5
Wildwood Gro NW3	1 A2
Wildwood Rise NW11	1 A1
Wildwood Rd NW11	1 A1
Wilfred St SW1	12 F5
Wilkinson St SW8	21 C5
William St SW1	11 C5
William IV St WC2	13 B3
William Rd NW1	4 F3
Willoughby Rd NW3	1 B5
Willow Pl SW1	20 F2
Willow Rd NW3	1 C4
Willow St EC2	7 C4
Wilmer Gdns N1	7 C1
Wilmer Gdns N1	8 D1
Wilmington Ms SW1	11 C5
Wilmington Sq WC1	6 E3
Wilsham St W11	9 A3
Wilkes St E1	8 E5
Wilson Gro SE16	16 F5
Wilson St EC2	7 C5
Wilton Cres SW1	12 D5
Wilton Pl SW1	12 D5
Wilton Rd SW1	20 F1
Wilton Row SW1	12 D5
Wilton Sq N1	7 B1
Wiltshire Row N1	7 B1
Wimborne St N1	7 B2
Wimpole Ms W1	4 E5
Wimpole St W1	4 E5 / 12 E1
Winchester Clo SE17	22 F2
Winchester St SW1	20 E3
Wincott St SE11	22 E2
Windmill Hill NW3	1 A4
Windmill Wlk SE1	14 E4
Windsor Terr N1	7 A3
Winfield House NW1	3 B3
Winforton St SE10	23 B4
Winnington Rd N2	1 B1
Winsland St W2	10 F1 / 11 A1
Woburn Pl WC1	5 B4
Woburn Sq WC1	5 B4
Woburn Wlk WC1	5 B4
Wolseley St SE1	16 E5
Wood Clo E2	8 F4
Wood St EC2	15 A1
Woodbridge St EC1	6 F4
Woodland Gro SE10	24 D1
Woodlands Pk Rd SE10	24 D2
Woods Ms W1	12 D2
Woodseer St E1	8 E5
Woodsford Sq W14	9 A4
Woodsome Rd NW5	2 F4
Woodstock St W1	12 E2
Woolwich Rd SE10	24 E1
Wootton St SE1	14 E4
Worfield St SW11	19 B5
World's End Pas SW10	18 F5
Wormwood St EC2	15 C1
Woronzow Rd NW8	3 A1
Worship St EC2	7 C4
Wren St WC1	6 D4
Wright's La W8	10 D5
Wycherley Clo SE3	24 E3
Wyclif St EC1	6 F3
Wyldes Clo NW11	1 A2
Wynan Rd E14	23 A1
Wyndham Rd SE5	22 F5
Wyndham St W1	3 C5
Wynford Rd N1	6 D2
Wynyatt St EC1	6 F3
Wyvil Rd SW8	21 B5

Y

Yardley St WC1	6 E4
Yeoman's Row SW3	19 B1
York Gate NW1	4 D4
York House Pl W8	10 D4
York Rd SE1	14 D4
York St W1	3 B5
York Ter East NW1	4 D4
York Ter West NW1	4 D4
York Way N1	5 C1

Cada nombre va seguido de su distrito postal y del número de referencia del plano del Callejero

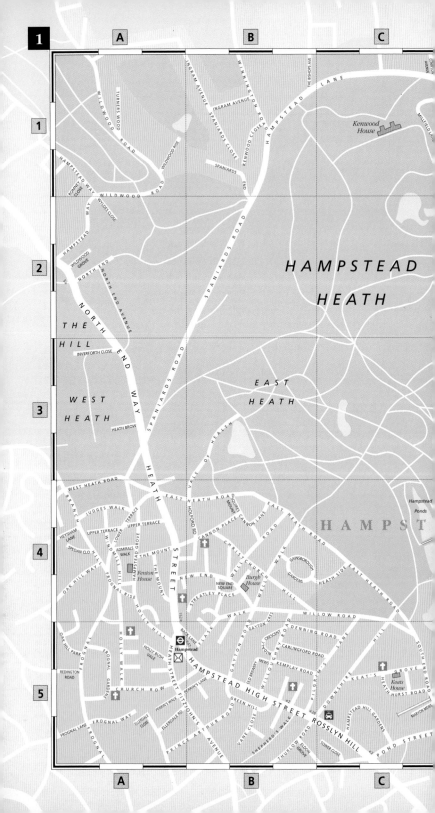

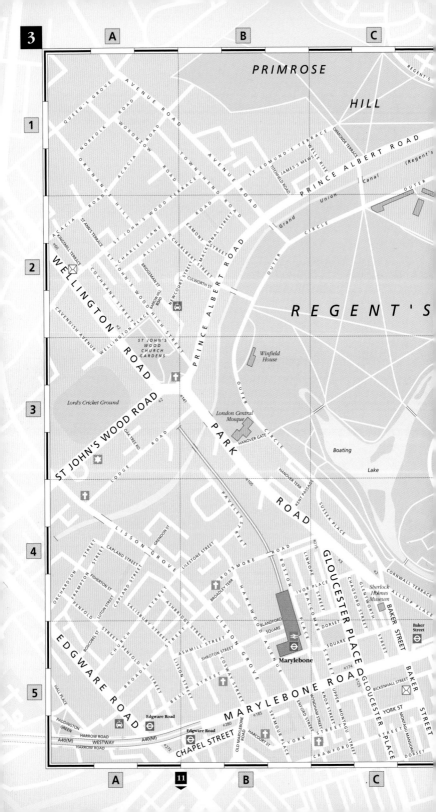

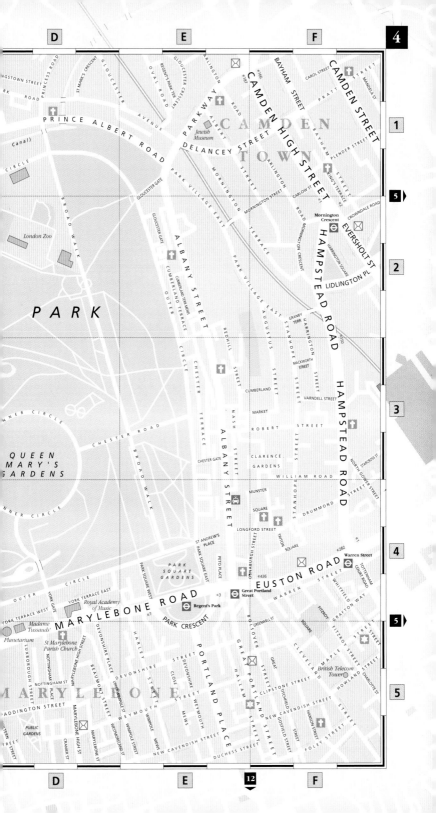

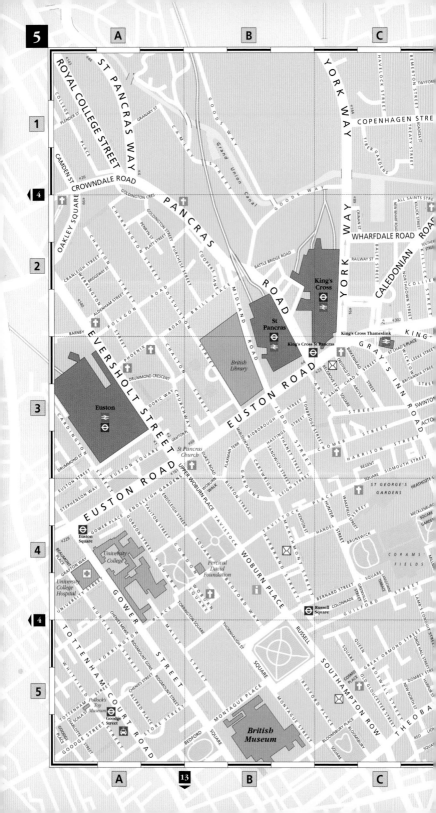

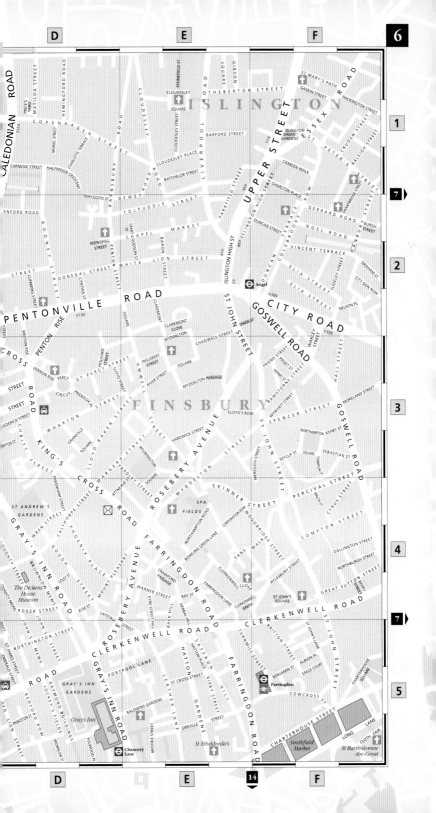

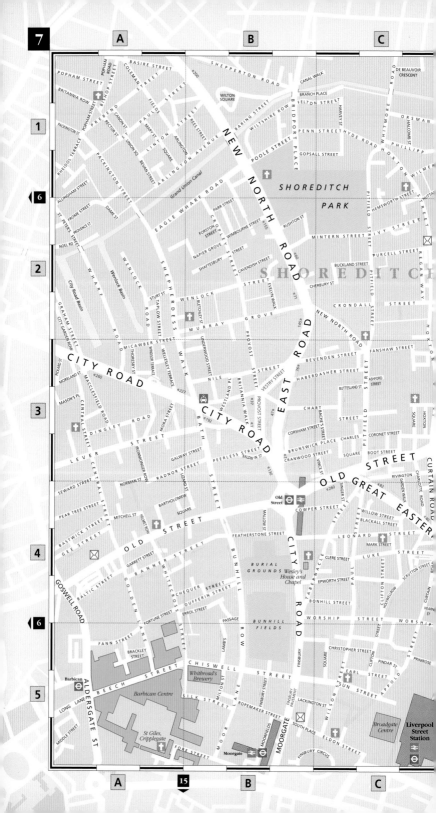

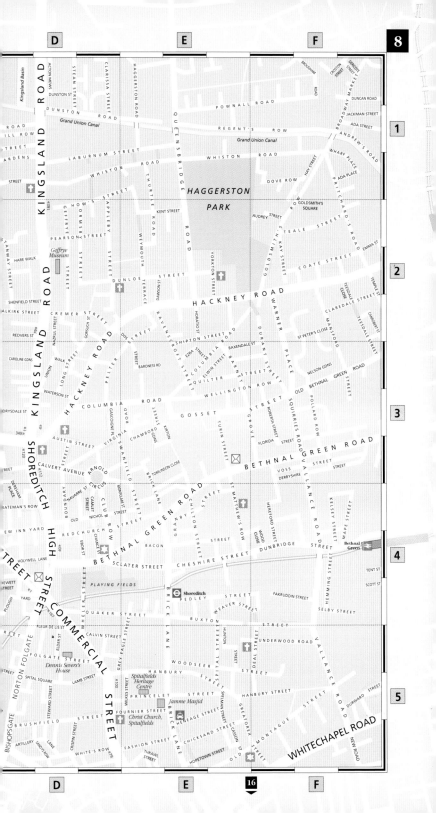

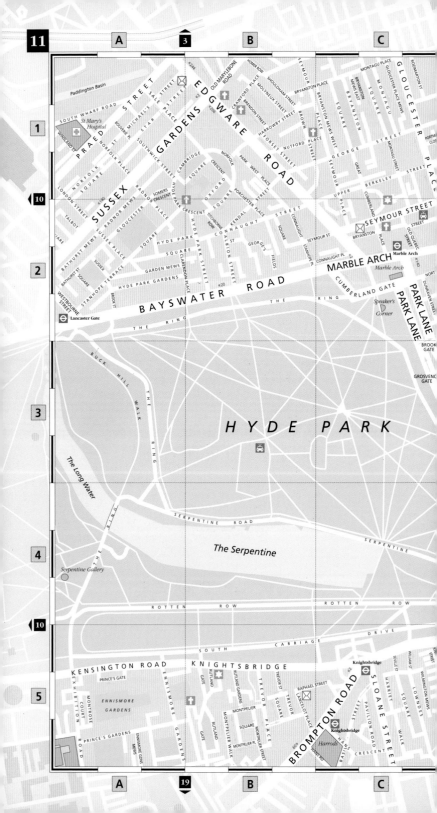

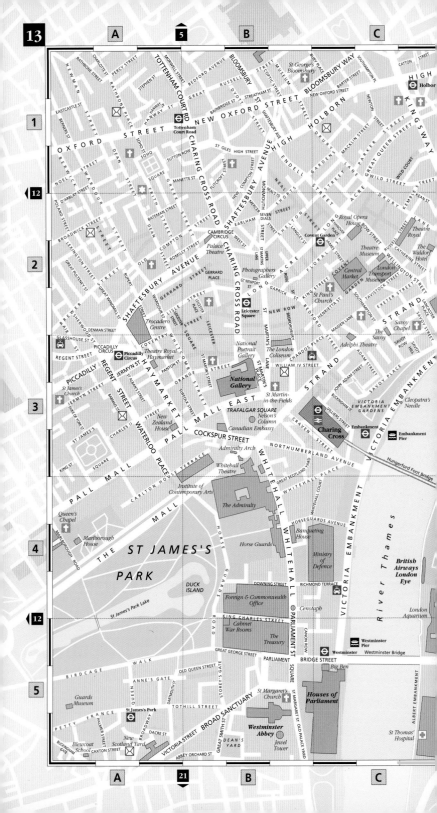

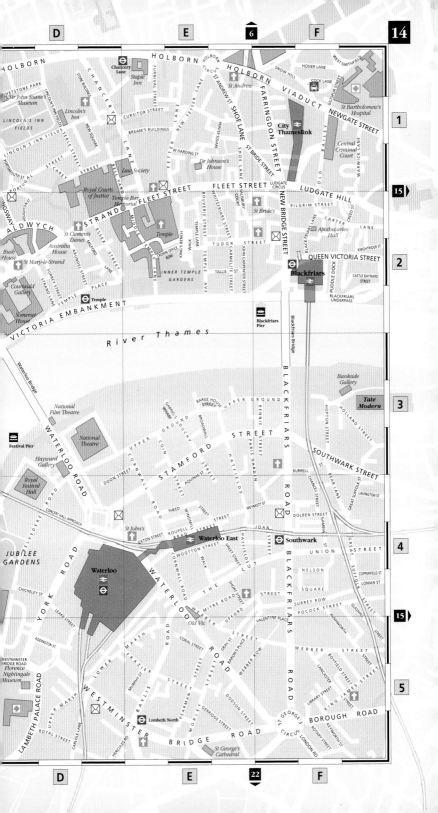

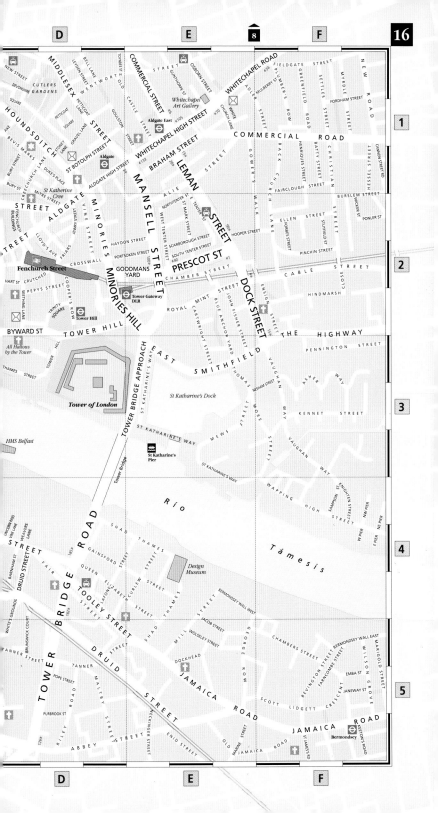

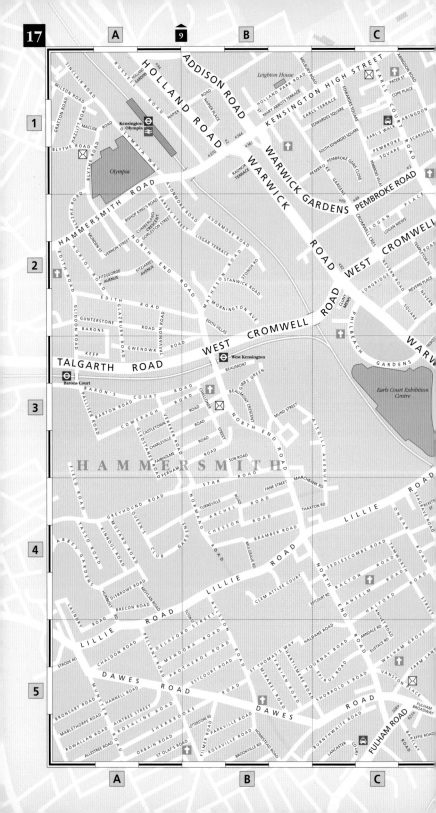

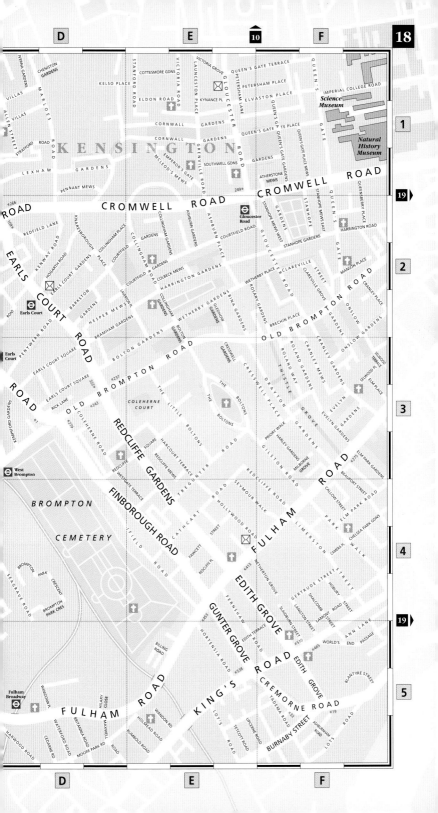

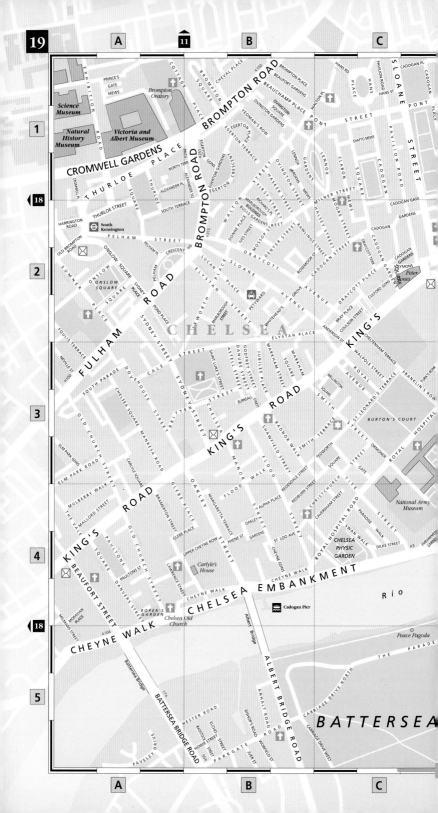

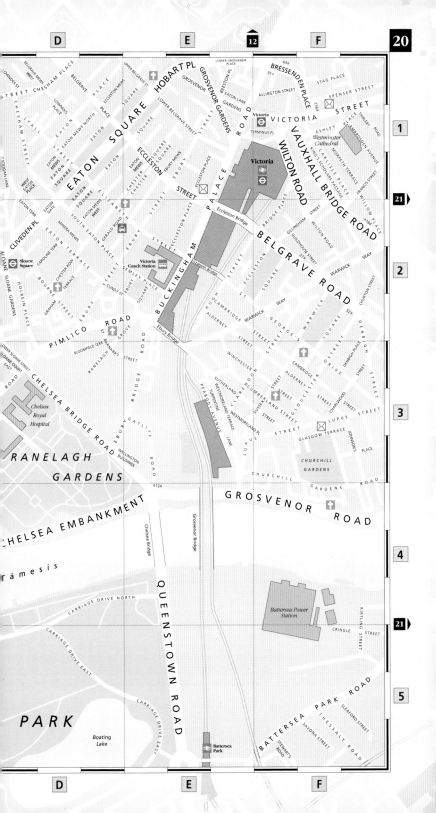

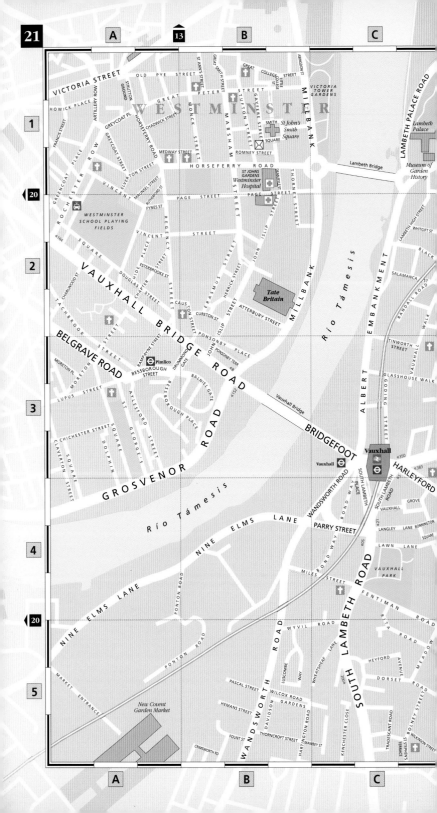

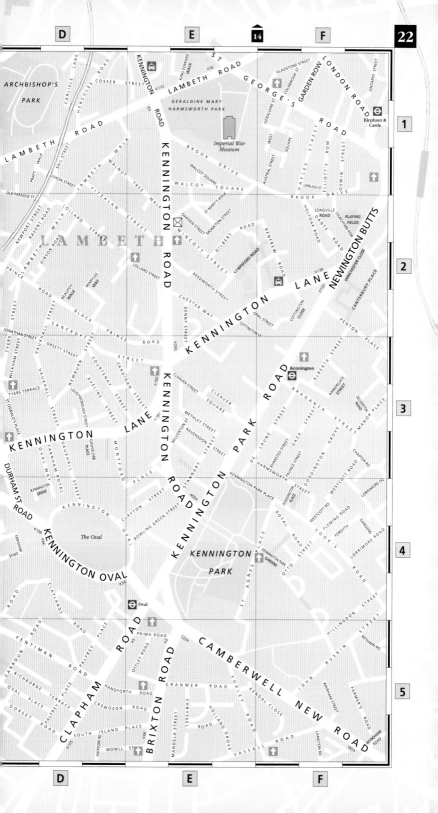

Índice general

Agradecimientos

EL PAIS-AGUILAR y DORLING KINDERSLEY quieren dar las gracias a las personas que, con su ayuda, han contribuido a la elaboración de este libro.

COLABORADOR PRINCIPAL
Michael Leapman nació en Londres en 1938 y es periodista desde que tenía 20 años. Ha trabajado para la mayoría de los periódicos británicos y en la actualidad escribe para diversas publicaciones, entre ellas *The Independent, Independent on Sunday, The Economist* y *Country Life*. Ha escrito diez libros, incluyendo *London's River* (1991) y el premiado *Companion Guide to New York* (1983, revisado en 1991). En 1989 editó el elogiado *Book of London*.

OTROS COLABORADORES
James Aufenast, Yvonne Deutch, Guy Dimond, George Foster, Iain Gale, Fiona Holman, Phil Harriss, Lindsay Hunt, Christopher Middleton, Steven Parissien, Christopher Pick, Bazyli Solowij, Matthew Tanner, Mark Wareham, Jude Welton, Ian Wisniewski.

EL PAIS-AGUILAR y DORLING KINDERSLEY quieren dar las gracias a los siguientes editores y documentalistas de Webster's International Publishers: Sandy Carr, Matthew Barrell, Siobhan Bremner, Serena Cross, Annie Galpin, Miriam Lloyd, Ava-Lee Tanner.

FOTOGRAFÍAS
Max Alexander, Peter Anderson, June Buck, Peter Chadwick, Michael Dent, Philip Dowell, Mike Dunning, Philip Enticknap, Andreas Einsiedel, Steve Gorton, Christi Graham, Alison Harris, Peter Hayman, Stephen Hayward, Roger Hilton, Ed Ironside, Colin Keates, Dave King, Neil Mersh, Nick Nichols, Robert O'Dea, Vincent Oliver, John Parker, Tim Ridley, Kim Sayer, Chris Stevens, James Stevenson, James Strachan, Doug Traverso, David Ward, Mathew Ward, Steven Wooster y Nick Wright.

ILUSTRACIONES
Ann Child, Tim Hayward, Fiona M Macpherson, Janos Marffy, David More, Chris D Orr, Richard Phipps, Michelle Ross, John Woodcock.

CARTOGRAFÍA
Maps Andrew Heritage, James Mills-Hicks, Chez Picthall, John Plumer (DK Cartography). Advanced Illustration (Cheshire), Contour Publishing (Derby), Euromap Ltd (Berkshire). Planos del callejero: ERA Maptec Ltd (Dublin) adaptados con permiso de la fuente original por Shobunsha (Japón).

INVESTIGACIÓN CARTOGRÁFICA
James Anderson, Roger Bullen, Tony Chambers, Ruth Duxbury, Jason Gough, Ailsa Heritage, Jayne Parsons, Donna Rispoli, Jill Tinsley, Andrew Thompson, Iorwerth Watkins.

DISEÑO Y EDICIÓN
Editor ejecutivo Douglas Amrine
Editor artístico Geoff Manders
Editor Georgina Matthews
Director editorial David Lamb
Director artístico Anne-Marie Bulat
Producción Hilary Stephens
Investigador fotográfico Ellen Root
Editor DTP Siri Lowe
Corrección de pruebas Kathryn Lane

Keith Addison, Elizabeth Atherton, Sam Atkinson, Oliver Bennett, Michelle Clark, Carey Combe, Vanessa Courtier, Lorna Damms, Jane Ewart, Simon Farbrother, Gadi Farfour, Fay Franklin, Simon Hall, Marcus Hardy, Sasha Heseltine, Paul Hines, Stephanie Jackson, Gail Jones, Nancy Jones, Stephen Knowlden, Esther Labi, Chris Lascelles, Jeanette Leung, Ferdie McDonald, Jane Middleton, Rebecca Milner, Fiona Morgan, Louise Parsons, Andrea Powell, Leigh Priest, Liz Rowe, Simon Ryder, Susannah Steel, Kathryn Steve, Anna Streiffert, Andrew Szudek, Hugh Thompson, Diana Vowles, Andy Wilkinson.

ASISTENCIA ESPECIAL
Christine Brandt en Kew Gardens, Sheila Brown en The Bank of England, John Cattermole en London Buses Northern, departamento de fotografía DK, especialmente Jenny Rayner, Pippa Grimes en the V&A, Emma Healy en Bethnal Green Museum of Childhood, Alan Hills en el British Museum, Emma Hutton y Cooling Brown Partnership, Gavin Morgan en el Museum of London, Clare Murphy en Historic Royal Palaces, Ali Naqei en el Science Museum, Patrizio Semproni, Caroline Shaw en el Natural History Museum, Gary Smith en British Rail, Monica Thurnauer en la Tate, Simon Wilson en la Tate, y Alistair Wardle.

REFERENCIA FOTOGRÁFICA
The London Aerial Photo Library, y P and P F James.

PERMISOS FOTOGRÁFICOS
EL PAIS-AGUILAR y DORLING KINDERSLEY agradecen la amabilidad de todos los museos, galerías, iglesias y otras instituciones por conceder los permisos necesarios para fotografiar en sus instituciones.

CRÉDITOS FOTOGRÁFICOS
a = arriba; ai = arriba izquierda; ac = arriba centro; ad = arriba derecha; cia = centro izquierda arriba; ca = centro arriba; cda = centro derecha arriba; ci = centro izquierda; c = centro; cd = centro derecha; ciab = centro izquierda abajo; cab = centro abajo; cdab = centro derecha abajo; abi = abajo izquierda; ab = abajo; abc = abajo centro; abd = abajo derecha.

Las reproducciones se han realizado con el permiso de los siguientes poseedores del copyright:

El baño, 1925, Pierre Bonnard © ADAGP, PARIS y DACS, LONDRES 2001 181ab; *After Lunch*, 1975 © PATRICK CAULFIELD. Todos los derechos reservados, DACS 2001 180a; *Teléfono langosta*, 1936 © SALVADOR DALI, FUNDACIÓN GALA-SALVADOR DALI/DACS 2001 41cd; *Standing by the Rags*, 1988 © LUCIAN FREUD 179ai; Composición: hombre y mujer, 1927, Alberto Giacometti © ADAGP, PARIS y DACS, LONDRES 2001 178ad; *Death from Death Hope Life Fear* (d) 1984 © GILBERT AND GEORGE 178llb; *Mr. and Mrs. Clark and Percy* (1970–71) © DAVID HOCKNEY 85a; busto de Lawrence of Arabia © LA FAMILIA DE ERIC H. KENNINGTON, RA 151abi; *Do We Turn Round Inside Houses, Or is It Houses*, 1977–85 © MARIO MERZ 178la; *Cold Dark Matter: An Exploded View*, 1991 © CORNELIA PARKER 85ab; las obras de Henry Moore de las siguientes páginas han sido reproducidas con el permiso de la HENRY MOORE FOUNDATION: 45c, 85c, 206ab, 266cab. *Soft Drainpipe-Blue (Cool) version*, 1967 © CLAES OLDENBURG 179c; *Maman*, 2000, Louise Bourgeois © ADAGP, PARIS y DACS, LONDRES 2001 181cd; *Summertime: Number 9A*, 1948, Jackson Pollock © ARS, NUEVA YORK y DACS, LONDRES 2001 181a; *Light Red Over Black*, 1957 © 1998 KATE ROTHKO PRIZEL AND CHRISTOPHER ROTHKO/DACS 179cd.

Los editores agradecen a las siguientes personas, compañías y bibliotecas los permisos concedidos para reproducir sus fotografías:

Con el permiso de THE ALBERMARLE CONNECTION: 91a; Arcaid: Richard Bryant, Architect Foster and Partners 126a; Richard Bryant 249cd; Arcblue: Peter Durant 189ci; The Art Archive: 19abi, 26c, 26bc, 27abi, 28abd, 29cda, 29ciab, 33ac, 33cd, 36abi, 188ab, 188abi; British Library, Londres 18cd; Imperial War Museum, Londres 30bc; Museum of London 15ab, 27abd, 28abi; Science Museum, Londres 27cia; Stoke Museum Staffordshire Polytechnic 23abi, 25ci, 33bc; Victoria and Albert Museum, Londres 20c, 21bc, 25ad;

Axiom: James Morris 164ai.
GOVERNOR AND COMPANY OF THE BANK OF ENGLAND: 145ad; Bridgeman Art Library, Londres: 21a, 28a; British Library, Londres 14, 19ad, (detalle) 21abd, 24cab, (detalle) 32ai, 32abi; Courtesy of the Institute of Directors, Londres 29cia; Guildhall Art Gallery, Corporation of London (detalle) 26a; Guildhall Library, Corporation of London 24abd, 76c; ML Holmes Jamestown–Yorktown Educational Trust, VA (detalle) 17bc; Master and Fellows, Magdalene College, Cambridge (detalle) 23ciab; Marylebone Cricket Club, Londres 246c; William Morris Gallery, Walthamstow 19ai, 249ai; Museum of London 22–3; O'Shea Gallery, Londres (detalle) 22ci; Royal Holloway & Bedford New College 157abi; Russell Cotes Art Gallery and Museum, Bournemouth 38ad; Thyssen-Bornemisza Collection, Lugano Casta 257ab; Westminster Abbey, Londres (detalle) 32bc; White House, Bond Street, Londres 28cab.
BRITISH AIRWAYS: Adrian Meredith: 356a, 358ai; reproducida con permiso del British Library Board: 125ab; © THE BRITISH MUSEUM: 16a, 16ca, 17ai, 40a, 91c, 126–7 todas las fotografías excepto 126a, 128–9 todas las fotografías.

CAMERA PRESS, LONDON: P. Abbey-LNS 73cab; Cecil Beaton 79ai; HRH Prince Andrew 95abi; Allan Warren 31cab; Collections: John Miller 163abi; COLORIFIC!: Steve Benbow 55a; David Levenson 66–7; Conran Restaurants 291cab, 314bc; CORBIS: 259a; Angelo Hornak 183ab; London Aerial Photo Library 189abi, 189a; COURTESY OF THE CORPORATION OF LONDON: 55c, 146a; COURTAULD INSTITUTE GALLERIES, Londres: 41c, 117ab.

PERCIVAL DAVID FOUNDATION OF CHINESE ART: 130c; © Dean & Chapter of Westminster 78abi, 79ad; DEPARTMENT OF TRANSPORT (CROWN COPYRIGHT): 363ab; DULWICH PICTURE GALLERY: 43abi, 250abi.

EASYJET: 356ab; EASY EVERYTHING: James Hamilton 353cd; ENGLISH HERITAGE: 252ab, 258ab; ENGLISH LIFE PUBLICATIONS LTD: 252ab; PHILIP ENTICKNAP: 255ad; MARY EVANS PICTURE LIBRARY: 16abi, 16abd, 17abi, 17abd, 20abi, 22abi, 24a, 25bc, 25abd, 27a, 27cab, 27bc, 30abi, 32abd, 33ai, 33ci, 33abi, 33abd, 36a, 36c, 38ai, 39abi, 72cab, 72ab, 90ab, 112ab, 114ab, 135a, 139a, 155abi, 159a, 162ca, 174ca, 177l, 207ab, 216a, 226abi.

Cortesía de FAN MUSEUM (The Helene Alexander Collection) 243ab; FREUD MUSEUM, Londres: 246a.

GATWICK EXPRESS: 359a; THE GORE HOTEL, Londres: 273ab; Gilbert Collection: 117a.

ROBERT HARDING PICTURE LIBRARY: 31ca, 42c, 52ca, 169ai, 327a, 349cab, 368ab; Philip Craven 210a; Brian Hawkes 21ciab; Michael Jenner 21cia, 242a; 58a, 227a; Mark Mawson 113ai; Nick Wood 63abi; HARROD's (reproducidas con el permiso de Mohamed al Fayed): 310ab; HAYES-DAVIDSON (imágenes de ordenador: 174abi; reproducidas con el permiso de HER MAJESTY's STATIONERY OFFICE (Crown Copyright): 156 todas las fotografías; JOHN HESELTINE: 12ad, 13ai, 13ad, 13cab, 13abd, 51ad, 63abd, 98, 124ab, 132, 142, 172, 220; FRIENDS OF HIGHGATE CEMETERY: 37ad, 244, 246ab; HISTORIC ROYAL PALACES (Crown Copyright): 5a, 35ac, 254–255 todas excepto 254abd, 256–7 todas excepto 257ab; THE HORNIMAN MUSEUM, Londres: 256abd; HOVERSPEED LTD: 361ab; HULTON GETTY: 24abi, 124ai, 135cd, 232a.
THE IMAGE BANK, Londres: Gio Barto 55ab; Derek Berwin 31a, 272a; Romilly Lockyer 72a, 94abd; Leo Mason 56a; Terry Williams 139ab; cortesía de ISIC, UK: 354a.

PETER JACKSON COLLECTION: 24–5; JEWISH MUSEUM, Londres: 247ai.

LEIGHTON HOUSE: 216ab; LITTLE ANGEL MARIONETTE THEATRE: 343ai; LONDON AMBULANCE SERVICE: 349ca; LONDON AQUARIUM: 188c, 188r; LONDON CITY AIRPORT: 360ab; LONDON DUNGEON: 183a; LONDON PALLADIUM: 103; LONDON REGIONAL TRANSPORT:

364a; LONDON TRANSPORT MUSEUM: 28ca, 364–5 todos los mapas y tiques.

MADAME TUSSAUDS: 222c, 224a; MANSELL COLLECTION: 19abd, 20a, 20abd, 21abi, 22a, 22ci, 23abd, 27ca, 32ad; METROPOLITAN POLICE SERVICE: 348a, 349a; ROB MOORE: 115a; MUSEUM OF LONDON: 16cab, 17ad, 17cab, 18a, 21cdab, 41ac, 166–7 todas las fotografías.

NATIONAL EXPRESS LTD: 360; reproducidas por cortesía de TRUSTEES, THE NATIONAL GALLERY, Londres: (detalle) 35c, 104–5 todas excepto 104a, 106–7 todas excepto 107a; NATIONAL PORTRAIT GALLERY, Londres: 4a, 41ai, 101cab, (detalle) 102ab; NATIONAL POSTAL MUSEUM, Londres: 26abi; con permiso de KEEPER OF THE NATIONAL RAILWAY MUSEUM, York: 28–9; NATIONAL TRUST PHOTOGRAPHIC LIBRARY: Wendy Aldiss 23ca; John Bethell 252a, 253a; Michael Boys 38ab; NATURAL HISTORY MUSEUM, Londres: 209a, 209cd; Derek Adams 208ab; John Downs 208c; NEW SHAKESPEARE THEATRE CO: 326abi.

P&O STENA LINE LTD: 337ab; PA PHOTOS LTD: 31cd; PALACE THEATRE ARCHIVE: 108a; PICTOR INTERNATIONAL, Londres: 61a, 174abd; PICTURES COLOUR LIBRARY: 54abd; PIPPA POP-INS CHILDREN'S HOTEL, Londres: 341ab; PITSHANGER MANOR MUSEUM: 258c; POPPERFOTO: 29ai, 29cdab, 30ai, 30ad, 30c, 33ad, 39abd; THE PORTOBELLO HOTEL: 273ad; POST HOUSE HEATHROW: Tim Young 361a; PRESS ASSOCIATION LTD: 29abi, 29abd; PUBLIC RECORD OFFICE (Crown Copyright): 18ab.

BILL RAFFERTY: 326abd; RAINFOREST CAFE: 341ci; REX FEATURES LTD: 53ai; Peter Brooker 53ad; Andrew Laenen 54c; THE RITZ, Londres: 91ab; ROCK CIRCUS: 100cab; ROYAL ACADEMY OF ARTS, Londres: 90ad; THE BOARD OF TRUSTEES OF THE ROYAL ARMOURIES: 41ad, 155ai, 157a, 157abd; ROYAL BOTANIC GARDENS, Kew: Andrew McRob 48ci, 56ab, 260–61 todas excepto 260a & 260abd; ROYAL COLLECTION, St JAMES's PALACE © HM THE QUEEN: 8–9, 53ab, 88a, 93a, 94–5 todas excepto 94abd & 95abi, 96a, 254abd; ROYAL COLLEGE OF MUSIC, Londres: 200c, 206c.

THE SAVOY GROUP: 116cd, 274a, 274abi; SCIENCE MUSEUM, Londres: 212cd, 212ab, 213ci, 213 cda, 213abi, 213abd; SCIENCE PHOTO LIBRARY: Maptec International Ltd 10ab; SPENCER HOUSE LTD: 88ab; SOUTHBANK PRESS OFFICE: 186abi; SYNDICATION INTERNATIONAL: 31abi, 35ad, 52cab, 53c, 58abi, 59a, 136; LIBRARY OF CONGRESS: 25abi.

TATE LONDON 2001: 41cd, 43abd, 82–3 todas, 84–5 todas, 178–9 todas, 180–81 todas.

Cortesía de BOARD OF TRUSTEES OF THE VICTORIA AND ALBERT MUSEUM: 35abd, 40ab, 201ci; 202–3 todas, 204–5 todas, 254ab, 342a.

THE WALDORF, Londres: 272ab; THE WALLACE COLLECTION, Londres: 40ca, 226c; PHILIP WAY PHOTOGRAPHY: 64lb, 150ciab, 177ab; cortesía TRUSTEES OF THE WEDGWOOD MUSEUM, Barlaston, Stoke-on-Trent, Staffs, Inglaterra: 26abd; VIVIENNE WESTWOOD: Patrick Fetherstonhaugh 31abd; THE WIMBLEDON LAWN TENNIS MUSEUM: Micky White 251a; PHOTO © WOODMANSTERNE: Jeremy Marks 35ai, 149a; Gregory Wrona 267r.

YOUTH HOSTEL ASSOCIATION: 277: Zefa: 10a, 52ab, 326c; Bob Croxford 57a; Clive Sawyer 57ab.

Cubierta: todas las fotografías especiales adicionales excepto THE IMAGE BANK, Londres: Romilly Lockyer abi, cdab; MUSEUM OF LONDON: bcr; NATURAL HISTORY MUSEUM: John Downs ci; TATE GALLERY: bcl; BOARD OF TRUSTEES OF THE VICTORIA AND ALBERT MUSEUM: ca.
Contracubierta: todas las fotografías especiales de Max Alexander, Philip Enticknap, John Heseltine, Stephen Oliver, Mathew Ward, Steven Wooster, excepto: LONDON TRANSPORT MUSEUM: cia; PICTOR INTERNATIONAL: abi.